RECLAMS KUNSTFÜHRER SPANIEN 2

RECLAMS KUNSTFÜHRER

SPANIEN

BAND 2

PHILIPP RECLAM JUN. STUTTGART

Andalusien

Kunstdenkmäler und Museen

VON
HORST VAN HEES

MIT 62 ABBILDUNGEN UND PLÄNEN
SOWIE 2 ÜBERSICHTSKARTEN

PHILIPP RECLAM JUN. STUTTGART

Die Deutsche Bibliothek – CIP-Einheitsaufnahme

Reclams Kunstführer Spanien. – Stuttgart ; Reclam.
(Universal-Bibliothek ; ...)
NE: Spanien

Bd. 2. Hees, Horst van: Andalusien. – 1992

Hees, Horst van:
Andalusien : Kunstdenkmäler und Museen / von Horst van
Hees. – Stuttgart : Reclam, 1992
(Reclams Kunstführer Spanien ; Bd. 2)
(Universal-Bibliothek ; Nr. 10373)
ISBN 3-15-010373-8
NE: 2. GT

Universal-Bibliothek Nr. 10373

Satz: Setzerei Lihs, Ludwigsburg
Druck und buchbinderische Verarbeitung: Wilhelm Röck, Weinsberg
Printed in Germany 1992
Einbandentwurf: Reichert Buchgestaltung Stuttgart
(Bildmotiv: Córdoba, Mezquita)

ISBN 3-15-010373-8

VORWORT

Spaniens größte historische Provinz nahm stets eine Sonderstellung ein – nicht nur während der maurischen Herrschaft, als Andalusien länger als andere Regionen der Iberischen Halbinsel zum islamischen Maghreb gehörte. Die Geschichte und die Kunst Andalusiens fügen sich zu einem faszinierenden Mosaik zusammen, das in dieser Vielfalt kein anderes Gebiet des an Historie und Kunstschätzen so reichen Spanien bieten kann.
Die Arbeiten für den Kunstführer Andalusien begannen schon vor 1980. Immer wieder, bis 1991, unternahm der Autor ausgedehnte Reisen in dem vergleichsweise riesigen Gebiet. Änderungen des Denkmälerbestands konnten so stets in das gleichzeitig entstehende Manuskript einfließen. Die hohe Zahl von besuchten Orten zwang schließlich zu einer Auswahl, die durch verlegerische Raison nochmals verkürzt wurde auf 72 Hauptartikel (mit Unter- bzw. Umgebungsorten), sehr zum Leidwesen des Autors. Tröstlich war allenfalls, daß der Verlag die bedeutendsten und an Kunstschätzen reichsten Orte ohne Kürzung beließ.
Eine allgemeine Darstellung der Kunst in Andalusien gab es bisher nicht von einem deutschen Kunsthistoriker. Selbstverständlich ist aber das nicht der ausreichende Grund dafür, daß in der deutschen Guidenliteratur zu Andalusien nicht wenige irrtümliche Angaben (Datierungen, Zuschreibungen, Zusammenhänge) hartnäckig fortleben. Neben den eigenen Recherchen erwies sich die Berücksichtigung der neueren spanischen Literatur als sehr hilfreich, so vor allem der beiden Bände »Andalucía« aus der Reihe »Tierras de España« der Fundación Juan March (Madrid 1980/81), der »Guía Artística de Sevilla y su Provincia« (Sevilla 1981), des »Inventario Artístico de Málaga y su Provincia« (Madrid 1985) und zahlreicher Einzelveröffentlichungen spanischer Kunsthistoriker, Historiker und Lokalforscher.

Im Zuge der Vorbereitungen auf das Jahr 1992 (Weltausstellung in Sevilla, 500-Jahr-Feiern der Eroberung Granadas und der Entdeckung Amerikas) wurden zahlreiche Denkmäler restauriert. Viele historische Außenbauten und Innenräume, insbesondere maurische und mudejare, wirken nunmehr wie aus dem Bilderbuch. In einigen Fällen erinnern Umgestaltungen und Erneuerungen an den Purismus des 19. Jahrhunderts und lassen die Beibehaltung oder eine Wiederherstellung des in Jahrhunderten gewachsenen Aspekts als wünschenswert erscheinen.

Für wertvolle Hilfe und Hinweise ist der Autor vielen spanischen (andalusischen) Amtsvorstehern und Geistlichen, Denkmalpflegern, Museumsleitern, Bibliothekaren und Heimatforschern in Dankbarkeit verbunden. Für ihre konstruktiv-kritische Unterstützung dankt der Autor ebenso herzlich den Herren von Lektorat und Redaktion des Verlags.

1992 *Horst van Hees*

ZUR ANLAGE DES BANDES

Die *Einleitung* informiert über die wesentlichen geschichtlichen und kunstgeschichtlichen Abläufe und Zusammenhänge in Andalusien. Sie enthält auch erklärende Hinweise zu den arabischen Stammes- bzw. Dynastienamen und zu den für Spanien charakteristischen Kunst- und Stilbegriffen, die außerdem in den *Fachwort-Erläuterungen* des Anhangs definiert sind.

Zusätzlich ist den großen Provinzhauptstädten ein eigenes geschichtliches und kunstgeschichtliches Einleitungskapitel vorangestellt. – Eine *Regententafel* führt die Herrscher Andalusiens (ab 1492 Spaniens) seit den Einfällen der Germanen, 409/411, auf.

Die *Umschrift arabischer Wörter und Namen* wurde vereinfacht nach deutschem Sprachgebrauch vorgenommen. Der Buchstabe *q* in einigen Wörtern (Qibla, Maqsura, Muqarnas) entspricht arabisch *kāf* (emphatisches *k*); *x* entspricht dem deutschen *ch* wie in »Nacht«, *y* dem deutschen *j* wie in »ja«.

Die *Ortsartikel* sind in alphabetischer Folge geordnet. Die *Ortsüberschriften* geben die Provinzzugehörigkeit an und nennen die Plankoordinaten auf der *Übersichtskarte*. Unselbständige Orte und Ortsteile sowie bedeutendere Einzelbauten (Burgen, Schlösser, Klöster, Wallfahrtsstätten) sind im *Orts- und Objektregister* an alphabetischer Stelle aufgeführt.

Die *Ordnung der Monumente* innerhalb der einzelnen Orte wurde unterschiedlich gehandhabt. Um das Auffinden der Objekte zu erleichtern, richtet sich die Ordnung in den größten Orten in der Regel nach Stadtvierteln bzw. der Umgebung herausragender Monumente oder bekannter Plätze und Straßen. In kleineren »Museumsstädten (-orten)« liegt der Ordnung ein empfehlenswerter Besichtigungsrundgang zugrunde. In den anderen Orten sind die Monumente in der Regel nach ihrer Funktion

(Sakral-, Festungs-, Profanbauten) oder entstehungszeitlich geordnet.
Ein ● neben dem Text soll auf künstlerisch-kunsthistorisch herausragende Bauten oder Details aufmerksam machen.
Zusätzlich wurde – auf den folgenden Seiten – eine Liste von *Hauptsehenswürdigkeiten* zusammengestellt.

HAUPTSEHENSWÜRDIGKEITEN

Provinz Almería

Almería: Catedral (S. 47).
Mojácar: Ortsanlage (S. 270).
Sante Fe de Mondújar: Los Millares (S. 304).
Vélez-Blanco: Cueva de los Letreros (S. 402).

Provinz Cádiz

Arcos de la Frontera: Ortsanlage (S. 71).
Cádiz: Santa Cueva (Goya-Gemälde S. 93); Museo (Phönizische Funde S. 96, Murillo-Zyklus aus Sta. Catalina S. 97).
Jerez de la Frontera: Alcázar (S. 234).
Tarifa: Stadtbild (S. 391).

Provinz Córdoba

Aguilar de la Frontera: Plaza de S. José (S. 43).
Alcaracejos: Basilica del Cerro del Germo (S. 44).
Córdoba: Moschee-Kathedrale (S. 114); Alcázar de los Reyes Cristianos (S. 134); Sinagoga (S. 136); Capilla de S. Bartolomé (S. 138); Sta. Marina (S. 141); S. Miguel (S. 142); S. Pablo (S. 143); Plaza de los Dolores (S. 147); Museo Arqueológico (S. 150); Museo de Bellas Artes (S. 152).
Medina az-Zahra: Gesamtanlage (S. 156); Dar al-Munk (S. 158).
Priego de Córdoba: Barrio »La Villa« (S. 285).

Provinz Granada

Granada: Alhambra (S. 176); Generalife (S. 196); Catedral (S. 198); Capilla Real (S. 203); Monasterio de S. Jerónimo (S. 208); Corral del Carbón (S. 209); Carrera del Darro (S. 210); Cartuja (S. 214); Albaicín (S. 217); Convento de Sta. Isabel la Real (Dar al-Horra S. 219).

Provinz Huelva

Niebla: Sta. María (S. 276); Stadtmauern (S. 277).
Palos de la Frontera: La Rábida (S. 284).

Provinz Jaén

Baeza: Stadtkern (Rundgang S. 73).
Jaén: Castillo (Capilla de Sta. Catalina S. 229); Baños de Alí (S. 229); Catedral (S. 229); S. Andrés (S. 231); Museo (Iberischer Stier von Porcuna S. 233).
Úbeda: Stadtkern (Rundgang S. 392).

Provinz Málaga

Antequera: Sta. María la Mayor (Fassade S. 60); Megalithische Grabbauten (S. 67).
Archidona: Plaza Ochavada (S. 70).
Benaoján: Cueva de la Pileta (S. 84).
Málaga: Alcazaba (S. 245); Gibralfaro (S. 247); Catedral (S. 247); Museo de Bellas Artes (S. 258).
Marbella (San Pedro de Alcántara): Basilica Vega del Mar (S. 263); Villa romana de Río Verde (S. 264).
Nerja: Cueva (S. 274).
Ronda: Barrio de San Francisco (S. 289); »La Ciudad« (S. 290); »El Mercadillo« (S. 298).

Provinz Sevilla

Bollulos de la Mitación: Ermita de N. S. de Cuatrovitas (S. 86).
Carmona: Sta. María (S. 98); S. Pedro (Capilla del Sagrario S. 100); Römische Nekropole (S. 105).
Écija: Plaza Mayor (S. 160).
Itálica (Santiponce): Gesamtanlage (S. 383).
Marchena: S. Juan Bautista (Hochaltar S. 264).
Osuna: Colegiata (S. 280).
Sevilla: Catedral (Orangenhof S. 312, Giralda S. 313, Christliche Kathedrale S. 317); Alcázar (S. 332); Barrio de Santa Cruz (S. 340); Torre del Oro (S. 342); Hospital de la Santa Caridad (S. 343); Capilla del Seminario (S. 348); El Salvador (S. 351); Casa de Pilatos (S. 360); Sta. María Magdalena (S. 364); Sta. Ana (S. 367); Museo Arqueológico (S. 370); Museo de Bellas Artes (S. 374, Murillo S. 377, Zurbarán S. 377, Valdés Leal S. 378).
Valencina de la Concepción: Megalithische Grabbauten (S. 401).

VERWENDETE ABKÜRZUNGEN

Es ist das Prinzip des Kunstführers, einen ohne weiteres lesbaren Text zu bieten. Einige immer wiederkehrende Wörter und Begriffe wurden zum Teil abgekürzt, beispielsweise:

A.D. = Anno Domini
A.H. = Anno Hegirae, islamische Jahreszählung ab Mohammeds Hedschra (622)
beg. = begonnen
bez. = bezeichnet
bzw. = beziehungsweise
d.Ä. = der Ältere
dat. = datiert
d. Gr. = der Große
d. J. = der Jüngere; des Jahres, der Jahre (u. ä.)
d.T. = (Johannes) der Täufer
ehem. = ehemalige(r)
eigtl. = eigentlich
Ev. = (Johannes) Evangelist
geb., * = geboren
gegr. = gegründet
gen. = genannt
gest., † = gestorben
got. = gotisch
hl. = heilig, Heilige(r)
hll. = heilige, Heilige (Mz.)
i. J. = im Jahre
Jh. = Jahrhundert
Jt. = Jahrtausend
kath. = katholisch
kgl. = königlich
klassizist. = klassizistisch
lt. = laut
mittelalterl. = mittelalterlich
N = Norden, Nord-
n. Chr. = nach Christus
nördl. = nördlich
O = Osten, Ost-
östl. = östlich
Prov. = Provinz
rd. = rund
roman. = romanisch
S = Süden, Süd-
S. = San
s. d. = siehe dort
sel. = selig, Selige(r)
sign. = signiert
s. o. = siehe oben, früher
sog. = sogenannt
SS. = Santi
St. = Sankt
Sta. = Santa
Sto. = Santo
Stos. = Santos
s. u. = siehe unten, später
südl. = südlich
u. a. = unter anderem; und andere(s)
u. ä. = und ähnliche(s)
ü. M. = (Höhe) über Meeresspiegel
urspr. = ursprünglich
v. a. = vor allem
v. Chr. = vor Christus
vgl. = vergleiche
W = Westen, West-
westl. = westlich
z. B. = zum Beispiel
z. T. = zum Teil
z. Z. = zur Zeit
→ = siehe

EINLEITUNG

»Al-Andalus« nannten die Araber das gesamte seit 711 auf der Iberischen Halbinsel eroberte Gebiet. Die exakte Bedeutung des erstmals 716 erwähnten Namens bleibt ungewiß; die Deutung einiger arabischer Autoren als Stammesname ist ebenso hypothetisch wie die Ableitung von »Vandalicia«, Land der Vandalen.
Die heutige Region Andalusien wird im Norden von der Sierra Morena, im Süden vom Mittelmeer, im Südwesten vom Atlantischen Ozean und im Nordwesten vom Río Guadina natürlich begrenzt; im Osten unterbricht die Grenze zur Provinz Murcia die geographische Einheit der Bätischen Kordilleren. Administrativ (seit 1834) umfaßt Andalusien, mit 87268 km^2 annähernd so groß wie Portugal, die spanischen Provinzen Sevilla, Cádiz, Huelva, Córdoba, Jaén, Granada, Almería und Málaga, deren Gesamtgebiet in etwa den ehemaligen maurischen Königreichen Sevilla, Córdoba, Jaén und Granada entspricht.

Vor- und Frühgeschichte

Jäger des Cro-Magnon-Menschentypus schufen im Jungpaläolithikum (rd. 20000–10000 v. Chr.) die Höhlenmalereien von *Doña Trinidad* bei Ardales (Prov. Málaga), *La Cala* bei Málaga, *La Pileta* bei Benaoján (Málaga) und *Las Palomas* (Cádiz). Mit der Einwanderung aus dem Vorderen Orient kamen im beginnenden Neolithikum (in Spanien etwa 4000–1800 v. Chr.) bäuerliche Lebensformen auf. Zahlreiche Fundstätten in Andalusien, so insbesondere die *Cueva de la Carigüela* von Piñar (Granada) und die *Cueva de Ambrosio* von Vélez Blanco (Almería), zeugen von der keramischen Produktion (sog. Cardium-, d. h. Herzmuschel-Keramik) dieser jungsteinzeitlichen Hirten und Bauern. Noch vor Beginn der Bronzezeit (1800–800 v. Chr.) kamen Einwanderer aus dem östlichen Mittelmeerraum, die einen neuen Grabtypus (Dolmen) mitbrachten, dessen bedeutendstes Beispiel die *Cueva de Menga* bei Antequera (Málaga) ist. Vieles spricht dafür, daß diese Einwanderer das sagenhafte *Reich von Tartessos* begründeten. Die *Stadt Tartessos* ist vielleicht identisch mit dem *Tarschich* des Alten Testaments; sie lag an der Südwestküste im Mündungsgebiet des Guadalquivir (der Fluß hieß vor 200 v. Chr. Tartessos, danach Baetis) an nicht bekannter Stelle und erhielt ihre besondere Bedeutung durch den Zinnzwischenhandel mit England und der Bretagne sowie durch Silber- und Kupferexporte. Um 1800–1500 v. Chr. begründeten Einwanderer aus dem Orient in Ostandalusien die *Argar-Kultur,* so genannt nach der bronzezeitlichen Stadtsiedlung *El Argar* bei Antas (Almería).

Vermutlich um 1100 v. Chr. gründeten *Phönizier* aus Tyros und Sidon die feste Stadt *Gadir* (Cádiz) als Umschlaghafen für den Zinnhandel, später *Malaka* (Málaga), *Sexi* (Almuñécar) und *Abdera* (Adra). Im 7. Jh. übernahmen *Karthager* die phönizischen Siedlungen und gründeten weitere Niederlassungen. Um 700 v. Chr. hatten *Griechen* die Stadt *Mainaké* (bei Málaga) gegründet, die enge Beziehungen zu Tartessos unterhielt und ebenso wie dieses um 500 v. Chr. von Karthagern zerstört wurde.

Die Einwanderung der eigentlichen geschichtlichen Urbevölkerung, der aus Afrika stammenden, vermutlich mit den Berbern verwandten *Iberer*, war bis etwa 800 v. Chr. abgeschlossen. Der Anteil der *Kelten*, die zwischen 800 und 500 v. Chr. über die Pyrenäen kamen, ist geringer als im Norden.

206 v. Chr. besiegte P. Cornelius Scipio (Africanus d.Ä.) die Karthager in der Schlacht bei Ilipa (Alcalá del Río) und gründete die Veteranenstadt *Itálica.* In der Folgezeit setzte ein rasch fortschreitender Romanisierungsprozeß ein; der Widerstand der einheimischen Bevölkerung gegen die römischen Eroberer, die erst 19 v. Chr. die Iberische Halbinsel völlig beherrschten, war im Süden (und Südosten) vergleichsweise gering.

Die **Kunst** entspricht im 8.–6. Jh. v. Chr. den Kulturen der phönizischen (karthagischen) und griechischen Siedler, unter deren Einfluß sich im 5. Jh. v. Chr. eine eigenständige **Iberische Kunst** herauszubilden begann. In der Steinbildhauerei nahm die *Tierskulptur* eine eigene Entwicklung, an deren Anfang im 4. Jh. v. Chr. von den Phöniziern vermittelte Vorbilder hethitisch-syrischer Tradition stehen (Stier aus Porcuna in Jaén; Löwe aus Nueva Carteya in Córdoba). Die zahlreichen *Votivfiguren* aus Bronze zeigen den Charakter einer naiv-archaisierenden Volkskunst. Die geometrisierende Keramik steht in punischer Tradition. Unter dem Einfluß des Römischen verlor die Iberische Kunst immer mehr ihre Eigenart, um schließlich im 1. Jh. ganz verdrängt zu werden.

Die Baetica bis 711

Die unter Augustus gebildete Provinz Baetica entspricht in etwa dem heutigen Andalusien. *Corduba*, seit dem späten 2. Jh. v. Chr. geistiges Zentrum der Halbinsel, wurde Verwaltungssitz. Die wichtigsten anderen Städte waren *Hispalis* (Sevilla), wegen seiner Lage am Baetis (Guadalquivir) von großer wirtschaftlicher Bedeutung, und *Gades* (Cádiz), nach Rom die bevölkerungsreichste Stadt des Imperiums. Die Anfänge des Christentums dürften in die Mitte des 2. Jh. zurückreichen; aus den Akten des Konzils von Elvira (bei Granada; zwischen 300 und 309) geht hervor, daß sich damals die meisten christlichen Gemeinden der Halbinsel in der Baetica befanden.
409 drangen von Gallien aus Alanen (ein ursprünglich iranischer Volksstamm), Sueben und Vandalen (Germanenstämme) in Spanien ein. Die Baetica kam 409/411 in die Gewalt der im Kern aus Schlesien stammenden *Vandalen* (Silingi), die jedoch schon 418 von dem für Rom kämpfenden Westgotenkönig Vallia entscheidend geschlagen wurden und 429 nach Afrika übersetzten. Die anschließende Herrschaft der *Sueben* wurde 461 durch die *Westgoten* mit

der Eroberung von *Sevilla* beendet. Erst Ende des 6. Jh. gelang es den Westgoten, die Einnahme der Halbinsel abzuschließen. Während der inneren Machtkämpfe in der 2. Hälfte des 6. Jh. kam die Baetica für einige Jahrzehnte unter die Herrschaft des bei Thronstreitigkeiten zur Hilfe gerufenen Byzanz. An den Strukturen und Lebensgewohnheiten der romanisierten Bevölkerung änderten die Westgoten, die stets nur eine dünne Oberschicht bildeten, zudem mit der Zeit ihre eigene Sprache und 589 (3. Konzil in Toledo) ihren arianischen zugunsten des katholischen Glaubens aufgaben, wenig.
Die Funde an **römischer Kunst** sind in der Baetica, bedingt durch die größere Siedlungsdichte, weitaus zahlreicher als in den anderen Provinzen der Halbinsel. Dies gilt ebenso für die frühchristliche Periode. Innerhalb der **westgotischen Kunst** fällt die Baetica durch eine reiche Produktion von *Reliefziegeln* auf, das sind mit Stempeln verzierte Platten, die in der Tradition römisch-nordafrikanischer Werkstätten stehen.

Das maurische Andalusien

Die Herrschaft der Westgoten endete durch Thronstreitigkeiten. Nach dem Tode Witizas (702–710) war Roderich, der aus Córdoba stammende Herzog der Baetica, durch legale Wahl zur Königswürde gelangt. Die Verfechter der von Witiza eingesetzten erblichen Thronfolge, die drei Söhne Witizas und deren Parteigänger, unter ihnen der Erzbischof von Sevilla, konspirierten gegen Roderich und gingen die Araber in Nordafrika (Mauretanien) um Hilfe an. Noch 710 setzte der Berber Tarif mit einem Kundschaftertrupp auf das spanische Festland über (s. Tarifa). Danach stellte der arabische Statthalter von Nordafrika, Musa ben Nusayr, eine etwa 7000 Mann starke Invasionsarmee unter dem Befehl des Berbers Tarik auf, die im April 711, während Roderich im Norden eine Rebellion bekämpfte, landete (s. Gibraltar) und im Juli 711 das Heer Roderichs im Tal des Río Barbate bei Vejer de la Frontera besiegte. (Die ältere Forschung lokalisiert die Schlacht wesentlich weiter nordwestlich an den Ufern des Guadalete bei Jerez de la Frontera.)

Schon Ende 711 beherrschten die Berber, die zu diesem Zeitpunkt von den Parteigängern der Söhne Witizas noch als Verbündete angesehen wurden, große Teile Andalusiens; Córdoba hatte sich im November ergeben. Als 712 Musa ben Nusayr mit einem weiteren Heer von etwa 18000 Mann, meist Arabern, hinzukam, war binnen weniger Monate ganz Andalusien und bis 718 die gesamte Halbinsel, außer Asturien und Kantabrien im Norden, in der Hand der Invasoren.

Hauptstadt im Sinne eines Aktionszentrums war seit 712 Sevilla, seit 717 Córdoba. Andalusien erlebte in den folgenden 40 Jahren eine bewegte Zeit interner Machtkämpfe zwischen Berbern und Arabern; diese behielten schließlich die Oberhand, als 740/741 ein Berberaufstand in Nordafrika die dort stationierten syrischen Truppen nach Spanien flüchten ließ.

Ein geordnetes Staatswesen entstand erst seit 756 mit der Gründung des unabhängigen Emirats von Córdoba durch Abd ar-Rahman I. (geb. 731, gest. 788), dem einzigen Überlebenden der 750 in Damaskus massakrierten Omayyaden-Dynastie. Am Ende seiner lange von Aufständen und Intrigen begleiteten Regierungszeit war Andalusien mit der Hauptstadt Córdoba Zentrum eines weite Teile der bis 718 eroberten Gebiete umfassenden islamischen Staats mit stehendem, meist aus Berbern und Sklaven gebildetem Heer. Abd ar-Rahman III. (912–961) ernannte sich 929 zum Kalifen und gab damit auch in religiöser Hinsicht die nominelle Verbindung mit Bagdad auf. Unter dem Kalifat von Córdoba erreichte die arabische Zivilisation auf der Halbinsel ihren glanzvollen Höhepunkt; die Hauptstadt Córdoba war im 10. Jh. die bedeutendste und reichste Stadt des mittelalterlichen Europa.

Nach dem Tode von al-Mansur (1002; span. »Almansor«), Regent des von ihm völlig entmachteten Hischam II., setzte schon bald der Verfall ein. 1010 begann ein Bürgerkrieg (arab. *fitna*) um die Thronfolge zwischen Omayyaden und Nachfahren al-Mansurs, der 1031 zum Untergang des Kalifats führte. Seit 1009 bildeten sich Teilreiche (Taifas), meist im Umkreis der größten Städte, so in Sevilla das 1023 begründete Königreich der *Abbadiden* (nach dem Dynastiegründer Muhammed ibn Abbad), dessen »Dichterkönig« al-Mutamid nach der Einnahme Toledos durch Alfons VI. (1085) die *Almoraviden* (arab. *al-Murabitun* ›Grenzwächter, eifrige Gottesdiener‹) rief, glaubensfanatische Berberstämme aus Nordafrika, die sich al-Andalus unterwarfen. Unter ihren Nachfolgern, den aus dem Atlasgebirge stammenden *Almohaden* (arab. *al-Muwahhidun* ›Bekenner der göttlichen Einheit‹), erlebte Andalusien seit 1147 nochmals eine kulturelle und wirtschaftliche Blüte.

Die Rückeroberung der Halbinsel durch die Christen, die Reconquista, hatte bereits 718 mit dem Widerstand der nach Norden geflüchteten Westgoten bei Covadonga (Asturien) ihren Anfang genommen. Die entscheidende Wende brachte 1212 die Schlacht von Las Navas de Tolosa, in der das vereinigte Heer der Könige von Kastilien, Aragón und Navarra die Streitmacht der Almohaden besiegte. 11 Jahre später war die Herrschaft der Almohaden zu Ende. Erneut bildeten sich Teilstaaten, die keine Kraft mehr hatten, das Vordringen der Christen abzuwehren.

Mit der Einnahme von Sevilla (1248), an der sich auch der maurische König von Granada als Vasall Ferdinands III. beteiligte, war die Reconquista vorläufig beendet. Übrig blieb in Südandalusien das von Gibraltar bis Almería reichende Nasridenreich von Granada, etwa in den Grenzen der heutigen Provinzen Málaga, Granada und Almería, die sich bis 1480 nicht wesentlich veränderten. Erst als der Thron Kastiliens für Isabella I. gesichert war, folgte die Endphase der Reconquista, die 1492 mit der Einnahme Granadas durch die Katholischen Könige, Isabella von Kastilien und Ferdinand von Aragón, abgeschlossen wurde.

Islamische Kunst in Spanien

Innerhalb der Kunstentwicklung des Islam bildete sich im omayyadischen Spanien ein neuer Stil heraus, der unter dem Kalifat im 10. Jh. zur Hochblüte gelangte. Seine großartigste Leistung in der Architektur ist die Moschee von Córdoba. Grundlage war die Bauweise der syrischen Omayyaden (Kalifat von Damaskus 661–750), die im Moscheebau den Transepttyp (erhöhtes breiteres Mittelschiff nach dem Vorbild frühchristlicher Basiliken), Mihrab, Maqsura, Minarett, Hufeisenbogen und Mosaikwerk einführten. Hinzu kamen Einflüsse aus Nordafrika (senkrecht zur Qibla-Wand verlaufende Schiffe, Strebepfeiler der Außenmauern) nach dem Vorbild der 774 erbauten Sidi-Oqba-Moschee in Kairuan sowie der frühen Abbasidenkunst (Abbasidenkalifat seit 763 in Bagdad), die sich in Vielpaß- und Zackenbogen, kufischem Schriftdekor und Ornamentstilisierung zeigen. Aus der Spätantike wurde der Farbenwechsel roter und weißer Bogensteine übernommen. Die spanisch-omayyadische Architektur verwendete ausschließlich den *runden* Hufeisenbogen und »erfand« das doppelgeschossige Arkadensystem der Moschee von Córdoba, das jedoch ohne Nachfolge blieb. Das Kunsthandwerk (Keramik, Elfenbein, Metallarbeiten) stand in frühabbasidischer Tradition.
Nach dem Untergang des Kalifats von Córdoba verlagerte sich der politische und kulturelle Schwerpunkt des Westislam von Andalusien nach Nordafrika; an die Stelle von Córdoba trat unter den Almoraviden die neue Hauptstadt Marrakesch. Die Architektur der Almoraviden und Almohaden bildet im Maghreb und in Spanien eine stilistische Einheit, geprägt vom spanischen Erbe. Auch der wichtigste Beitrag der Almoraviden zur maurischen Kunst,

das *Muqarnas-Gewölbe*, hat seine Vorform in der Moschee von Córdoba. Ende des 11. Jh. trat an die Stelle des runden Hufeisenbogens die spitze Form.
Unter den Almohaden wurde neben Marrakesch und Rabat auch Sevilla, die Residenz des Statthalters in Spanien, wieder Kulturzentrum. Das erhaltene Minarett (Giralda) der im späten 12. Jh. erbauten Großen Moschee, mit für die Almohadenzeit typischem Rautendekor und Doppelfenstern (*ajimeces*), geht ebenso wie die wuchtigen Türme in Rabat (Hassanturm) und Marrakesch (Kutubiya-Moschee) in der Grundform auf das Minarett der Moschee von Córdoba zurück.
Im 14. Jh. erlebte die westislamische Kunst unter den Nasriden von Granada nochmals einen Höhepunkt. Die Alhambra wurde zum »märchenhaften« Symbol arabisch-maurischer Kultur in Spanien. Eine alles überspinnende Flächendekoration läßt die Architektur traumhaft schwerelos erscheinen. Ohne selbst Neues hinzuzufügen, faßt der *Alhambra-Stil* die bisherigen formalen Entwicklungen der maurischen Kunst geradezu genial zusammen, verfeinert und vervollkommnet sie bis an die Grenze zur Dekadenz.
Die seit dem Kalifat blühende Keramik-Produktion setzte sich im maurischen Restandalusien fort und erreichte ihren Höhepunkt in der Herstellung von *Lüsterfayencen*. Málaga wurde im 14. Jh. berühmtes und führendes Exportzentrum (sog. Alhambravasen).

Geschichte und Kunst im christlichen Andalusien bis zur Einnahme von Granada (1492)

Auf die erste Rückeroberungsphase folgte ein langwieriger Prozeß kastilischer Neubesiedlung, der durch weitgehende Privilegien (span. *fueros*) gefördert wurde. Ferdinand III. verlegte das politische Zentrum Kastiliens von Toledo nach Sevilla. Die maurische Bevölkerung der Städte war zum großen Teil nach Granada geflohen oder vertrieben worden. Viele mußten auch die ländlichen Gebiete verlassen, nach einem 1264 von den Mauren Granadas unterstützten Aufstand der *Mudejaren* (von arab. *mudayyan* ›zum Bleiben ermächtigt‹, seit dem 13. Jh. gebrauchte Bezeichnung für die Mauren und ihre Nachkommen unter christlicher Herrschaft; im Gegensatz hierzu die *Mozaraber*, »Fast-Araber«, Christen unter maurischer Herrschaft, die nach 1147 von den Almohaden aus Andalusien vertrieben wurden).

Zahlreiche Klöster wurden gegründet; kastilische Strukturen und Lebensgewohnheiten begannen die wiedereroberten Regionen zu prägen. Abgesehen von der überall praktizierten Umwandlung der Moscheen in christliche Gotteshäuser entstanden im früh eroberten Osten (Baeza 1227, Úbeda 1234) und in Córdoba (1236) kirchliche Neubauten im romanisch-gotischen Übergangsstil. Alfons X., ein großer Verehrer und Bewunderer islamischer Kunst, ließ 1276–80 in Sevilla die gotische Kirche Sta. Ana mit Baumeistern und Handwerkern aus Burgos errichten. Anders als in dem 1085 rückeroberten Toledo, das durch die liberale Politik Alfons' VI. von Anfang an zu einem Zentrum der Mudejar-Kunst wurde, kamen in Andalusien die künstlerischen Traditionen des Westislam erst im 14. Jh. zur vollen Entfaltung.

Der *Mudejar-Stil* – so der im 19. Jh. eingeführte Stilbegriff für die Bau- und Dekorationskunst der »Mudejaren« – wurde in Andalusien, über die Traditionen der Kalifen- und Almohadenzeit und den Einfluß des Toledaner Mudejar hinaus, wesentlich von der maurischen Kunst Granadas geprägt. Maurische Handwerker aus Granada arbeiteten in Sevilla (1360 wurde der Alcázar Peters I. »des Grausamen« begonnen), ein maurischer Baumeister »Mohammed« ist seit 1325 in Córdoba bezeugt. Noch im 15. Jh., während des Baus der gotischen Kathedrale von Sevilla, entstanden zahlreiche gotisch-mudejare Kirchen und Profanbauten mit überwiegend maurischen Elementen.

Die hochgotische Skulptur blieb in Andalusien fremd und ist nur durch einige Madonnenbildnisse französischer

Provenienz vertreten. Atypisch auch sind die figürlichen Konsolen der 1252 von einem Kastilier erbauten Torre de Don Fadrique in Sevilla. Ebenso stammen die Kreuzigungsdarstellungen des 14. und 15. Jh. vorwiegend von kastilischen Meistern.
1454 wird erstmals namentlich ein in Andalusien tätiger ausländischer Bildhauer genannt: Lorenzo Mercadante de Bretaña, der in Sevilla den »modernen« Stil der burgundischen Spätgotik und die Terracotta-Skulptur einführte. Flämische und deutsche Meister begannen 1482 den Hochaltar der Kathedrale von Sevilla.
In der Malerei war bis zur Mitte des 15. Jh. der Stil der Internationalen Gotik bestimmend, wobei der sienesische Einfluß überwiegt und im reichen Dekor mudejare Formen vorherrschen (»Virgen de la Antigua«, »Virgen de los Remedios« in der Sevillaner Kathedrale). Unter niederländischem Einfluß bildete sich in der 2. Hälfte des 15. Jh. der sog. Hispano-flämische Stil heraus, dessen andalusisches Hauptwerk, die 1475 datierte »Verkündigung« von Pedro de Córdoba in der Moschee-Kathedrale von Córdoba, außergewöhnlich reich an mudejaren Elementen ist.

Andalusien nach der Rückeroberung Granadas. Geschichte und Kunst im 16. Jahrhundert

Das Jahr 1492 brachte neben dem Ende der Reconquista und der Entdeckung Amerikas auch die Vertreibung der Juden. Nur eine Minderheit akzeptierte die Alternative der christlichen Taufe und erregte sogleich den Argwohn der Inquisition. Von den rd. 500000 Mauren des Königreichs Granada war etwa die Hälfte nach Nordafrika geflohen. Die verbliebenen »Mudejaren« erfreuten sich nur kurze Zeit des ihnen in den Kapitulationsvereinbarungen zugesicherten Rechts auf freie Religionsausübung und Beibehaltung ihrer Sitten und Gebräuche. Eine zunächst friedliche Bekehrungskampagne des Erzbischofs Hernando de Talavera stieß auf heftige Kritik seiner politischen Gegner und fanatischer Christen, die es unerträglich fanden, daß in der Moschee von Granada weiterhin der Muezzin zum Gebet rief. Als 1499 der Erzbischof von Toledo, Kardinal Jiménez de Cisneros, im Einverständnis mit den Katholischen Königen zu harten Maßnahmen griff, brachen Revolten aus, die 1501 endgültig niedergeschlagen wurden und den Mudejaren jetzt nur noch die Wahl zwischen Taufe oder Ausweisung ließen. Ein geringer Teil emigrierte nach Nordafrika; die meisten blieben ihrer Heimat treu und hießen fortan *»Morisken«*. Ihre arabische Sprache, ihre traditionelle Kleidung und ihre Gebräuche wurden verboten – ein Verdikt, das Karl V. 1526 für 40 Jahre aussetzte. Nach Ablauf der Frist waren von Philipp II. allerdings keine Zugeständnisse mehr zu erwarten. Immer härtere Unterdrückungsmaßnahmen der Inquisition und der lokalen Obrigkeiten führten 1568 zum Aufstand, der in einen zweijährigen, von beiden Seiten mit äußerster Grausamkeit geführten Krieg mündete und vom Halbbruder des Königs, Juan de Austria, niedergeschlagen wurde. Die etwa 80000 überlebenden Morisken wurden aus dem ehemaligen Königreich Granada deportiert und über ganz Spanien verteilt; an ihre Stelle traten Bauernfamilien aus Galicien, Kantabrien, dem Baskenland und Kastilien.

Nach dem Ende der Reconquista und der Entdeckung Amerikas hatte die Einwanderung erheblich zugenommen. Außer immer neuen Wellen von Spaniern aus den nördlichen Gebieten kamen Portugiesen, Italiener, Franzosen, Flamen und Deutsche. Sevilla, seit 1503 mit dem Handelsmonopol für Amerika ausgestattet, vervielfachte seine Einwohnerzahl bis zum Ende des Jahrhunderts auf 125000 und war größte Stadt Spaniens. Die anderen Regionen Andalusiens nahmen, wenn auch in bescheidenerem Maße, an dem ungeheuren wirtschaftlichen Aufschwung der neuen Weltstadt teil. Lediglich das entvölkerte Gebiet um Almería, dessen Bodenschätze noch nicht entdeckt waren, bildete eine Ausnahme.

Innerhalb Spaniens gewann das reiche Andalusien immer mehr an Bedeutung und Eigenständigkeit. Der Aufstand der kastilischen Städte gegen Karl V. (Comuneros, 1520–21) fand hier keine Beteiligung. Abgesehen von den Moriskenerhebungen in Granada und Überfällen türkischer und berberischer Piraten an den Küsten herrschte innerer und äußerer Friede. Die Kriege der Habsburger fanden in der Ferne statt und wurden loyal mit Truppen und Geld unterstützt. Erst die Auseinandersetzung mit England sollte die Wende bringen: Als Sir Francis Drake 1587 im Hafen von Cádiz einen Teil der spanischen Flotte in Brand setzte, war dies wie ein Fanal des bald hereinbrechenden Niedergangs.

*

In der Baukunst setzte sich der Stilpluralismus fort. Bedeutendstes Beispiel des nach Isabella I. (1474–1504) benannten *Isabellinischen Stils*, einer Verbindung des Flamboyant mit mudejarer Schmuckfreudigkeit vor Eindringen der Renaissance, ist die 1517 von dem kastilischen Meister Enrique Egas vollendete Capilla Real in Granada. Der Ende des 15. Jh. in Spanien aufgekommene *plattereske Stil* (von span. *platero* ›Silber-/Goldschmied‹) mit seiner an Edelmetallarbeiten erinnernden Flächendekoration voll spätgotischer, mudejarer und frührenaissancistischer Stilelemente lombardischer und toskanischer Prägung hielt sich in Andalusien bis in das 17. Jh.; Zentren waren Sevilla (Rathaus 1526) und Granada. Gleichzeitig behauptete sich der *Mudejar-Stil*, seit dem frühen 16. Jh. in Verbindung mit Renaissance-Elementen (Casa de Pilatos in Sevilla). 1527 begann Pedro Machuca in den römisch-klassischen Formen Bramantes den Palast Karls V. in der Alhambra, ein Jahr später der ebenfalls in Italien geschulte Diego de Siloe in Granada die erste Renaissance-Kathedrale Spaniens. Auf den expressiven Manierismus des Cordubesen Hernán Ruiz II. (Kathedrale von Córdoba, Glockengeschoß der Giralda in Sevilla) folgte im späten 16. Jh. der nüchterne

»schmucklose« *Desornamentado-Stil*, nach dem Erbauer des Escorial auch *Herrera-Stil* genannt, die strenge, von der italienischen Hochrenaissance inspirierte Form der spanischen Renaissance unter dem asketischen Philipp II. (Lonja in Sevilla).
Die Anfang des Jahrhunderts noch spätgotischer Tradition verhaftete Skulptur richtete sich sehr bald nach Italien. Franzosen und Flamen (Miguel Perrin, Roque de Balduque) brachten Elemente der Renaissance im Norden; kastilische Meister waren in Italien geschult (Bartolomé Ordóñez, Diego de Siloe) oder kamen aus dem Umkreis von Alonso Berruguete, dem bedeutendsten Bildhauer des spanischen Manierismus (Isidro de Villoldo, Juan Bautista Vázquez d.Ä.). Unter den italienischen Meistern ragen die Florentiner Jacobo el Indaco und Pietro Torrigiano heraus; ebenso nachhaltigen Einfluß hatten die in Florenz gearbeiteten Grabmäler von Domenico Fancelli (Grabmal der Katholischen Könige in Granada, Grabmal des Bischofs Hurtado de Mendoza in Sevilla). Während vor 1550 Granada und Sevilla die wichtigsten Bildhauerzentren waren, verlagerte sich in der 2. Hälfte des Jahrhunderts der Schwerpunkt in die reiche Stadt am Guadalquivir, wo sich mit der Ankunft des Berruguete-Nachfolgers Juan Bautista Vázquez d.Ä. (1557) die traditionsreiche Bildhauerschule von Sevilla bildete.
Die andalusische Renaissance-Malerei begann unter flämischem und italienischem Einfluß mit Alejo Fernández, der vermutlich niederrheinischer Herkunft (er selbst nannte sich »der deutsche Maler«), seit 1496 in Córdoba tätig und 1508 nach Sevilla gekommen war. Pedro Machuca und Pedro de Campaña (Peeter de Kempeneer aus Brüssel), beide in Italien ausgebildet, führten in Granada (seit 1520) bzw. Sevilla (seit 1537) den römischen Manierismus ein. Bis über das 16. Jahrhundert hinaus sollten die Einflüsse Raffaels, Leonardos und Michelangelos die andalusische Malerei prägen.

Geschichte und Kunst Andalusiens im 17. Jahrhundert

Noch mehr Steuern als im übrigen Spanien wurden nach der verheerenden Niederlage der Armada 1588 vor England aus Andalusien gepreßt. Zur neuen Steuer auf die Grundnahrungsmittel, nach ihrem hohen Ertrag »Millones« genannt, kamen Sonderabgaben auf den Amerikahandel und auf brachliegendes Ackerland. Mit der Pestepidemie 1598–1601 begann auch in Sevilla die Bevölkerungszahl langsam aber stetig abzunehmen. Von der Vertreibung aller Morisken aus Spanien (1608–11) waren in Andalusien etwa 32000 betroffen, darunter viele Landarbeiter und Handwerker, die nunmehr der Wirtschaft fehlten. Bittere Nachteile auch hatte die britische Blockade der spanischen Amerika-Handelsflotte in den Jahren nach 1656; die Überfälle türkischer und berberischer Piraten in den Küstenregionen setzten sich fort. Besserung brachte die Regierungszeit Karls II. (1665–1700) durch den Frieden mit England und Portugal; andererseits führten Naturkatastrophen zu Hungersnöten. Die armen Bevölkerungsschichten konnten die hohen Preise für Importgetreide aus Kastilien, Italien und Afrika nicht bezahlen.
Trotz dieser widrigen Umstände sorgten hohe Geburtsraten und Neueinwanderer aus dem Norden dafür, daß die Bevölkerungszahl am Ende des Jahrhunderts nicht niedriger war als um 1600. Sevilla allerdings konnte das frühere Wohlstandsniveau nicht mehr erreichen, nachdem sich der Amerikahandel zunehmend nach Cádiz und in die Häfen seiner Bucht verlagert hatte.

*

In der Architektur widersprach der nüchterne *Baustil Herreras* dem andalusischen Hang zum Dekorativen, Erbe einer langen islamischen und mudejaren Tradition, und setzte sich kaum durch. Sein Einfluß auf den andalusischen Barock blieb relativ gering. Dieser folgte den renaissancistischen Prinzipien Siloes, Vandelviras und Hernán

Ruiz' II., setzte das manieristische Konzept fort. Der *italienische Einfluß* auf die Barockarchitektur war in Andalusien weitaus stärker als im übrigen Spanien; so reicht z. B. die Nachfolge der vom italienischen Manierismus geprägten Fassade der Chancellería in Granada (1587) über das Hospital de la Caridad in Sevilla (1657) bis zum spätbarocken Bischofspalast in Málaga. Neue Wege zeigte der Architekt, Bildhauer und Maler Alonso Cano (Fassade der Kathedrale von Granada, 1667). Im letzten Drittel des 17. Jh. erreichte der *andalusische Barock* seine volle Reife; Zentren mit regionalen Ausprägungen waren Sevilla, Granada, Córdoba und Málaga.

In der Skulptur hatte schon im späten 16. Jahrhundert die Hinwendung zum Realismus eingesetzt. Juan Martínez Montañés, seit 1587 in Sevilla, wurde das Haupt der Bildhauerschule, die bis zum Ende des Jahrhunderts auf ganz Andalusien ausstrahlte. Ausgewogenheit in Haltung, Gebärde, Figurenaufbau und Faltensprache, Verinnerlichung des Ausdrucks prägen seinen Stil, der erst in der Spätzeit »barocker« im Sinne von »bewegt« und »dramatisch« wird (»Schlacht der Engel« in Jerez de la Frontera). Mehr zur Dramatik neigte sein Schüler Juan de Mesa († 1627), wohl der bedeutendste Schöpfer andalusischer Christus-Figuren (»Jesús del Gran Poder«, Sevilla). Ein weiteres Zentrum war Granada, mit Alonso Cano an der Spitze, dessen realistisch-idealistischen Figuren jede Heftigkeit fehlt. Sparsame Gebärden steigern die verinnerlichte Ausdruckskraft der Figuren seiner Schüler, Pedro de Mena (Chorgestühl der Kathedrale von Málaga, 1658–62) und José de Mora (»Immaculata«, Iglesia de los Stos. Justo y Pastor in Granada, 1671).

Sevilla blieb auch in der 2. Hälfte des Jahrhunderts Mittelpunkt. Seit 1636 hatte dort der Flame José de Arce (Aertz) die hochbarocken Tendenzen Berninis eingeführt. Gesteigerte Bewegung, Pathos und Theatralik begannen an die Stelle der bisherigen Schlichtheit und Zurückhaltung zu treten. Auch die Skulptur in der Tradition Montañés' und

Canos nahm viele dieser Elemente auf. Ihren Höhepunkt erreichte die andalusische Barock-Skulptur der 2. Hälfte des 17. Jh. im umfangreichen, von den Schulen Granadas und Sevillas geprägten Œuvre von Pedro Roldán (»Grablegung Christi« im Hospital de la Caridad, Sevilla, 1670–72) und seiner Werkstatt.

Andalusiens Barock-Malerei erlangte europäische Geltung durch die *»Schule von Sevilla«*, verbunden mit den Namen ihrer Hauptmeister Zurbarán, Murillo und Valdés Leal. Wegbereiter waren der Naturalismus Roelas' († 1625) und Herreras d.Ä. († 1656) sowie die kunsttheoretischen Schriften des gelehrten Humanisten und (eher mittelmäßigen) Malers Francisco Pacheco, dessen Haus in Sevilla zum geistigen Mittelpunkt wurde. Zu seinen Freunden zählte neben Cervantes auch der andalusische Barockdichter Luis de Gongora (1561–1627). Seine bedeutendsten Schüler in Sevilla waren Velázquez und Alonso Cano, die sich später von der Hell-Dunkel-Malerei Caravaggios lösten. Alonso Cano begründete nach seiner Sevillaner und Madrider Zeit 1652 die barocke Schule von Granada.

Das 18. Jahrhundert

Der Dynastiewechsel von den Habsburgern zu den Bourbonen nach dem Tode Karls II. (1700) ließ Andalusien auf bessere Zeiten hoffen. Im sich anschließenden Spanischen Erbfolgekrieg ging 1704 Gibraltar verloren. Nach der endgültigen Sicherung des spanischen Throns für Philipp V. (Frieden von Utrecht, 1713) brachte die Reformpolitik der Bourbonen dann auch den ersehnten wirtschaftlichen Aufschwung; staatliche und private Industriegründungen schufen Tausende neuer Arbeitsplätze (Kgl. Tabakfabrik Sevilla, Eisenblechfabrik Ronda). Neben Sevilla stieg Cádiz zum bedeutendsten Handelszentrum auf, nachdem 1717 die Verwaltung für den Handel mit der Neuen Welt (Casa de Contratación) dorthin verlegt worden war. Der Wiederaufbau der spanischen Flotte und Verträge mit nordafrika-

nischen Staaten zur Ächtung der Piraterie führten zur Wiederbesiedlung der Küstenregionen. Im Landesinnern (Sierra Morena, Gebiete um Córdoba) ließ die Bevölkerungspolitik Karls III. (1759–88) neue, oft von deutschen Einwanderern gegründete Gemeinden entstehen (La Carolina, La Carlota, La Luisiana). Zwischen 1713 und 1797 erhöhte sich die Bevölkerungszahl Andalusiens von einer Million auf 1900000 (in Gesamtspanien von 8 auf 10,5 Millionen).
Das geistige und kulturelle Leben bekam neue Impulse durch die Gründung der Königlichen Akademien (Kgl. Kollegium für Chirurgie in Cádiz, 1750; Kgl. Akademie für Literatur in Sevilla, 1752). Bereits 1697, mit der Gründung der »Kgl. Sevillaner Gesellschaft für Medizin«, hatte der intellektuelle Kampf zwischen »Neuerern« und »Traditionalisten« begonnen; die Universität Sevilla, wie die anderen spanischen Universitäten während des 17. Jh. Bollwerk des Obskurantismus, versuchte am Madrider Hof vergeblich, die neue Gesellschaft und ihre »modernen kartesianischen Doktrinen« verbieten zu lassen.

*

In der Architektur verstärkten sich die typischen Ausprägungen der verschiedenen regionalen Schulen. Frühestes Beispiel eines eigenen *»Sevillaner Barock«* ist die 1691–1709 von Leonardo de Figueroa wiedererbaute ehem. Dominikanerkirche in Sevilla (heute Pfarrkirche Sta. María Magdalena). Sogenannte Salomonische (gedrehte) Säulen finden auch am Außenbau Verwendung; in der Sakristei der Cartuja von Granada erzielt der *»Churriguerismus«* nicht mehr steigerungsfähige Effekte. Spätgotische, plateresk und barocke Elemente verbinden sich in der wuchernden Dekoration des in Kastilien teilweise von José Benito de Churriguera entwickelten und nach diesem benannten Stil des spanischen Rokoko, der sich in der 1. Hälfte des Jahrhunderts in zahlreichen Kirchen entfaltete.

Den *Übergang* vom Spätbarock zum Klassizismus dokumentieren insbesondere Teilrekonstruktionen vieler durch das Erdbeben von Lissabon (1755) beschädigter Bauten. Die Erneuerung der Kunst im Sinne der Antike war in ganz Spanien mit der Gründung der Real Academia de Bellas Artes de S. Fernando (Kgl. Akademie der Schönen Künste) verbunden, die 1752 ihre programmatische Arbeit aufgenommen hatte. Seit 1777 mußten ihr alle Projekte zur Zustimmung vorgelegt werden. Ventura Rodríguez, der bedeutendste spanische Architekt dieser Übergangszeit und erster Direktor der Akademie, entwarf den Sagrario der Kathedrale von Jaén, leitete in der Nachfolge des Franzosen Balthasar Dreventon den Bau der Kirche Sta. Victoria in Córdoba. In Cádiz leitete Torcuato Cayón de la Vega eine rege klassizistische Bautätigkeit ein. Um 1800 setzte sich der »reine« *Klassizismus* Villanuevas, des Erbauers des Madrider Prado, durch (Rathaus in Cádiz).
In der Skulptur wurde die granadinische Schule Canos u. a. von José Risueño weitergeführt (»Ecce Homo«, »Mater Dolorosa« in der Capilla Real von Granada, 1712–32). Letzter bedeutender Meister des »ausgeglichenen« granadinischen Barockstils war Torcuato Ruiz del Peral (»Virgen de las Angustias« in der Kirche Sta. María der Alhambra, »Johannesschüssel« in der Kathedrale von Granada). Mit Pedro Duque Cornejo erreichte der »bewegte« Barock der Sevillaner Schule seinen letzten Höhepunkt (»Maria Magdalena« in der Cartuja von Granada; »churriguereskes« Chorgestühl der Kathedrale von Córdoba).
Auch in der Malerei setzte José Risueño die Tradition Alonso Canos fort, verbunden mit Einflüssen von Rubens und van Dyck. Lucas Valdés († 1725) und Bernardo Germán Llorente († 1759) waren die bedeutendsten Nachfolger der Schule von Sevilla, mit deren Ende die andalusische Malerei ihre schöpferische Kraft verloren hatte.

19. und 20. Jahrhundert

Im Spanischen Unabhängigkeitskrieg (1808–13) erregte die Niederlage der Franzosen bei Bailén in der Provinz Jaén (19. Juli 1808) Aufsehen und Hoffnung in Europa: Der Bann der Unbesiegbarkeit Napoleons war gebrochen. Nach der Niederlage der Spanier bei Ocaña in der Provinz Toledo (1809) geriet Andalusien bis 1812 unter französische Fremdherrschaft. Letzter Hort der Freiheit war Cádiz, uneinnehmbar durch seine starken Befestigungen. Hier tagten während der Belagerung die Cortes und beschlossen 1812 die zwei Jahre später von Ferdinand VII. wieder außer Kraft gesetzte erste liberale Verfassung Spaniens.

Während der französischen Herrschaft hatte in der Neuen Welt der Kampf um die Unabhängigkeit begonnen. Als 1820 ein Expeditionsheer in Cádiz die Einschiffung nach Amerika verweigerte, erfaßte die Revolte ganz Spanien, zwang Ferdinand VII. zum Eid auf die Verfassung von 1812. Die geforderten Reformen wurden vollzogen.

1823 flüchtete die liberale Regierung vor den von Ferdinand VII. zur Hilfe gerufenen Franzosen (»Hunderttausend Söhne des Hl. Ludwig«) unter dem Herzog von Angoulême von Madrid nach Sevilla und mußte schließlich in Cádiz den mitgeführten König freilassen. Die seit 1820 beschlossenen Reformen wurden widerrufen. Das folgende »absolutistische Dezennium« brachte die brutale Unterdrückung aller freiheitlichen Ideen (Erschießung Torrijos und seiner Gefährten 1831 in Málaga).

Auch die Karlistenkriege (1833–39, 1847–49, 1872–76) bezogen Andalusien ein. 1868 nahm die Militärrevolte der liberalen Generale Prim und Serrano, die zum Sturz Isabellas II. führte, wiederum in Cádiz ihren Anfang.

Unterschiedliche Auswirkungen hatte seit 1836 die Demortización, die Konfiskation und der Verkauf des gesamten kirchlichen und klösterlichen Besitzes. Im Gebirgsland brachte sie den Kleinbauern Eigenbesitz; in den fruchtbaren Ebenen ließ sie neue Latifundien entstehen und machte das Heer der Tagelöhner noch ärmer. Mehr als das übrige Spanien war Andalusien vom Verlust der Kolonien betroffen. Der Handelshafen Cádiz verlor seine Vormachtstellung zugunsten Barcelonas. Der Industrialisierungsprozeß kam kaum voran. Die reichen Eisenerz- und Kupfervorkommen wurden von ausländischen Gesellschaften für den Export ausgebeutet. Arbeitslosigkeit auf dem Lande und in den wenig industrialisierten Städten ließen in den letzten beiden Jahrzehnten des 19. Jh. mehr als eine halbe Million Andalusier in die Industriegebiete Kataloniens und des Baskenlands auswandern.

Besserung brachte der 1. Weltkrieg, als das neutrale Spanien den kriegführenden Mächten Vorteile auf den Weltmärkten abgewinnen konnte. Nach politisch bewegten Krisenjahren folgte, gefördert durch die gute Konjunktur vor der Weltwirtschaftskrise, unter der »väterlichen« Diktatur von Primo de Rivera ein weiterer ökonomischer Aufstieg, der 1929 in der Ibero-Amerikanischen Ausstellung in Sevilla sichtbaren Ausdruck fand.

Zum Sieg der Republikaner bei den Gemeindewahlen im April 1931 trugen alle großen andalusischen Städte bei, außer Cádiz. Während der 2. Republik zeigte sich Andalusien erneut als Unruheherd. Eine Welle antiklerikaler Gewalttaten ließ zahlreiche Kirchen und Klöster in Feuer aufgehen. Wertvolle Kunstschätze wurden vernichtet, insbesondere in Málaga. Weit mehr Zerstörungen und Einbußen brachte der Bürgerkrieg (1936–39). Danach verschlimmerte eine geradezu gigantische Landflucht die Misere in den großen Städten, vor allem in Sevilla und Málaga. Als seit 1959 die Hilfe des Internationalen Währungsfonds und der OEEC (Organisation für europäische wirtschaftliche Zusammenarbeit) den spanischen Regionen mit entsprechender Infrastruktur wirtschaftlichen Aufschwung brachte, wanderten viele in die privilegierten Industriegebiete, insbesondere nach Katalonien, aus. Der Anteil andalusischer Fremdarbeiter in den westlichen Industrieländern übertraf den aus anderen spanischen Regionen.

Seit Anfang der 1970er Jahre setzte ein Strukturwandel ein. Industrieansiedlungen schufen neue Arbeitsplätze (z. B. chemische Industrie in Huelva). In den Küstenregionen entwickelte sich der Tourismus zu einem immer bedeutenderen wirtschaftlichen Faktor.
Mit der Konstituierung des Parlaments von Andalusien (1982) erhielt die Überwindung des regionalen Gefälles vielleicht eine bessere Chance.

*

Wie schon der nüchterne Herrera-Stil im ausgehenden 16. Jh. hinterließ der »reine« Klassizismus der 1. Hälfte des 19. Jh. in Andalusien nur wenige bedeutende Bauten. Nach etwa 1850 drangen historisierende Stiltendenzen ein; im späten 19. Jh. begann der Historismus die Städte zu prägen. Alle Stile der Vergangenheit standen zur Verfügung und kamen zur Entfaltung. Die lange islamische Tradition feierte im Neomudejarismus Triumphe. Anläßlich der Ibero-Amerikanischen Ausstellung 1929 erreichte der Historismus als Repräsentationsstil einen letzten Höhepunkt. Auf die restaurative Phase nach dem Bürgerkrieg folgte in der 2. Hälfte des 20. Jh. der Anschluß an die Internationale Moderne.
Auch in der Skulptur läßt die klassizistische Periode große Kunstwerke vermissen. Unter den Bildhauern des romantisch idealisierenden Realismus sind besonders Antonio Susillo und Lorenzo Coullaut Valera (Denkmal zu Ehren des spätromantischen Dichters Gustavo Adolfo Bécquer im María-Luisa-Park in Sevilla) zu nennen. In der historisierenden Denkmalkunst überragte der Cordubese Mateo Inurria (Reiterdenkmal des »Gran Capitán« in Córdoba). Zur modernen andalusischen Plastik leistet insbesondere Sevilla einen bedeutenden Beitrag.
Die überaus produktive Porträt-, Historien- und Folklore-Malerei des 19. Jh., vor allem die Genremalerei des *»Costumbrismo«*, ist als Dokument der andalusischen und darüber hinaus spanischen Gesellschaft von großem Inter-

esse. Daneben spielte die religiöse Malerei, meist in der Tradition Murillos, weiterhin eine Rolle. Die romantische Blickrichtung auf die großen Meister der Vergangenheit blieb lange lebendig. José Gutiérrez de la Vega und Valeriano Bécquer sind Murillo, Zurbarán, Velázquez und Goya verpflichtet; José María Rodríguez de Losada wird der »Velázquez des 19. Jh.« genannt. Der in den 60er Jahren des 19. Jh. einsetzende *Realismus* nimmt in der Historienmalerei oft pathetische Züge an. Nach der Jahrhundertwende übte der französische Impressionismus nur einen bescheidenen Einfluß aus. Die andalusische Regionalmalerei blieb weiterhin vorwiegend dem Realismus verhaftet; erfolgreichster und in ganz Spanien berühmter Vertreter war der Cordubese Julio Romero de Torres, der in seinem umfangreichen Werk der »typischen« Andalusierin ein Denkmal setzte.
Mit der 1940 in Sevilla gegründeten und später der Universität angegliederten Escuela Superior de Bellas Artes wurde ein Zentrum geschaffen, das seit den 50er Jahren des 20. Jh. Andalusien in die internationale Entwicklung der modernen Kunst einbezieht.

REGENTENTAFEL

Die Baetica bis 711

19 v. Chr. unter Augustus Bildung der *römischen Provinz Baetica,* die in etwa das Gebiet des heutigen Andalusien umfaßte. Herrschaft Roms bis 409/411. Zwei Römische Kaiser stammten aus der Baetica (Itálica): Trajan (98–117) und Hadrian (117–138).

Vandalen (409/411–429)

bis 428	Gunderich
seit 428	Geiserich (führte 429 sein Volk nach Nordafrika)

Sueben (nach 429–461)

bis 448	Rechilar
448–450	Rechiar
450–461	Remismund
	(461 Eroberung Sevillas durch die Westgoten.)

Westgoten (461–711)

(453)–466	Theoderich II.
466–484	Eurich
484–507	Alarich II.

(Nach dem Sieg des Frankenkönigs Chlodwig I. über die Westgoten bei Poitiers, 507, Verlust der Hauptstadt Tolosa = Toulouse und Beschränkung des westgotischen Reiches auf Spanien. Bis 554 gab es keine neue Hauptstadt; Sevilla war neben Mérida, Barcelona und Toledo zeitweise Königsresidenz.)

507–511	Gesalech
511–526	Theoderich der Große, König der Ostgoten, übernahm von 511 bis zu seinem Tode, 526, auch die Herrschaft über das Westgotenreich.
526–531	Amalarich
531–548	Theudis
548–549	Theudegisel
549–554	Agila
554–567	Athanagild
	(Seit 554 Toledo Hauptstadt.)
567–568	Leowa I.
568–586	Leowigild
586–601	Rekkared I.
601–603	Leowa II.

603–610	Wetterich
610–612	Gundemar
612–621	Sisibut
621	Rekkared II.
621–631	Swinthila
631–636	Sisinand
636–639	Chintila
639–642	Tulga
642–649	Chindaswind
649–672	Rekkeswind
672–680	Wamba
680–687	Erwich
687–702	Egica
702–710	Witiza
710–711	Roderich

Islamische Herrscher (711–1492)

Nach der Landung des Berbers Tarik im April 711 und der Ankunft des Arabers Musa 712 wurde zunächst Sevilla und seit 717 Córdoba Hauptstadt im Sinne eines Aktionszentrums. 718, nach der Schlacht von Covadonga, entstand das (von Damaskus) *Abhängige Emirat.* Interne Machtkämpfe zwischen Berbern und Arabern begrenzten die Herrschaft der mehr als zwanzig Emire nur auf Teilgebiete Andalusiens. Erst Abd ar-Rahman I. schuf ein geordnetes Staatswesen mit Zentralgewalt.

Unabhängiges Emirat von Córdoba (Omayyaden)

756–788	Abd ar-Rahman I.
788–796	Hischam I.
796–822	al-Hakam I.
822–852	Abd ar-Rahman II.
852–886	Mohammed I.
886–888	al-Mundhir
888–912	Abd Allah
912–929	Abd ar-Rahman III. (ernannte sich 929 zum Kalifen)

Kalifat von Córdoba (Omayyaden)

929–961	Abd ar-Rahman III.
961–976	al-Hakam II.
976–1009	Hischam II.
1009 (Febr. –Nov.)	Mohammed II.

1009 (Nov.) –1010 (Juni)	Sulaiman
1010 (Juni –Juli)	Mohammed II. (erneut)
1010–1013	Hischam II. (erneut)
1013–1016	Sulaiman (erneut)
1016–1019	Abd ar-Rahman IV.
1023–1024	Abd ar-Rahman V.
1024–1025	Mohammed III.
1027–1030	Hischam III.

(Seit 1009 bis zur Ankunft der Almoraviden, 1086, bildeten sich zahlreiche Taifa-Königreiche, darunter das Abbadiden-Reich von Sevilla.)

Almoraviden

(1061)–1107	Jusuf ibn Taschfin (1086 Beginn der Eroberung von al-Andalus.)
1107–1143	Ali ibn Jusuf
1143–1145	Taschfin ibn Ali
1145–1147	Ischak ibn Ali

Almohaden

(1130)–1163	Abd al-Mumen (1145–47 Eroberung von al-Andalus.)
1163–1184	Abu Jacub Jusuf
1184–1199	Jacub al-Mansur
1199–1214	Mohammed al-Nasir (verlor am 16. 7. 1212 die Schlacht bei Las Navas de Tolosa gegen die Christen)
1214–1224	Jusuf al-Mustansir

(Ende der Almohaden-Herrschaft, erneut Bildung von Kleinreichen.)

Nasriden-Königreich von Granada

1232–1272 (Ende)	Mohammed ibn al-Ahmar (seit 1232 Sultan von Arjona, begründete 1238 als Mohammed I. das Königreich von Granada)
1273–1302	Mohammed II.
1302–1309	Mohammed III.
1309–1314	Nasr
1314–1325	Ismail I.
1325–1333	Mohammed IV.
1333–1354	Jusuf I.
1354–1359	Mohammed V.

1359–1360	Ismail II.
1360–1362	Mohammed VI.
1362–1391	Mohammed V. (erneut)
1391–1392	Jusuf II.
1392–1408	Mohammed VII.
1408–1417	Jusuf III.
1417–1419	Mohammed VIII.
1419–1427	Mohammed IX.
1427–1429	Mohammed VIII. (erneut)
1430–1431	Mohammed IX. (erneut)
1432 (Jan. –Apr.)	Jusuf IV.
1432 (Apr.)–1445 (Anf.)	Mohammed IX. (erneut)
1445 (Anf. –Mitte)	Mohammed X.
1445 (Mitte) –1446 (Anf.)	Jusuf V. (von den Christen Aben Ismael genannt)
1446–1447	Mohammed X. (erneut)
1447–1454	Mohammed IX. (erneut)
1451–1452	Mohammed XI., Mitregent von Mohammed IX.
1454–1462 (Sept.)	Abu Nasr Sad
1462 (Sept. –Ende)	Jusuf V. (erneut)
1462 (Ende) –1464 (Mitte)	Abu Nasr Sad (erneut)
1464 (Mitte) –1482	Abu-l-Hasan (von den Christen Muley Hassan genannt)
1482–1483	Mohammed XII. (»Boabdil«, spanische Verballhornung seines Namens Abu Abd Allah)
1483–1485	Abu-l-Hasan (erneut)
1486 –1.1.1492	Mohammed XII. (erneut)

Die christlichen Könige von Kastilien und León seit Beginn der Reconquista Andalusiens

(nach der Schlacht bei Las Navas de Tolosa, 1212)

1217–1252	Ferdinand III., der Heilige (*1199; eroberte Baeza 1227, Úbeda 1234, Córdoba 1236, Sevilla 1248)

1252–1284	Alfons X., der Weise (* 1221; eroberte Huelva 1257, Cádiz 1262)
1284–1295	Sancho IV., der Tapfere (* 1258; eroberte Tarifa 1292)
1295–1312	Ferdinand IV. (* 1285)
1312–1350	Alfons XI. (* 1311)
1350–1369	Peter I., der Grausame bzw. der Gerechte (* 1334; ermordet von seinem Halbbruder Heinrich, Graf von Trastámara, Begründer der Trastámara-Dynastie auf dem kastilischen Thron:)
1369–1379	Heinrich II. (* 1333)
1379–1390	Johann I. (* 1358)
1390–1406	Heinrich III. (* 1379)
1406–1454	Johann II. (* 1405)
1454–1474	Heinrich IV., der Unvermögende (* 1425)
1474–1504	Isabella I. (* 1451). Tochter aus zweiter Ehe Johanns II., Halbschwester Heinrichs IV. 1469 ⚭ mit Ferdinand von Aragón (* 1452), der zusammen mit Isabella als
1474–1504	Ferdinand V. in Kastilien regierte. Ab 1479 König (Ferdinand II.) von Aragón und

Vereinigung der Reiche Kastilien und Aragón.

Nach der Einnahme Granadas (2. 1. 1492) waren Isabella und Ferdinand Könige von Spanien, denen Papst Alexander VI. 1494 den Titel »Die Katholischen Könige« verlieh.

(1504–1516)	Johanna, die Wahnsinnige (* 1479), Tochter der Kath. Könige, seit 1496 ⚭ mit Philipp dem Schönen, Sohn Maximilians I. und Marias von Burgund. Königin von Kastilien; in ihrem Namen regierten:
1504–1506	Philipp I., der Schöne (* 1478)
1506–1516	Ferdinand V. (II. von Aragón) (erneut)

Habsburger

1516–1556	Karl I. (* 1500, † 1558), Sohn Philipps des Schönen und Johannas der Wahnsinnigen, Enkel der Kath. Könige und Maximilians I. (als deutscher Kaiser: Karl V.)
1556–1598	Philipp II. (* 1527)
1598–1621	Philipp III. (* 1578)
1621–1665	Philipp IV. (* 1605)
1665–1700	Karl II. (*1661; ohne Nachkommen)

Bourbonen

1700–1724 (16. 1.)	Philipp V. (* 1683, † 1746), Herzog von Anjou, Enkel Ludwigs XIV. von Frankreich
1724	Ludwig (* 1707), Sohn Philipps V. aus erster Ehe, † August 1724. Danach erneut
1724–1746	Philipp V.
1746–1759	Ferdinand VI. (* 1713)
1759–1788	Karl III. (* 1716)
1788–1808	Karl IV. (* 1748, † 1819)
1808 (März –Mai)	Ferdinand VII. (* 1784, † 1833)
	[Während der Französischen Fremdherrschaft
1808–1813	Joseph Bonaparte (* 1768, † 1844), ältester Bruder Napoleons I.]
1813 (Ende) –1833	Ferdinand VII. (erneut; Rückkehr aus dem Exil im März 1814, hob die 1812 von den Cortes in Cádiz beschlossene Liberale Verfassung auf)
1833–1840	Maria Christina, Regentin für die unmündige Isabella II.
1841–1843	Baldomero Espartero, Regent für die unmündige Isabella II.
1833/43 –1868	Isabella II. (* 1830, † 1904), Tochter von Ferdinand VII. und Maria Christina, 13jährig für mündig erklärt. (1868 gestürzt, 1870 abgedankt zugunsten ihres Sohnes Alfons XII.)
1869–1870	Francisco Serrano y Domínguez, Regent
1870–1873	Amadeus von Savoyen (* 1845, † 1890), Sohn Viktor Emanuels von Italien, von den Cortes gewählt (abgedankt)

1. Republik (Präsidenten der Exekutivgewalt)

1873 (Febr. –Juni)	Estanislao Figueras
1873 (Juni –Juli)	Francisco Pi Margall
1873 (Juli –Sept.)	Nicolás Salmerón y Alonso
1873 (Sept.) –1874 (Jan.)	Emilio Castelar y Ripoll
1874	Francisco Serrano y Domínguez

Restauration (Bourbonen)

1874 (Ende) –1885	Alfons XII. (* 1857)
1885–1886	Maria Christina von Österreich (* 1858, † 1929), Regentin, Witwe Alfons' XII.
1886–1902	Maria Christina von Österreich, Regentin für den unmündigen Alfons XIII.
1886/1902 –1931	Alfons XIII., Sohn von Alfons XII. und Maria Christiana von Österreich (* 1886, 6 Monate nach dem Tod Alfons' XII.). Verließ Spanien 1931 nach dem Wahlsieg der Republikaner (ohne abzudanken; † 1941).

2. Republik (Präsidenten)

1931–1936	Niceto Alcalá Zamora y Torres
1936–1939	Manuel Azaña y Díaz (während des Bürgerkriegs im republikanischen Herrschaftsbereich)

Nationalstaat Spanien

1936/39 –1975	Francisco Franco y Bahamonde (* 1892) Staatschef (für seine Nachfolge war seit 1947 die Wiedereinführung der Monarchie vorgesehen)

Königreich Spanien (Konstitutionelle Monarchie mit parlamentarischem Regierungssystem)

seit 1975	Juan Carlos I. (Bourbon; * 1938), Enkel Alfons' XIII.

ADAMUZ (Córdoba F2)

Jungsteinzeitliche Funde, v. a. aus der 5 km nordwestlich gelegenen **Cueva del Cañaveralejo,** *weisen auf eine Besiedlung seit dem späten 5. vorchr. Jahrtausend hin. In römischer Zeit gehörte der Ort zum Gemeindebezirk* Sacilis Martialis. *Der heutige Ortsname entstand in maurischer Zeit. Der Bürgerkrieg 1936–39 brachte zahlreiche Zerstörungen.*

Die **Pfarrkirche S. Andrés,** eine 3schiffige Stufenhalle von 6 Jochen, stammt im wesentlichen aus der 2. Hälfte des 16. Jh. und enthält geringe Reste eines Vorgängerbaus des späten 14. Jh. Die Inschrift über dem Eingangsportal nennt d. J. 1549 als Baubeginn; in der Mitte das Wappen von Don Leopoldo de Austria, Bischof von Córdoba. – Die **Ermita de S. Pio V** in der sog. **Casa de los Ribera** (Calle Mesones 2) stammt aus dem späten 17. Jh.

Der Uhrenturm, die **Torre del Reloj** in der Calle Fuente, wurde 1566 erbaut; der krönende Aufsatz ist eine Zutat von 1953.

Erwähnenswert sind einige *Portale* des 16. Jh., so in der Calle Mesones die **Häuser Nr. 40** und **Nr. 50** (bez. 1525). Der 1570 bezeichnete Türsturz des **Hauses Nr. 6** in der Calle Dueñas trägt die Inschrift: »AL QUE MUCHO BIERES PARLAR NON FAGS CASO DEL NI LE DES CREDITO NINGUNO« (Höre nicht auf einen, der viel schwätzt, und vertraue ihm nicht).

Vom **ehem. Franziskanerkloster S. Francisco del Monte,** 5 km westlich der Stadt, das um 1400 mit Bauteilen eines nahen mozarabischen Klosters errichtet wurde, sind nur noch Reste erhalten.

AGUILAR de la Frontera (Córdoba E3)

Der Ort hieß in römischer Zeit Ipagro *und war bereits z. Z. des Konzils von Elvira (zwischen 300 und 309) christliche Gemeinde. Den maurischen Namen* Poley *änderte Alfons X. »d. Weise« 1257 in* Aguilar.

Die **Kirche Nuestra Señora del Soterraño,** eine 3schiffige Anlage von 7 Jochen mit Rechteckchor, wurde 1530 auf den Fundamenten eines Vorgängerbaus des 13. Jh. errichtet. Am Außenbau ist insbesondere das platereske *SO-Portal* wegen seiner qualitätvollen Grotesken-Ornamentik bemerkenswert.

Das vergoldete *Holzretabel des Hauptaltars* wurde 1730 von dem Bildschnitzer Felix Pérez de Mena aus Montilla (Córdoba) gearbeitet. Zu seiten des Gekreuzigten stehen der hl. Ferdinand und eine weibliche Heilige, zu Füßen der Kirchenpatronin die Kirchenlehrer Gregorius (N) und Augustinus (S). Das *Chorgestühl* mit Apostel- und Heiligenreliefs entstand 1776. Die Capilla del Sagrario im südl. Seitenschiff, mit den fast lebensgroßen Skulpturen der alttestamentlichen Könige David und Melchisedek im Eingang, stammt aus d. J. 1639. Ebenso Beachtung verdient die südwestl. Capilla de Jesús Nazareno wegen ihrer reichen Ausstattung aus der Mitte des 18. Jh.

Die **ehem. Karmeliterkirche Nuestra Señora del Carmen** war nach Urkundenaussage im späten 16. Jh. fertiggestellt; der heutige Bau stammt allerdings im wesentlichen aus dem 17. Jh. Die 5 Altäre und die übrige Ausstattung gehören dem 18. Jh. an.

Das **Karmeliterinnenkloster S. José y S. Roqué** (Las Descalzas) wurde zwischen 1668 und 1761 erbaut. Aus der reichen barocken Ausstattung ragt die überlebensgroße *Marienkrönung* aus farbig gefaßtem Holz, 2. Drittel des 18. Jh., im Kapitelsaal heraus, in der **Kirche** die Ausmalung aus dem 1. Drittel des 18. Jh.; die 5 Altäre entstanden zwischen 1680 und 1702.

Die 3schiffige **Kirche** des **Hospital de Sta. Brigida** stammt aus dem späten 16. und dem 18. Jh. – An der **Kirche Vera Cruz** ein bemerkenswertes Seitenportal, Mitte 17. Jh.; aus dieser Zeit auch der Hauptaltar. – **Nuestra Señora de la Candelaria** (Lichtmeß), aus dem 16. Jh., besitzt eine Capilla Mayor mit Artesonado-Decke und mudejarer oktogonaler Kuppel (um 1575). – An der **Kirche El Señor de la Salud,** um 1700, ein 1864 bez. Turm.

Vom **Castillo,** der ehem. Festung, ist lediglich ein Teil des N-Turms aus dem 14. Jh. erhalten. – Die schlanke, fast 30 m hohe **Torre del Reloj,** der Uhrenturm an der Plaza de los Desamparados, wurde über hohem Postament als 3geschossiger, von einer Laterne bekrönter, reich ornamentierter Ziegelsteinbau zwischen 1770 und 1774 unter der Leitung des 1744 in Aguilar geborenen, in Salamanca tätigen Architekten Vicente Gutiérrez errichtet. – Die oktogonale Plaza de S. José, eine klassizist. Anlage mit 4 Torzugängen, wurde 1810 von dem Architekten Francisco Ruiz de Paula erbaut und in den 70er Jahren des 20. Jh. hervorragend restauriert.

Sehenswerte alte **Häuser** finden sich in der Calle Moralejo (**Nr. 7,** mit 1574 bez. Portal; **Nr. 29,** bez. 1638) und in der Calle Toro Valdelomar (**Nr. 3,** frühes 19. Jh., mit schönem Innenhof; **Nr. 11,** 17. Jh.; **Nr. 13,** bez. 1670).

ALCALÁ la Real (Jaén G3)

Der Ort war bereits in römischer Zeit bekannt und erhielt unter den Mauren seine Festung (= al-kalat*). 1213 von Alfons VIII. erobert, fiel Alcalá 1219 wieder an die Mauren. Auch die Besitznahme durch Ferdinand III. i. J. 1240 war nicht von langer Dauer; erst 1341 gelang Alfons XI. die endgültige Rückeroberung der Stadt, die bis 1492 christliche Grenzfestung zum maurischen Königreich von Granada blieb.*

Mit dem Bau der Burg, des **Castillo de la Mota,** hatten die Mauren im 10. Jh. begonnen; zum größten Teil stammt die Festung aus dem frühen 14. und aus dem 16. Jh. – Innerhalb der Burgmauern steht die im 16. Jh. erbaute und 1812 ausgebrannte **Abteikirche Sta. María,** deren Glockenturm im NW 1552 bezeichnet ist. Das N-Portal mit dem Relief der Unbefleckten Empfängnis wird Ginés Martínez de Aranda oder auch dessen Neffen Juan de Aranda y Salazar, Baumeister der Kathedrale von Jaén, zugeschrieben. – Vor der O-Mauer der Festung wurde gegen Mitte des 14. Jh. die **Kirche Sto. Domingo de Silos** erbaut, von der im wesentlichen nur der Glockenturm (mit weitem Ausblick!) und die Sakristei des 16. Jh. erhalten blieben.

In der Taufkapelle dieser Kirche wurde am 16. März 1568 ein berühmter Sohn der Stadt, der Bildhauer Juan Martínez Montañés, getauft; der Taufstein befindet sich heute in der 1764–85 errichteten klassizist. **Kirche S. María de las Angustias** am gleichnamigen Platz im Stadtzentrum.

Ein **Denkmal für Martínez Montañés** steht auf der nahen Plaza del Ayuntamiento vor dem 3geschossigen **Rathaus** von 1733, dessen linker Turm der urspr. Doppelturmfassade bei der Restaurierung von 1956 abgetragen wurde. – Am Paseo de los Alamos steht der **Pilar de los Alamos,** ein 1552 vollendeter Monumentalbrunnen. Ein Relief zeigt zwischen Sphingen das von 2 Wappenhaltern dargebotene Emblem der Stadt; darüber Schriftfries mit Errichtungslegende.

Im Bereich El Llanillo befinden sich der **Palacio abacial,** ein 1771 neu errichteter Abtspalast, das Dominikanerinnenkloster **Real Monasterio de la Encarnación** von 1588 und die 1536 begonnene **Kirche Nuestra Señora de la Consolación,** deren Capilla Mayor 1642, die Sakristei 1724 und der Glockenturm 1774 hinzugefügt wurden.

ALCARACEJOS (Córdoba E1)

In dem kleinen, 1447 erstmals urkundlich erwähnten Ort (ca. 70 km nördl. von Córdoba, nahe den Orten Pozoblanco im O und Espiel im S) hat man 1965 die **Pfarrkirche S. Andrés** anstelle einer im Bürgerkrieg zerstörten spätgot. Kirche neu erbaut. Das alte W-Portal, heute im Innern, sowie eine Meßglocke (Bronzeguß) mit der reliefierten Inschrift »[...] EMONY ME FECIT – ANNO 1569« sind erhalten.

An der Plaza Mayor ist das **Haus Nr. 36** mit 1769, das **Haus Nr. 28** mit 1771 bezeichnet. – Im S, am Río Cuzna, 5 **Mühlen** teilweise maurischen Ursprungs.

● Von besonderem Interesse sind westl. von Alcaracejos auf der Höhe von **El Germo** (Cerro del Germo) die Fundamente einer **westgotischen Basilika** mit Baptisterium und Grabanlagen. Die 3schiffige Säulenbasilika mit gegenständigen Apsiden ist 7,90 m breit und 13,30 m lang; die westl. Apsis nähert sich der Hufeisenform. Nördl. und südl. legen sich in ganzer Länge schmale Räume an, die südlichen mit je einer kleinen Apsis im W und im O und einer fast ovalen Taufpiscina mit gegenläufigen Treppen. Der Bau gehört, wie die in der Grundrißdisposition vergleichbare Kirche von S. Pedro de Alcántara (Prov. Málaga), dem Typus von Basiliken mit gegenständigen Apsiden an, der vermutlich nordafrikanischen Ursprungs ist.

Funde von Grabinschriften aus d. J. 615, 632 und 649 lassen eine Erbauungszeit der Basilika zu Beginn des 7. Jh. annehmen.

ALGECIRAS (Cádiz D6)

Zwischen Gibraltar und Algeciras befand sich die römische Stadt Carteia, *vielleicht eine phönizische Gründung (kart = Stadt), die 206 v. Chr. erstmals und 171 v. Chr. »colonia civium Latinorum et libertinorum« genannt wurde. Aus westgotischer Zeit gibt es keine Erwähnung mehr.*
*Die Hafenstadt ist eine maurische Gründung (*Al-Dschasira al-Chadra = *Die grüne Insel), deren Anfänge als Militärstützpunkt in die Mitte des 8. Jh. zurückreichen. 1344 hat Alfons XI. sie erobert, 1339 Mohammed V. von Granada nahezu völlig zerstört. Erst im 18. Jh. begann die Stadt neu zu entstehen. Anfang des 19. Jh. betrug die Einwohnerzahl 13300 (heute ca. 86000). 1906 fand hier (im Rathaus) die Konferenz von Algeciras statt, bei der die 1. Marokko-Krise, verursacht durch unterschiedliche Interessenstandpunkte Frankreichs und Deutschlands, durch europäische Mächte, die USA und Marokko beigelegt wurde.*

Die frühesten Bauten stammen aus der 1. Hälfte des 18. Jh. Die Stadt begann sich seit der 2. Hälfte des 18. Jh. von der Plaza Alta aus zu entwickeln. Dort die 1722–36 3schiffig erbaute, Ende des 18. Jh. um 2 Schiffe erweiterte und nach Zerstörung 1931 wiederhergestellte **Pfarrkirche Nuestra Señora de la Palma** und die **Capilla de Nuestra Señora de Europa** aus dem 18. Jh., mit barocken und klassizist. Stilelementen. – **Rathaus** (Ayuntamiento antiguo) 1892–97.

ALMERÍA (Provinzhauptstadt I5)

Prähistorische Funde in der **Provinz Almería** *haben verschiedenen jungstein- und bronzezeitlichen Kulturen ihren Namen gegeben. Die* Almería-Kultur *beginnt in der Jungsteinzeit, um 3000 v. Chr., und reicht bis in die frühe Bronzezeit, etwa bis 1900 v. Chr.; sie entspricht zeitlich der Kultur der* Glockenbechergruppe, *die nach Meinung einiger Forscher sich von hier aus verbreitet hat: Kennzeichnend sind glockenförmige Becher; die der Almería-Kultur sind unverziert. Der Almería-Kultur folgen zeitlich die* Kulturen von Los

Millares *(→Santa Fe de Mondújar, Prov. Almería) und von* El Argar *(→Antas, Prov. Almería).*
Die **Stadt Almería** *(141000 Einwohner) ist eine maurische Gründung. Die iberische und später römische Ansiedlung* Murgi *befand sich weiter westlich, und die ebenfalls iberische und später römische Ansiedlung* Urci *wird von der neueren Forschung auf dem Gebiet der heutigen Gemeinde* **El Chuche,** *12 km nördl. von Almería, lokalisiert. Entgegen der älteren Meinung war »Portus Magnus« keine Siedlung, sondern der römische Name für den Golf von Almería, der auch »Sinus Uricitanus«, Bucht von Urci, genannt wurde.*
Um die Mitte des 8. Jh. gründeten die Mauren, nahe der einstigen römischen Siedlung Urci, auf der östl. Seite des Río Andarax den Ort Bayyana, *der später im Kastilischen zu* Pacana *und schließlich zum heutigen* **Pechina** *wurde. Bayyana blühte schnell auf; bereits z. Z. Abd ar-Rahmans I. (756–788) ist ein Wachtturm am 12 km entfernten Meeresufer bezeugt:* al-Mariya Bayyana *(Wachtturm von Bayyana). Im Verlauf des 9. Jh. entwickelte sich al-Mariya Bayyana zum bedeutenden Hafen-Vorort und wurde in der Mitte des 10. Jh., unter Abd ar-Rahman III., zur befestigten Hauptstadt des Distrikts, während Bayyana selbst rasch an Bedeutung verlor und bald auch im Namen der neuen Hauptstadt verschwand; diese wurde nur noch* al-Mariya *genannt,* Almería *in christlicher Zeit. (Die Ableitung von arab. m[e]raia = mirad ›Spiegel [des Meeres]‹ ist irrtümlich; vergleichbar die Wortverwandtschaft lat. specula ›Wachtturm‹ und speculum ›Spiegel‹.)*
Nach dem Untergang des Omayyaden-Reichs von Córdoba wurde Almería im 11. Jh. Hauptstadt eines blühenden und mächtigen Taifa-Königreichs, zu dessen Gebiet u. a. Jaén, Baeza, Murcia, Granada und kurze Zeit auch Toledo gehörten. 1091 wurden die Almoraviden die neuen Herren, die Almería zum Ausgangspunkt ihrer Piratenzüge im Mittelmeer machten. Um dieser Schreckensherrschaft ein Ende zu setzen, begann Alfons VIII. mit Hilfe des Grafen von Barcelona, des Herzogs von Montpellier sowie der Republiken Genua und Pisa im August 1147 mit der Belagerung und nahm die Stadt im Oktober 1147 ein; 1157 allerdings schon ging sie wieder an die Almohaden verloren. Ab der Mitte des 13. Jh. gehörte Almería zum maurischen Königreich von Granada. Am 10. August 1309 griff Jaime II. von Aragón, im Einverständnis mit Ferdinand IV. von Kastilien, die Stadt an; es gelang ihm nicht, die Verteidigung zu brechen, und die Belagerung wurde 3 Monate später aufgehoben, nachdem der Nasriden-König von Granada die Zahlung einer großen Summe und die Befreiung aller christlichen Gefangenen zuge-

standen hatte. Almería blieb bis zum 26. Dezember 1489 maurisch, als Abu Abd Allah gen. »El Zagal« (der Schafsknecht), Onkel und Widersacher Boabdils, des letzten Königs von Granada, die Stadt den Kath. Königen kampflos übergab.
Am 22. September 1522 wurde Almería durch ein Erdbeben zum großen Teil zerstört. – 1568 wies die Stadt den Angriff aufständischer Morisken aus dem Alpujarra-Gebirge erfolgreich ab; die in der Stadt noch lebenden 140 Morisken-Familien wurden 1571 ausgewiesen. Weitere Erdbeben verursachten immer wieder Zerstörungen und Bevölkerungsschwund; die Stadt, die in maurischer Zeit etwa 28000 Einwohner hatte, zählte Ende des 16. Jh. noch 601 und im 17. Jh. nur noch 450; in der Mitte des 18. Jh. wurden 2557 Einwohner gezählt und Anfang des 19. Jh. rd. 3200. 1810–12 hielten napoleonische Truppen unter Marschall Soult Almería besetzt. 1847 wurde mit dem Bau des neuen Hafens begonnen, welcher der Stadt wirtschaftliche Erholung gebracht hat; im 20. Jh. kam der Fischerhafen hinzu.

Kathedrale Nuestra Señora de la Encarnación (Plaza de la Catedral) •

Die Kathedrale steht nahe der ehem. Almohaden-Moschee des mittleren 12. Jh., die am 22. September 1522 durch Erdbeben zerstört wurde. Seit Januar 1491 hatte die Moschee dem christlichen Gottesdienst gedient und seit Schaffung der neuen Diözese, im Mai 1492, als Kathedrale, d. h. Bischofskirche. Unmittelbar nach der Zerstörung schlug das Domkapitel Kaiser Karl V. einen Neubau oder aber die Verlagerung des Bischofssitzes in eine andere Stadt des Bistums vor. Am 4. Oktober 1524 wurde der Grundstein zur neuen Kathedrale gelegt; dieser noch von got. Stilelementen geprägte Bau war bis 1542 in seinen wesentlichen Teilen fertiggestellt. Der Name des planenden Baumeisters ist nicht bekannt. Nach einer Bauunterbrechung oblag 1550–73 die Bauleitung Juan de Orea, Schüler und Schwiegersohn des in Italien geschulten Architekten des Palastes Karls V. in Granada, Pedro Machuca. Während dieser Zeit entstanden die Renaissance-Portale im N und im W und der Kapitelsaal. Der Turm war Anfang des 17. Jh. fertiggestellt. Der frühklassizist. Kreuzgang wurde 1787–95 erbaut. Ein großer Teil der Ausstattung wurde im Juli 1936, während des Bürgerkriegs, zerstört.

Die Hallenkirche ist in eine wehrhaft geschlossene, von Türmen flankierte Rechteckanlage einbezogen, deren Festungscharakter durch die Überfälle türkischer und berberischer Piraten bedingt war. Der Grundriß zeigt eine 3schiffige Anlage von 4 Langhausjochen mit nicht ausfluchtendem Querhaus, Chor mit Umgang und 3 Radialkapellen sowie Kreuzgang auf der S-Seite. Am Außenbau betonen mächtige, von Strebepfeilern gegliederte Mauern und die Einbeziehung der östl. Radialkapellen in das Wehrturmsystem den Verteidigungscharakter der Anlage.

Am NO-Turm, der die Radialkapelle »Capilla de la Piedad« umschließt, ist das Wappen des Gründungsbischofs der Kathedrale, Fray Diego Fernández de Villalán, angebracht; die Wappentiere, angekettete Hunde, beziehen sich auf den Wortteil »alan(o)« (lat. *alanus* ›Jagdhund‹) im Namen des Bischofs. – Das reich ornamentierte *Hauptportal* auf der N-Seite, von Juan de Orea nach 1550, öffnet sich im unteren Geschoß zwischen mächtigen Strebepfeilern und kannelierten korinthischen Doppelsäulen auf hohen Postamenten; im Dreieckgiebel über der rechteckigen Portalöffnung das Wappen des Gründungsbischofs. Im oberen Geschoß die Alabaster-Büstenreliefs von Petrus und Paulus und das Wappen Kaiser Karls V. – Das W-Portal, die 1569 vollendete *»Puerta de los Perdones«,* wurde im späten 18. Jh. teilweise klassizistisch umgestaltet.

Im netzgewölbten Innern verdient das 1558 vom Domkapitel Juan de Orea in Auftrag gegebene und von diesem 1561 vollendete *Chorgestühl* mit seinen manieristischen Apostel-, Propheten- und Heiligenreliefs besondere Beachtung, ebenso das *Grabmal* des Gründungsbischofs *Fray Diego Fernández de Villalán* in der Chorumgangskapelle »Capilla del Santo Cristo«, aus der 2. Hälfte des 16. Jh. (Der Kruzifixus in dieser Kapelle aus dem 20. Jh.) Am *Hochaltar* stammen der bekrönende Kruzifixus mit Maria und Johannes aus dem frühen 17. Jh., die Gemälde mit Darstellungen aus der Vita Mariä aus der Mitte des 18. Jh. und das Tabernakel aus d. J. 1773–77. Die beiden Kanzeln waren 1781 vollendet.

Iglesia de S. Juan (Calle de S. Juan; Plaza de S. Antón)

An der Stelle der 1936 im Bürgerkrieg zerstörten Kirche S. Juan und der Kirche S. Antón stand die am 22. September 1522 durch Erdbeben zerstörte maurische Hauptmoschee. S. Juan war 1526, während des Baues der neuen Kathedrale, und nochmals im frühen 17. Jh. errichtet worden.

Von großem Interesse sind die 1970 entdeckten bedeutenden Reste der *Qibla* und des *Mihrab* der maurischen

Hauptmoschee aus dem späten 10. Jh., die nach 1157 von den Almohaden wieder instand gesetzt worden war.

Iglesia de S. Pedro (Plaza de Sartorius). Die urspr. über einer maurischen Moschee errichtete Kirche aus dem letzten Jahrzehnt des 16. Jh. wurde im späten 18. Jh. durch Erdbeben zerstört; der jetzige klassizist. Bau entstand 1795–1800.

Real Convento de Religiosas Concepcionistas (bei der Kathedrale) *Das volkstümlich »Convento de la Puras« (Nonnenkloster zur Unbefleckten Empfängnis Marias) genannte Kloster, 1505 durch testamentarische Verfügung des Ordensritters Gutierre de Cárdenas zunächst als Klarissinnenkloster gegründet, war 1522 durch Erdbeben zerstört worden. Die heutige Anlage stammt noch z. T. aus dem späten 17. / frühen 18. Jh.*

Die urkundlich 1641 erworbene Skulptur der *»Immaculata«* in der Mittelnische des Hochaltars wird irrtümlich Alonso Cano zugeschrieben.

Convento de Sto. Domingo (Plaza de la Virgen del Mar). Das Dominikanerkloster ist eine Gründung der Kath. Könige, 1492. Die Baujahre der **Kirche** sind 1525–50; in der Folgezeit wiederholt umgestaltet und nach der Zerstörung im Juli 1936 restauriert.

Iglesia de Santiago (Calle de las Tiendas). Restaurierte 1schiffige, urspr. 1553–59 erbaute Kirche.

Turm und Portal tragen das Relief des hl. Jakobus d. Ä. als »Maurentöter« von Juan de Orea. Die Inschrift der von Engeln gehaltenen Tafeln »Alanus Quartus« bezieht sich auf den Bauherrn der Kirche, Bischof Villalán (s. Kathedrale), den 4. (quartus) Bischof von Almería seit der Rückeroberung.

Iglesia de S. Sebastián de las Huertas (Plaza de S. Sebastián). An der Stelle einer Wallfahrtskapelle 1674–79 erbaut; das unvollendete Portal erst 1883 fertiggestellt. Nach der Zerstörung im Bürgerkrieg (Juli 1936) restauriert.

Convento de Sta. Clara (Calle Jovellanos)

Anfang des 16. Jh. hatte der Ordensritter Gutierre de Cárdenas die Gründung eines Klarissinnenklosters verfügt; seine Witwe wandelte die Stiftung jedoch zugunsten des Nonnenordens zur Unbefleckten Empfängnis Marias um, der Ende des 15. Jh. in Toledo gegründet

worden war (s. Real Convento de Religiosas Concepcionistas). Die eigentliche Gründung des Convento de Sta. Clara erfolgte 1590 durch die Familie Briceños mit deren Liegenschaften; allerdings zogen erst 1756 vier Klarissinnen aus Granada in das neue Kloster ein.
Seit 1710 waren die **Kirche** erbaut und die hinterlassenen Gebäude als Kloster hergerichtet worden. Von dieser Anlage ist seit der Zerstörung im Juli 1936 lediglich die Kirche überkommen.

Hospital (Plaza Doctor Gómez Campana, früher Plaza del Hospital). 1550–56 als Armenhospiz erbaut, 1777 z. T. klassizistisch umgestaltet. Die **Kirche** ist 1845 bezeichnet.

Alcazaba
Die maurische Festung war auf einem 70 m hohen Hügel um die Mitte des 10. Jh. von Abd ar-Rahman III. begonnen, Ende des 10. Jh. von al-Mansur weitergeführt und im 11. Jh. von al-Jayran, dem ersten Taifa-König von Almería, vollendet worden. Eine innere Mauer teilte sie in 2 Ringbereiche; umgeben war sie von einer ca. 8 m starken Außenmauer mit Wehrgang. Im 12. – 15. Jh. mehrfach umgebaut, wurde die Festung im November 1487 durch ein Erdbeben fast völlig zerstört. Auf ihren Ruinen ließen die Kath. Könige im inneren Ringbereich eine neue Festung errichten, die ihrerseits durch die Erdbeben von 1522 und 1560 weitgehend zerstört wurde. Unter Karl III. (1759–88) erfolgten Instandsetzungsarbeiten. Nach 1800 bereits verwahrloste die Festung wieder und war Ende des 19. Jh. nur noch ein Ruinenfeld. Anfang des 20. Jh. richtete das Militär im inneren Ringbereich eine Funkstation ein.
Die heutige »Bilderbuch«-Alcazaba, seit 1950 sehr geschickt restauriert, schließt lediglich noch bescheidene Reste der Bauten aus den mehr als 10 vergangenen Jahrhunderten ein. Die Anlage nimmt insgesamt 43 500 m^2 ein und umfaßt 3 Ringbereiche anstatt der urspr. 2 in maurischer Zeit.
Der Haupteingang befindet sich auf der S-Seite; durch das *Festungstor* gelangt man in den 1. Ringbereich. Hier steht noch der legendäre »Turm des Spiegels« **(Torre del Espejo),** der in maurischer Zeit mit einem Spiegelsystem zur Früherkennung ankommender Schiffe gedient haben soll. Der Turm mit der *»Campana de la Vela«* genannten

Almería. Alcazaba

Glocke befindet sich auf einem Teilstück der Mauer, die urspr. die maurische Festung in 2 Ringbereiche teilte. Die Glocke wurde 1776 gegossen; eine früher dort befindliche läutete bei Gefahr und gab die Bewässerungszeiten für die Felder an.
In den 2. Ringbereich führt heute ein Spitzbogen aus den letzten Jahren des 15. Jh.; in diesem Bereich stand die **maurische Palastanlage,** von der lediglich die Fundamente erhalten sind sowie ein Mauerteil, um dessen Fensteröffnung sich die in der Romantik erfundene Odalisken-Legende rankt.
Im höchstgelegenen, jetzt 3. Ringbereich stand die nach 1489 von den Kath. Königen errichtete **Festung;** nach einem zeitgenössischen Bericht aus d. J. 1494 wurde diese neue Anlage in Quadersteinwerk auf den Fundamenten der alten Festung von zahlreichen maurischen Gefangenen erbaut. Nach der teilweisen Zerstörung durch das Erdbeben von 1522 fanden die Arbeiten unter Kaiser Karl V. ihre Fortsetzung. Der quadratische Bergfried **(Torre del Homenaje)** war 1534 vollendet; das von einem spätgot. Eselsrükken zwischen Fialen überhöhte *Portal* stammt noch aus

dem frühen 16. Jh. Aus maurischer Zeit noch ist der urspr. mehr als 60 m tiefe Brunnen »**Noria del viento**« (Schöpfrad des Windes).

Von den maurischen **Stadtmauern** sind noch geringe Teile erhalten, so die Verbindung der Alcazaba mit dem von 5 Türmen bewehrten **Castillo de S. Cristóbal.**

Diese kleinere Festung stammt urspr. aus dem 11. Jh. und wurde während der 1147–57 dauernden zwischenzeitlichen christlichen Herrschaft kaum, in den folgenden 3 Jahrhunderten unter den Mauren dagegen erheblich verändert.

Am Fuße der Alcazaba erstreckt sich das malerische Viertel **La Chanca** (»Lager für Thunfischergeräte«) mit würfelförmigen, weiß getünchten und z. T. farbig gestrichenen **Häusern.** Die **Felsenhöhlen** stammen noch aus maurischer Zeit und wurden teilweise zu Wohnungen ausgebaut.

Alte Plätze

Die Plaza Vieja hieß im 16. Jh. Plaza de los Moros; hier befand sich vor der Rückeroberung (1489) der maurische Markt. Beachtenswert das historistische Rathaus **(Ayuntamiento)** aus dem späten 19. Jh. – Die Plaza de la Catedral entstand im 16. Jh. zusammen mit dem Kathedralbau. Der **Bischofspalast** wurde im letzten Drittel des 19. Jh. erbaut. – Puerta de Purchena. Der Platz hat seinen Namen vom einstigen Haupttor (Bab Bayyana), das die aus Purchena ankommenden christlichen Eroberer so benannten. Die ersten Häuser dort wurden im frühen 19. Jh., nach dem Abriß der Stadtmauer, errichtet.

Museo Arqueológico Provincial (Carretera de Ronda 91)
Beachtenswerte Sammlung prähistorischer Funde aus der Provinz Almería; z. T. handelt es sich um Duplikate der von dem belgischen Forscher Louis Siret dem Archäologischen Nationalmuseum in Madrid gestifteten prähistorischen Sammlung, die dieser und dessen älterer Bruder Henri Siret begründet hatten.

ALMONASTER la Real (Huelva B2)

Ruinen einer urspr. **maurischen Festung** des 11./12. Jh., die im 15. Jh. wiedererbaut und deren Moschee damals in eine 4schiffige christliche **Kapelle** umgestaltet wurde. Ihre Hufeisenbögen ruhen auf rechteckigen Pfeilern und auf Säulen, die in der Mehrzahl römische und westgotische Spolien sind. Barocker Turm aus dem 18. Jh.

Das Portal der **Pfarrkirche S. Martín** zeigt manuelinische Stileinflüsse. Der Bau datiert aus dem 1. Drittel des 16. Jh., wurde aber später umgestaltet.

ALPANDEIRE (Málaga D5)

Im Ortsgebiet wurden jungsteinzeitliche Siedlungsspuren gefunden, so die Dolmen von **Encinas Borrachas** *und von* **Montero.** *711 war Alpandeire eine der ersten maurischen Ansiedlungen in der Serranía de Ronda.*

Die mächtige, von den Einwohnern »Catedral de Alpandeire« genannte **Pfarrkirche S. Antonio de Padua,** eine 3schiffige Basilika von 4 Langhausjochen mit quadratischem Chorschluß, stammt aus dem späten 18. Jh.

ANDÚJAR (Jaén F2)

Die iberische Gründung Iliturgi *wird in der Literatur allgemein etwa 6 km östlich von Andújar, auf dem Gebiet der Gemeinde* **Los Villares,** *lokalisiert. Nach neueren Forschungsergebnissen handelt es sich hierbei jedoch um* Isturgi, *während Iliturgi sich noch weiter östlich, im Umkreis der Gemeinde* **Espelúy,** *befand. Nach der Zerstörung der Stadt durch die Römer, 209 v. Chr. im 2. Punischen Krieg, siedelten sich die überlebenden Einwohner von Iliturgi flußabwärts im Bereich der heutigen Stadt Andújar an. Unter den Mauren hieß der Ort* Anduyar *und wurde, nach kurzer christlicher Inbesitznahme durch Alfons VII. i. J. 1147, von den Almohaden stark befestigt; 1224 Ferdinand d. Hl. übergeben.*

Von der **ehem. Festungsanlage** sind nur noch einige Reste erhalten. – Der **Puente Viejo** (Alte Brücke) wurde im

1. Jh. von den Römern erbaut und hat in der Folgezeit zahlreiche Veränderungen erfahren.

Die 3schiffige **Kirche Sta. María la Mayor** (Plaza de Sta. María) wurde im 13. Jh. an der Stelle einer ehem. Moschee begonnen. Zu umfangreichen Veränderungen kam es im 16. Jh.; das N-Portal ist 1556 bezeichnet.

Das Gemälde *»Das Gebet Christi am Ölberg im Garten von Gethsemane«* von El Greco, in der Capilla de los Valdivia y Palomino im N-Seitenschiff, gehört der um 1600 beginnenden letzten Schaffensperiode des in Venedig bei Tintoretto geschulten, seit 1577 bis zu seinem Tode 1613 in Toledo ansässigen Kreters an. Farbe und Licht sind die bestimmenden Kompositionsmittel. Während die strahlende Lichtgestalt des Engels dem knienden Christus erscheint, wirken die in flackerndes schwaches Licht getauchten Wächter selbst im Schlaf ekstatisch erregt. – Das 1578 bezeichnete schmiedeeiserne *Gitter* der Kapelle, dessen figürliches Ornament die Übergabe der Casula an den hl. Ildefonsus (657–667 Erzbischof von Toledo) durch einen Engel zeigt, stammt aus der Schule des Meisters Bartolomé aus Jaén.

S. Miguel Arcángel (Plaza de España) stammt im wesentlichen aus dem 15. und 16. Jh. Das plateresken *W-Portal* der 3schiffigen Kirche entstand unter Bischof Merino (1523–35), wie sein Wappen zeigt.

Aus der Schule von Meister Bartolomé aus Jaén ist das schmiedeeiserne *Gitter* der im 18. Jh. angebauten Capilla del Sagrado Corazón (Hl. Herz) am N-Seitenschiff.

Die **Torre del Reloj** (Plaza de Sta. María), mit dem kaiserlichen Wappen und einer Sonnenuhr, wurde inschriftlich 1534 zu Ehren Karls V. erbaut.

Der **Palacio de los Cárdenas y Valdivia** (Calle de la Maestra), auch »Casa de la Torre« (Haus des Turms) genannt, stammt aus dem 16. Jh.; am Portal die Wappentiere beider Familien.

Der **Palacio de los Gome y Valdivia** (Calle de la Maestra) aus dem späten 17. Jh. wird allgemein »Palacio de los Niños de Don Gome« genannt. Über dem Portal der Wahlspruch »Dominus edificat et custodiat« (Der Herr baut und bewacht [das Haus]).

Palacio Municipal (Calle Póstigo). In der 1. Hälfte des 17. Jh. errichtet, 1791 umgebaut.

Der restaurierte **Palacio de los Cárdenas** (Plaza de Sta. Ana) des 17. Jh. ist heute **Justizpalast.** Im unteren Giebelfeld des Portals die Devise der Cárdenas »Altiora Peticus«, im Giebelfeld darüber und zu beiden Seiten des Balkons das Familienwappen wie auch über dem Portal der angrenzenden **Capilla de Sta. Ana.** – Beachtenswerter Innenhof.

Umgebung

Santuario de la Virgen de la Cabeza. Die bedeutende Wallfahrtsstätte liegt in der Sierra de Andújar, ca. 33 km nördlich von Andújar.

Nach der Legende hatte 1227 ein Schäfer hier eine während 5 Jahrhunderten vor den Mauren versteckte Madonnenfigur gefunden. Ende des 13. Jh. entstand ein erstes Sanktuarium.

Der Bau des späten 16. Jh. wurde im Spanischen Bürgerkrieg fast ganz zerstört, die heutige Anlage nach diesem Vorbild in den 1940er Jahren wiederaufgebaut und 1960 sowie 1964–66 erweitert.

ANTAS (Almería K4)

Die **Pfarrkirche** des Ortes wurde 1519 erbaut.

El Argar

Die prähistorische Siedlung, die der Argar-Kultur ihren Namen gegeben hat, lag am linken Ufer des Flusses Antas, gegenüber dem gleichnamigen Ort. Diese bronzezeitliche Kultur kann etwa von 1700 bis 1350 v. Chr. datiert werden. Selbst die Fundamente der Siedlung sind nicht mehr erhalten, da die Steine für die Umfriedungen der Felder und für den Hausbau in Antas verwendet wurden.

Übrig blieben **Grabstätten.** Meist waren die Toten in gekrümmter Haltung, so wie der Fetus im Mutterleib, in großen ovalen Keramikurnen bestattet. Den Toten wurden Speisen und Farbstoffe mitgegeben; mit letzteren sollten sie sich in der Welt der Geister bemalen können. An weiteren Grabbeigaben fand man Gebrauchsgegenstände aus Stein, Tierknochen, Elfenbein, Kupfer und Bronze sowie Schmuckgegenstände aus Kupfer, Bronze und Silber und einen Ohrring aus Gold.

ANTEQUERA (Málaga E4)

Die Stadt (ca. 29000 Einwohner) liegt am Fuße der Sierra del Torcal, am Rande einer weiten fruchtbaren Ebene. Das Gebiet war schon in der Jungsteinzeit und in der Bronzezeit besiedelt, wie die Dolmen von Menga, Viera und Romeral, bedeutende megalithische Denkmäler, beweisen. – Unter den Römern hieß der Ort Anticaria *(die Alte), unter den Mauren* Antaqira. *1410 zurückerobert von Ferdinand »von Antequera«, damals Infant von Kastilien, 1414–16 König von Aragón. Nach dem Ende der Reconquista, 1492, hatte Antequera einen raschen Aufschwung und erreichte den Höhepunkt seiner wirtschaftlichen und städtebaulichen Entwicklung im 16.–18. Jh. Ende des 18. Jh. führten Epidemien und Hungersnöte zu Bevölkerungsschwund und wirtschaftlichem Verfall, von dem sich die Stadt erst in der 2. Hälfte des 19. Jh. erholte.*

Alcazaba und **maurische Festungsmauern** (westl. und nördl. der Plaza Sta. María). Von der bedeutenden, auf römischen Fundamenten erbauten maurischen Festung des 13./14. Jh. sind auf der Anhöhe Cerro de S. Cristóbal noch

---

Kirchen
1 La Cruz Blanca
2 Encarnación
3 Madre de Dios de Monteagudo
4 Nuestra Señora de Belén
5 Nuestra Señora del Carmen
6 Nuestra Señora de Loreto
7 Nuestra Señora de los Remedios
8 El Portichuelo / La Virgen del Socorro
9 S. Agustín
10 Sta. Catalina de Siena
11 Sto. Domingo
12 Sta. Eufemia
13 S. José / Descalzas
14 S. Juan Bautista
15 S. Juan de Dios
16 Sta. María de Jesús
17 Sta. María la Mayor
18 S. Pedro
19 Santiago Apóstol
20 S. Sebastián
21 S. Zoilo / S. Francisco
22 La Trinidad
23 La Victoria
24 La Virgen de Espera / Puerta de Málaga

Profanbauten
25 Alcazaba
26 Arco de los Gigantes
27 Ayuntamiento
28 Casa Colchado
29 Casa Colarte / Casa Museo
30 Casa Pardo
31 Casa Pinofiel
32 Casa Ramírez
33 Casa Sabasona
34 Casa Scrailler
35 Museo Municipal / Pal. Nájera
36 Pal. Escalonias
37 Pal. Peña de los Enamorados
38 Pal. Villadarias
39 Puerta de Granada
40 Torre de la Estrella
41 Triunfo de la Inmaculada Concepción
42 zu den Cuevas
43 nach El Torcal

2 Türme und der beide verbindende Mauerteil erhalten, der mächtige Hauptturm, volkstümlich **Torre del Reloj** (Uhr) **de Papabellotas** genannt, und auf der anderen Seite die **Torre Blanca** (Weißer Turm). Am Eingang zum Hauptturm 2 westgotische Säulenfragmente der **ehem. Kirche S. Pedro** (6. Jh.). Der Portalsturz dieser Kirche, der lange Zeit als Eingangsstufe diente, befindet sich heute im Mu-

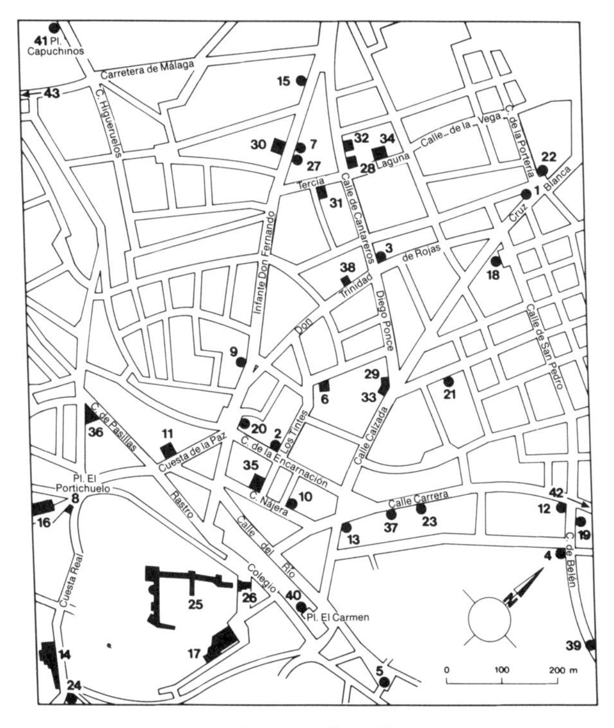

Antequera. Lageplan

seo Municipal (s. d.). Der Glockenturm auf dem Hauptturm 1582 errichtet.
Geht man die Calle del Río hinunter, so gelangt man zu den Wachtürmen des äußeren Mauerrings, **Torre del Agua, Torreón del Asalto** und **Torre de la Estrella.** Dieser ist durch einen Torbogen mit der Mauer verbunden. – Auf dem Weg in südl. Richtung bis zur **ehem. Puerta de Málaga** (s. Ermita de la Virgen de Espera) befinden sich zahlreiche Reste der **ehem. äußeren Festungsmauer.**

Kirchliche Bauten

Die restaurierte **ehem. Klosterkirche S. Agustín** (Calle Infante Don Fernando [volkstüml. »Estepa«] / Calle S. Agustín), 1550–56 erbaut, hat eine sehenswerte Capilla Mayor (Chorkapelle) mit reicher Yesería-Ornamentik und Gemäldedarstellungen aus der Vita des hl. Augustinus, spätes 17. Jh.

Klosterkirche Nuestra Señora de Belén (= Bethlehem) (Calle Belén). Das Kloster wurde 1617 von den Unbeschuhten Karmelitern gegründet; seit 1859 gehört es den Klarissinnen. Die 1709 geweihte Kirche, eine 3schiffige Querhausanlage von 5 Jochen mit Rechteckchor, besitzt noch ihre Ausstattung des späten 17. und des 18. Jh.

Der Bau der 1schiffigen **ehem. Klosterkirche Nuestra Señora del Carmen** (Plaza del Carmen) der Unbeschuhten Karmeliter wurde im späten 16. Jh. begonnen, doch erst im 18. Jh. vollendet.
Von der reichen Ausstattung des 18. Jh. ist im einzelnen auf den barocken Hochaltar im Chor sowie den Rokoko-Altar auf der südl. Chorseite hinzuweisen, v. a. aber auf die 1614 fertiggestellte mudejare *Artesonado-Decke* im Schiff.

Klosterkirche Sta. Catalina de Siena (Calle Nájera). Die 1schiffige Anlage wurde 1724–35 an der Stelle einer Vorgängerkirche des 17. Jh. erbaut. Von der Ausstattung ist das Gemälde »Verkündigung« (16. Jh.) im Chor sehenswert.

Die um 1774 in Ziegelstein errichtete **Votivkapelle de la Cruz Blanca** (Ecke Calle Sta. Clara / Calle Trinidad de Rojas [volkstüml. »Lucena«]) war früher eine der Kreuzwegstationen der Karfreitagsprozession.

Die **Kirche** des 1586 gegründeten **Dominikanerklosters Sto. Domingo** (Cuesta de la Paz [volkstüml. »C. de Sto. Domingo«]) vom Anfang des 17. Jh. ist im 18. Jh. wesentlich umgestaltet worden.

In der Sakristei ein Votivbild mit der Darstellung der Stadt Antequera während der Pest 1679.

Im mudejaren **Convento de la Encarnación** (Carmelitas Calzadas, Klosterkirche der Beschuhten Karmeliterinnen; Calle Obispo Muñoz Herrera [volkstüml. »C. Los Tintes«]), zwischen 1536 und 1580 erbaut, ist die *Artesonado-Decke* von besonderem Interesse.

Ein origineller Bau ist **Sta. Eufemia** (Calle Belén), die Kirche des 1601 gegründeten **Paulinerinnenklosters** (Minimen), zwischen 1739 und 1763 über 8eckigem Grundriß erbaut, im O mit quadratischem Chor und einem Camarín.

Der Rokoko-Altar im Chor und die Skulptur der hl. Eufemia im Camarín stammen, wie die übrige Ausstattung, aus dem späteren 18. Jh.

Das **Kloster der Unbeschuhten Karmeliterinnen** wurde 1632 gegründet; die **Kirche S. José** (Plaza de Las Descalzas), eine 1schiffige Anlage von 4 Jochen mit ausfluchtendem Querhaus und Rechteckchor, entstand zwischen 1707 und 1734. Ausgewogene Barock-Fassade, deren Portal noch von einem 1. Bau, aus der Gründungszeit des Klosters, stammt.

Im Innern eine Vielzahl qualitätvoller *Gemälde* aus dem späten 17. und dem 18. Jh.

Pfarrkirche S. Juan Bautista (Cuesta Real). Die 3schiffige, 4jochige Anlage mit Rechteckapsis wurde im späteren 16. Jh. (1584 vollendet) an der Stelle einer kleineren Vorgängerkirche erbaut. Innen tragen mächtige toskanische Säulen die Rundbogenarkaden.

S. Juan de Dios (Hl. Johannes von Gott) (Calle Infante Don Fernando [volkstüml. »Estepa«]), zwischen 1696 und 1716 erbaut, ist von gleicher Grundrißform wie S. José.

Der Hochaltar im Chor datiert von 1759, die Skulptur der Immaculata in der Mittelnische aus der Zeit um 1700.

Nuestra Señora de Loreto (Calle Maderuelos) war die Kirche des ehem. Jesuitenkollegs. 1693 begonnen, wurde sie mit der reichen Yesería-Ornamentik im Innern 1706 fertiggestellt.

Die Skulptur des hl. Franz von Borgia auf der S-Seite erinnert an Arbeiten von Pedro de Mena.

● **Klosterkirche Madre de Dios de Monteagudo** (Calle Trinidad de Rojas [volkstüml. »Lucena«]). Die 1schiffige Klosterkirche der Augustinerinnen, nach Brand der Vorgängerkirche des 16. Jh. zwischen 1747 und 1761 errichtet, ist sicherlich die architektonisch vollkommenste Barockkirche der Stadt. Der Außenbau besticht durch die hohen, harmonisch gegliederten Ziegelsteinmauern und den grazilen 2geschossigen, von einem Pyramidendach gekrönten Turm auf der N-Seite. Im Innern ist auf die oktogonale Kuppel der Capilla Mayor sowie auf die 1746 von José Medina geschaffene Skulptur der *»Virgen de Monteagudo«*, im Camarín, hinzuweisen.

Kirche Sta. María de Jesús (Plaza del Portichuelo). Das urspr. Franziskanerkloster des 16. und frühen 17. Jh. ist nicht erhalten; die Treppe und die Reste des Kreuzgangs stammen aus der 2. Hälfte des 17. Jh. – Nach den Zerstörungen durch napoleonische Truppen im frühen 19. Jh. wurde die Kirche neu erbaut; vom Vorgängerbau des frühen 18. Jh. ist lediglich die 6eckige Capilla del Socorro erhalten und als Capilla Mayor einbezogen.

Die monumentale Front der zwischen 1515 und 1550 errichteten **Real Colegiata de Sta. María la Mayor** (Plaza de ● Sta. María) bietet eine *Schauseite,* die neben der Fassade der Sacra Capilla del Salvador in Úbeda die bedeutendste der andulusischen Renaissance genannt werden muß. Den harmonischen Gesamteindruck beeinträchtigt allerdings der erst im 17. Jh. über quadratischem Grundriß errichtete Ziegelstein-Turm rechts, im NO (die Fassade weist nach O, nicht wie üblich nach W). Im Innern sind die mudejaren *Artesonado-Decken* bemerkenswert.

Die Ausstattung der in neuerer Zeit restaurierten und profanierten Kirche wurde in andere Kirchen der Stadt und in das Museo Municipal verbracht.

Pfarrkirche S. Pedro (Plaza de S. Pedro). 3schiffige, 1574 begonnene und erst 1731 vollendete Anlage mit Hochaltar des frühen 18. Jh.

Capilla del Portichuelo (Plaza del Portichuelo). Die Votivkapelle aus dem 18. Jh. ist der »Virgen del Socorro« geweiht und auch unter diesem Namen bekannt, ein eleganter 2geschossiger Bau mit barocken und mudejaren Stilelementen, früher eine Kreuzwegstation der Karfreitagsprozession.

Klosterkirche Nuestra Señora de los Remedios (Calle Infante Don Fernando [volkstüml. »Estepa«]). 3schiffig und 5jochig, mit Querhaus und gerade geschlossenem Chor. Nach 1607 begonnen und im frühen 18. Jh. vollendet; der 2geschossige Glockenturm 1630.

In dem 6eckigen Camarín am Chor selbst die 0,66 m hohe Holzskulptur der *»Virgen de los Remedios«*, der Schutzpatronin von Antequera, aus dem frühen 16. Jh. (1816 restauriert). Die *Temperamalereien* im Innern stammen aus dem späten 17. Jh.; im Querhaus täuschen sie rechteckige und ovale Tafel- oder Leinwandbilder vor. Dargestellt sind u. a. Szenen aus der Vita Mariens und der Vita des hl. Antonius.

In dem **ehem. Klostergebäude der Franziskaner** befindet sich seit 1845 das Rathaus (s. u., Ayuntamiento).

Eine originelle *Vorhalle* mit mudejar-barocken Stilelementen und einen sehenswert mit Yeserías ornamentierten *Camarín* von 1765 besitzt die nach der Mitte des 18. Jh. erbaute **Pfarrkirche Santiago Apóstol** (Plaza Santiago).

Beachtenswertes Leinwandbild »Hl. Jakobus Maurentöter«, Ende 16. Jh.

Colegiata de S. Sebastián (Plaza de S. Sebastián)

Als Pfarrkirche begann Diego de Vergara 1540 den Bau, schuf auch selbst 1548 das Wappen Kaiser Karls V. über dem Portal. In der Folgezeit hat der Bau, seit 1692 Stiftskirche, zahlreiche Umgestaltungen erfahren.

Der urspr. Renaissance-Bau war eine 3schiffige Anlage von 5 Jochen und mit einem Querhaus. Der heutige gerade Chorschluß ist erst nach 1690 entstanden. Das klassizist. Querhaus stammt aus dem späten 18. Jh., die Capilla de Animas am nördl. Seitenschiff aus dem frühen 19. Jh. Der mudejar-barocke *Turm,* bis auf das untere Geschoß aus Ziegelstein, wurde 1699–1706 errichtet, sein Pyramidendach erst 1928.

Am plateresken *Portal,* um 1548, sind in den Bogenzwickeln die Büstenmedaillons der hl. Apostel Philippus und Jakobus d. Ä. zu sehen, in den Nischen der hl. Sebastian und zu seinen beiden Seiten die hll. Petrus und Paulus; darüber das Wappen Kaiser Karls V., überhöht von Herakles als Kind und den unbekleideten Figuren eines Mannes und einer Frau, Allegorien der Nacht und der Dämmerung. Der den Turm krönende Schutzengel, mit einer Reliquie der hl. Eufemia im Innern, stammt noch vom urspr. Kuppelabschluß.
Das *Gestühl* des inneren Langhauschors, aus dem frühen 18. Jh., stammt aus dem ehem. Kloster S. Agustín (s. d.); die Skulpturen des neugot. (Ende 19. Jh.) Holzretabels der Chorrückwand sind z. T. von Andrés de Carvajal, dessen 1771 geschaffener expressiver *»Christus nach der Geißelung«,* in der Mittelnische, eines seiner Hauptwerke darstellt.
Unter den qualitätvollen *Altären* ist besonders der 1683 von dem Einheimischen Bernardo Simón de Pineda geschaffene und Sta. María de la Esperanza geweihte Altar in der östl. Kapelle des nördl. Seitenschiffs zu erwähnen; die Skulptur der *Hl. Katharina* ist vermutlich ein eigenhändiges Spätwerk des 1624 in Antequera geborenen Pedro Roldán.

Bei der **Ermita de la Virgen de Espera** (Calle Henchidero / Calle Río del Rosal) handelt es sich um die **Puerta de Málaga,** das südl. Tor der maurischen Alcazaba aus dem 13. Jh., die nach der Rückeroberung zur christlichen Kapelle umgestaltet wurde. Der kleine Altar im Innern des sich in einem alfizumrahmten Hufeisenbogen öffnenden Turmes stammt aus dem späten 18. Jh.

Capilla de la Virgen del Socorro (Plaza del Portichuelo) →Capilla del Portichuelo.

Die **Kirche** des 1637 gegründeten **Convento de la Trinidad** (Avenida Cruz Blanca), des Klosters der Unbeschuhten Trinitarier, wurde 1672–83 erbaut, der Ziegelstein-Glokkenturm im 18. Jh. – In der Sakristei aus der Mitte des 18. Jh. Gemälde des 17. und 18. Jh.

Kirche des **Convento de la Victoria** (Calle Madre Carmen del Niño Jesús [volkstüml. »Carrera«]), 1712–18, mit Ziegelstein-Glockenturm aus dem späten 18. Jh. Das Schiff über 8eckigem, der Chor über 6eckigem Grundriß.

Real Monasterio de S. Zoilo – Iglesia de S. Francisco (Calle Trasierras). Von dem ältesten, 1501–15 errichteten Kloster der Stadt ist allein diese Kirche der Franziskaner überkommen. Der Grundriß der im 17. Jh. wesentlich veränderten, ursprünglich spätgot. Anlage war 3schiffig mit Rechteckchor. Vom südl. Seitenschiff sind nur die beiden östl. Joche erhalten.

Die mudejare *Artesonado-Decke* im Mittelschiff, der Renaissance-Altar der *»Virgen de los Ángeles«* auf der N-Seite, der 1778 von Antonio Palomo geschaffene *Hochaltar* im Chor mit der Skulptur der Immaculata aus dem frühen 17. Jh. sowie der Kreuztragende Christus (*»Cristo de la Sangre«*) von Pablo de Rojas, aus dem späten 16. Jh., im Camarín, sind die herausragenden Ausstattungsstücke.

Denkmäler, Tore, Bogen

Arco de los Gigantes, Arco de Sta. María (bei der Stiftskirche Sta. María la Mayor). 1585 an der Stelle eines maurischen Tores errichtet. Ursprünglich eingemauerte römische Fundstücke aus der Umgebung befinden sich heute zum großen Teil im Museo Municipal.

Puerta de Granada (Calle Belén). 1748 von dem Baumeister Martín de Bogas innerhalb von 2 Monaten errichtet; 1942 restauriert. An den Seiten des Tores die Wappen von Ferdinand VI. und der Stadt.

Puerta de Málaga (Calle Henchidero / Calle Río del Rosal) →Ermita de la Virgen de Espera.

Auf der Plaza de Capuchinos der **Triunfo de la Inmaculada Concepción** mit der bekrönenden Statue der Immaculata, um 1700.

Häuser, Paläste

Ayuntamiento, Rathaus (Calle Infante Don Fernando [volkstüml. »Estepa«]). Seit 1845 im ehem. Klostergebäude der Franziskaner aus dem späteren 17. Jh. Der quadratische Patio (ehem. Kreuzgang) mit Ziegelsteinarkaden auf toskanischen Marmorsäulen um 1700; die barocke Monumentaltreppe 1745 bezeichnet; neobarocke Fassade von 1953.

Casa del Conde de Colchado (Ecke Calle Ramón y Cajal [volkstüml. »Cantareros«] / Calle Laguna). Im späten 18. Jh. erbaut, im 19. Jh. umgestaltet. Sehenswerter Patio mit Ziegelstein-Rundbogenarkaden auf toskanischen Säulen.

Im Innern der **Casa de los Colarte** (Calle »Calzada«) sind insbesondere das *Treppenhaus* und die z. T. museal mit Möbeln aus der Entstehungszeit, dem frühen 18. Jh., eingerichteten Räume sehenswert. – Das Haus dient als Unterkunft für Gäste der Diputación Provincial (Provinz-Abgeordnetenkammer) von Málaga.

Palacio de la Marquesa de las Escalonias (Calle Rodrigo de Narváez [volkstüml. »Pasillas«]), Anfang 17. Jh., mit gutem manieristischem *Portal.*

Palacio de Nájera (Calle Nájera) →Museo Municipal.

Casa de los Pardo, Banco Hispano Americano (Calle Infante Don Fernando [volkstüml. »Estepa«]). Vom Bau des 17. Jh. ist die 1636 vollendete Fassade erhalten. 1975 restauriert.

Palacio de los Marqueses de la Peña de los Enamorados, Colegio de Las Carmelitas (Calle Madre Carmen del Niño Jesús [volkstüml. »Carrera«])
Zum Ursprung des Namens s. »Umgebung«, La Peña de los Enamorados. Die Anlage aus der 2. Hälfte des 16. Jh. wurde in der Folgezeit weitgehend umgebaut, zuletzt 1947–49.

Die Fassade ist eine Replik des 1979 abgerissenen, aus dem 16. Jh. stammenden Palacio de los Condes de la Camorra.

Casa del Conde de Pinofiel (Calle Tercia). Sehr gut erhaltener barocker Bau, bezeichnet: »Juan de Navarrete me fecit. Ano 1762.«

Casa de los Ramírez (Calle Rámon y Cajal [volkstüml. »Cantareros«]). Im späteren 18. Jh. erbaut, mit 2geschossigem Portal.

Die **Casa del Barón de Sabasona** (Calle »Calzada«), frühes 18. Jh., ist ein 3geschossiges Ziegelstein-Gebäude mit bemerkenswerten geschwungenen Fenstergiebeln.

Casa de los Serrailler (Calle Laguna). Neobarock, 1928, Spätwerk des Sevillaner Architekten Aníbal González.

Casa del Conde de Valdellano (Calle Ramón y Cajal [volkstüml. »Cantareros«]). Spätes 18. Jh.; sehenswertes *Portal.*

Palacio del Marqués de Villadarias (Calle Trinidad de Rojas [volkstüml. »Lucena«]). 1710–16 erbaut, die Fassade im 19. Jh. umgestaltet.

Museen

Museo Municipal (im **ehem. Palacio de Nájera;** Calle Nájera / Plaza del Coto Viejo)

Der Bau stammt aus dem 18. Jh., lediglich das (restaurierte) Portal bewahrt noch geringe Teile eines Vorgängerbaus aus dem frühen 17. Jh. Der elegante quadratische Mirador-Turm kam in der Mitte des 18. Jh. hinzu. Die Kuppel über dem Treppenhaus, mit reicher Yesería-Ornamentik, stammt aus dem frühen 18. Jh. Im Innenhof Rundbogenarkaden aus Ziegelstein auf toskanischen Säulen.

Der Innenhof birgt Statuen- und Säulenfragmente, meist aus römischer Zeit. Im linken Arkadengang, gen. Sala del Arco de los Gigantes, ein *Portalsturz-Fragment* der ehem. westgotischen Kirche S. Pedro aus dem 6. Jh. Die lateinische Inschrift lautet in deutscher Übersetzung: »Alpha und Omega. Im Namen des Herrn. Diese ist die Kirche des hl. Petrus, gegründet von Sigerius und Vincentius.« Der Portalsturz diente in maurischer Zeit als Eingangsstufe zum Hauptturm der Alcazaba, der »Torre de Papabellotas« (s. Alcazaba). Die römischen Inschriften waren früher am 1585 errichteten Arco de los Gigantes eingemauert. – In der Antesala und der Sala del Efebo die Marmorbüste des Drusus d. Ä. und die *Bronzestatue eines Jünglings,* römische Kopie des 1. Jh. nach einem hellenistischen Original.

Obere Gänge. An den Wänden 12 *Gemälde* zweier mexikanischer Maler, aus dem 17. Jh., mit Darstellungen aus dem Marienleben: 3 (Geburt und Beschneidung Christi, Marientod) von El Mudo Arellano, die 9 anderen von Juan Carrera.

Sala del Facistol. Der Name stammt von dem *Chorbuch-Pult* des 17. Jh. in der Mitte (aus der Klosterkirche S. Zoilo); die beiden *Chorbücher* sind 1570 in Granada geschaffen. Qualitätvoll auch die Skulptur der Hl. Lucia, Anfang 16. Jh. mit farbiger Fassung des späten 18. Jh., sowie die manieristische Hl. Eufemia aus dem späten 16. Jh.

Sala de las Tacas. Benannt nach den Wandschränken, die zur Ausstellung der liturgischen Gegenstände dienen. Besondere Beachtung verdient das Rokoko-*Viaticum* (Gefäß für die dem Sterbenden gereichte »Wegzehrung«, die hl. Kommunion) aus vergoldetem Silber, in der »Taca« III; der einheimische Silberschmied Félix Gálvez Sánchez hat es um 1785 geschaffen. Unter den *Gemälden* sind besonders beachtenswert die von Antonio Mohedano Gutierra (um 1563 Lucena – 1626 Antequera), dessen »Anbetender Junge« zu seinen Hauptwerken gehört, und von Pedro Atanasio Bocanegra (1638–89) »Immaculata« und »Virgen del Rosario«.

Sala de S. Francisco. Von besonderem Interesse die lebensgroße *Holzskulptur des hl. Franz von Assisi,* von Pedro de Mena y Medrano (1628–88).

Sala de la Virgen del Socorro. *Prozessionsgegenstände* der Cofradía de la Sta. Cruz en Jerusalén y Nuestra Señora del Socorro aus dem 18. und 19. Jh.

Sala de la Virgen del Rosario. Die ausgestellten *liturgischen Gegenstände,* vorwiegend aus dem 18. Jh., stammen aus dem Kloster Sto. Domingo, der Stiftskirche Sta. María la Mayor und der Klosterkirche Virgen de los Remedios.

Die Sala de Cristóbal Toral ist Werken dieses 1940 in Antequera geborenen Malers gewidmet.

Casa-Museo de los Colarte (Calle »Calzada«) →Casa de los Colarte.

Umgebung

Östlich von Antequera liegen mehrere **megalithische Grabbauten** (Dolmen), ca. 800 m entfernt die **Cueva de Menga** und die **Cueva de Viera** (nahe der Carretera Málaga–Granada, am Fuße der Anhöhe Cierro de la Cruz), in ca. 4 km Entfernung die **Cueva del Romeral** (nahe der Kreuzung der Straßen Sevilla–Granada und Córdoba–Málaga).

Cueva de Menga

Die prähistorische Grabanlage gehört zu den bedeutendsten Andalusiens. Sie wird bereits 1645 in der »Población General de España« von Rodrigo Méndez de Silva erwähnt. Im 19. Jh. schrieb man ihre Erbauung den Druiden zu. Die Bezeichnung geht auf eine leprakranke Aussätzige namens Dominga (Menga) zurück, die sich in diese Höhle zurückgezogen haben soll. 1991 wurde die gesamte Anlage restauriert.

Der Dolmen von 25 m Länge, rd. 3 m Höhe und 6 m größter Breite besteht aus einer ovalförmigen Grabkammer, zu der ein Gang mit fast parallelen Seiten führt.

Die Grabkammer wird von 15 großen, senkrecht aufgestellten Felssteinen (Monolithen) gebildet, von denen der Begrenzungsstein im SW, am Ende der Kammer, der mächtigste ist. Sie wird von 4 Steinplatten abgedeckt, unter deren Fugen Pfeiler über rechteckigem Grundriß aufgestellt sind; eine Stützfunktion hat jedoch allein noch der 1. Pfeiler, nachdem sich der Boden unter den beiden anderen etwas gesenkt hat (die Zwischenräume wurden nachträglich ausgefüllt). Urspr. war in die Decksteine der Grundriß der Anlage eingeritzt.

Der Gang besteht auf beiden Seiten aus je 5 Felssteinen und einem Deckstein; ein weiterer Deckstein über dem Eingang fehlt. Der letzte Stein der linken Gangwand zeigt im oberen Bereich unterschiedlich tiefe *Ritzzeichnungen* in Form von Kreuzen, stilisierten menschlichen Figuren und einem 5zackigen Stern; diese stammen nicht aus der Erbauungszeit des Dolmen, die am Ende der Jungsteinzeit, etwa um 2500 v. Chr., angesetzt werden kann. Ursprünglich war der Dolmen von einem natürlichen Tumulus (Erdhügel) überhöht; der heutige ist künstlich.

La Peña de los Enamorados. Von dem hohen, gegenüber dem Cierro de la Cruz (Cueva de Menga) gelegenen »Felsen der Verliebten« sollen sich, wegen ihrer aussichtslosen Liebe, ein christlicher Gefangener und die Tochter des maurischen Statthalters in den Fluß Guadalhorce gestürzt haben.

Der Titel eines »Marqués de la Peña de los Enamorados« wurde Mitte des 17. Jh. Jerónimo Francisco de Rojas y Rojas Padilla verliehen, einem Nachkommen von Martín de Rojas Manrique, der 1410 Antequera miterobert hatte. Diese Familie war bis zum 19. Jh. eine der einflußreichsten der Stadt (vgl. Palacio de los Marqueses de la Peña de los Enamorados).

Cueva de Viera

Der etwa 70 m von der Cueva de Menga gelegene Dolmen wurde 1905 von zwei Brüdern namens Viera entdeckt und nach diesen benannt.

Die Anlage wird von einem 19 m langen gedeckten Gang und einer quadratischen, aus 4 senkrecht aufgestellten Felssteinen und einem einzigen Deckstein bestehenden Grabkammer (Seitenlängen 1,75 m) gebildet. Wie die Cueva de Menga war auch dieser Dolmen von einem natürlichen Erdhügel überhöht. Aufgrund der sorgfältigeren Steinbearbeitung und einiger Fundstücke dürfte seine Erbauungszeit in die Bronzezeit, etwa um 1800 v. Chr., zu setzen sein.

Cueva del Romeral

Die nach der Anhöhe (die auch Cierro Blanco heißt) benannte Grabanlage wurde im gleichen Jahr, 1905, ebenfalls von den Brüdern Viera entdeckt.

Es handelt sich um ein von einem (künstlichen) Tumulus überhöhtes *Kuppelgrab,* wie sie im Westen bis Spanien, im Osten bis Kleinasien nachweisbar sind. Zu den beiden Grabkammern von kreisförmigem Grundriß führt ein 23,50 m langer, 1,70 m breiter und 1,85 m hoher Gang, dessen Decke von großen monolithen Steinen gebildet wird. Am Ende des Ganges führt eine Rechtecköffnung, deren Pfeiler und Sturz Monolithe sind, in die große Grabkammer (Durchmesser 5,20 m, Höhe 4 m) und von dort aus eine trapezförmige Öffnung in die kleine Kammer (Durchmesser 2,30 m, Höhe 2,40 m), deren horizontaler Monolith vermutlich zur Aufnahme von Opfergaben bestimmt war. Beide Kammern bestehen aus kleinteiligem Mauerwerk. Wie bei den Grabmälern der kretisch-mykenischen Kultur sind ihre *Kuppeln* nicht durch echte Wölbung entstanden, sondern durch übereinander vorkragende Steinringe, die nach oben immer enger werden und durch je einen monolithen Deckstein geschlossen sind. – In der chronologischen Reihenfolge der megalithischen Grabbauten von Antequera ist diese jungsteinzeitliche Anlage die älteste; sie dürfte zwischen 3000 und 2500 v. Chr. entstanden sein.

Sierra El Torcal (13 km südlich von Antequera, Straße nach Málaga)
El Torcal ist ein riesiges, etwa 20 km^2 umfassendes »Stein-Museum«, entstanden durch die natürliche Erosion der Kalksteinfelsen. In über 1000 m Höhe – der höchstgelegene Punkt, der Felsen »Camorro de las Villaneras Altas«, liegt 1600 m ü. M. – bietet sich eine Vielzahl phantastischer und skurriler Felsengebilde. Über den landschaftlichen und geologischen Aspekt hinaus ist El Torcal auch botanisch interessant. 2 Wege sind durch gelbe bzw. rote Hinweispfeile gekennzeichnet.

ARCHIDONA (Málaga F4)

Der Ort (8000 Einwohner) war schon in vorrömischer Zeit besiedelt; unter den Römern hieß er Arcis Domina. *In maurischer Zeit – 1462 wurde er zurückerobert – war er von großer strategischer Bedeutung.*

Von der hochgelegenen **maurischen Festung** des 10. Jh., die von den Nasriden Granadas im 14. und 15. Jh. wieder instand gesetzt und ausgebaut wurde, sind Teile erhalten, u. a. die Moschee (s. Ermita de la Virgen de Gracia).

Pfarrkirche Sta. Ana. Vom urspr. Bau des frühen 16. Jh. stammen noch der Ziegelstein-Turm, der polygonale Chor und Teile der Mittelschiffstützen. 1883–85 erfolgte ein Umbau; dabei wurden das Mittelschiff erhöht und die Seitenschiffe hinzugefügt. Das W-Portal stammt aus dem späten 18. Jh.

Von der reichen und qualitätvollen Ausstattung sind besonders bemerkenswert: das Holzrelief des hl. Petrus und der Holz-Kruzifixus im 1. nördl. Seitenschiffjoch von O (16. Jh.); im Chor die Holzskulptur »Maria lernt lesen« und Fragmente des Chorgestühls aus dem 18. Jh.

Die **Kirche** des **Dominikanerklosters Sto. Domingo** wurde um die Mitte des 16. Jh. errichtet und später wiederholt umgebaut. Der 2geschossige **Kreuzgang** stammt aus dem späten 16. Jh.

Die **Iglesia del Convento de las Mínimas de Jesús María** aus der Mitte des 18. Jh. besitzt einen reich verzierten, 1789 auf einem Steinsockel über 4 Geschosse hochgebauten Ziegelstein-*Turm*.

In der **Iglesia de la Victoria** des im 16. Jh. gegründeten **Paulinerklosters** ist ein großes Fresko des *»Jüngsten Gerichts«* aus der Entstehungszeit, dem späten 17. Jh., zu sehen.

Iglesia del Nazareno. 1schiffige Kirche des 17. Jh., im 18. Jh. umgebaut; die Ausstattung meist aus dem 18. Jh.

Ermita de la Virgen de Gracia. Ursprünglich Moschee des 10. Jh., 1462 für den christlichen Gottesdienst verändert, im 17. und im 18. Jh. erweitert und umgebaut. Das Minarett der Moschee hatte urspr. doppelte Höhe.

Ermita de S. Antonio. 1schiffige Kapelle des frühen 18. Jh., im 19. Jh. umgebaut.

● Die Plaza Ochavada wurde 1780–89 von den lokalen Architekten Francisco Astorga und Antonio González erbaut. Über das Vorbild französischer Platzanlagen des 18. Jh. hinaus kommt hier traditionelles maurisches Baudenken zur Geltung: Der interessante 8seitige Platz wirkt nach außen verschlossen und entfaltet sich gleich einem Patio im Innern. Seine Erbauer bedienten sich des frühklassizist. Stilvokabulars mit großer Freizügigkeit und mit besonderem Einfallsreichtum.

Das **Ayuntamiento** (Rathaus) nimmt den Bau des **ehem. Pósito** (Getreidespeicher) aus dem 16. Jh. ein; das Portal stammt aus dem 18. Jh.

ARCOS de la Frontera (Cádiz C5)

Die über dem Río Guadalete höchst malerisch auf einem Felsenrükken gelegene Stadt (29000 Einwohner) ist eine maurische Gründung; auf vorrömischen oder römischen Ursprung gibt es keine Hinweise. 1255–61 wurde sie vorübergehend, 1264 endgültig von Alfons X. erobert.

An der Stelle des erheblich restaurierten und modern umgestalteten **Castillo** des 15. und 16. Jh. erhob sich der maurische Alcázar.

● Die gesamte **Altstadt** steht unter Denkmalschutz. Sehenswerte Baureste des 15. und 16. Jh. finden sich, außer an den unten genannten Kirchen, am **Convento de la Incarnación** und am **Palacio del Conde del Águila.**

Die 3schiffige **Kirche Sta. María de la Asunción** aus dem späten 15./frühen 16. Jh. enthält Reste einer mudejaren Anlage. Während des 16.–18. Jh. wurde sie umgestaltet, wie man u. a. am Turm und an der »Puerta de las Gradas«, beide 1758, erkennt. Das *Hauptportal* verbindet spätgot. Maßwerknischen mit platereskem Archivoltenschmuck. Im Innern überraschen spätgot. Fächergewölbe über Rundpfeilern. Die Ausstattung ist barock.

Auch **S. Pedro** ist eine spätgot. Kirche aus den letzten Jahrzehnten des 15. Jh., die im 18. Jh. erheblich umgestaltet wurde (barocke Turmfassade, Innenraum und Ausstattung).

Die manieristischen *Retabelbilder des Hochaltars,* mit Szenen aus der Vita des hl. Petrus, malte 1539–42 in ihrer Mehrzahl Hernando de Esturmio, d. i. der aus dem (heute) holländischen Zierikzee stammende Flame Ferdinand Sturm (oder Storm), seit 1539 in Andalusien tätig.

Umgebung

Bornos (C5)

Der Ort, vermutlich eine maurische Gründung, liegt 12 km nördlich von Arcos. Iberische Grabfunde (heute in Museen, so 4 Steinlöwen im Archäologischen Museum von Sevilla) lassen auf eine frühe Besiedlung des Gebiets schließen.

Vom **Castillo** des 15./16. Jh. sind Teile des Bergfrieds und des 2geschossigen Innenhofs erhalten.

Als leitender Baumeister der **Pfarrkirche Sto. Domingo** ist 1559 Hernán Ruiz II. bezeugt. Im 18. Jh. erfolgte eine barocke Umgestaltung (Turm 1792). Das Bild der »*Virgen de Belén*« aus dem frühen 17. Jh. wird irrtümlich Murillo zugeschrieben.

BAENA (Córdoba F3)

Das bis zur Rückeroberung durch Ferdinand III. (1241) maurische Bayyana *war im 9. Jh. eine bedeutende Festung (alcazaba) mit einer von Abd ar-Rahman II. gegründeten Moschee.*

Während vom **Castillo,** der Burg des 9. Jh., kaum etwas überkommen ist, sind die **Festungsmauern der maurischen Medina,** der heutigen Oberstadt, relativ gut erhalten. Von den ursprünglich ca. 50 Türmen vermitteln der **Turm des Arco oscuro** und die **Torre del Sol** noch die anschaulichste Vorstellung.

Sta. María la Mayor

Die Kirche wurde bald nach der Rückeroberung an der Stelle der Moschee Abd ar-Rahmans II. errichtet. Umfangreiche Erneuerungsarbeiten machte das Erdbeben von 1681 notwendig. In den 70er Jahren des 20. Jh. begannen die Restaurierungsarbeiten an dem Bau, den der Bürgerkrieg 1936–39 stark in Mitleidenschaft gezogen hatte.

Die Kirche ist eine 3schiffige Anlage von 4 Jochen mit Rechteckchor. Das Sockelgeschoß enthält noch Reste des Minaretts.

Im Innern sei auf das platereske *Gitter* der Capilla Mayor, aus der Mitte des 16. Jh., hingewiesen, ebenso im S-Seitenschiff auf das plattereske *Portal* (um 1560) der ehem. Kapelle Sta. Ana, dessen Meister auch das Retabel der Capilla de la Asunción (Himmelfahrt) geschaffen hat.

S. Bartolomé, 16. Jh., bewahrt 4 *Altäre* (Virgen del Socorro, S. Juan Bautista, Sta. Ana, Corazón de Jesús) aus der Erbauungszeit. Die übrige Ausstattung stammt aus dem 18. Jh.

Von der **Kirche Madre de Dios** des 1510 gegr. Dominikanerinnenklosters sind hauptsächlich der polygonale Chor und das kassettierte, von einem Dreipaß überhöhte S-Seitenschiffportal erhalten.

Beachtliche künstlerische Arbeiten zeigt die malerische und skulpturale Apsisausstattung des späten 16. Jh., mit Hauptaltar und einem aus Italien stammenden Tabernakel. Unter den *Epitaphien* ragen die des Herzogs von Sessa und Baenna, Don Antonio Fernández de Córdoba († 1606), seiner Gemahlin († 1615) und seines Sohnes Gonzalo († 1606) heraus. – Die lebensgroße, modern gefaßte *Stehmadonna* aus Stein, ein qualitätvolles Werk aus der Mitte des 14. Jh., stand urspr. in der Kirche Sta. María la Mayor.

S. Francisco, aus dem frühen 17. Jh., bewahrt eine reiche Ausstattung des 18. Jh.

In der Calle Mesones sollten die **Häuser Nr. 5** und **Nr. 7**, mit Portalen und Balkonen des 18. Jh., nicht übersehen werden.

BAEZA (Jaén G2)

Das fruchtbare Gebiet an den Ufern der Flüsse Guadalquivir und Guadalimar war seit dem 2. vorchr. Jt. besiedelt. Unter den Römern stieg Beatia, *die »glückliche Stadt«, zu einer der wichtigsten Städte in der Baetica auf. Die Westgoten nannten sie* Biesa, *die Mauren* Bayyasa *zu Ehren des Königs Bayyasi, der nach 1013 hier ein unabhängiges Reich begründete. 1147 konnte Alfons VII. Baeza für kurze Zeit besetzen, aber erst Ferdinand d. Hl. gelang 1227 die endgültige Rückeroberung. Die meisten Baudenkmäler entstanden während der wirtschaftlichen Blütezeit im 16. Jh. Sie lassen die Stadt noch heute als ein kleines Universum der spanischen Renaissance-Architektur erscheinen. 1538–1824 hatte Baeza eine renommierte Universität.*

Baeza wurde 1975, anläßlich des Internationalen Jahres der Denkmalpflege, vom Europarat zur »Musterstadt« erklärt. Um das Auffinden der Denkmäler und den Rundgang durch diese wahre »Museumsstadt« zu erleichtern, erfolgt die Beschreibung der Objekte nach Straßen und Plätzen.

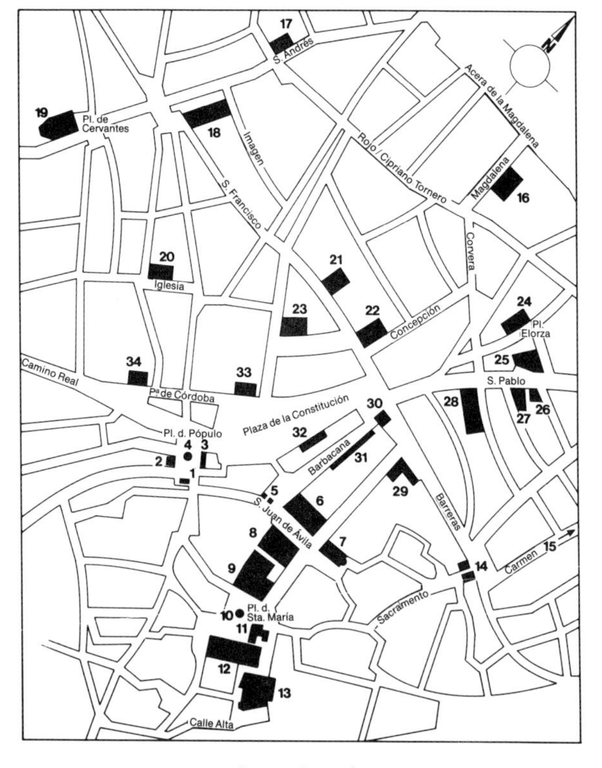

Baeza. Lageplan

Plaza del Pópulo (auch Plaza de los Leones):

Casa del Pópulo oder **Audiencia Civil y Escribanías,** ehem. Appellationsgericht, heute Fremdenverkehrsamt (Oficina de Información y Turismo)

1511 beschlossen, wurde der Bau des Appellationsgerichts 1535–40 ausgeführt. – Eine Schutzmantelmadonna, die »Virgen del Pópulo«, einst auf dem Balkon rechts, gab die heutige Hausbezeichnung. Vor diesem Gnadenbild (des frühen 13. Jh.?) war nach der Eroberung 1227 die erste Messe zelebriert worden; später baten hier die Soldaten vor dem Aufbruch zur Schlacht um den Schutz der Madonna.

Die auf den Platz ausgerichtete *S-Fassade* bietet gute platereske Bauskulptur, mit Büstenreliefs über dem Gurtgesims und reich ornamentierten Fenstergiebeln im Obergeschoß (das 6. Fenster, zur anschließenden Puerta de Jaén hin, ist verändert).

Zwischen den Fenstern prangen die Wappen Kaiser Karls V., der Stadt und des damaligen Statthalters Guevara. – Der Name »Escribanías« geht zurück auf die ehem. Kanzleilauben der Stadtschreiber im Untergeschoß.

Die **Puerta de Jaén,** neben der Casa del Pópulo, wurde 1526 anläßlich des Besuchs Kaiser Karls V. als Ehrenpforte errichtet. – Der **Arco de Baeza,** auch **Arco de Villalar** genannt, entstand 1521 an-

---

1 Casa del Pópulo / Audiencia Civil y Escribanías
2 Puerta de Jaén
3 Antigua Carnicería
4 Fuente de los Leones
5 Arco del Barbudo
6 Universidad
7 Sta. Cruz
8 Pal. Jabalquinto
9 Seminario S. Felipe Neri
10 Fuente de Sta. María
11 Casas Consistoriales Altas
12 Kathedrale
13 Pal. Rubín de Ceballos
14 Puerta de Úbeda
15 Kirche des ehem. Seminario S. Ignacio
16 La Magdalena
17 Sta. María del Alcázar y S. Andrés
18 La Encarnación
19 Jesús de los Descalzos
20 El Salvador
21 S. Francisco
22 La Purísima Concepción
23 Ayuntamiento
24 Pal. Elorza
25 S. Pablo
26 Casa Cabrera
27 Casa Acuña
28 Pal. Garcíez
29 Santiago de la Compañía de Jesús
30 Torre de los Aliatares
31 Pósito
32 Alhóndiga
33 Casas Consistoriales Bajas / Balcón del Concejo
34 La Cofradía

Baeza. Antigua Carnicería

läßlich des kaiserlichen Sieges über die aufständischen Comuneros in der Schlacht von Villalar.

Antigua Carnicería (heute Historisches Archiv; im Untergeschoß ein kleines Keramikmuseum). Das 1550 vollendete Gebäude mit dem Wappen Kaiser Karls V. hat ein – in islamischer Architektur nicht seltenes – offenes Obergeschoß. Die repräsentative Platzfassade läßt bei aller Nüchternheit die Bestimmung als Schlachthaus nicht erkennen.

Fuente de los Leones, Mitte 16. Jh. Die 4 liegenden Löwen und die weibliche Statue des Löwenbrunnens in der Platzmitte sind römischen Ursprungs (aus der ehem. Karthager- und späteren Römerstadt Castulo? [bei Linares, Prov. Jaen]). Nach der lokalen Überlieferung stellt die weibliche Figur die iberische Fürstentochter Himilce, die Frau Hannibals, dar (Kopf nach 1939 erneuert).

Calle S. Juan de Ávila:

Arco del Barbudo. Das Tor der ehem. Stadtmauer ist benannt nach einem Großmeister des um 1170 im Kampf gegen die Mauren gegründeten spanischen Ritterordens von Alcántara, Martín Yáñez de la Barbuda, der 1394 von hier mit seinen Mannen zum Kampf gegen die Mauren auszog und in der Schlacht getötet wurde.

Universidad. Als Neue Universität 1568–93 erbaut, seit 1824 Oberschule, kenntlich am Marmorrelief der Hl. Dreifaltigkeit über dem Hauptportal.

Im schönen Arkadenhof steht ein **Denkmal** für den Dichter **Antonio Machado** (1875–1939), der 1912–19 hier französische Grammatik unterrichtete.

Iglesia de Sta. Cruz. Dieser einzige aus der Zeit unmittelbar nach der christlichen Wiedereroberung (1227) erhaltene Sakralbau hat im S und im W spätroman. Säulenportale mit Akanthusblattkapitellen; das von einem Rundfenster überhöhte W-Portal stammt von der ehem. Kirche S. Juan.

Im Innern verwitterte *Fresken* des späten 15. Jh., u. a. Martyrium des hl. Sebastian und Maria lactans.

Palacio de los Marqueses de Jabalquinto
(Abb. S. 78)

Architekt dieses Adelspalastes war Ende des 15. Jh. Juan Guas († 1496), Auftraggeber der Herr von Jabalquinto, Juan Alfonso de Benavides Manrique, ein Vetter Ferdinands von Aragón, des Gemahls der Isabella von Kastilien.

Der leichte isabellinische Fassadenschmuck, wie hingestreut wirkend, hat durch die im 16. Jh. eingefügte Loggia im Obergeschoß seinen Abschluß verloren. Die »Picos«, diamantierte Quader, erinnern an die »Casa de los Picos« in Segovia und an das Portal des Palacio del Duque del Infantado in Guadalajara. Innenhof aus der Mitte des 16. Jh. und monumentale *Treppe* aus dem 17. Jh.

Plaza de Sta. María:

Seminario Conciliar de S. Felipe Neri. Die 1660 vollendete Gründung des Bischofs von Jaén, Fernando de Andrade y Castro, trägt über dem Portal der schmucklos strengen Hauptfassade sein Wappen.

Fuente de Sta. María. Der 1564 vollendete Marienbrunnen ist ein etwas schwerfälliger Triumphbogen (die tragenden Säulen 1770 restauriert) mit den Wappen Philipps II. und der Stadt.

Casas Consistoriales Altas, um 1511 als Rathaus erbaut; daher das Doppelwappen Johannas d. Wahnsinnigen und Philipps d. Schö-

Baeza. Palacio de los Marqueses de Jabalquinto
(zu S. 77)

nen am Obergeschoß. Am höheren Anbau links, von 1526, sind die Wappen Karls V., der Stadt und des Landvogts Alvaro de Lugo zu sehen.

Kathedrale

An der Stelle heidnischer und christlicher Vorgängerbauten errichteten die Mauren eine Moschee, deren Ausmaße etwa dem heutigen Kreuzgang entsprachen. Sie wurde 1147 von Alfons VII. dem hl. Isidor und 1227 von Ferdinand III. zusätzlich Mariä Geburt geweiht. Ein got. Neubau stürzte 1567 zum größten Teil ein; der im selben Jahr nach den Plänen von Andrés de Vandelvira begonnene Wiederaufbau war 1593 vollendet. Nach dem Tode Vandelviras (1575) hatte Cristóbal Pérez die Bauleitung. Als seine Baumeister werden Francisco del Castillo aus Jaén und nach 1584 der Jesuit Juan Bautista Villalpando sowie Alonso Barba, der bedeutendste Schüler Vandelviras, genannt. 1970 umfassend restauriert.

Am hohen quadratischen Sockelgeschoß (1395) des *Glokkenturms* stammt die Basis noch vom maurischen Minarett. Die oberen Geschosse aus der Mitte des 16. Jh. stürzten im 19. Jh. ein; in ihrer heutigen Form wurden sie erst 1960 vollendet. – Die ältesten Teile des christlichen Neubaus enthält die *W-Fassade*: Der mudejare, leicht spitz zulaufende und gezackte Hufeisenbogen der *Puerta de la Luna* zeigt Formen des späteren 13. Jh.; das spätgot. Maßwerkrundfenster darüber ist spätes 15. Jh., etwa gleichzeitig mit der zum Kreuzgang führenden *Puerta del Perdón,* dem Gnadentor, an der S-Mauer. – Das Innere von Vandelviras Bau zeigt sich als 3schiffige Halle in Renaissanceformen.

In das Innere führt das von einem Mariengeburtsrelief überhöhte Monumentalportal von 1587 an der N-Seite. Als Prunkstück fällt die 6eckige, metallgearbeitete und farbig gefaßte *Kanzel* von 1580 auf. Dargestellt sind die hll. Paulus und Andreas, vier Gründungsbischöfe, Engel und das Stifterwappen; am Kanzelfuß Szenen aus der Samson-Legende. Das qualitätvolle *Gitter* (reja) des (O-)Chors wird Meister Bartolomé aus Jaén zugeschrieben; es entstand unter Bischof Alonso Suárez de la Fuente del Sauce (1500–20), dessen Wappen es zeigt. Der Hauptaltar (*Altar Mayor*) von 1619 erhielt seine farbige Fassung in der Mitte des 18. Jh. Die 2,10 m hohe *Monstranz* schuf 1700–14 Gaspar Nuño de Castro, ein renommierter Silberschmied aus Antequera.

Von den in der 2. Hälfte des 16. Jh. an das N-Schiff angebauten 3 Kapellen enthält die Capilla de Santiago (Jakobskapelle) ein gutes Relief des hl. Jakobus mit dem Schwert als »Maurentöter«. – Im W schließt heute das Gitter (spätes 16. Jh.) des ehem. Langhauschors die Capilla Dorada (Goldene Kapelle) aus der 2. Hälfte des 16. Jh. und die Capilla de los Viedmas aus dem späten 14. Jh. ab. – An der S-Seite des **Kreuzgangs** sind die 3 mudejaren Kapellen besonders sehenswert.

Calle Alta: **Nr. 4:** Adelshaus vom Ende des 16. Jh. – **Palacio Rubín de Ceballos,** 18. Jh.

Calle del Sacramento: **Nr. 16**: Adelshaus mit plateresker Fassade, 1. Hälfte 16. Jh. – Die **Puerta de Úbeda** war Teil der alten Befestigungsmauern und wurde vor Ende des 15. Jh. Puerta de Quesado genannt; urspr. hatte sie 2 Türme.

Calle del Carmen: **Nr. 9** und **11**: Adelshaus mit Fassade um 1600.

Calle de Sor Felisa Ancín: **Kirche des ehem. Seminario S. Ignacio.** Das Jesuitenseminar wurde 1570 gegründet und war 1609 vollendet. Sehenswert ist die Turmwendeltreppe. Das *Fassadenrelief* zeigt eine Szene aus dem Leben des hl. Ignatius von Loyola, wahrscheinlich seine Berufung zum Ordensgründer auf dem Weg nach Rom.

Calle de la Magdalena: **Convento de la Magdalena.** Über dem Portal des 1568 gegründeten Klosters der Augustinerchorfrauen ein qualitätvolles Magdalenenrelief und das Wappen des Bischofs Sancho Dávila y Toledo (1600–15).

Calle de S. Andrés: **Sta. María del Alcázar y S. Andrés.** Bausteine des ehem. Alcázar dienten 1500–79 zum Bau der Kirche. Als Architekt wird nur Andrés de Vandelvira für die Capilla Mayor, um 1562, genannt. Alle Aufmerksamkeit zieht zuerst einmal das plutereske *S-Portal* mit der Statue des hl. Andreas und den Wappen des Gründerbischofs Alonso Suárez de la Fuente del Sauce (1500–20) auf sich, dann der *Turm* mit dem Wappen des Bischofs Esteban Gabriel y Marino. Am N-Portal von 1555–60 die Wappen des Bischofs Diego Tavera.

Im Chor 9 Tafeln des 15. Jh. mit Darstellungen aus der Vita Christi. Der Hauptaltar Mitte 17. Jh.

Calle de la Imagen: Der **Convento de la Encarnación,** das Kloster der Unbeschuhten Karmeliterinnen, wurde 1599 gegründet. Über dem Portal Verkündigungsrelief und Karmeliterwappen.

Plaza de Cervantes: **Iglesia del Convento de Jesús de los Descalzos.** Die Kirche, ein oktogonaler Bau des frühen 17. Jh., gehörte zum aufgelösten und zerstörten Kloster der Unbeschuhten Trinitarier (Bettelmönche).

Calle de la Iglesia: **Pfarrkirche El Salvador.** Das frühgot. *Portal* mit leicht spitz zulaufenden Archivolten und Knospenkapitellen stammt vermutlich von einem anderen Bau. Der 3geschossige *Turm* trägt das Wappen seines Erbauers, des Bischofs Esteban Gabriel y Marino (1523–35).
Die *Artesonado-Decke* innen zeigt Reste alter Bemalung (14. Jh.). »Ecce Homo« des 17. Jh.

Calle de S. Francisco:

Convento de S. Francisco

Das Anfang des 19. Jh. durch ein Erdbeben ruinierte Franziskanerkloster, eine Gründung des 14. Jh., hatte 1538 einen Neubau erlebt, der unter der Leitung von Andrés de Vandelvira (1509–75) zu einem der schönsten Zeugnisse der Renaissance in Andalusien wurde; seine Capilla Mayor war zwar 1546 vollendet, die Kirche aber noch 1628 im Bau.

Gut erhalten blieb die *W-Fassade* der **Kirche** mit einer Reliefdarstellung aus der Vita des hl. Franziskus von Assisi und der »Virgen del Alcázar« im Tympanon des Portals.
Von der einstigen Pracht der Capilla Mayor gibt noch deren wie eine 3-Portal-Fassade gegliederte *Altarwand,* mit den Reliefs der Anbetung der Könige und der Hirten, eine Vorstellung.

Iglesia del Antiguo Hospital de la Purísima Concepción. Die Kirche des ehem. Hospitals zur Unbefleckten Empfängnis (heute Colegio Menor S. Juan de la Cruz) stammt aus der 1. Hälfte des 17. Jh. Das 1625 datierte *S-Portal* ist dem erhaltenen Portal von S. Francisco nachgebildet.
Seitlich des Reliefs der Patronin die Wappen der Stadt und des Bischofs Moscoso y Sandoval (1619–46).

Prado de la Cárcel: **Ayuntamiento.** Die prachtvolle Anlage mit plateresken Schmuckelementen – 1559 vollendet und bis 1867 Gefängnis und Gerichtshof – wird ohne gesicherte Beweise Andrés de Vandelvira zugeschrieben, verrät aber zumindest seinen Stil.

Plaza de los Elorza: Vom gleichnamigen **Palast** aus dem Ende des 16. Jh. zeugt noch das reiche, 2geschossige Portal.

Calle de S. Pablo:

Die 3schiffige **Pfarrkirche S. Pablo** entstand um 1500. Das Hauptportal, mit Büstenrelief des hl. Paulus, ist 1665 bezeichnet; das N-Portal 1653.

In der Sakristei wird eine qualitätvolle *Silbermonstranz* des 18. Jh. aufbewahrt.

Casa de los Cabrera und **Casa de los Acuña** sind Adelshäuser aus der 1. Hälfte des 16. Jh. – Der **Palacio de los Condes de Garcíez,** ein spätgot. Bau aus dem frühen 16. Jh., hat einen sehenswerten Innenhof mit spätgot. und platereskem Dekor.

Barreras: **Colegio de Santiago de la Compañía de Jesús.** Von dem 1570 gegründeten Jesuitenkolleg zeugen noch die Fassade (zur Calle de la Compañía) und die Arkaden des Innenhofs.

Torre de los Aliatares. Der Name des im 10. Jh. von den Mauren errichteten Turmes geht auf einen arabischen Stamm zurück. Seine bekrönenden Zinnen sind Zutaten des späten 19. Jh.

Barbacana: Der **Pósito,** ein früherer Getreidespeicher, stammt aus der Mitte des 16. Jh. und war verbunden mit der **Alhóndiga** (Plaza de la Constitución), der Getreidehalle und -börse für die Verkaufsverhandlungen.

Plaza de la Constitución (Paseo): **Casas Consistoriales Bajas** oder **Balcón del Concejo.** Das restaurierte Gebäude stammt aus dem beginnenden 17. Jh. Vom Balkon aus präsidierte und verfolgte der Rat der Stadt Stierkämpfe und andere öffentliche Feste. 1835–67 war hier das Rathaus.

Calle de la Puerta de Córdoba: **La Cofradía.** Der umfassend restaurierte Bau aus dem späten 16./frühen 17. Jh. gehörte seit dem Ende des 18. Jh. einer religiösen Bruderschaft (Cofradía).

BÉLMEZ (Córdoba D2)

Die **Iglesia parroquial de la Anunciación** (Verkündigungskirche) des erstmals 1245 urkundlich erwähnten Ortes ist wohl weitgehend restauriert und modernisiert, enthält aber noch Bauteile des 14. Jh. (unteres Turmgeschoß an der W-Fassade) und des 16. Jh. – Hauptaltar um 1600.

Die auf einem hohen Felsen erbaute **Burg** stammt urspr. aus dem 13. Jh. (nach der Rückeroberung des Gebietes, 1236); der gut erhaltene *Bergfried* und die *Ummauerung* gehören dem 15. Jh. an. Einige Bauteile wurden von den französischen Truppen, die 1810 die Burg besetzt hielten, hinzugefügt.

BENACAZÓN (Sevilla C4)

Der Ortsname deutet auf maurischen Ursprung hin.

Iglesia de Sta. María de las Nieves. Die Kirche war urspr. eine 1schiffige mudejare Anlage von 5 Jochen mit kuppelüberhöhtem Rechteckabschluß im O. Im 17. Jh. wurde im S ein Seitenschiff angefügt und in der 2. Hälfte des 18. Jh. der Turm im SW erbaut.

Am Hochaltar aus dem späten 17. Jh. ein *Kruzifixus* des 15. Jh. – In der Capilla Sacramental ein Altar aus dem 1. Drittel des 17. Jh. mit qualitätvoller Madonnenskulptur *»Virgen de la Granada«*, um 1540.

Iglesia de la Veracruz. Im Innern der neuen Kirche ein *Altar* um 1660.

Ermita de Castilleja de Talhara. Die Ruinen stammen von einer 3schiffigen mudejaren Anlage aus dem 14. Jh.

Ermita de Gelo. Die Kirche, außerhalb des Ortes an der Carretera Bollulos de la Mitación–Aznalcázar gelegen, ist eine 3schiffige mudejare Anlage aus dem 15. Jh. Hochaltar aus dem späten 17. Jh.

BENALMÁDENA (Málaga EF5)

Der Ort ist maurischen Ursprungs; vermutlich geht der Name auf die arabische Bezeichnung der **römischen Ruine** im Ortsteil **Arroyo de la Miel** zurück.

Am Strand sind die Reste von 3 Wachtürmen überkommen: Die **Torre Bermeja** stammt noch aus maurischer Zeit, aus dem 14. Jh.; die **Torre Quebrada** wurde 1497 von den Kath. Königen errichtet und im 16. Jh. wiedererbaut; die **Torre del Muelle** stammt aus dem späteren 16. Jh.

Die 3schiffige **Pfarrkirche Sto. Domingo** aus dem frühen 17. Jh. wurde 1960 restauriert und umgestaltet. Die Ausstattung ist 18. Jh.

In dem 1970 eröffneten **Museo Arqueológico Municipal** sind besonders die jungsteinzeitlichen Fundstücke (3000–2000 v. Chr.) von Bedeutung.

BENAOJÁN (Málaga D5)

Der 1487 zurückeroberte Ort (vermutl. abgeleitet von arab. Bait-Aoxan = *Haus der Bäcker) ist noch heute von seiner maurischen Vergangenheit geprägt. Um die Mitte des 16. Jh. wurde die aufständische Morisken-Einwohnerschaft vertrieben; die neuen Siedler kamen 1571 aus dem Norden Spaniens.*

Die um 1500 erbaute **Pfarrkirche Nuestra Señora del Rosario** ist in der Folgezeit wesentlich umgestaltet worden.

Von besonderem Interesse sind 2 prähistorische Höhlen im Ortsgebiet:

- **Cueva de la Pileta**

  Die Höhle entdeckte 1905 der Landwirt José Bullón Lobato; bekannt aber machte sie erst ein Zeitungsbericht (London 1911) des englischen Militärschriftstellers, Sandhurst-Dozenten und Hobby-Ornithologen William Willoughby Cole Verner. Sie wurde ab 1912 von den Prähistorikern H. Breuil und H. Obermaier erforscht, die ihre Ergebnisse 1915 publizierten. 1926 wurden weitere Gänge entdeckt, und 1942 fanden neue Grabungen statt.

  Die Höhle bildet ein weitläufiges 2geschossiges Ensemble von Gängen, Seen, Stalaktiten und Stalagmiten, das vom Jungpaläolithikum bis in die Bronzezeit als Kult- und Wohnstätte diente.

Die *Malereien* stellen Jagdwild des Menschen dar; die frühesten, in gelblichen Farbtönen und mit bewegtem Kontur, gehören dem Aurignacien, der ersten Stufenfolge des Jungpaläolithikums (ca. 22000–18000), an. Stilistisch reifer ist ein dem Solutréen (ca. 18000–15000) zugehöriger rotfarbiger Bison. Die schwarzfarbigen Zeichnungen, darunter die »Cabra hispanica« (Wildziege), eine der schönsten und besterhaltenen Darstellungen, gehören bereits dem älteren Magdalénien (ca. 15000–12000) an und sind den Höhlenmalereien von Altamira bei Santander und von →Nerja vergleichbar. Hinzu kommen schwarze schematische Zeichen magischer Bedeutung, die bis in die Bronzezeit reichen. Aus dem Magdalénien noch stammt der größte Teil der *Keramikfunde*.

Die **Cueva del Gato** ist höhlenwissenschaftlich hoch interessant und bietet mit ihrem 4 km langen unterirdischen Fluß ein besonderes Naturschauspiel.

BENAQUE (Málaga F5)

In dem kleinen Ort steht das Geburtshaus (jetzt **Museum**) des Dichters Salvador Rueda (1857–1933), eines der Wegbereiter der modernen spanischen Poesie.

Die kleine mudejare **Pfarrkirche** wurde im späten 16. Jh. an der Stelle einer maurischen Moschee erbaut; von dieser blieb das Minarett noch z. T. erhalten, das Glockengeschoß ist mudejar.

BENARRABÁ (Málaga D5)

Die maurische Ortsgründung geht auf den »Sohn des Rabbah« (arab. Ben Rabbah*) zurück.*

Die **Pfarrkirche San Sebastián,** eine 3schiffige Anlage von 4 Jochen mit geradem Chorschluß, stammt aus der 1. Hälfte des 18. Jh. und wurde in der Folgezeit wesentlich umgestaltet; die Kuppel der Capilla Mayor (Chor) zeigt figürliche Yesería-Ornamentik.

Ein Bau des späten 17. Jh. ist die einfache Kapelle **Ermita del Santo Cristo de la Vera Cruz.**

BOLLULOS de la Mitación (Sevilla C4)

Die **Kirche S. Martín** mit 1schiffigem Langhaus von 4 Jochen und Seitenkapellen, Querschiff und geradem Chorabschluß im O stammt aus dem 18. Jh.

Am klassizist. *Hochaltar* Skulpturen aus dem 17. und 18. Jh.

Ermita de Nuestra Señora de Roncesvalles, 19. Jh. Am Hochaltar Skulpturen des 18. Jh. und eine farbig barock gefaßte Marmor-*Madonna* aus dem frühen 15. Jh.

● **Ermita de Nuestra Señora de Cuatrovitas.** Die interessanteste Kirche von Bollulos liegt 5 km vom Ort entfernt, südwestlich. Die 3schiffige Anlage ist eine für den christlichen Gottesdienst umgestaltete ehem. Almohaden-Moschee aus dem 12. Jh. Der freistehende *Turm,* das ehem. Minarett, ist bis auf den oberen Abschluß unverändert geblieben. Im Innern der Kirche wurden die urspr. Hufeisenbogen durch Rundbogenarkaden ersetzt.

Das *Altarblatt* (Azulejos) des Hochaltars (frühes 18. Jh.) stellt die Madonna im Rosenkranz mit den 4 Evangelisten dar und stammt aus dem letzten Drittel des 16. Jh.

BUJALANCE (Córdoba F2)

Berichte, nach denen sich hier ein antikes Gemeinwesen befunden habe, das bereits in vorrömischer Zeit eine besondere Rolle gespielt hat, sind nicht ernst zu nehmen. In maurischer Zeit hieß der Ort Burch al-Hansh *(Schlangenturm), woraus nach der christlichen Rückeroberung (1236)* Burialhance *und schließlich* Bujalance *wurde.*

Die **Pfarrkirche Nuestra Señora de la Asunción** (Mariä Himmelfahrt), eine 3schiffige querhauslose Anlage von 6 Jochen mit Rechteckchor, gehört im wesentlichen dem 16. Jh. an. Der Glockenturm wurde im frühen 17. Jh. begonnen, doch erst 1780 fertiggestellt.

Der Hauptaltar in der Capilla Mayor, mit Darstellungen aus dem Marienleben, ist aus der 2. Hälfte des 16. Jh.

Von den weiteren Sakralbauten sind der Glockenturm der **Kirche S. Francisco** (Ende 17. Jh.) sowie der Hauptaltar (2. Drittel 18. Jh.)

in der **Kirche** des **Hospital de S. Juan de Dios** (letztes Drittel 17. Jh.) erwähnenswert.

Die maurische **Burg** (Castillo), eine Rechteckanlage mit ursprünglich 7 Türmen, wurde im 10. Jh. erbaut. Aus dieser Zeit sind außer Teilen der Wehrmauer der NO-Turm und der restaurierte östl. Mittelturm überkommen.

Das **Rathaus** (Ayuntamiento) ist 1680 bezeichnet.

EL BURGO (Málaga E5)

In der Umgebung wurden frühgeschichtliche Siedlungsspuren festgestellt. Aus römischer Zeit sind Reste der alten **Straße** überkommen, die Acinipo (→ Ronda) mit Málaga verband.

Der Ort ist maurischen Ursprungs; von der **maurischen Festung** sind Teile der Außenmauern noch gut erhalten.

Die **Pfarrkirche Nuestra Señora de la Encarnación,** eine mudejare 3schiffige Anlage von 4 Jochen mit geradem Chorschluß, wurde im 16. Jh. erbaut und im 18. Jh. teilweise umgestaltet. Der über quadratischem Grundriß errichtete, 1773 veränderte Turm im NO enthält noch Reste des Minaretts der ehem. maurischen Moschee.

Der **ehem. Convento del Sto. Desierto de las Nieves,** 1550 von Einsiedlern gegründet, ist nur als Ruine überkommen. Das Kloster gehörte später den Unbeschuhten Karmelitern, die im frühen 17. Jh. die jetzige **Kirche** erbauten; in ihrem Schiff wurde im 19. Jh. eine Ölmühle installiert. – Im Umkreis des ehem. Klosters liegen 12 **Einsiedler-Klausen.**

CÁDIZ (Provinzhauptstadt BC5)

Die Provinzhauptstadt (rd. 149000 Einwohner) und bedeutende Hafenstadt erstreckt sich auf dem nördlichsten Felsplateau einer 10 km langen Landzunge.

Nach antiken Quellen gründeten um 1100 v. Chr. hier phönizische Handelsfahrer Gadir *(›Burg‹, ›Festung‹), vermutlich als Umschlagplatz des Silberhandels mit Tartessos. Die ältesten Funde stammen allerdings erst aus dem 8. Jh. v. Chr. Ausgangspunkt der phönizi-*

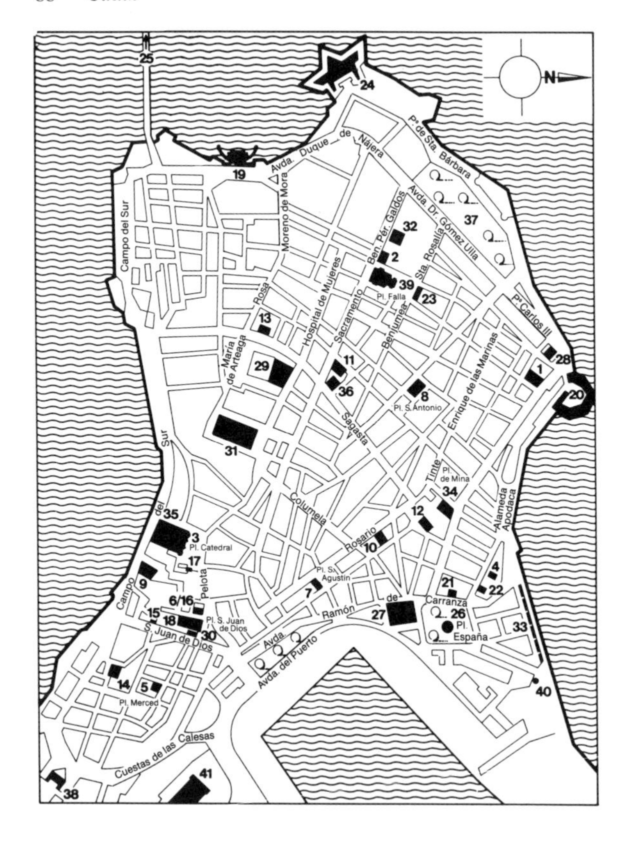

Cádiz. Lageplan

Kirchen
1 Carmen
2 La Castrense, Sto. Ángel de la Guarda
3 Catedral Nueva
4 Nuestra Señora de las Angustias
5 Nuestra Señora de la Merced
6 Nuestra Señora del Pópulo
7 S. Agustín
8 S. Antonio
9 Sta. Cruz, Catedral Vieja
10 Sta. Cueva
11 S. Felipe Neri
12 S. Francisco
13 S. Lorenzo
14 Sta. María

Profanbauten
15 Arco de los Blancos
16 Arco del Pópulo
17 Arco de la Rosa
18 Ayuntamiento / Rathaus
19 Balneario Nuestra Señora de la Palma
20 Baluarte de la Candelaria
21 Casa de las 5 Torres
22 Casa de las 4 Torres
23 Casa de Viudas
24 Castillo Sta. Catalina
25 Castillo S. Sebastián
26 Denkmal der Cortes 1812
27 Diputación Provincial
28 Gobierno Militar
29 Hospital de Mujeres
30 Hospital S. Juan de Dios
31 Mercado Central
32 Ehem. Militärhospital
33 Murallas de S. Carlos
34 Museo de Cádiz, ehem. Franziskanerkloster
35 Museo Catedralicio
36 Museo Historico Municipal
37 Parque de Genovés
38 Puerta de Tierra
39 Teatro Falla
40 Triunfo de la Inmaculada Concepción
41 Bahnhof

---

schen Gründung war die (seit 1860 durch einen Damm mit dem Festland verbundene) kleine Insel San Sebastián; die antike Stadt lag auf dieser und den Inseln León und Sancti Petri. Um 500 v. Chr. wurde Gadir von Karthago abhängig; 206, im 2. Punischen Krieg, unterwarf es sich Rom freiwillig. Als »civitas foederata« gewann Gades *zunehmend an Bedeutung, erhielt von Caesar, als erste Stadt außerhalb Italiens, das römische Bürgerrecht, wurde unter Augustus »Augustani urbe Iulia Gaditana«, erlebte in der Folgezeit eine hohe Blüte durch Schiffahrt, Fischindustrie und die Fruchtbarkeit seiner Umgebung. In der Literatur oft erwähnt werden die »puellae Gaditanae«, seine berühmten Tänzerinnen. Gades wurde an Einwohnerzahl nur von Rom übertroffen.*
Ungeklärt sind die Umstände der Zerstörung und des völligen Niedergangs im 4. Jh. In westgotischer Zeit wird die Stadt nicht mehr erwähnt; sie gewann erst unter den Mauren, im 8. Jh. (»Gadir«), wieder einige militärische Bedeutung.
Nach der Rückeroberung um 1260 versuchte Alfons X. »der Weise« – vergeblich –, hier die Ausgangsbasis für einen »Heiligen Kreuzzug« nach Nordafrika zu schaffen; Cádiz wurde neu besiedelt, er-

hielt die Stadtrechte und wurde Bischofssitz. Davon blieb lediglich der Hafen für den Handel mit Nordafrika von einiger Bedeutung; die Stadt hatte auch im 15. Jh. nicht mehr als 1500 Einwohner. Neuen Aufschwung brachte im 16. Jh. der Handel mit Amerika, insbesondere das Hafenmonopol für die Silberflotte, bis zur Plünderung und Zerstörung durch die Engländer 1596. Nach Wiederaufbau und allmählicher wirtschaftlicher Erholung im 17. Jh. erlebte Cádiz sein »Goldenes Zeitalter« im 18. Jh., als Philipp V. 1717 die »Casa de Contratación de las Indias«, weitgehend verbunden mit dem Handelsmonopol für die überseeischen Gebiete, von Sevilla hierher verlegte. – Im Spanischen Unabhängigkeitskrieg war die Stadt Zentrum des Widerstands gegen Napoleon; während der erfolglosen Belagerung 1810–12 tagten hier die Cortes, die spanische Nationalversammlung, und beschlossen 1812 die (1814 von Ferdinand VII. wieder aufgehobene) liberale Verfassung von Cádiz. Die revolutionären Bewegungen von 1820 und 1868 nahmen hier ihren Anfang.

Die ältesten Teile der **Stadtmauern** stammen aus dem 16. und 17. Jh., das gut erhaltene Mauersegment der **Puerta de Tierra** von 1639 (ihr *Marmorportal* schuf 1755 Torcuato Cayón de la Vega).

Im folgenden sind die Denkmäler nach den einzelnen Stadtvierteln angeordnet.

Barrio del Pópulo. Das Viertel im unmittelbaren Bereich der Neuen Kathedrale entspricht der im späteren 13. Jh. von Alfons X. rechteckig angelegten, im S vom Meer begrenzten Stadt. Ihren **Mauertoren** entsprechen die Bogen **Arco de los Blancos, Arco de la Rosa** und **Arco del Pópulo,** aus dem 16./17. Jh., in der Nähe der Kathedrale.

Catedral Nueva (Plaza de la Catedral)

Die Neue Kathedrale wurde 1722 nach Plänen von Vicente de Acero barock begonnen und 1789 von Manuel Machuca klassizistisch weitergebaut. Weihe 1838. Türme und Hauptsakristei erst 1853 vollendet.

Der Grundriß zeigt eine 3schiffige Querhausanlage mit Seitenkapellen zwischen den Strebepfeilern und einen Chorumgang mit Kapellen. Die unteren Turmgeschosse der konvex-konkaven *Fassade* entsprechen noch dem ba-

Cádiz. Puerta de Tierra

Cádiz. Catedral Nueva. Inneres

rocken Bau, die oberen und der Giebel sind klassizistisch. Das Innere vermittelt den Eindruck kühler Kolossalität.

Von der Ausstattung sind die *Skulpturen* der beiden Schutzheiligen von Cádiz, Servando und Germán, von Luisa Roldán (La Roldana, 1687) und das *Chorgestühl* (aus der ehem. Kartause in Sevilla) von Agustín de Perea (1697) besonders zu nennen. – In der Krypta befinden sich die Gräber von Bischöfen von Cádiz und das Grab des Komponisten Manuel de Falla (1876–1946).

Im **Kathedralmuseum** (Eingang beim Campo del Sur) Gemälde und Skulpturen des 16.–19. Jh. (meist Zuschreibungen und Schulen). Unter den *Monstranzen* ragen die Custodia del Cogollo (1. Hälfte 16. Jh., Sockel barock) aus der Werkstatt von Enrique de Arfe, die große Prozessions-Custodia (Silber, 17. Jh.) von Antonio Suárez und die barocke Custodia del Millón (1721) von dem Madrider Goldschmied Pedro Vicente Ceballos heraus.

Iglesia de Sta. Cruz, Catedral Vieja (Plaza de Sta. Cruz). Die an der Stelle einer Moschee 1263 errichtete Alte Kathedrale, urspr. als Grabeskirche Alfons' X. gedacht, wurde 1596 zerstört; die heutige 3schiffige Rechteckanlage vom Ende des 17. Jh. hat das 18. Jh. im Inneren umgestaltet. Hochaltar aus der Mitte des 17. Jh.

In der **Real Capilla de Nuestra Señora del Pópulo** (Arco del Pópulo) von 1621–24 (Fassade 1851) ein barocker Hochaltar des 17. Jh. – Das **Hospital de S. Juan de Dios** (Plaza de S. Juan de Dios) aus dem 14. Jh. wurde 1596 zerstört. In der **Kapelle** des 18. Jh. Rokoko-Dekor und Delfter Fliesen um 1775. Die barocke **Kirche** Ende 17. Jh.

Das **Rathaus** (Plaza de S. Juan de Dios) ist ein klassizist. Bau um 1800, der im späteren 19. Jh. erweitert wurde.

Barrio de Santa María. Im 16. Jh. entstand das Viertel südlich der Kathedrale, zwischen Calle de S. Juan de Dios und Puerta de Tierra), mit einer Marienkapelle im Mittelpunkt, wo heute das gleichnamige **Kloster** (Calle de Sta. María) mit einer **Kirche** aus dem 17. Jh. steht. – Von der **Iglesia de Nuestra Señora de la Merced** (Plaza de la Merced), einem Bau des frühen 17. Jh., sind noch der Turm und das Portal erhalten.

Barrio de Santiago. Das Viertel ist ebenfalls im 16. Jh. um eine Kapelle entstanden. Im 18. Jh. erweitert, bildet es heute das Zentrum der Stadt.

Convento de S. Agustín (Plaza de S. Agustín). Das im frühen 17. Jh. gegründete Kloster ist heute Schulgebäude. Seine 3schiffige **Kirche** aus der Gründungszeit wurde klassizistisch umgestaltet.

Der Martínez Montañés zugeschriebene Kruzifix *»Cristo de la Buena Muerte«* ist vermutlich von José de Arce.

Oratorio de la Sta. Cueva (Calle Rosario). Über einer 1783 erbauten 3schiffigen Kapelle wurde 1793–97 das Oratorium mit elliptischem Grundriß errichtet.

Von besonderem Interesse sind 3 *Gemälde Goyas,* »Das Gleichnis vom Gast ohne Hochzeitskleid«, »Wunderbare Brotvermehrung« ●

und »Das letzte Abendmahl«, entweder in Madrid vor März 1796 oder in Cádiz zwischen Mai 1796 und Frühjahr 1797 ausgeführt.

Convento de S. Francisco (Plaza de S. Francisco). Von den Klostergebäuden aus der Mitte des 17. Jh. sind hauptsächlich der Kreuzgang und das überkuppelte Treppenhaus erhalten. Die **Kirche** wurde im 18. Jh. umgestaltet; von ihrem urspr. Bau des späteren 16. Jh. blieb eine mudejare Kapelle mit Fresken des 19. Jh.

Die Skulpturen des hl. Diego von Alcalá und des hl. Franziskus von Assisi in der Sakristei werden Martínez Montañés zugeschrieben.

Iglesia de S. Antonio (Plaza de S. Antonio). 3schiffige Kirche über lateinischem Kreuz, 17. Jh. Bei der Umgestaltung im 19. Jh. beließ man an der Fassade das barocke Portal.

Auf dem Kirchplatz wurde 1812 die liberale Verfassung verkündet.

Das **Oratorio de S. Felipe Neri** (Calle de Sta. Inés) wurde 1679–1719 über ovalförmigem Grundriß erbaut; Kuppel 1764.

Rokoko-Hochaltar Mitte 18. Jh. mit einer *»Immaculata«* von Murillo (um 1680), eine seiner zahlreichen Variationen des von ihm bevorzugten Marienthemas. – In der Kirche fanden 1811/12 die Sitzungen der Cortes statt (Gedenktafeln).

Plaza de España und Umgebung

In der Mitte des Anfang des 20. Jh. angelegten Platzes steht das **»Denkmal der Verfassung von 1812«,** 1911 begonnen.

Das klassizist. Gebäude der **Diputación Provincial,** 1770–84, entwarf Juan Caballero. Unter den spätbarocken Bauten ragen die **Casa de las cinco Torres** (Haus der 5 Türme) und die nahe **Casa de las cuatro Torres,** 1736–45 von Juan de Fragela, heraus. – Nahebei die kleine **Capilla de Nuestra Señora de las Angustias** aus dem frühen 18. Jh.

Die **Murallas de S. Carlos,** Befestigungsmauern des gleichnamigen Stadtviertels, sind 17. Jh. – Der **Triunfo de la Inmaculada Concepción,** ein Denkmal zu Ehren der Unbefleckten Empfängnis, spätes 17. Jh.

Die Alameda und ihre Parkanlagen

Der Paseo de la Alameda, im 18. Jh. auf Teilen der Befestigungsmauern zum Meer angelegt, erhielt seinen heutigen Aspekt 1926. – Das Bollwerk **Baluarte de la Candelaria** wurde 1672 erbaut. Nahebei (Alameda Apodaca) das Gebäude des **Gobierno Militar** (18. Jh.) und die 1762 vollendete **Iglesia del Carmen,** mit einer für Cádiz typischen Barockfassade und qualitätvollen Barockaltären.

Unweit des **Parque de Genovés,** des 1892 angelegten Botanischen Gartens, liegt die Plaza de Falla mit dem 1885–1910 im neumudejaren Stil erbauten **Teatro Falla.** Dort auch die **Iglesia Castrense del Sto. Ángel de la Guarda** (Schutzengel-Garnisonskirche) aus dem frühen 17. Jh., Mitte des 19. Jh. erweitert. Hochaltar Mitte 18. Jh. mit Schutzengel-Gruppe des Neapolitaners Nicolás Fiumo. – **Ehem. Militärhospital** mit Barockportal der Mitte des 17. Jh.; die **Casa de Viudas,** 1. Hälfte 18. Jh., war ein Heim für mittellose Witwen.

Barrio de la Viña und Umgebung. Das frühere Viertel der Fischer und der Kerzenzieher ist nach einem Weinberg benannt und erstreckt sich, südlich der Calle del Hospital de Mujeres, vom Mercado Central bis zur Caleta.

Mercado Central (Zentralmarkt), eine klassizist. Anlage aus dem 1. Drittel des 19. Jh.

Hospital de Mujeres, ehem. Hospital de Nuestra Señora del Carmen (Calle del Hospital de Mujeres). Barocker Bau mit 2 Innenhöfen und Monumentaltreppe, 1736 bis Mitte 18. Jh. errichtet.

Im Haupthof Sevillaner *Fliesen* mit Darstellungen der Kreuzwegstationen, bez. 1749. – In der Rokoko-**Kapelle** klassizist. Hochaltar; im barocken S-Seitenaltar (1. Joch von W) *»Stigmatisierung des hl. Franziskus«* von El Greco, aus den ersten Jahren des 17. Jh. Die weitere Ausstattung 18. Jh.

Nahebei die **Iglesia de S. Lorenzo,** 1722–26.

Die Bucht La Caleta begrenzen das sternförmige **Castillo de Sta. Catalina** (1598) und das **Castillo de S. Sebastián** (1613), das seit 1860 durch einen Damm mit dem Festland verbunden ist. In der Mitte das **Balneario de Nuestra Señora de la Palma,** 1926.

Museen

Museo de Cádiz (Plaza de Mina)
Das Museum in dem im 19. Jh. umgestalteten und im 20. Jh. erweiterten Gebäude des früheren Franziskanerklosters vereinigt die Sammlungen der ehem. Provinzmuseen für Archäologie, Kunst und Ethnologie.

Die **Archäologische Abteilung** reicht in 15 Sälen von der Prähistorie bis zum Mittelalter. – Ganz besondere Bedeutung kommt in ● Saal VI den *phönizischen Funden* zu. Bedeutendstes Exponat ist der 1887 in der Punta de Vega genannten phönizischen Nekropole von Cádiz gefundene *anthropoide Marmorsarkophag* aus der Mitte des 5. Jh. v. Chr. Der Deckel ist dem Umriß des menschlichen Körpers angepaßt; Kopf, Brust und Arme sind plastisch abgesetzt. In Vitrinen *Grabbeigaben* aus dieser seit dem 17. Jh. bekannten, seit 1947 nach einer Sturmflut vom Meer bedeckten Nekropole. In das 7. Jh. datiert wird ein im Bereich der Caleta gefundenes *Volutenkapitell,* vermutlich von einer der Eingangssäulen eines Tempels.

Die Säle VII und VIII sind der *griechischen* und *punischen Siedlungsepoche* sowie der *iberischen Kunst* gewidmet. – In Saal IX Gebrauchsgegenstände aus römischer Zeit, in Saal X *Grabfunde aus römischen Nekropolen* der Provinz Cádiz. – In Saal XI ist *römische Skulptur der Kaiserzeit* ausgestellt, u. a. eine *Kolossalstatue des Trajan.*

In den weiteren Sälen *westgotische, maurische* und *christlich-mittelalterliche Exponate;* Münzen.

Die **Abteilung für Schöne Künste** zeigt in 7 Sälen Malerei des 16.–20. Jh. – In Saal I *spanische, italienische und niederländische Maler des 16. Jh.* Besonders hinzuweisen ist auf den spanischen Manieristen *Luis de Morales* (»Passions-Triptychon«) und zwei Nichtspanier, die in Andalusien gearbeitet und die Malerei in dieser Region entscheidend geprägt haben: *Peeter de Kempeneer* aus Brüssel (Pedro de Campaña; »Kreuzabnahme«) und *Alejo Fernández* vom Niederrhein, der sich »Maestro Alexos, pintor alemán« nannte (»Dornenkrönung«). – Die Säle II und III sind der *Sevil-*

laner Malerschule des 17. Jh. gewidmet, insbesondere deren beiden Hauptmeistern, Zurbarán und Murillo. Die meisten der 21 Gemälde von *Francisco de Zurbarán* (1598–1664) stammen von dem 1637 für das Kartäuserkloster von Jerez de la Frontera gemalten Zyklus, der in Stilreife und Themenvielfalt den Höhepunkt im Schaffen des Malers darstellt. *Bartolomé Esteban Murillo* (1617–82) ist mit seinem letzten Werk vertreten, dem Hochaltar-Zyklus aus der Kirche (Sta. Catalina) des ehem. Kapuzinerklosters von Cádiz, u. a. »Stigmatisierung des hl. Franziskus«, »Ecce Homo«, »Immaculata« und das Mittelbild »Das mystische Verlöbnis der hl. Katharina von Siena«, bei dessen Ausführung er vom Gerüst stürzte (an den Folgen starb er am 3. April 1682 in Sevilla) und das sein Schüler *Francisco Meneses Ossorio* vollendet hat. – In den weiteren Sälen *barocke Malerei* spanischer und ausländischer Schulen. Die Madrider Schule des 17. Jh. ist vertreten durch *Claudio Coello* (»Hl. Maria Magdalena«) und *Francisco Rizzi* (»Immaculata«); von dem Neapolitaner *Luca Giordano* (Lucas Jordán), der 1692–1702 für den Madrider Hof gearbeitet hat, ein »Hl. Michael«, von dem Valencianer *José Ribera,* seit dem 25. Lebensjahr bis zu seinem Tode (1652) in Neapel ansässig, ein »Ecce Homo«; von *Peter Paul Rubens* vermutlich das kleine Kupferbild »Die Hl. Familie«. – Die *spätbarocke und klassizist. Malerei des 18. Jh.* ist durch weniger bedeutende Arbeiten repräsentiert, die *romantisch-bürgerliche des 19. Jh.* insbesondere durch *Valeriano Bécquer* (1834–70; »Familienporträt«) und *Antonio María Esquivel* (1806–57), die Historienmalerei durch *Ramón Rodríguez Barcaza* (»Cortes von Cádiz 1810«).
Saal VII ist der *Malerei des 20. Jh.* gewidmet, u. a. aus Cádiz stammenden Künstlern, dazu dem hispanisierten Belgier *Carlos de Haes* (1829–98), *Joaquín Sorolla* (1863–1923) und *José Gutiérrez Solana* (1886–1945).

Die **Abteilung für Volkskunde** veranschaulicht in 11 Sälen Volkskunst und Traditionen der Provinz. Saal I ist dem populären *Marionettentheater* von Cádiz gewidmet, dessen Anfänge in das 18. Jh. zurückreichen.

Museo Catedralicio (Calle Arquitecto Acero) → Catedral Nueva.

Museo Historico Municipal (Calle de Sta. Inés, bei der Kirche S. Felipe Neri)

Das Historische Museum der Stadt Cádiz wurde 1912, anläßlich des 100. Jahrestages der Verfassung von Cádiz, gegründet.

Ausgestellt sind u. a. Waffen und andere Objekte aus dem Spanischen Unabhängigkeitskrieg, Festungspläne, Stadtansichten von Cádiz aus dem 18. und 19. Jh., Porträts von Ferdinand VII., ein Stadtplan von Cádiz aus dem späten 18. Jh., spätmittelalterl. Funde aus dem historischen Barrio del Pópulo, ein *Modell der Stadt aus d. J. 1777,* Spielkarten und andere Kuriositäten aus der Zeit um 1812.

CARMONA (Sevilla D3)

Siedlungsspuren reichen bis zum Jungpaläolithikum zurück; zahlreiche Funde gehören der späten Jungsteinzeit und der Bronze- und Eisenzeit an. Carmona (rd. 25 000 Einwohner), das antike Carmo, *ist vermutlich eine etruskische Gründung. Die Karthager errichteten hier eine Festung; einige Mauerreste der Puerta de Sevilla stammen noch aus dieser Zeit. 206 v. Chr., im 2. Punischen Krieg, gelangte Carmona unter die Herrschaft Roms, wurde in der Folgezeit zu einer der bedeutendsten Städte der Baetica. In der späteren Kaiserzeit wird es allerdings kaum noch, in westgotischer Zeit nie erwähnt, erlangte jedoch wieder Bedeutung unter den Mauren, die es* Karmuna *nannten und zur Hauptstadt einer »Kura« (Bezirk) machten und stark befestigten. 1247 von Ferdinand d. Hl. zurückerobert. Im 14. Jh. ließ Peter d. Grausame den heute nach ihm benannten Almohaden-Alcázar des 12. Jh. ausbauen, auf dem höchsten Punkt der Stadt, wo sich auch die Akropolen der Karthager und der Römer befunden hatten.*

Kirchliche Bauten
1 La Concepción
2 Madre de Dios
3 El Salvador
4 S. Antón / Nuestra Señora del Real
5 S. Bartolomé
6 S. Blas
7 Sta. Caridad
8 Sta. Clara
9 S. Felipe
10 Sta. María
11 S. Mateo
12 S. Pedro
13 Santiago

Profanbauten
14 Alcázar de Abajo, Puerta de Sevilla
15 Alcázar de Arriba
16 Ayuntamiento
17 Cabildo Antiguo und Casa mudéjar
18 Mesón de la Reja
19 Pal. Aguilar
20 Pal. Briones
21 Pal. Rueda
22 Pal. San Martín
23 Pal. Torres
24 Puerta de Córdoba
25 Römisches Amphitheater, Nekropole

Kirchliche Bauten

Iglesia de Sta. María

Die Kirche steht an der Stelle einer 1424 abgerissenen Almohaden-**Moschee** des 12. Jh.; von dieser ist an der N-Seite noch der Patio de los Naranjos, ein Teil des Hofes für die rituellen Waschungen, mit 7 Hufeisenarkaden im N und 3 im O erhalten; an einer seiner Säulen ein westgotisches

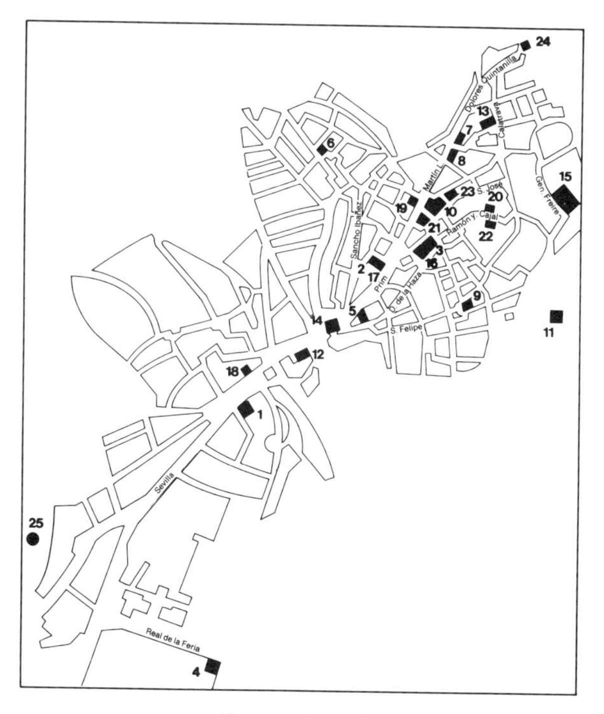

Carmona. Lageplan

Kalendarium (Verzeichnis kirchlicher Festtage) aus der Mitte des 6. Jh.

Mit dem Bau der Kirche wurde 1424 begonnen; die 1. Phase dauerte bis 1518. Das Chorhaupt schloß sich 1525–51 an; 1566–78 entstanden die Capilla de la Virgen de Gracia und der Langhauschor. Im 17. und 18. Jh. erfolgten einige Umgestaltungen; im 18. Jh. wurde auch das S-Portal errichtet, das W-Portal im 19. Jh.

Der Grundriß der spätgot. 3schiffigen Hallenkirche zeigt ein Rechteck. Der Außenbau mit 3 Portalen, im W neugotisch, im S barock, das unvollendete N-Portal zum Patio de Naranjos hin aus dem 15. Jh.; aus dieser Zeit auch die ursprünglich mudejare, barock umgestaltete *Capilla de los Apóstoles* mit oktogonaler Trompen-Kuppel im NO des Patio. Der 4geschossige *Turm* mit Pyramidendach zeigt Bauelemente des 16.–19. Jh.

Der platereske *Hochaltar* mit den Reliefs der Kirchenväter, Szenen aus der Vita Christi, Marienkrönung und Kreuzigung wurde im 2. Viertel des 16. Jh. von Nufro de Ortega begonnen und von Juan Bautista Vázquez 1564 vollendet. Chorgitter und Kanzel von Pedro Fernández, 1664. – In der nordöstl. Chorkapelle Skulptur der *»Virgen de Gracia«,* Schutzpatronin von Carmona, aus dem 14. Jh., das Kind 15. Jh. In der Taufkapelle (Capilla Bautismal, 1. nördl. Seitenkapelle von W) qualitätvolles Retabel, um 1500. Die Tafelgemälde des plateresken Retabels in der Capilla de S. José, im südl. Seitenschiff, stammen aus der Mitte des 16. Jh. und werden Pedro de Campaña zugeschrieben. Das Gestühl im Langhauschor ist 1706 bezeichnet.

Iglesia de S. Pedro. Das 5jochige Langhaus der 3schiffigen Basilika mit Querhaus in der Seitenschiffsflucht und Rechteckchor stammt aus dem 15. Jh. und wurde im 18. Jh. barock umgestaltet. Aus dem 18. Jh. sind Rechteckchor, Querhaus und Portale. Der 56 m hohe, von der Giralda in Sevilla inspirierte Turm aus dem 17./18. Jh. – Von besonderem Interesse ist die über kreisförmigem Grundriß 1760 • von Ambrosio de Figueroa konzipierte Capilla Sacramental (Sagrario) am südl. Querarm, deren Innengestaltung aus dem späten 18. Jh. stammt; die »Virgen de la Antigua« um 1550.

In der südl. Seitenschiffkapelle S. Juan Grande ein klassizist. Altar und ein beachtliches Keramik-*Taufbecken* mit Weinranken-Ornamentik, sign. Juan Sanches [Sánchez] Vachero, aus dem frühen 16. Jh. In der nächsten Kapelle ist der Altar in der Mitte von Francisco de Ocampo, 1617; die »Virgen de la Merced« in der Mittelnische ist ein Werk des frühen 19. Jh.

Iglesia de Santiago (Hl. Jakobus d. Ä.). 3schiffige Basilika mit polygonaler Apsis und Nebenapsiden aus der Zeit Peters d. Grausamen (1350–69), im 18. Jh. barock umgestaltet. Das W-Portal mit mudejaren Stilelementen des 14. Jh., der mudejare Turm mit barocken Schallarkaden und Aufsatz aus dem späten 18. Jh.

Im Innern ist auf den *Kruzifixus* an der südl. Seitenschiffwand, aus dem späten 15. Jh., hinzuweisen.

Iglesia de S. Felipe. Mudejare 3schiffige Kirche, z. T. Ziegelstein, aus dem 15. Jh. Das spitzbogige alfizgerahmte Portal der Turmfassade wurde 1468–70 erbaut, der Turm im 16. Jh.

Die Artesonado-Decken im Innern sind aus dem späten 15./frühen 16. Jh.

Iglesia de S. Blas. 3schiffige Kirche aus der 2. Hälfte des 14. Jh. Aus der Zeit des Umbaus im 18. Jh. stammen der Turm und die Capilla Sacramental.

Hochaltar aus der Mitte des 18. Jh. mit dem Titelheiligen Blasius in der Mittelnische. Aus der Mitte des 18. Jh. auch der nördl. Seitenaltar, die »Virgen del Rosario« um 1730. Die »Virgen de los Dolores« des Altars in der Capilla Sacramental ist aus dem frühen 19. Jh.

Iglesia de S. Bartolomé. Die ursprünglich mudejare 3schiffige Kirche des 15. Jh. wurde im 18. Jh. barock umgebaut.

Im nördl. Seitenschiff Altar des 18. Jh. mit bemerkenswerter Skulptur der *hl. Lucia* aus dem späten 16. Jh.; die Heilige hat als seltenes Attribut eine Schüssel mit ihren Augen, die sie – nach der Legende – herausgerissen und ihrem Verlobten geschickt habe, doch habe ihr die Madonna noch schönere wiedergegeben. – Unter den Gemälden ist die »Darstellung im Tempel« aus der Mitte des 16. Jh. beachtenswert.

Iglesia de El Salvador. Die 3schiffige Anlage wurde 1700–20 über lateinischem Kreuz an der Stelle einer 1619 gegründeten Vorgängerkirche der Jesuiten erbaut.

Qualitätvoller *Hochaltar* des Einheimischen José Maestre, 1722.

Iglesia del Convento de Sta. Clara. Das Franziskanerinnenkloster wurde 1460 gegründet; der Chor seiner Saalkirche und die Kreuzgänge stammen aus dem 16. Jh. Glockenturm aus dem 18. Jh.

Die *Wandmalereien* im Schiff entstanden nach 1664. – Die Gemälde für den Chor mit Motiven aus der Vita der hl. Klara, von Valdés Leal, 17. Jh., befinden sich im Museo de Bellas Artes von Sevilla; die jetzigen stammen aus der Mitte des 18. Jh. – *Hochaltar* von Felipe de Rivas, 1645.

Iglesia del Convento de la Concepción. Die Kirche des 1513 gegründeten Klosters war bis zur Mitte des 16. Jh. fertiggestellt; im 18. Jh. wurde sie barock umgestaltet. Das Schiff hat eine mudejare Artesonado-Decke, das Chorhaupt Sterngewölbe. *Hochaltar* von Tomás Guisado, 1734.

Iglesia del Convento de Madre de Dios (Plaza S. Fernando). Kloster und Kirche aus dem 16. und 17. Jh. Im Schiff Artesonado-Decke.

In der Mittelnische des *Hochaltars* von Jacinto Pimentel, 1630/31, ein Verkündigungsrelief, seitlich die Skulpturen der hll. Dominikus, Johannes d. T., Thomas, Johannes Ev., darüber ein Relief der Hl. Dreifaltigkeit.

Das **ehem. Hospital de la Sta. Caridad,** heute Seniorenheim, war 1510 unter Einbeziehung älterer Bauten gegründet worden. Die **Kirche** des 17. Jh. wurde derart umgestaltet, daß sie heute architektonisch belanglos ist.

Hochaltar mit »Visitatio«-Gemälde, um 1700. – In der »Sala de Juntas« aus dem 14. Jh. 12 flämische Gemälde (Kupfer) aus der 2. Hälfte des 17. Jh.

Ermita de S. Mateo. Die Rückeroberung von Carmona erfolgte am 21. September 1247, am Namenstag des hl. Matthäus Ev., dem zu Ehren hier eine Kapelle errichtet wurde. Die heutige, im 20. Jh. zum größten Teil wiedererbaute 3schiffige Anlage stammt aus dem 14. Jh.

Im südl. Seitenschiff *Wandmalerei* aus dem 1. Drittel des 15. Jh. mit der Darstellung der hl. Lucia.

Ermita de S. Antón oder **de Nuestra Señora del Real.** An der Stelle der 2schiffigen Kapelle soll 1247 während der Belagerung der Stadt das Zelt Ferdinands d. Hl. gestanden haben. Der urspr. mudejare Bau des 15. Jh. wurde in der Folgezeit umgestaltet und im 20. Jh. restauriert.

Die **Ermita de Nuestra Señora de Gracia** aus dem 16. Jh. wurde nach dem Erdbeben von 1755 umgebaut.

Festungsbauten

Puerta de Sevilla und **Alcázar de Abajo.** Das Tor ist im wesentlichen römischen Ursprungs, mit geringen Mauerresten eines punischen Vorgängerbaus aus der Zeit vor 206 v. Chr. Der Hufeisenbogen der Eingangsseite stammt aus der Almohaden-Zeit, dem späten 12. Jh.; ebenfalls aus dieser Zeit sind die Festungsbauten mit dem Bergfried **(Torre del Homenaje)**. Wesentliche Teile des Alcázar wurden unter christlicher Herrschaft im 14./15. Jh. wiedererbaut. Nach N ist ein Teil der **Festungsmauer** erhalten.

Die römische **Puerta de Córdoba** an der O-Seite der Festung, in der Achse der Puerta de Sevilla, wurde erst in maurischer Zeit, dann 1668 unter Karl II. erneut umgebaut und im 18. Jh. barock umgestaltet (Abb. S. 104.)

An der Stelle des **Alcázar de Arriba** (oder auch **de la Puerta de Marchena** oder **del Rey Don Pedro**) befand sich die punische und später die römische Akropolis. Die jetzige Burg über rechteckigem Grundriß haben die Almohaden im späten 12./frühen 13. Jh. erbaut. In der Mitte des 14. Jh. von Peter d. Grausamen zum Palast umgestaltet und erweitert, wurde sie durch das Erdbeben 1755 zerstört.

Auf einem Teil des ehem. Waffenhofes (Plaza de Armas) steht heute der **Parador Nacional** aus dem 20. Jh.

Carmona. Puerta de Córdoba (zu S. 103)

Profanbauten

Plaza de S. Fernando. Den 4eckigen Platz umstehen meist Bauten des 16. Jh. Im NW das **Cabildo Antiguo** und das **Kloster Madre de Dios** (s. o.), auf der W-Seite ein 4geschossiges mudejares Haus **(Casa mudéjar)** aus der Mitte des 16. Jh. Im S Häuser des 18. und 19. Jh., auf der O-Seite aus dem späten 16. und dem 17. Jh. – Im **Ayuntamiento** (Rathaus) ein sehenswertes *römisches Mosaik* aus dem 3. Jh.

Carmona hat zahlreiche barocke Palastbauten; die wichtigsten sind: **Palacio de los Aguilar** (Calle Martín López), bez. 1697; gegenüber **Palacio de los Rueda,** aus dem 18. Jh.; hinter der Kirche Sta. María der **Palacio del Marqués de las Torres,** ebenfalls aus dem 18. Jh. – In der Calle Ramón y Cajal **Palacio de los Briones** und **Palacio del Marqués de San Martín,** um 1700 erbaut. – Aus dem 17. Jh. noch stammt die in der 2. Hälfte des 20. Jh. restaurierte **Mesón de la Reja**, an der Hauptstraße am Ortsausgang nach Sevilla, gegenüber dem Convento de la Concepción.

Römisches Amphitheater und **Nekropole** (Avenida de Jorge Bonsor, am Ortsausgang nach Sevilla, jenseits des Instituto Tecnico, nahe der Carretera)

Die bisher freigelegten Reste des **Amphitheaters,** Teile der in den Fels gehauenen Zuschauerränge, lassen eine Datierung der Anlage in augusteische Zeit, um die Zeitenwende, zu. Vermutlich wurde die Anlage bereits im 3. oder frühen 4. Jh. zerstört, da von dieser Zeit an Bestattungen innerhalb der Anlage vorgenommen wurden.

Auf der anderen Seite der Avenida de Jorge Bonsor erstreckt sich die ehemals an der alten Römerstraße nach Itálica gelegene **römische Nekropole.** Sie wurde 1868 entdeckt und seit 1881 z. T. ausgegraben. Bisher sind über 250 Gräber aus dem späten 1. bis zum 4. Jh. freigelegt, etwa ein Viertel der vermuteten Gesamtzahl. Die weitaus häufigste Begräbnisart war die Feuerbestattung; die Aschenurnen wurden in Nischen der in den Fels gehauenen unterirdischen Grabkammern beigesetzt. Die Wände der in der Regel rechteckigen Grabkammern waren mit Stuck verkleidet und mit geometrischen, floralen oder dem Totenkult eigenen Fresko- oder Temperamalereien ornamentiert. Andere Grabstätten sind einfache rechteckige Gruben, auf deren Grund eine kleine Öffnung die Asche des Verstorbenen enthielt. Eine dritte Bestattungsart ließ den Verstorbenen ohne Einäscherung. So wurde in der **Tumba de Postumio** der Leichnam unversehrt beigesetzt; um ihn fand man in Nischen die Aschenurnen anderer Verstorbener. Handelt es sich um einen Herrn und seine Dienerschaft?
Unmittelbar links vom Eingang befindet sich eine der aufwendigsten Grabanlagen, die **Tumba del Elefante,** so genannt nach der hier gefundenen Skulptur eines Elefanten. Seine Bedeutung ist nicht geklärt; alle bisherigen Hypothesen sind Spekulationen. Eine Verbindung mit den Kriegselefanten der 206 v. Chr. aus Spanien vertriebenen Karthager ist abwegig. Gesichert ist hingegen, daß dieses große Familiengrab des 2. Jh. den Gottheiten Kybele und Atis geweiht war: In der nördl. Doppelkammer fand sich das

Fragment einer Atis-Skulptur. Eine Küche und ein Raum mit Triclinien dienten für das Totenmahl. – Die **Tumba de Servilia** im W der Nekropole ist nach der Sockelinschrift der hier (ohne Kopf) gefundenen weiblichen Marmorstatue (im Museum der Nekropole) benannt. Erhalten sind Reste des ehem. doppelgeschossigen Säulenhofes und bedeutende Teile der in den Fels gehauenen Grabkammern mit Fresken, darunter eine sitzende, Harfe spielende weibliche Figur, dahinter ihre Dienerin mit Palmenfächer.

Die Beigaben aus diesen beiden Hauptgräbern und den kleineren freigelegten Gräbern befinden sich in dem 4 Säle umfassenden Museum der Nekropole (**Museo Arqueológico y Necrópolis Romana,** Avenida de Jorge Bonsor), nahe dem Eingang. Es bewahrt weitere iberische und römische Fundstücke aus Carmona und Umgebung, darunter qualitätvolle römische Marmorbüsten und einen Votivaltar, den der Legionär Marcus Julius Gratus aus Germanien den germanischen Gottheiten »Matres Aufaniae« geweiht hat.

CAZORLA (Jaén H2)

Der sehr schön am W-Hang des gleichnamigen Gebirges gelegene Ort ist seit 550 v. Chr. nachweisbar und hieß unter den Römern Carcesa. *Die Mauren errichteten hier starke Befestigungsanlagen. 1240, nach 8 Jahre andauernden Kämpfen, wurde Cazorla zurückerobert.*

Das **»Castillo moro«,** die maurische Burg, die Abd ar-Rahman I. im 8. Jh. im Kampf gegen aufrührerische Glaubensgenossen zurückeroberte, ist nur in Ruinen überkommen. Gut erhalten dagegen ist der den Ort überragende *Turm* des **Castillo de la Yedra** (Efeu-Burg), den Erzbischof Tenario (1375–99) erbauen ließ. Sehenswert auch die Plaza de Sta. María mit der Ruine der im 19. Jh. zerstörten **Kirche Sta. María** von Andrés de Vandelvira, aus der Mitte des 16. Jh.

Umgebung

La Iruela (2 km nordöstlich von Cazorla)

Ruinen einer **ehem. Tempelritterburg** mit auf Felsen erbautem Bergfried (um 1300). Darunter Ruinen eines **Klosters** des 16. Jh.

CÓRDOBA (Provinzhauptstadt E2)

Die **Provinz Córdoba** (13717 km^2; 900000 Einwohner) grenzt im NO an die Provinz Ciudad Real, im O an Jaén, im SO an Granada, im S an Málaga, im SW an Sevilla und im NW an Badajoz. Die Provinz wird durch den Guadalquivir in zwei Teile geschieden. Der nördl. Teil ist gebirgig und gehört der Sierra Morena und ihren Verzweigungen an. Wesentlich fruchtbarer ist der südl. Teil, die ebenere Campiña. Der Guadalquivir nimmt an Nebenflüssen den Guadajoz, Genil, Cuzna, Guadiato und Bembezar auf. Die Agrarprodukte sind insbesondere Oliven, Weizen und Wein. Bedeutend ist auch die Viehzucht. Steinkohle wird im Becken von Bélmez gefördert. Industriezentren sind Córdoba, Palma del Río, Priego und Puente Genil.

Die **Provinzhauptstadt Córdoba** (285000 Einwohner) liegt 104 m ü. M. am S-Abhang der zum marianischen Gebirgssystem gehörenden Sierra de Córdoba, in einer fruchtbaren Vega am rechten Ufer des Guadalquivir.

Über den Namensursprung gibt es verschiedene Hypothesen, so die Ableitung von hebr. »kortz« oder von phöniz. »kord« = »Gold«. Alexander von Humboldt leitete Córdoba von »car« oder »cor« = »Höhe« ab, was in Verbindung mit Fluß »hoch und nahe dem Fluß« bedeuten würde. Nicht auszuschließen sind iberischer Ursprung oder die Herleitung von phöniz. »Karta Tuba« = *»reiche Stadt« bzw. »gute Stadt«.*
Córdoba soll bereits in karthagischer Zeit, Ende des 3. Jh. v. Chr., große wirtschaftliche Bedeutung gehabt haben und wurde um 200 v. Chr. von den Römern besetzt. 151 v. Chr. errichtete der römische Prätor Marcus Claudius Marcellus hier die Colonia Patricia Corduba, *die zu den bedeutendsten Kolonien des Römischen Reiches zählte. Im Bürgerkrieg (49–45) hielt Corduba zu Pompejus und wurde 45 v. Chr., nach dem Sieg Caesars über die Söhne des Pompejus in der Schlacht von Munda (vermutlich das heutige Montilla), zerstört. Ende des 1. vorchr. Jh. ließ Augustus die Stadt wieder aufbauen und siedelte hier Kriegsveteranen an. Die beiden Seneca (d. Ä. *um 54 v. Chr., d. J. *um 4 v. Chr.) stammen aus Corduba, das in der Folgezeit Hauptstadt der römischen Provinz Baetica wurde, bis im 4. Jh. Hispalis (Sevilla) diese Stellung übernahm.*

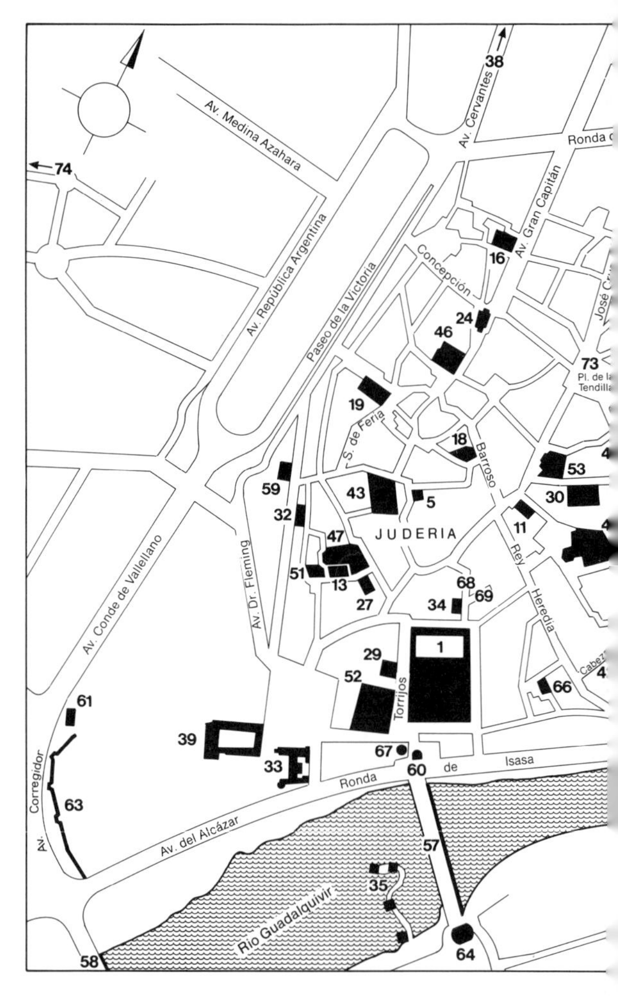

Córdoba. Lageplan

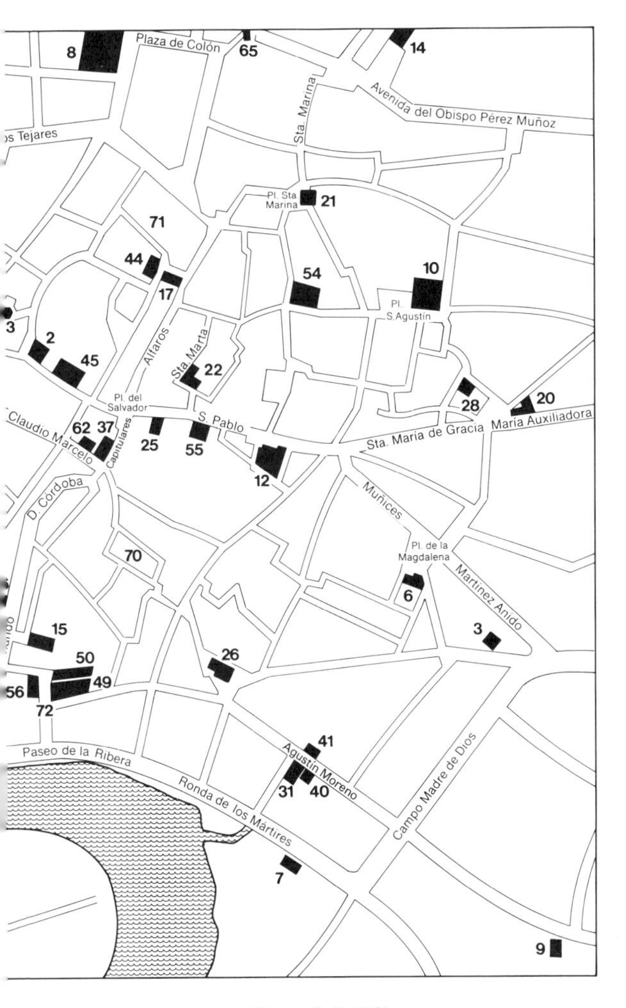

(Legende S. 110)

Kirchliche Bauten
1 Moschee-Kathedrale
2 Capuchinas
Capuchinos → 71
3 Carmelitas Calzadas, El Carmen
4 La Compañía (S. Salvador y Sto. Domingo de Silos)
Los Dolores → 71
5 Jesús Crucificado
Kathedrale → 1
6 La Magdalena
7 Los Mártires
8 Ehem. La Merced, Diputación Provincial
9 Nuestra Señora de Fuensanta
10 S. Agustín
11 Sta. Ana
12 S. Andrés
13 S. Bartolomé, Hospital de Agudos
14 S. Cayetano (S. José)
15 S. Francisco
16 S. Hipólito
17 Sta. Isabel de los Angeles
S. Jacinto → 29
S. José → 14
18 S. Juan
19 S. Juan y Todos los Santos (La Trinidad)
20 S. Lorenzo
21 Sta. Marina
22 Sta. Marta
23 S. Miguel
24 S. Nicolás de la Villa
25 S. Pablo
26 S. Pedro
27 S. Pedro de Alcántara
28 S. Rafael
S. Salvador y Sto. Domingo de Silos → 4
29 S. Sebastián (S. Jacinto)
30 Sta. Victoria
31 Santiago
32 Synagoge
La Trinidad → 19

Profanbauten
33 Alcázar de los Reyes Cristianos
34 Arabisches Bad
35 Arabische Wassermühlen, Albolafia
36 Arco del Portillo
37 Ayuntamiento
38 Bahnhof
39 Cabellerizas Reales
40 Casa de los Caballeros de Santiago
41 Casa de las Campanas, Casa de los Hoces
42 Casa de los Marqueses del Carpio
43 Casa de los Cea, Casa del Indiano
44 Casa des Fernández de Córdoba
45 Circulo de la Amistad
Cristo de los Faroles → 71
Denkmal Ibn Hazm → 60
Denkmal Maimonides → 32
Denkmal Manolete → 21
Denkmal Seneca → 59
Diputación Provincial → 8
46 Gobierno Militar
47 Hospital de Agudos
Konservatorium → 53
48 Museo Arqueológico Provincial
49 Museo Provincial de Bellas Artes
Museo Histórico de la Ciudad → 64
50 Museo Julio Romero de Torres
51 Museo Taurino y de Artes Popul.
52 Pal. Episcopal
53 Pal. del Marqués de Fuensanta del Valle, Konservatorium
54 Pal. del Marqués de Viana
55 Pal. de los Villalones
56 Posada del Potro
57 Puente Romano
58 Puente Nuevo, Puente S. Rafael
59 Puerta de Almodóvar
60 Puerta del Puente
61 Puerta de Sevilla
62 Römischer Tempel
63 Stadtmauer-Abschnitt
64 Torre de la Calahorra, Museo Histórico
65 Torre de la Malmuerta
66 Torre Sta. Clara
Torre S. Juan → 18
67 Triunfo de S. Rafael

Straßen, Plätze
68 Calle de Velázquez Bosco
69 Calleja de las Flores
70 Plaza de la Corredera
71 Plaza de los Dolores
72 Plaza del Potro
73 Plaza de las Tendillas
74 Plaza de Toros

571 wurde Córdoba von König Leowigild erobert und Sitz eines westgotischen Bischofs; es blieb Zentrum der Rebellion der romanischen Einwohner Baeticas gegen die arianischen Westgoten, bis unter König Rekkared I. der Übertritt der Westgoten zum katholischen Glauben (589; 3. Konzil in Toledo) die völlige Verschmelzung mit der romanischen Bevölkerung ermöglichte.

Unmittelbar nach der Schlacht im Tal des Río Barbate bei Vejer de la Frontera im Juli 711, in der die Westgoten von den Berbern unter Tarik besiegt wurden und der aus Córdoba stammende König Roderich sein Leben verlor, wurde Córdoba Hauptstadt eines (von Damaskus) zunächst abhängigen, jedoch ab 756 (in der Folgezeit nun von Bagdad) unabhängigen Emirats unter dem Omayyaden Abd ar-Rahman I. (731, gest. 788). (Derselbe Abd ar-Rahman I. ließ in den Gärten seines Palastes die ersten Palmen in Europa anpflanzen, an der Stelle des heutigen Parador nacional »La Arruzufa«, d. i. arab. Palmengarten.)*

Im 10. Jh. erreichte Córdoba seine höchste Blüte, und keine andere Stadt des Abendlandes kam ihr gleich. Sie zählte damals knapp 100000 Einwohner (die hartnäckig behauptete Zahlenangabe von einer halben Million oder gar mehr ist von der neueren Forschung längst widerlegt). – Einen zeitgenössischen Bericht verdanken wir u. a. dem lothringischen Benediktiner Jean de Gorze, der als Botschafter Kaiser Ottos I. 953–956 am Hof von Córdoba, der Medina az-Zahra (s. d.), akkreditiert war. Macht und Glanz der Stadt und des Reiches von Córdoba waren untrennbar mit der staatsmännischen Leistung von Abd ar-Rahman III. verbunden und setzten sich unter dessen Nachfolger, dem weisen und gelehrten al-Hakam II. (961–976), fort. Der schwache Hischam II. (976–1009; 1010–13) dagegen lebte zurückgezogen im Palast der Medina az-Zahra, dem »Versailles des 10. Jh.«. In seinem Namen herrschte al-Mansur (d. h. »der Sieger«), der seine Macht durch Verrat, Niedertracht und Grausamkeit sicherte; unter ihm drangen die Mauren (997) bis Santiago de Compostela vor. Nach seinem Tod (1002) setzte der Niedergang des Kalifats von Córdoba ein. 1010 zerstörten glaubensfanatische berberische Truppen aus Nordafrika die prunkvolle Palaststadt Medina az-Zahra, und 1031, nach der Absetzung Hischams III., wurde die Republik von Córdoba proklamiert.

Nach 1031 herrschten berberische Taifa-Könige, Almoraviden (1091–1148) und Almohaden (1148–1229), danach u. a. Ibn Hud von Murcia. 1146 schon hatte Alfons VII. die Stadt für einige Tage besetzt gehalten. In der Folgezeit wurde Córdoba den christlichen Königen tributpflichtig. Das 12. Jh. brachte der Stadt nochmals eine

Zeit geistiger Blüte; Söhne Córdobas waren der Philosoph Mohammed ibn Roschd (Averroes, 1126–98), der das aristotelische Gedankengut nach Europa vermittelte, und der jüdische Arzt und Philosoph Mosche ben Maimon (lat. Moses Maimonides, 1135–1204), der den Versuch unternahm, die Übereinstimmung von Glauben und Vernunft, der Bibel und der aristotelischen Lehre zu beweisen.
Im Januar 1236 hörte Córdoba auf, maurisch zu sein; Ferdinand III. »der Heilige« zog mit großem Prunk in die Stadt ein. Ein Teil der maurischen Bevölkerung, die fortan Mudejaren (»zum Bleiben Ermächtigte«) genannt wurden, blieb in der Stadt. Ebenso gestattete Ferdinand III. den Juden, weiterhin hier zu wohnen; allerdings genossen sie weniger Freizügigkeit als unter maurischer Herrschaft und wurden, nachdem es bereits 1391 zu heftigen Ausschreitungen gegen sie gekommen war, 1492, nach dem Fall von Granada, endgültig aus Córdoba ausgewiesen. Nach der Rückeroberung hatte bald schon eine starke Einwanderung aus dem Norden Spaniens eingesetzt; keine andere Stadt des ehem. maurischen Spanien nahm so viele Neueinwohner aus Kastilien auf. Unter den Kath. Königen nahm 1482 das Inquisitionsgericht in Córdoba seine Arbeit auf; das erste Autodafé fand hier 1483 statt. – Bis zum 16. Jh. blieb Córdoba die Hauptstadt Andalusiens, danach war es Sevilla. Im 16. Jh., die Stadt zählte damals knapp 40000 Einwohner, wurde Córdoba zum bedeutendsten Handelszentrum Andalusiens für Tuch und Seide. Das 17. Jh. brachte dann den Niedergang, dessen Ursachen u. a. die von Philipp III. dekretierte Austreibung der Mudejaren und die Pestepidemie 1649/50 waren. 1652 kam es in der Stadt zu einer Revolte der hungernden Bevölkerung.
Im Spanischen Erbfolgekrieg (1701–1713/14) stand die Stadt auf seiten der Bourbonen. Der Unabhängigkeitskrieg gegen Napoleon, die Karlistenkriege (1833–39; 1847–49; 1872–76) und der Spanische Bürgerkrieg 1936–39 richteten in Córdoba nur relativ wenige Zerstörungen an.

Denkmäler aus vormaurischer Zeit (bis 711)

Der **Puente Romano** (Römische Brücke) über den Guadalquivir, 42 m lang und mit 18 Bögen, wurde unter Augustus erbaut. Die heutige Brücke bewahrt aus römischer Zeit lediglich ihre Fundamente und wurde um 720, 971 und 1047 von den Mauren, in christlicher Zeit 1594, 1602 und 1780 restauriert bzw. erneuert. Die letzte durchgreifende und

Córdoba. Puente Romano und Torre de la Calahorra

Córdoba. Römischer Tempel.
Rekonstruktionszeichnung (zu S. 114)

das römische Erscheinungsbild erheblich verändernde Restaurierung erfolgte 1877–80.

Weitere Reste aus römischer Zeit enthalten Teile des SW-Abschnitts der **ehem. Stadtmauer**, zwischen dem Cementerio de la Salud/»Alcázar viejo« und der Puerta de Almodóvar.

Der teilrekonstruierte **römische Tempel** (auf dem Rathausgelände in der Calle de Claudio Marcelo) war einer der bedeutendsten der Baetica. Er wurde im 1. Jh. erbaut; ob, wie José Guerrero Lovillo vermutet, gegen Ende des Jahrhunderts und Kaiser Nerva gewidmet, könnte nur durch bisher fehlende Inschriftenfunde bestätigt werden. Analogien mit dem Podiumtempel in Nîmes (»Maison Carrée«), mit dem er auch in etwa die Ausmaße und die Höhe des Podiums und der schlanken kannelierten Säulen auf attischen Basen mit korinthischen Kapitellen gemeinsam hat, lassen an eine Entstehung in augusteischer Zeit denken.

Denkmäler aus maurischer Zeit (711–1236)

● **Moschee-Kathedrale** (Mezquita-Catedral)

An der Stelle der heutigen Moschee soll bereits in römischer Zeit ein Heiligtum gestanden haben. Wie schon für das 4.–6. Jh., so sind Klostergründungen oder Kirchenbauten im Córdoba des 7. Jh., während der westgotischen Herrschaft, weder überkommen noch in schriftlichen Quellen bezeugt. Erhalten sind lediglich zwei Denkmäler in der Umgebung, etwa 50 km von Córdoba entfernt, nördlich, die Fundamente der Basilika von El Germo (Espiel) aus dem beginnenden 7. Jh. und die Taufpiscina von El Guijo, die vielleicht noch dem ganz späten 6. Jh. angehört. Es kann jedoch kein Zweifel bestehen, daß im 7. Jh. in Córdoba kirchliche Neubauten errichtet wurden. So werden im 9. Jh., während der Herrschaft Abd ar-Rahmans II. (822–852), in Córdoba je 3 mozarabische Klöster und Kirchen und außerhalb 8 weitere Klöster genannt, deren Gründung und Errichtung zumindest überwiegend in christlich-westgotischer Zeit, im 7. Jh., erfolgt sein müssen.

Zu diesen Bauten gehörte auch die ehem. Kirche (oder Kloster) S. Vicente. Gestaltung und Bauart dieser Anlage sind nicht bekannt. Nach der Eroberung der Stadt durch die Mauren, Ende 711, wurde

S. Vicente den Christen zunächst belassen und 748 dann in einen islamischen und einen christlichen Teil getrennt. 786 fand die gemeinsame Nutzung der Kirche ihr Ende; einerseits war die islamische Kultgemeinde durch mozarabische Konvertiten ständig gewachsen, und andererseits wollte Abd ar-Rahman I. nun eine eigene Moschee erbauen lassen als verdienstvolles und sichtbares Glaubenswerk. Er kaufte der christlichen Gemeinde den ihr verbliebenen Teil von S. Vicente für 100000 Golddinar ab und ließ alles niederreißen.

Die Gründungsmoschee 786–793. – *Mit dem Bau der Moschee wurde Anfang 786 begonnen. Beim Tode Abd ar-Rahmans I., 788, war der Bau schon so weit fortgeschritten, daß dieser noch an den Gebeten, zu denen die Gläubigen von einem Turm des nahen Alcázar gerufen wurden, teilnehmen konnte. Sein Sohn, Hischam I., ließ an der N-Seite des Moscheehofes ein erstes Minarett erbauen und fügte Galerien für das Gebet der Frauen sowie einen Brunnen für die religiösen Waschungen im Moscheehof hinzu.*

Diese sog. Moschee Abd ar-Rahmans I. war 793 vollendet; sie nahm den NW-Teil der heutigen Anlage ein und hatte, einschließlich des Moscheehofes, einen quadratischen Grundriß von ca. 75 m Seitenlänge. Der Moscheehof befand sich, wie heute, im N; die Bethalle, eine Säulenhalle mit doppelgeschossigen, zur Qibla-Wand senkrecht laufenden Bogenstellungen, öffnete sich auf der S-Seite des Hofes in 9 Schiffen von je 12 Jochen. In der Achse des breiteren mittleren Schiffes lag an der Qibla-Wand der Mihrab, die Gebetsnische. Gleich einer Apsis fluchtete der Mihrab halbkreisförmig aus und wurde somit zum vollständigen Raum, was eine Neuerung innerhalb der islamischen Sakralbaukunst (z. B. gegenüber den früheren Moscheen von Medina und Damaskus) bedeutete. Neu aber und einmalig in der islamischen Moscheenbaukunst waren die Konstruktionsformen der doppelgeschossigen Arkadenreihen, ein doppelschichtiges Bogensystem, das bei späterer Erweiterung zu komplexen Tragesystemen von sich kreuzenden Bogen weitergebildet wurde.

Die Neuheit dieses ersten Systems zeichnet sich dadurch aus, daß Säulenarkaden relativ schwere Pfeilerarkaden tragen, auf denen die das Dach stützenden Bogen ruhen; auf halber Höhe sind diese Stützeinheiten miteinander durch Hufeisenbögen verbunden. Diese eigenartige Konstruktionsmethode wird in der Literatur allgemein damit erklärt, daß dem ersten Baumeister eine große Zahl von Säulen aus westgotischen Bauten zur Verfügung gestanden, deren Höhe jedoch nicht ausgereicht habe. Die angestrebte lichte Höhe der Bethalle wäre allerdings auch durch weniger komplizierte Konstruktionsmethoden erreicht worden. Die weniger aufwendige Lösung der großen Moschee von Damaskus, deren beide Arkadenreihen einfach übereinandergestellt sind, war dem ersten Meister von Córdoba gewiß nicht unbekannt. Ulya Vogt-Göknil vermutet überzeugend, daß den Erbauern die Form und die Proportionen von Damaskus einer christlichen Basilika zu nahe waren; daß man zwar einen höheren Raum, aber nicht die Betonung der Höhe wollte und sich auf eine Formel für eine doppelgeschossige Tragewand besann, die paradoxerweise nicht die Vertikale, sondern die horizontale Dimension hervorhob.

Nach überwiegender Meinung (u. a. Gómez-Moreno, Christian Ewert) hat der römische Aquädukt »Los Milagros« von Merida mit seinen hohen Tragepfeilern und den dazwischen eingespannten Aussteifungsbogen dem doppelgeschossigen Arkadenbau von Córdoba als Vorbild gedient. Diese Ansicht wird allerdings durch den Einwand von Ulya Vogt-Göknil widerlegt, daß die Arkadenwände der Römer ausschließlich Pfeilerarkaden waren, nicht wie hier eine Kombination von Säulen- und Pfeilerarkade.

Die erste Erweiterung 833–848. – *Im 9. Jh. nahm die Bevölkerungszahl von Córdoba beträchtlich zu. Abd ar-Rahman II. fügte 833–848 an den O- und W-Seiten je ein Schiff hinzu und verlängerte die Bethalle in der S-Richtung (zum Guadalquivir hin) um 8 Bogenachsen; sie umfaßte nach dieser ersten Erweiterung 11 Schiffe von je 20 Jochen. Die Ausdehnung der Gesamtanlage war fast verdoppelt und hatte nunmehr einen rechteckigen Grundriß.*

Die zweite Erweiterung 961–965. – *951 hatte Abd ar-Rahman III. das Minarett der Gründungsmoschee abreißen lassen; er vergrößerte den Moscheehof nach N und erbaute (an der Stelle des heutigen Glockenturms) über quadratischem Grundriß ein 2geschossiges, insgesamt 48 m hohes Minarett, den ersten großen Moscheeturm des islamischen Westens, von dessen Aussehen 2 Reliefs an der Puerta de Sta. Catalina (O-Seite, Calle M. González Francés) noch eine Vorstellung geben.*

Sein Sohn al-Hakam II. erweiterte die Bethalle abermals in der S-Richtung, zum Fluß hin. Die Qibla-Wand (südl. Außenmauer) des Baues des 9. Jh. wurde nicht abgerissen, sondern einbezogen und durch 11 Bogenstellungen geöffnet. Die 11 Schiffe wurden um je 12 Arkaden auf insgesamt 32 Joche verlängert. Die 4 Marmorsäulen des unter Abd ar-Rahman II. im 9. Jh. errichteten 2. Mihrab fanden in dem prachtvollen neuen und heute noch erhaltenen Mihrab Verwendung. Das 1. Joch des Mittelschiffs, der Vormihrab-

raum und dessen beide flankierenden Joche wurden mit Kuppeln versehen.

Die dritte Erweiterung 987–988. – *Während der nominellen Regierung Hischams II. führte der De-facto-Regent al-Mansur 987–988 eine letzte Erweiterung durch. Da eine Verlängerung nach S wegen des Flusses Guadalquivir nicht mehr möglich war, verbreiterte al-Mansur die Bethalle in der O-Richtung um 8 Schiffe und erweiterte den Moscheehof entsprechend. So entstand eine 19schiffige Halle mit asymmetrischem Grundriß. Die Länge der Qibla-Wand betrug 138 m, die Zahl der Säulen über 600. Die späteren Um- und Einbauten veränderten den Grundriß der Moschee nicht mehr.*

Nach dieser letzten Erweiterung war die Hauptmoschee von Córdoba die größte im islamischen Westen. Der Bestimmung der islamischen Moschee entsprechend diente sie den 5 täglichen Gebeten der Muslime und dem gemeinsamen Freitagsgebet ebenso wie als Versammlungs- und Unterweisungsstätte. Hier wurden (außer freitags) Theologie, Philosophie und Naturwissenschaften gelehrt, Gesetze verkündet und Recht gesprochen.

Die Bethalle war, abgesehen von den Kuppeln der zweiten Erweiterung unter al-Hakam II., mit einem hölzernen Flachdach gedeckt. Der Boden war weder gepflastert noch mit Platten bedeckt, sondern natürlich belassen. Nicht auszuschließen ist allerdings, daß Mihrab und Vormihrabraum mit weißem Marmor ausgelegt waren. Das Licht fiel durch die Hofarkaden auf der N-Seite ein; während des Tages herrschte eine relativ gleichmäßige Beleuchtung, da der Lichteinfall unabhängig vom Wechsel des Sonnenstandes war. Die überkuppelten Räume wurden zusätzlich durch kleine Fenster an den Kuppelansätzen beleuchtet. Während der Dunkelheit und bei besonderen liturgischen Anlässen wurde die Moschee durch aufgehängte Öllampen erhellt, deren Zahl mit mehreren Hundert angegeben wird. Mit Sicherheit dienten auch umgekehrt aufgehängte christliche Kirchenglocken als Moscheelampen; bekanntlich hatte al-Mansur, nach der Einnahme von Santiago de Compostela 997, die kleineren Glocken der St.-Jakobs-Basilika auf den Rücken christlicher Gefangener nach Córdoba bringen lassen. Das Archäologische Nationalmuseum in Madrid bewahrt eine solche zur Moscheelampe umgestaltete christliche Kirchenglocke.

Die Moschee nach der Reconquista (1236). – *Unmittelbar nach dem Einzug Ferdinands III. von Kastilien, am 29. Juni 1236, wurde die Moschee als christliche Kathedrale der hl. Jungfrau geweiht. Maurische Gefangene mußten die zweckentfremdeten christlichen Kirchenglocken nach Santiago de Compostela zurücktragen. An der*

S-Wand, der ehem. Qibla-Wand, wurde eine erste Kapelle für die christliche Liturgie eingerichtet. Bischof Fernando de Mesa gestaltete 1258 das 1. Joch vom N der Erweiterung al-Hakams II. im Mittelschiff (die heutige Capilla de Villaviciosa) zur Capilla Mayor (Altarraum) um. Im anschließenden O-Joch ließ Alfons X. »d. Weise« 1258–60 die Capilla Real (Kgl. Kapelle) erbauen, die, abweichend von ihrer urspr. Bestimmung als Grabkapelle, Sakristei der Capilla Mayor wurde. Diese baulichen Veränderungen und alle weiteren bis 1489 wurden von maurischen Handwerkern im mudejaren Stil ausgeführt. Derart ließ Heinrich II. von Kastilien 1371 die Capilla de S. Fernando (hl. Ferdinand) umgestalten und 1377 die Puerta del Perdón (Gnadentor) an der N-Fassade erbauen.

1489 dann, unter Bischof Manrique, entstand die sog. erste christliche Kirche (Catedral primitiva) innerhalb der Moschee: an die mudejare Capilla Mayor (die heutige Capilla de Villaviciosa) wurde, nach Abbruch der entsprechenden maurischen Moscheejoche, ein bis zur W-Wand reichendes Schiff im got. Stil angefügt. Nach der Überlieferung soll Isabella von Kastilien diesen Abbruch scharf verurteilt und weitergehende Zerstörungen der maurischen Moschee verboten haben.

Die Kathedrale. – *In anderen bedeutenden Städten des Königreichs, so in León, Toledo und Burgos, waren längst prachtvolle christliche Dome errichtet worden, und so beschloß das Domkapitel von Córdoba unter Bischof Alonso Manrique am 22. Juli 1521 den Bau einer repräsentativen Kathedrale. Im April 1523 begannen die Abbrucharbeiten inmitten der Moschee, gegen den heftigen Widerstand der Bürgerschaft und des Rates der Stadt, der jede Zerstörung unter Todesstrafe stellte und sich mit einer Petition an Kaiser Karl V. wandte. Der Kronrat entschied zugunsten des Domkapitels, und am 7. September 1523 wurde mit dem Bau begonnen.*

Als Karl V. 1526 nach Córdoba kam, soll er dem Domkapitel mit Bitterkeit vorgehalten haben: »Hätte ich gewußt, was Ihr vorhattet, Ihr hättet es nicht getan, denn was Ihr vollbracht habt, findet man überall, und was Ihr hattet, nirgendwo auf der Welt.«

Baumeister war von 1523–47 Hernán Ruiz I. aus Córdoba, nach dessen Tod sein Sohn Hernán Ruiz II. bis 1569 und anschließend, bis zum Abschluß der Bauarbeiten am 29. April 1600, dessen Sohn Hernán Ruiz III.; genannt wird noch ein anderer Hernán Ruiz (IV.), ein Neffe von H. R. II. Der Kathedralbau war am 7. September 1607 endgültig fertiggestellt. Die heutigen Gewölbe gehen auf das 18. Jh. zurück; erst 1766 waren die Ausstattungsarbeiten beendet.

1585 bereits war das ehem. maurische Minarett durch ein Erdbeben stark in Mitleidenschaft gezogen worden; 1593 begann Hernán Ruiz III., unter Einbeziehung des unteren Minarettgeschosses, mit dem Bau des heutigen Glockenturms, der 1664 von dem Architekten Juan Hidalgo vollendet wurde.
Seit der Rückeroberung, 1236, wurden im Laufe der Jahrhunderte zahlreiche christliche Kapellen in die Moschee eingebaut, insbesondere an den Wänden und meist im Erweiterungsbau al-Mansurs.
Die Moscheehalle lag ursprünglich, abgesehen von den Kuppeln über dem Vormihrabraum und dessen beiden flankierenden Jochen sowie über dem 1. Joch des Mittelschiffs der Erweiterung al-Hakams II., unter einem hölzernen Flachdach. Dieses wurde 1713 durch barocke Gewölbe ersetzt. Einige alte maurische Deckenteile sind in den Säulengängen des Moscheehofs ausgestellt. Unmittelbar nachdem die Moschee am 21. 11. 1882 zum Monumento Nacional erklärt worden war, begannen umfangreiche Restaurierungsarbeiten. Im Innern der Bethalle wurden u. v. a. Teile der urspr. Flachdecke wieder angebracht bzw. durch hervorragende Kopien ersetzt. Auch die in den Jahren vor 1992 erfolgte Teilrestaurierung der Bethalle gehört zu den beachtlichen Leistungen der spanischen Denkmalpflege.

Außenbau der Moschee. Die Moschee bildet ein großes Rechteck von 175 m Länge und 128 m Breite, wovon auf den Moscheehof mit 58 m Länge und 120 m Breite etwa ein Drittel der Gesamtfläche entfällt. Die mit Strebepfeilern und Zinnen versehenen Außenmauern werden von 19 Toren durchbrochen; urspr. waren es 21.
Den Haupteingang bildet die zum Moscheehof führende *Puerta del Perdón* (Tor der Gnade) auf der N-Seite (Calle Cardenal Herrero), die 1377 unter Heinrich II. von Kastilien im Mudéjarstil erbaut wurde. Der Name kommt von dem kirchlichen Gericht, das in christlicher Zeit unter dem Torbogen tagte und säumigen Schuldnern Abgaben oder Strafen erlassen konnte. Der spitz zulaufende Hufeisenbogen wird von einem Alfiz gerahmt; der Reliefdekor zeigt stilisiertes Rankenwerk und christliche Wappenschilder in den Bogenzwickeln. Die schweren Holztüren sind mit gehämmerten Metallplatten verkleidet und zeigen die gravierten Schriftzeichen DEUS und AL MULK LILAH (Die Macht ist allein Gott). – Die *Puerta del Caño Gordo* (Tor der

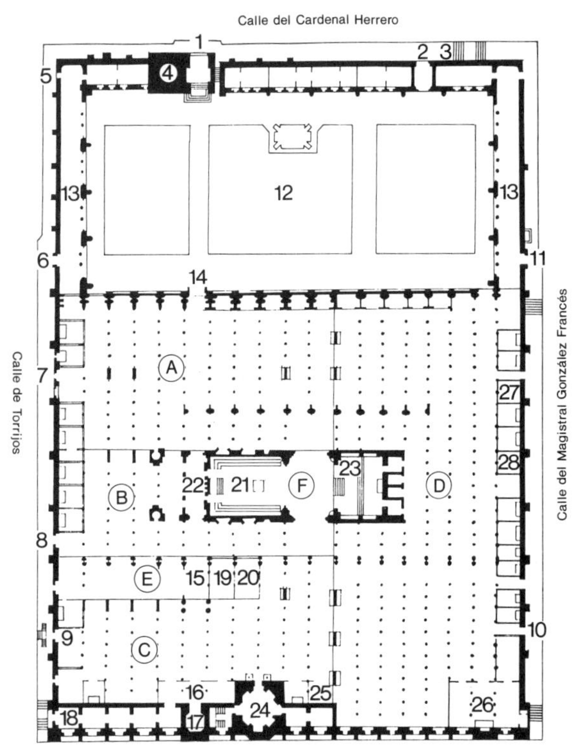

Córdoba. Moschee-Kathedrale
Grundriß

A Gründungsmoschee (Abd ar-Rahman I.)
B 1. Erweiterungsbau (Abd ar-Rahman II.)
C 2. Erweiterungsbau (al-Hakam II.)
D 3. Erweiterungsbau (al-Mansur)
E Catedral primitiva
F Kathedrale des 16. Jh.

1 Puerta del Perdón
2 Puerta del Caño Gordo
3 Capilla Virgen de los Faroles
4 Glockenturm, ehem. Minarett
5 Postigo de la Leche
6 Puerta de los Deanes
7 Puerta de S. Esteban
8 Postigo de Miguel
9 Puerta de Palacio
10 Puerta del Sagrario
11 Puerta de Sta. Catalina
12 Patio de los Naranjos, Orangenhof
13 Säulengänge
14 Puerta de las Palmas, Arco de Bendiciones
15 Capilla de Villaviciosa
16 Maqsura
17 Mihrab
18 Sabat-Gang
19 Capilla Real
20 Capilla S. Pablo
21 Coro
22 Trascoro
23 Capilla Mayor
24 Capilla Sta. Teresa, Sakristei, Kapitelsaal, Schatzkammer
25 Capilla de la Sta. Cena
26 Sagrario
27 Capilla de la Concepción
28 Capilla S. Nicolás

Großen Wasserrinne) weiter östl., das 2. Tor auf der N-Seite, stammt aus dem 17. Jh.

Die vergitterte Außenkapelle der Virgen de los Faroles (Hl. Jungfrau der Laternen) zeigte ein Gemälde mit der Darstellung der »Mariä Himmelfahrt«, das 1928 einem Brand zum Opfer fiel und durch das heutige von Julio Romero de Torres ersetzt wurde.

Westl. neben der Puerta del Perdón erhebt sich in 6 mit Balustraden versehenen Geschossen der barocke, 69 m hohe *Glockenturm,* der 1593–1664 errichtet wurde. Er steht an der Stelle des 951 von Abd ar-Rahman III. erbauten 2geschossigen Minaretts, das insgesamt 48 m hoch und von 4 senkrecht angeordneten, vergoldeten Kugeln bekrönt war (vgl. Giralda, S. 315). Sein unteres Geschoß ist in den Turmbau einbezogen. Die bekrönende Statue des Erzengels Raphael vollendete 1664 Pedro de Paz.

An der N-Seite gelangt man in westl. Richtung in die Calle Torrijos, zur W-Seite der Moschee. Das 1. Tor im NW, der *Postigo de la Leche* (Milchpforte), stammt urspr. aus dem späten Mittelalter und verdankt seinen Namen den hier niedergelegten Findelkindern. – Das 2. Tor in südl. Richtung, die zum Moscheehof führende *Puerta de los Deanes* (Dechantentor), stammt ebenfalls aus christlicher Zeit und ist mehrfach umgebaut worden.

● Von ganz besonderem Interesse ist das 3. Tor, die *Puerta de S. Esteban* (Stephanstor) an der Bethalle, das einzige aus maurischer Zeit noch erhaltene Tor. Der von einem Alfiz eingefaßte hufeisenförmige Bogen ist aus der Zeit Mohammeds I. (852–886) inschriftlich 241 (A.H. = 855 n.Chr.) datiert. Vermutlich handelte es sich hierbei um einen Umbau, so daß dieses Tor, das in maurischer Zeit Bab al-Wuzara (Portal der Wesire) hieß, schon zur Gründungsmoschee Abd ar-Rahmans I. gehörte. Auf beiden Seiten befinden sich Fensteröffnungen mit Steingittern, die ebenso auf die Gründungsmoschee zurückgehen dürften. John Hoag weist darauf hin, daß die Puerta de S. Esteban noch die urspr. 3geteilte Form und Reste ihres ziemlich rohen Rankendekors aufweist. »Die Innenfassade stammt höchstwahrscheinlich aus dem Jahre 786/787 und zeigt einen stark hufeisenförmigen Bogen in einem Alfiz, der von sehr kleinen gestuften Zinnen in Reliefarbeit überragt wird. Die Ähnlichkeit mit dem nur zehn Jahre älteren Mihrab von Kairuan ist verblüffend.«

Die folgenden Tore in südl. Richtung sind im wesentlichen das Ergebnis umfangreicher Instandsetzungsarbeiten aus dem Ende des 19. Jh. Lediglich das mittlere, die *Puerta de Palacio* oder auch *de la Paloma* (Tor der Taube [des Hl. Geistes]), deren Hufeisenbogen zwischen Fialen von einem Eselsrücken überhöht wird, wirkt nicht überrestauriert. Dieses Tor der Erweiterung al-Hakams II. war Ende des 15. Jh. mit christlichen Stilmitteln umgebaut worden.

Das einfache Rechtecktor am südl. Ende war urspr. ein durch eine Brücke mit dem Alcázar verbundener, dem Kalifen und seinem Gefolge vorbehaltener Eingang zur Moschee; auf der S-Seite, in gleicher Höhe, sieht man noch die Fenster, die den sog. Sabat-Gang erhellten. Die anderen Fenster und die Balkone auf der S-Seite stammen im wesentlichen aus dem späten 15. und dem frühen 16. Jh. Ansonsten ist die S-Fassade von geringerem Interesse.

Die Tore auf der O-Seite stammen urspr. alle aus dem 10. Jh., als al-Mansur die Moschee nach O erweiterte. In ihrer heutigen Form sind sie das Ergebnis umfangreicher Restaurierungsarbeiten aus dem Anfang des 20. Jh. Die zum Moscheehof führende *Puerta de Sta. Catalina* wurde 1573 im plateresken Stil umgebaut. Die beiden Schilder in den Bogenzwickeln zeigen das 951 von Abd ar-Rahman III. erbaute Minarett, das bis zum Ende des 16. Jh. an der Stelle des heutigen Glockenturms stand.

Der Moscheehof war vermutlich schon ursprünglich, spätestens aber seit seiner Vergrößerung durch Abd ar-Rahman III. im 10. Jh., auf 3 Seiten mit Bogengängen umgeben. Die heutigen *Säulengänge* wurden im 16. Jh. errichtet; an den Wänden sind Teile der *urspr. Moscheeholzdecke* angebracht.

Die Orangenbäume wurden erst in neuerer Zeit angepflanzt; in maurischer Zeit gaben hier Oliven- und Lorbeerbäume und Zypressen sowie Wassergräben dem Hof eine gartenartige Wirkung.

Die ehem. Anlagen für die rituellen Waschungen sind nicht mehr erhalten; lediglich die *Zisterne* im östl. Bereich stammt noch aus dem 10. Jh. Von den *Brunnen* ist nahe der N-Wand der große barocke mit seinen 4 Wasserrinnen bemerkenswert.

Die 19 Schiffe der Moschee an der S-Seite des Hofes waren in maurischer Zeit offen und wurden erst nach der Reconquista vermauert, um auch auf dieser Seite den Einbau christlicher Kapellen zu ermöglichen.

Den Haupteingang in das Innere – unmittelbar in das Mittelschiff der Gründungsmoschee des 8. Jh. – bildet die *Puerta de las Palmas* (Palmentor) in der westl. Hälfte der Hoffront. Sie liegt in der Achse der Puerta del Perdón und wird auch *Arco de Bendiciones* genannt, da hier, bis zur Eroberung von Granada (1492), die Fahnen der im Kampf gegen die Mauren ausrückenden christlichen Truppen gesegnet wurden.

Zu beiden Seiten stehen römische Meilensteine der alten Via Augusta. Die Verkündigungsgruppe (Maria und Erzengel Gabriel) sowie die platereske Ornamentik über dem Eingangsbogen stammen aus d. J. 1531.

Im Innern der Moschee (arab. *masdschid*, ›Ort, wo man sich [vor Gott] niederwirft‹) ist der erste Eindruck völlige Richtungslosigkeit, wenn auch beeinträchtigt durch die eingebaute christliche Kathedrale. Die Säulen und Doppelarkaden scheinen sich endlos zu wiederholen und fortzusetzen. Im Gegensatz zum christlichen Sakralbau ist dem islamischen Moscheebau (bis zum 11. Jh.) die Konzeption eines begrenzten und übersichtlichen Raumes fremd.

● Der Gründungsmoschee entsprechen in südl. Richtung (bis zur N-Wand der christlichen Kathedrale) die ersten 12 Joche des Mittelschiffs und der je 4 seitlichen Schiffe; die Marmor-, Jaspis- und Granitsäulen und die meist korinthischen, verhältnismäßig hohen Kapitelle sind römische und westgotische Spolien. Auf den westgotischen Kämpferplatten setzen sowohl die unteren Hufeisenbogen wie auch die Pfeilerkonsolen der oberen Rundbogen an. Der Farbenwechsel der roten und weißen Bogensteine, übernommen von der byzantinischen Architektur, läßt die komplizierte Konstruktion leicht und »elegant« erscheinen. Die oberen Pfeilerarkaden bilden das eigentliche Tragesystem für die ehem. flachen Holzdächer der Schiffe. Optisch scheinen die »eleganteren« unteren Hufeisenbogen das System mitzutragen, haben jedoch tatsächlich keine statische Funktion. (Zum Tragesystem vgl. Baugeschichte der Gründungsmoschee, S. 115.) Dieses 2geschossige Arkadensystem ist in den späteren Erweiterungen beibehalten.

In der 1. Erweiterung (833–848) von Abd ar-Rahman II. wurde der Gründungsmoschee des 8. Jh. im O und W je ein Schiff angefügt und diese nunmehr 11schiffige Bethalle um weitere 8 Joche in südl. Richtung verlängert. In diesen 8 Jochen sind die Kapitelle meist keine Spolien mehr, sondern nach klassischen römischen Modellen gemeißelt; die Pfeilerkonsolen sind vereinfacht.

Die 2. Erweiterung (961–965). Die folgenden 12 Joche und die doppelte Qibla-Wand im S entsprechen dem 961 begonnenen Anbau al-Hakams II., durch den die bereits 65 m tiefe Bethalle eine Tiefe von insgesamt annähernd 100 m erhielt. Mit diesem Neubau wollte al-Hakam alle bisherigen islamischen Bauten übertreffen. Der Neubau erhielt 4 prachtvolle Kuppeln, eine über dem Mittelschiffeingang und je eine über den 3 Räumen der Maqsura vor dem Mihrab. Das Konstruktionsprinzip der aus sich durchkreuzenden Rippen gebildeten Kuppeln und deren Trägerarkaden mit sich kreuzenden Bogen fand hier erstmals Anwendung und ist in der gesamten Baukunst ohne Vorbilder. Dieses neue Konstruktionsprinzip veranschaulicht am besten die später sog. Capilla de Villaviciosa, am Anfang des neuen Mittelschiffs. Ihre 3 kuppelüberspannten Joche wurden im 15. Jh. zum Altarraum der 1. christlichen Kirche (Catedral primitiva) umgestaltet, die westl. Seitenwand dabei abgetragen. Entsprechend dem Prinzip der sich überschneidenden Rippen der Kuppel hat der Meister der 2. Erweiterung das doppelgeschossige Bogensystem durch sich kreuzende Vielpaßbogen (gelappte Bogen) verstrebt. Die kompliziertesten Formen von Bogenkreuzungen zeigt die östl. Seitenwand; hier tritt sogar ein 3stöckiges Tragesystem in Erscheinung. »Es sieht so aus, als trügen die oberen Vielpaßbogen die Decke. Diese Bogen sind jedoch eine Art Entlastungsbogen, die in der Wand eingebettet sind. Die Bogenwand und die Decke bzw. die Kuppel werden in Wirklichkeit von den Rundbogen getragen, die zum Teil hinter dem Geflecht der sich kreuzenden Bogen versteckt bleiben« (Ulya Vogt-Göknil).

Maqsura und Mihrab. Der Raum vor dem Mihrab bildete zusammen mit seinen beiden seitlichen Jochen den Bereich der allein dem Kalifen und seinem Gefolge vorbehaltenen Maqsura; urspr. ein abgeschlossener Raum, entstand sie aus dem Sicherheitsbedürfnis der frühen Kalifen, ist hier aber v. a. Symbol der weltlichen Macht des Fürsten. Entsprechend dieser repräsentativen Bedeutung

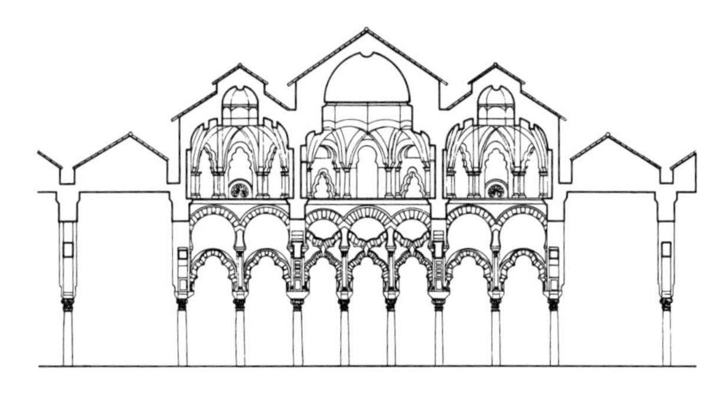

Córdoba. Moschee
Querschnitt des Maqsura-Bereichs
(nach Torres-Balbás)

erreicht der Dekor der Moschee im mittleren Joch vor dem Mihrab seinen Höhepunkt.

Mosaiken bedecken die Mihrab-Fassade und die Vormihrab-Kuppel, ausgeführt von einem der byzantinischen Meister der Mosaikkunst, der mit seinem Material aus Konstantinopel gekommen war. Das Ornament besteht aus Pflanzenformen und Allah sowie al-Hakam II. preisenden Inschriften; in der Kämpferzone des Hufeisenbogens ist als Vollendungsdatum das islamische Jahr 345 = 965 n. Chr. angegeben.

Die großartigste Leistung bilden die Kuppel und ihre Trägerarkaden, die mit sich kreuzenden Vielpaßbogen (gelappte Bogen oder auch Fächerbogen) verstrebt sind. Die sich überkreuzenden Rippen der zentralsymmetrisch angeordneten Kuppel bilden zusammen ein Achteck; sie ruhen auf Halbsäulen, die wiederum auf aus der Wand herausragenden Platten stehen. »Es ist, von unten gesehen, als ob die Rippen der Kuppel über den [Vor-]Mihrabraum hängen würden«, faßt Ulya Vogt-Göknil den Eindruck zusammen und gelangt bei der Frage nach den statischen Bezügen zu dem Ergebnis: »Die Kuppel und ihre Tragewände werden durch einen horizontalen Ornamentstreifen von-

Córdoba. Moschee
Kuppel im Vormihrab-Joch

einander getrennt. Die Kuppel und jede einzelne Tragewand bildet ein Formgefüge für sich. Es wird nirgends versucht, einen Übergang oder eine Entsprechung zwischen Last und Stütze herzustellen. Es entsteht kein dreidimensionales Bezugsnetz zwischen Kuppel und Wänden. Je mehr man sich mit Bezügen zwischen Stütze und Last beschäftigt, um so mehr bekommt man den Eindruck, daß hier die tektonischen Zusammenhänge mit Absicht verschleiert worden sind. *Die Statik, die hier herrscht, entzieht sich der logischen Erfaßbarkeit.* Die Verschleierung der tektonischen Bezüge zwischen Stütze und Last ist ein charakteristisches Merkmal der früharabischen Architektur.«

In den beiden seitlichen Jochen haben die Trägerarkaden der Rippenkuppeln die in der Gründungsmoschee festgelegte »einfache« Struktur, nur mit dem Unterschied, daß die unteren Bogen gelappt sind.

Der *westl. Eingangsbogen* in der Qibla-Wand seitlich des Mihrab (rechts, Mosaikornamentik geringerer Qualität aus dem 10. Jh.) verband die Maqsura mit dem vom Alcázar über eine Brücke erreichbaren *Sabat-Gang* für den Kalifen und sein Gefolge. Der *östl. Bogen* (mit Mosaik-Kopien des 20. Jh.) führte in einen Raum ungeklärter Funktion.

Der Mihrab öffnet sich in einem alfizgerahmten Hufeisenbogen; die 4 eingestellten Säulen stammen noch vom ehem. Mihrab des 9. Jh., der beim Bau al-Hakams abgetragen wurde. Die *Kuppel* der 8eckigen *Mihrab-Nische* besteht aus einem monolithen Marmorblock, der eine Muschelschale in allen Einzelheiten naturgetreu nachbildet. Über dem Marmorsockel der Wände reiche Stuckdekoration mit dreipaßförmigen Blendarkaden über eingestellten Marmorsäulchen. Der Schriftfries am Kuppelansatz preist Allah. Die Ausbildung der Mihrab-Nische als vollständiger 8eckiger Raum war eine Neuerung in der arabischen Architektur und diente als Vorbild für fast alle späteren Mihrabs in Spanien und Nordafrika. Oleg Grabar hat die weitverbreitete Meinung korrigiert, der Mihrab gebe die Gebetsrichtung (Mekka) an; das tut vielmehr die Qibla-Wand, auf die die Moschee ausgerichtet ist und in der sich der Mihrab befindet. Die ganz frühen Moscheen aber hatten keinen Mihrab; der erste erscheint im frühen 8. Jh. im Neubau der Moschee von Medina. Urspr. bezeichnete das Wort »Mihrab« einen Ehrenplatz in einem Palast; in Medina bezeichnete der erste Mihrab die Stelle, von der aus der Prophet seinem Volk vorgebetet hat. Er könnte daher als Symbol der Präsenz des Propheten entstanden sein. »In Córdoba ist aus der Nische ein achteckiger Raum geworden, der vielleicht andeutet, daß durch den Bogen die göttliche Gnade über die Gläubigen kommt« (John Hoag).

Die 3. Erweiterung (987–988). Die 8 Schiffe auf der O-Seite der Moschee und der entsprechende Teil des Moscheehofes entsprechen der Erweiterung al-Mansurs. Um die Verbindung zur früheren Bethalle herzustellen, hatte al-Mansur deren O-Mauer durch Arkaden geöffnet; Reste der früheren Portale sind noch erhalten. Die Strukturen des in der Gründungsmoschee festgelegten 2geschossigen Arkadensystems (der Farbenwechsel der Bogensteine ist aufgemalt) und dekorative Details der verschiedenen Erweiterungen wurden übernommen. Die Arkadenreihen dieser letzten Erweiterung wirken, verglichen mit denen der früheren Bethalle, eigentümlich spannungslos, demonstrieren jedoch eindrucksvoll den »richtungslosen Säulenwald« arabischer Moscheen.

Die Einbauten nach 1236

Die Capilla Real wurde 1258–60 in den östl. Jochen der unmittelbar nach der Rückeroberung zur Capilla Mayor (Altarraum) umgestalteten Capilla de Villaviciosa errichtet, deren Kuppelkonstruktion als Vorbild für das Rippengewölbe diente. Die mudejare Dekoration stammt zum größten Teil aus der Zeit Heinrichs II. (1369–79), der die Kapelle als Grabstätte für seinen Vater und Großvater, Alfons XI. († 1350) und Ferdinand IV. († 1312), wiederum umbauen ließ. Im späten 15. Jh. wurde die Kapelle Sakristei der 1. christlichen Kirche (Catedral primitiva), deren Schiff westl. der Capilla de Villaviciosa bis zur W-

Wand reicht und deren urspr. Gewölbe z. T. noch erhalten sind. – Östl. der Capilla Real liegt die Capilla de S. Pablo.

Hier ein *Paulus*-Retabel und das Grab des manieristischen Malers und Bildhauers Pablo de Céspedes (1538–1608) aus Córdoba.

Den Grundriß der 1523 von Hernán Ruiz I. aus Córdoba begonnenen Kathedrale bildet ein 1schiffiges Langhaus mit Querhaus und Rechteckapsis im O. Der hohe, spätmittelalterlich konzipierte Innenraum mit Spitzbogenarkaden und komplizierten Sterngewölben in den Querarmen hat, bedingt durch die Fortdauer der Arbeiten bis in das 18. Jh., eine vom spätgotischen über den plateresken und den Herrera-Stil bis zum Spätbarock reichende Dekoration.

Hauptwerk der meist barocken Ausstattung ist das plateresk-barocke *Chorgestühl* (1748–57) des Coro (Langhauschor), mit insgesamt 180 Reliefszenen, von Pedro Duque Cornejo. – Den barocken *Hochaltar* hat Alonso Matías nach Entwurf von Juan de Aranda y Salazar 1616 in Holz, rotem Marmor und mit Bronzeapplikationen ausgeführt; die Altarbilder (»Mariä Himmelfahrt« sowie die 4 aus Córdoba stammenden Märtyrer Acisclo, Pelagius, Flora und Victoria) malte 1713 Antonio Palomino aus Córdoba; das Marmor-*Tabernakel* wurde 1653 vollendet. – Besonders erwähnenswert auch die silbergeschmiedete *Lampe*, 1629 von Martín Sánchez de la Cruz, und die beiden *Kanzeln* aus dem späteren 18. Jh.

Capilla de Sta. Teresa (auch Capilla del Cardenal Salazar, Sakristei und Kapitelsaal östl. des Mihrab). 1705 von Francisco Hurtado Izquierdo über kreisförmigem Grundriß mit Tambourkuppel und üppigem Stuckdekor errichtet.

Die Skulptur der Titelheiligen schuf 1705 José de Mora. Unter den Gemälden besonders bemerkenswert die *»Übergabe von Córdoba an Ferdinand III.«* von Antonio Palomino, frühes 18. Jh. – In der Schatzkammer (Tesoro) 2,63 m hohe spätgot., z. T. vergoldete *Silbermonstranz* (um 1510–17) des in Köln geschulten Enrique de Arfe, der in Spanien ansässig und Begründer einer mehrere Generationen währenden Silberschmieddynastie wurde. Die Monstranz wurde erstmals bei der Fronleichnamsprozession 1518 mitgeführt; der urspr. Aspekt ist durch Überarbeitung und Ergänzung (1735) beeinträchtigt. – Weitere kostbare liturgische Geräte und Gegenstände, darunter ein früher Benvenuto Cellini zugeschriebener *Goldkelch* des 16. Jh. und ein früher Alonso Cano zugeschriebener *Elfenbein-Kruzifixus* des 17. Jh. – *Illuminierte Handschriften* des 10. Jh.

Die über 30 Seitenkapellen (ihre Weihebezeichnungen sind nicht immer einheitlich) haben meist eine barocke Ausstattung des 17. und 18. Jh. In vielen Fällen sind die Zuschreibungen der Gemälde und Skulpturen nur als Hinweis auf den Umkreis eines Meisters zu verstehen. Auf die bedeutendsten Kunstwerke soll hier hingewiesen sein:

Das Tafelgemälde »*Mariä Verkündigung*« (Capilla de la Encarnación, östl. des Mihrab) ist das Hauptwerk des Pedro de Córdoba, von diesem signiert und datiert 1475. Es wurde gestiftet von dem Kanonikus Sánchez de Castro, der im Vordergrund links dargestellt ist, ihm gegenüber kniend der Maler selbst. Das Bild ist eine der bedeutendsten Arbeiten des sog. Hispano-flämischen Stils, der vom Ausgang des 1. Drittels bis zum Ende des 15. Jh. die spanische Dekorationsfreudigkeit maurischer Tradition mit der Naturwahrhaftigkeit der niederländischen Malerei verband. Jeder Gegenstand, jede Gewandfalte ist mit sorgfältiger Genauigkeit wiedergegeben. Die spätgot. Maßwerkdetails erinnern an Cordubeser Goldschmiedearbeiten. Die Physiognomien der noch spätgotisch verhaltenen Figuren zeigen einige für Pedro de Córdoba charakteristische Merkmale, so die abgeschrägten Backenknochen der Knienden und das vorgeschobene Untergesicht des Engels.

Von Peeter de Kempeneer (Pedro de Campaña, 1503–80) sind mehrere *Altäre* zu sehen, u. a. in der Capilla de la Concepción und der Capilla de S. Nicolás. Der Renaissance-Maler aus Brüssel war schon jung nach Italien gekommen. Um 1530 wird sein Name erstmals in Sevilla genannt, wo er hauptsächlich gearbeitet hat; sein Einfluß auf die andalusische Malerei im 2. Drittel des 16. Jh. war bedeutend.

Der in Italien ausgebildete Cordubese Pablo de Céspedes (1538–1608), Maler, Bildhauer und bedeutender Humanist, beeinflußt von Raffael und Michelangelo (in Rom wurde er Paolo Cedaspe und auch »der spanische Raffael« genannt), hat für die Moschee-Kathedrale mehrere Altäre geschaffen; sein bedeutendstes Werk ist das manieristische Altargemälde »*Das Letzte Abendmahl*« (1595) in der Capilla de la Sta. Cena (östl. des Mihrab). – Sein Freund, der Piemontese Cesare Arbasia, ist der Schöpfer der *Fres-*

Córdoba. Kathedrale. Capilla de la Encarnación.
Pedro de Córdoba: »Anunciación« (zu S. 131)

kenausmalung (1585/86; hll. Märtyrer aus Córdoba) des Sagrario. Aus dem 17. Jh. ist der von Zurbarán und Alonso Cano beeinflußte Antonio del Castillo (1616–68) – u. a. mit seinem »*Martyrium des hl. Pelagius*« (1645) in der Capilla de S. Pelagio – zu nennen. Skulpturen von Pedro de Mena y Medrano (1628–88), dessen hingebungsvolle Heiligenfiguren im Spanien des 17. und frühen 18. Jh. großes Aufsehen erregten und weitverbreitete Nachahmung fanden, sind u. a. eine »*Immaculata*« (1679) in der Capilla de la Concepción und ein »*Hl. Franz von Assisi*« (1673).

Stadtmauern

Von den arabischen Stadtmauern, die ihrerseits Reste der ehem. römischen Mauer einbezogen, sind noch (restaurierte) Teile erhalten. Die **östl. Mauer,** in den Straßen S. Fernando und Alfaros, teilte die Stadt in die Medina (Zentrum) und die Ajarquía, die im Vergleich zur Medina tiefer gelegenen Viertel im O. – Die befestigte Toranlage der **Puerta de Sevilla** stammt aus dem 10. Jh.; aus dieser Zeit erhielten sich ein Turm und die leicht hufeisenförmigen Bogen des Doppeltors.

Das historistische **Denkmal** für den maurischen Dichter, Philosophen und Historiker **Ibn Hazm** (994–1064) von dem Bildhauer Amadeo Ruiz Olmos wurde 1963 dort aufgestellt.

Die **Puerta de Almodóvar,** Eingang zur Judería (Judenviertel), stammt nur noch in geringen Teilen aus maurischer Zeit.

Hier ein historistisches Bronze-**Denkmal** für den in Córdoba um 4 v. Chr. geborenen römischen Philosophen **Seneca d. J.,** gleichfalls von Ruiz Olmos.

Baño Árabe (Calle de Velázquez Bosco im NO der Moschee, gegenüber dem Beginn der Calleja de las Flores. Von den rd. 300 öffentlichen Maurischen Bädern ist allein dieses überkommen. Der Viereckraum enthielt ein Wasserbecken; die Gewölbe mit Abzugsöffnungen ruhen auf Hufeisenarkaden mit Jaspis-Säulen.

Torre de S. Juan (Calle Barroso). Minarett einer abgetragenen Moschee vermutlich aus der Zeit Abd ar-Rahmans II. (822–852), auf dem nach der Reconquista ein Glockengeschoß errichtet wurde. Auf den 4 Seiten Ajimeces (hufeisenförmige Doppelarkaden mit eingestellter Mittelsäule), nur die südlichen offen; darüber Hufeisenbogenfries über Säulchen. (Die **Kirche S. Juan** wurde im späten 17./frühen 18. Jh. erbaut.)

Torre de Sta. Clara (bei Plaza Abades, im O der Moschee). Das ehem. Minarett aus der Kalifenzeit ist fast unbeschädigt überkommen, nur die Mauerzinnen und der obere Abschluß sind modern. In der N-Wand Reste der einstigen Moschee.

Von den **Resten arabischer Wassermühlen** im Flußbett des Guadalquivir ist auf die **»Albolafia«** (von arab. *Abul-Afya*) genannte Mühle hinzuweisen. In maurischer Zeit diente sie kraft eines großen Wasserrads zur Bewässerung der nahen Alcázar-Gärten.

Festungsbauten nach 1236

● **Alcázar de los Reyes Cristianos** oder **Alcázar Nuevo** (Calle de Amador de los Ríos/Campo Santo de los Mártires)

Alfons XI. ließ seine Residenz 1327/28 innerhalb der Gärten des maurischen Alcázar (dieser befand sich an der Stelle des heutigen Bischofspalastes) erbauen. Im späten 14. Jh. und in der 1. Hälfte des 15. Jh. wurde sie mit Gartenanlagen und Bädern erweitert. Einige bauliche Veränderungen gehen auf die Kath. Könige zurück, die zwischen 1482 und 1490, während der kriegerischen Auseinandersetzungen mit dem maurischen Königreich von Granada, hier zeitweilig residierten. Danach war der Alcázar Sitz des örtlichen Inquisitionsgerichts; nach der Abschaffung dieser Gerichte im frühen 19. Jh. wurde er Stadtgefängnis. Der heutige Aspekt geht auf die 1951 begonnene umfassende Restaurierung der Anlage zurück.

Der Grundriß zeigt eine Rechteckanlage mit 4 Ecktürmen, von denen der südöstliche 1850 abgetragen wurde. Im SW (am Fluß) steht die **Torre de los Jardínes** (auch »Torre de la Inquisición« und »Torre del Río« genannt) über kreisförmigem Grundriß mit 3 Geschossen. Den besterhaltenen urspr. Baubestand zeigt die **N-Mauer** mit der oktogonalen **Torre del Homenaje** (Bergfried) im O und der quadratischen **Torre de los Leones** (»Löwenturm«) im W, dem ältesten Turm der Anlage, mit eleganten Rippengewölben, die

Römisches Sarkophagrelief:
Verstorbene vor der Pforte des Totenreichs
(Alcázar de los Reyes Cristianos)

an Vorbilder des 13. Jh. im französischen Anjou denken lassen. Der sog. Patio Morisco wird im S und O von **Gefängnisbauten** des 19. Jh. begrenzt; von hier aus auch Zugang zu den **Bädern** aus dem frühen 15. Jh.

Außer einer Vielzahl von Bau- und Ornamentfragmenten der urspr. Anlage bewahrt der Alcázar im Patio und in den oberen Räumen eine *Sammlung römischer Funde,* darunter der 1958 bei Córdoba gefundene *Marmorsarkophag* mit der Darstellung der Verstorbenen vor den Toren des Totenreiches. Im Mittelfeld die sich öffnenden Türen des Hades mit Widder- und Löwenkopfreliefs, im Giebel darüber 2 Pfauen als Symbol der Unsterblichkeit. In den Seitenfeldern der Verstorbene und seine Ehefrau mit in die Totenwelt einführenden Begleitern. An den Schmalseiten symbolisiert das geflügelte Pferd der griechischen Pegasos-Sage das Erheben der Seele über die irdische Welt. Der qualitätvolle Sarkophag dürfte im frühen 3. Jh., etwa um 225/235, in einer römischen Werkstatt gearbeitet worden sein.

Im sog. Salón de los Mosaicos *römische Mosaiken* des späten 2. und 3. Jh.: *»Polyphem und Galatea«* (im Vorraum), Ende 2. Jh., mit der Darstellung des unglücklich in die schöne Meeresnymphe Verliebten, der mit den anderen Kyklopen, einem barbarischen

Stamm einäugiger Riesen, auf Sizilien lebte. – *»Okeanos«*, der Kopf des Flußgottes von Meerestieren umgeben. – *»Der Mime«*, ein burlesker Schauspieler. – *»Die Jahreszeiten«* mit Psyche und dem geflügelten Liebesgott Cupido im Zentrum und den Personifikationen der Jahreszeiten (Frühling, Sommer und Winter). – Weiterhin *geometrische Mosaiken* in Opus tesselatum.

Die **Gärten** des Alcázar wurden 1951 und in den folgenden Jahren neu angelegt; an ihrer N-Seite liegt der ehem. Königliche Marstall (**Caballerizas Reales**) aus der Mitte des 18. Jh.

Torre de la Calahorra (südl. Brückenkopf des Puente Romano). Der Name ist vermutlich von arab. *kalat* (Festung) und *horr* (frei, außerhalb) abgeleitet. Eine maurische Brückenfestung wird 1236 erstmals erwähnt; auf den Resten oder an deren Stelle ließ Alfons XI. um 1325 eine 2-Turm-Anlage errichten, die 1369 von Heinrich II. wiederum umgebaut und durch einen 3. Rechteckturm erweitert wurde, so daß die Anlage den Grundriß eines Antoniuskreuzes (T-förmig) erhielt. Einer nochmaligen Erweiterung im 15. Jh. entstammen die beiden zylindrischen Türme und der Wehrgang.

In dem Kastell ist das **Museo Histórico de la Ciudad** (Museum der Geschichte der Stadt Córdoba) untergebracht. Gezeigt werden u. a. Erinnerungen an den Heerführer der Kath. Könige, Gonzalo Fernández de Córdoba y Aguilar (1443–1515), »El Gran Capitán«, und den Dichter Luis de Góngora y Argote (1561–1627).

Torre de la Malmuerta (Plaza de Colón). Der oktogonale Turm von 1406–08, mit Torbogen, war urspr. mit der Stadtmauer verbunden.

Der Name (»schlimmer Tod«) geht auf die versionsreiche Überlieferung zurück, nach der ein ungerechtfertigter Sühnemord den Turmbau veranlaßt haben soll. Das in Volkslied und Dichtung eingegangene Thema diente Lope de Vega als Vorlage zur Tragödie »Los Comendadores de Córdoba«.

Kirchliche Bauten

● **Ehem. Synagoge** (Sinagoga; Calle de Maimónides 18, die frühere Calle de los Judios)

Das lt. Inschrift 1314/15 von »Isaac Mejeb, Sohn des mächtigen Ephraim« errichtete Gebäude in der Judería, unweit der Puerta de

Almodóvar, des früheren Eingangstors zum jüdischen Viertel, ist eine der 3 in Spanien erhaltenen Synagogen des Mittelalters, die unter christlicher Herrschaft im mudejaren Stil erbaut wurden (die beiden anderen in Toledo). Vermutlich war das Bethaus im W mit einem Lehrhaus verbunden, auf das Baureste in den angrenzenden Gebäuden hindeuten. Nach der Vertreibung der Juden 1492 diente der Bau zunächst als Hospital für psychisch Kranke und seit 1588 als dem hl. Krispinus geweihte Kapelle der Schuhmacherzunft.

Das Bethaus hat fast quadratischen Grundriß. Der mudejare Stuckdekor der Wände (der Dekor der unteren Partien ist abgeschlagen) zeigt geometrische und vegetabilische Motive, vergleichbar dem Dekor der Sinagoga del Tránsito in Toledo (1355–57), sowie Psalmeninschriften. In der S-Wand über dem (modernen) Eingangsportal öffnet sich die vom Vorraum aus gesondert zugängliche *Empore* für die vom Synagogendienst ausgeschlossenen Frauen in einem ornamentierten Mittelrechteck und 2 seitlichen hufeisenförmigen Zackenbogen; in der O-Wand die *Thora-Nische* mit hohem Vielpaßbogen. Urspr. hatte der Raum eine Alfarje-Decke mit Zugbalken.

Im Hof eine *Gedenktafel* zum 800. Geburtstag des jüdischen Gelehrten *Maimónides* (Mosche ben Maimon, lat. Moses Maimonides; geb. 30. 3. 1135 in Córdoba, gest. 13. 12. 1204 in Kairo). Wegen der Glaubensintoleranz der Almohaden 1159 mit seiner Familie zunächst nach Marokko und 1165 nach Ägypten übergesiedelt, wurde er dort nach 1171 Leibarzt des Sultans Saladin. Seine literarischen Arbeiten galten der Erklärung des biblischen und talmudischen Schrifttums, der Philosophie, Mathematik, Astronomie und Medizin. Sein Hauptwerk (»Führer der Verirrten«), eine philosophische Begründung der jüdischen Glaubensordnung, hat die Denkweise seiner Glaubensgenossen und die Entwicklung des Judentums in hohem Maße beeinflußt und wurde schon früh von Mohammedanern und Christen (Albertus Magnus, Thomas von Aquin) geschätzt und benutzt.

Ein modernes **Denkmal** (1964, von Pablo Yusti) des jüdischen Gelehrten auf der nahen Plaza de Maimónides.

Iglesia de S. Agustín (Calle de S. Agustín). Ehem. Klosterkirche der Dominikaner, im frühen 14. Jh. als 3schiffige Querhausanlage mit 3-Apsiden-Chorabschluß erbaut; aus dieser Zeit noch die Mittelapsis erhalten. Im 16. Jh. plateresk umgestaltet, im frühen 17. Jh. erneut umgebaut.

Im Innern Juan Luis Zambrano, einem Schüler von Pablo de Céspedes, zugeschriebene *Fresken* aus dem frühen 17. Jh. S-Seitenaltar 1563 bezeichnet.

Convento de Sta. Ana (Alta de Sta. Ana). Barocke **Klosterkirche** des 17. Jh. Über dem Portal *Anna selbdritt,* 1665, von Bernabé Gómez del Río. Hochaltar 18. Jh.; Ausmalung 19. Jh.

Iglesia de S. Andrés (Calle de S. Andrés). Die jetzige barocke Kirche stammt aus dem 1. Drittel des 18. Jh. Vom urspr. Bau des 13. Jh. steht noch die Mittelapsis, heute Sagrario.

Darin *»Grablegung Christi«* und *»Pietà«* von Antonio del Castillo (1616–68). Churrigueresker Hochaltar.

● **Capilla de S. Bartolomé** (Calle del Cardenal Salazar, in der Judería). Die got.-mudejare **Kapelle** gehört seit 1708 zu dem 1701 von Kardinal Salazar gegründeten **Hospital de Agudos.** Ihr Außenbau stammt noch aus der 2. Hälfte des 13. Jh.; die Mauerzinnen sind 15. Jh. Der *Portikus* hat leicht hufeisenförmige Spitzbogen und westgotische Kapitelle. Im Stil der Cordubeser Kirchen des 13. und frühen 14. Jh., mit zickzack-ornamentierter Bogenstirn, ist das *Portal* gehalten. Im Innern mudejare Rippengewölbe.

Reicher Yesería-Schmuck aus dem 14. Jh. Fliesen aus Granada bedecken die unteren Wandzonen, ein polychromer Belag aus glasierten Ziegeln und Fliesen den Boden (beides 15. Jh.).

Convento de las Capuchinas (Plaza de las Capuchinas). Das **Kloster** der Franziskanerinnen wurde im 17. Jh. unter Einbeziehung eines mudejaren Palastes des 15. Jh. erbaut. Die **Kirche** ist 18. Jh.

Convento de los Capuchinos (Plaza de los Capuchinos) → Plaza de los Dolores.

Convento de los Carmelitas Calzados (Puerta Nueva; volkstüml. Convento del Carmen Calzado), Kloster der Beschuhten Karmeliter aus dem Ende des 16. Jh. mit einer mudejaren **Kirche.**

Die Kirche bewahrt eines der bedeutendsten Werke von Juan de Valdés Leal, den zwischen 1654 und 1658 ausgeführten *Elias-Altar.*

Unter weitgehendem Verzicht auf Farbigkeit erreicht Valdés Leal hier durch die Abstufungen des Lichtes eine Stimmung visionärer Entrücktheit. Im Zentrum wird Elias, der erste große schicksalkündende Prophet Israels, am Ende seines Lebens »auf feurigem Wagen mit feurigen Rossen im Wetter gen Himmel« (2. Kön. 2, 11) entrückt, seinen Mantel seinem Nachfolger Elisa hinterlassend. Dieser Vorgang ist immer als Präfiguration der Auferstehung Christi verstanden worden. Die beiden 1658 datierten Seitenbilder zeigen die Niederlage der Baalspriester auf dem Berg Karmel und den Propheten in der Wüste, der von einem Engel geweckt und gespeist wird; darüber die Märtyrerhäupter der hll. Paulus und Johannes d. T. sowie die Erzengel Raphael und Michael. Im Giebel, zwischen den Cordubeser Märtyrern Acisclo und Victoria, die »Virgen del Carmen« (die »Eliashöhle« auf dem Berg Karmel in Palästina wird als Ursprung für die ersten Mönche frühchristlicher Zeit angesehen) als Schutzmantelmaria der Karmeliter. Die Predella mit den hll. Maria Magdalena von Pazzi, Rosa von Lima, Agnes und Apollonia.

Convento de S. Cayetano (volkstüml. Bezeichnung für den Convento de S. José; Cuesta de S. Cayetano). Im frühen 18. Jh. ausgemalte **Klosterkirche** der Unbeschuhten Karmeliter aus der 1. Hälfte des 17. Jh. mit Kapellenanbauten der 2. Hälfte des 17. Jh.

Hochaltar 2. Hälfte 17. Jh., die beiden Seitenaltäre frühes 18. Jh. Einige Gemälde malte 1666/67 der Ordensbruder Fray Juan del Santísimo Sacramento (Juan de Guzmán, 1611–80).

Iglesia de la Compañía, bekannterer Name der **Iglesia de S. Salvador y Sto. Domingo de Silos** (Plaza de la Compañía). Die **Kirche** entstand 1564–89 im strengen Desornamentadostil der spanischen Renaissance; ihr Architekt war vermutlich der Jesuit Bartolomé de Bustamante. – Das **ehem. Jesuitenkolleg** wurde 1618 unter der Leitung des Jesuiten Francisco Gómez neu erbaut; die *Monumentaltreppe* entwarf vermutlich der Jesuit Alonso Matías.

Convento del Corpus Christi (Calle Ambrosio de Morales). Dominikanerinnenkloster aus dem 17. Jh. In der Saalkirche ein barocker *Hochaltar,* frühes 18. Jh.

Iglesia y Hospital de los Dolores (Plaza de los Capuchinos) → Plaza de los Dolores.

Convento de S. Francisco (Plaza del Potro). Von der mittelalterl. Anlage des **Franziskanerklosters,** im 13. Jh. gegründet, blieben (restaurierte) Teile des **Kreuzgangs** erhalten. Die **Kirche** stammt im wesentlichen aus dem 18. Jh.; in den Außenmauern und Strebepfeilern steckt noch urspr. Bestand des 14. Jh.

Im churrigueresk dekorierten Innern das früheste bisher bekannte Bild von Juan de Valdés Leal, ein *»Hl. Andreas«* (1649), mit deutlichen Einflüssen von Juan del Castillo, der u.a. 2 Gemälde (Hl. Franziskus von Assisi) in der Capilla del Sagrario malte. Einige Skulpturen des 17. Jh. (Hl. Petrus von Alcántara, Ecce Homo) werden Pedro de Mena zugeschrieben.

Santuario de Nuestra Señora de Fuensanta (Plaza de Fuensanta). Errichtet 1640 an der Stelle eines Vorgängerbaus aus der Mitte des 15. Jh., von dem noch Reste erhalten sind. Der Name (Fuente Santa = Hl. Brunnen) geht auf eine wundersame Heilung durch das Wasser des Brunnens zurück, die im 15. Jh. Anlaß zum Bau der Kapelle war. – Der **Brunnen** 1790.

Iglesia de S. Hipólito (Paseo del Gran Capitán). Von der urspr. got. Kirche der 1. Hälfte des 14. Jh. sind noch das polygonale Chorhaupt und die beiden Querarme erhalten. Der heutige barocke Bau wurde 1729–36 errichtet, der Turm 1773.

Grabmäler. Seit 1736 befinden sich in der Kirche die sterblichen Überreste von Ferdinand IV. (1295–1312) und Alfons XI. (1312–50); die Grabmäler sind von 1846. Die renaissancistisch anmutenden Grabmäler des Diego Fernández de Córdoba und seiner Frau Elvira Herrera, Eltern des »Gran Capitán«, sowie des Alonso de Aguilar stammen aus dem 18. Jh. Das Grabmal des Cordubeser Historikers Ambrosio de Morales (1513–91, Chronist Philipps II.) wurde 1620 vollendet.

Convento de Sta. Isabel de los Angeles (Cuesta del Bailío). 1491 gegründetes Franziskanerinnenkloster, nach 1964 teilrestauriert. Die **Kirche** urspr. aus dem 17. Jh.

Asilo de Jesús Crucificado, heute Altenheim »El Buen Pastor« (nahe Calle del Buen Pastor). 1495 gegründet; der Bau des 16. Jh. ist z. T. noch erhalten. In der **Kirche** mudejare Artesonado-Decken des frühen 16. Jh. Die *Säulenarkaden* des Innenhofes haben z. T. römische und maurische Spolienkapitelle.

Iglesia de S. Juan (Calle Barroso) →Torre de S. Juan.

Iglesia de S. Juan y Todos los Santos, nach dem ehem. Kloster auch **Iglesia de la Trinidad** genannt (Calle Sánchez de la Feria). Ehem. Kirche des Trinitarierklosters, 1694–1710.

Einige Skulpturen des späten 17./frühen 18. Jh. (»Ecce Homo«, »Mater Dolorosa«) hat man früher José de Mora zugeschrieben.

Iglesia de S. Lorenzo (Plaza de S. Lorenzo). Frühgot. 3schiffige Basilika mit polygonaler Scheitelapsis und seitlichen Rechteckapsiden, im 13. Jh. an der Stelle einer Moschee erbaut. Die spätgot.-mudejare Rose in der W-Fassade ist 1555 bezeugt. Der *Glockenturm* im NW bezieht das untere Geschoß des ehem. Minaretts ein; die oberen Geschosse tragen das Datum 1555.

In der Scheitelkapelle *Fresken* des frühen 15. Jh.: Judaskuß und Heilung des abgeschnittenen Ohrs des römischen Hauptmanns; Christus vor dem Hohenpriester Kaiphas; Kreuztragung; Kreuzigung; Kreuzabnahme; Grablegung; Auferstehung.

Iglesia de la Magdalena (Plaza de la Magdalena). 3schiffige Basilika des späten 13./frühen 14. Jh. im Übergangsstil von der Romantik zur Gotik; der Glockenturm über der südl. Seitenapsis Ende 18. Jh. Das Innere wurde im 17. Jh. umgestaltet.

Spätbarocker *Hochaltar,* 18. Jh., mit Skulpturen der hll. Maria Magdalena, Barbara und Lucia, die beiden letzteren Pedro Duque Cornejo zugeschrieben. Die 1520 erbaute Capilla del Sagrario mit Rokoko-Dekor, 18. Jh.

● **Iglesia de Sta. Marina** (Plaza de Sta. Marina). Die 3schiffige Basilika mit urspr. 3 polygonalen Apsiden, im Übergangsstil von der Romanik zur Gotik, muß unmittelbar nach der Reconquista (1236) begonnen worden sein, da die Weihe bereits 1241 durch Bischof Lope de Fitero erfolgte. Die W-Fassade des wuchtigen, im Kern noch roman. Baus schmücken ein flaches Spitzbogenportal und Radfenster zwischen mächtigen Strebepfeilern. Glockenturm aus dem 16. Jh. Im Innern Spitzbogenarkaden auf kantonierten Pfeilern. Der Innenraum wurde in der Mitte des 18. Jh. barock umgestaltet und nach einem Brand 1880 erheblich restauriert.

In der Capilla de los Orozcos (heute Sakristei) aus dem 15. Jh. ist die mudejare Dekoration z. T. erhalten. – Einige Gemälde von Antonio del Castillo.

Auf der Plaza de Sta. Marina steht ein **Denkmal** für den 1947 beim Stierkampf getöteten Torero Manuel Rodríguez Sánchez, **»Manolete«,** von Fernández Laviada.

Convento de Sta. Marta (Calle de Sta. Marta). 1461 begonnener **Klosterbau** der Hieronymiternonnen. Die **Kirche** wurde nach Bauunterbrechung 1487 am Ende des 15. Jh. fertiggestellt.

Ermita de los Mártires (Ronda de los Mártires, am Guadalquivir). Die Kapelle des 19. Jh. birgt in der S-Wand einen *frühchristlichen Sarkophag,* um 330, mit Petrus-Szenen (Petri Verleugnung, Petri Gefangennahme).

Convento de la Merced, heute **Diputación Provincial,** Verwaltung der Provinz Córdoba (Plaza de Colón). Das spätbarocke **ehem. Kloster** der Barmherzigen Brüder, weithin auffallend durch die polychrome Inkrustation und die Bemalung der Fassade, wurde im 18. Jh. erbaut. Das churrigueresque Portal der **Kirche,** mit Salomonischen, d. h. gedrehten Säulen ist 1741 bezeichnet. Beachtung verdienen außerdem der **ehem. Kreuzgang** mit Arkadengalerien auf gekuppelten Säulen und die monumentale *Treppe.*

● **Iglesia de S. Miguel** (Plaza de S. Miguel, nördl. der Plaza de las Tendillas). 3schiffige frühgot. Kirche des späten 13. und frühen 14. Jh. mit polygonaler Mittelapsis. Die W-Fassade hat ein flaches Spitzbogenportal zwischen Strebepfeilern und eine *Mittelrose* mit radialen Säulen und spitzen Hufeisenbogen. Am mudejaren *S-Portal* (restauriert) weist der alfizgerahmte Hufeisenbogen abwechselnd glatte rote und reliefierte helle Bogensteine auf. Lediglich der Alfiz zeigt Gestaltungsmerkmale der christlichen Architektur;

insgesamt folgt das Portal Vorbildern aus der Kalifenzeit und dürfte in den Jahren des Baues der Puerta del Perdón der Moschee-Kathedrale (1377) unter Heinrich II. entstanden sein. Aus dieser Zeit auch die mudejare Capilla Bautismal (Taufkapelle) im südl. Seitenschiff.

Iglesia de S. Nicolás de la Villa (Paseo del Gran Capitán). Die 3schiffige querhauslose Basilika aus der 2. Hälfte des 13. Jh. wurde später erheblich verändert. Aus der Erbauungszeit blieben das S-Portal und die Rose im W; das N-Portal ist von 1555. Sehenswert sind das platereske Portal der Capilla del Bautismo (1554) und der minarettartige oktogonale *Turm* mit seiner von der Befestigungsarchitektur inspirierten mudejaren Dekoration (1496 vollendet). Ein Werk des frühen 16. Jh. ist die Artesonado-Decke im Mittelschiff. Die Zuweisung der plateresken Capilla del Bautismo (1554) an Hernán Ruiz II. wird bestritten.

Iglesia de S. Pablo (Calle de S. Pablo)

Die Kirche des 1241 von Ferdinand III. gegründeten Dominikanerklosters wurde im letzten Drittel des 13. Jh. an der Stelle eines Almohaden-Palastes (2. Hälfte 12. Jh.), der seinerseits Reste einer römischen Anlage einbezog, errichtet. Bauliche Veränderungen erfolgten im 15. und im 18. Jh. Nach der Säkularisierung rettete Ende des 19. Jh. und im frühen 20. Jh. eine umfassende Restaurierung den Bau vor dem Ruin.

Der Grundriß zeigt eine 3schiffige querhauslose Anlage mit 3 Apsiden, wovon die mittlere polygonal, die beiden Nebenapsiden innen halbkreisförmig sind, sowie Kapellenanbauten. – Aus der Erbauungszeit stammt das *N-Portal* (zur Calle de S. Pablo) mit Kapitellen des 10. Jh. aus der maurischen Residenz Medina az-Zahra, die anläßlich der Restaurierung eingefügt wurden. An der *W-Fassade* eine mudejare Rose (restauriert) und ein klassizist. Portal; zur Plaza de S. Salvador hin ein churriguereskes *Seitenportal*, 1706. – Im noch romanisch strukturierten Inneren der Basilika eine mudejare *Artesonado-Decke* von 1537 (in den Seitenschiffen erneuert). Einige der Kapitelle stammen aus dem Vorgängerbau der Almohadenzeit; auf diesen auch geht vermutlich der quadratische Raum der Sakristei zurück; die Kuppel, nach dem Vorbild der Gewölbe in der Moschee-Erweiterung al-Hakams II. des 10. Jh., stammt aus dem 18. Jh. – Von den Kapellenanbauten hat die Capilla del Rosario (Rosenkranz), aus dem frühen 15. Jh., ihren urspr. Aspekt behalten; bemerkenswert auch der *Camarín de la Virgen,* 1758.

Von der ehem. reichen Ausstattung blieb, nach der Säkularisierung im 19. Jh., nur ein geringer Teil erhalten, u. a. Skulpturen von Pedro Duque Cornejo (Capilla del Rosario) und die *»Virgen de las Angustias«* (1627) von Juan de Mesa (1583–1627), die der »dramatischste der Sevillaner Bildhauer« (Gómez Moreno) nicht mehr selbst vollenden konnte.

Iglesia de S. Pedro (Plaza de S. Pedro). Aus der Erbauungszeit, der 2. Hälfte des 13. Jh., sind Teile der 3 Apsiden und der beiden Seitenportale erhalten. Das W-Portal (1542) trägt das Wappen des Bischofs Leopold von Österreich.

Churrigueresker Hochaltar, 1730. In der Capilla de las Reliquias aus der 2. Hälfte des 18. Jh. ein Rokoko-*Altar* von Francisco Ruiz de Paniagua (1780) mit Skulpturen der Märtyrer, deren Reliquien hier bewahrt werden, und von Erzengeln.

Iglesia de S. Pedro de Alcántara (Plazuela del Cardenal Salazar), Klosterkirche der Franziskaner, 1690–96. Vom **ehem. Kloster** ist der Innenhof des 18. Jh. recht ansehnlich.

Iglesia de S. Rafael, eigtl. Iglesia del Juramento (Plaza de S. Rafael). Klassizist. 3schiffige Kirche von 1796–1806.

Die lebensgroße Skulptur des Erzengels (1735) arbeitete Alonso Gómez de Sandoval.

Iglesia de S. Salvador y Sto. Domingo de Silos (Plaza de la Compañía) → Iglesia de la Compañía.

Iglesia de Santiago (Calle Agustín Moreno). Beim Bau in der 2. Hälfte des 13. Jh. wurde das Minarett einer Moschee als Glockenturm einbezogen. Nur die *W-Fassade* mit der Rose ist noch original aus der 2. Hälfte des 13. Jh.

Hospital de S. Sebastián, volkstüml. **Hospital de S. Jacinto** (Calle Torrijos, gegenüber der W-Mauer der Moschee), 1512 begonnenes Hospital für Mittellose und Findelheim. Die **Kirche** mit spätgot.-plateresker, an ein Retabel erinnernder *Portalfassade* wurde 1516 teilgeweiht.

Colegio y Iglesia de Sta. Victoria (Plaza de la Compañía). Ein frühklassizist. Bau, 1761 begonnen. Das Kolleg war 1780, die Kirche, eine Kuppelrotunde mit Vorkirche und giebelbekröntem Portikus, spätestens 1789 fertig. Die Leitung hatte seit 1766 der französische Baumeister Balthasar Dreventon, nach 1772 gefolgt von Ventura Rodríguez, auf den Kuppel und Portikus zurückgehen.

Profanbauten

Ayuntamiento (Rathaus; Calle de Claudio Marcelo), 1594 bis 1631 errichteter Spätrenaissance-Bau. Im Inneren eine barocke *Treppe,* 1731.

Casa de los Armenta, ehem. Casa del Duque de Medina Sidonia (Calle Rey Heredia). Gut erhaltenes Patrizierhaus des 17. Jh. mit – für Córdoba typisch – 2 Innenhöfen.

Casa de los Caballeros de Santiago (bei der Kirche Santiago, Calle Agustín Moreno). Ursprünglich Palastbau der St.-Jakobs-Ritter aus der Zeit Heinrichs II. (1369–79). Von der mudejaren Anlage sind noch z. T. die beiden 2geschossigen Arkadenhöfe und ein Raum mit Artesonado-Decke (im Obergeschoß des Haupthofes) erhalten.

Casa de las Campanas, auch **Casa de los Hoces** genannt (gegenüber Kirche Santiago, Calle Agustín Moreno). Ursprünglich mudejarer Bau aus dem späten 14./frühen 15. Jh. Die Rundbogenarkaden des Haupthofes und die 3 Ajimeces (Zwillingsfenster) stammen aus dem 16. Jh.

Casa de los Marqueses del Carpio (Judería; in der historischen Calle de las Cabezas, nahe Calle de S. Fernando). Aus der Erbauungszeit, der 2. Hälfte des 13. Jh., erhielt sich z. T. der 1. (mudejare) Innenhof.

Casa de los Cea, auch **Casa del Indiano** (Judería; Calle Cea, Plaza Ángel de Torres, auch Plaza del Indiano genannt). Der ursprünglich got.-mudejare Bau des 15. Jh. wurde am Anfang des 20. Jh. restauriert. (»Del Indiano« heißt er nach dem Beinamen eines Bewohners.)

Casa de Fernández de Córdoba (Cuesta del Bailío). Aus dem frühen 16. Jh. ist noch die platereske *Fassade* erhalten.

Casa de los Lunas (Plaza de S. Andrés). An dem Renaissancebau des späten 16. Jh. ist der kastilische Haustypus mit 2 Eck-Erkern für Córdoba ungewöhnlich.

Casa de Hernán Pérez de Oliva (Calle de S. Pablo), 16. Jh.; benannt nach dem Humanisten und Rektor (1528–29) der Universität Salamanca.

Círculo de la Amistad (Calle Alfonso XIII). Ehem. Kloster des 16./17. Jh. mit beachtenswertem (restauriertem) Haupthof.

Gobierno Militar (Plaza de Roman y Cajal). Die Militärbehörde ist im **ehem. Oratorio de S. Felipe de Neri** aus der Mitte des 16. Jh. untergebracht.

Palacio Episcopal (Bischofspalast; Calle de Torrijos). Der Baukomplex wurde im 15. Jh. an der Stelle des ehem. maurischen Alcázars begonnen. In seiner heutigen Form stammt er im wesentlichen aus d. J. 1745–69.

Palacio del Marqués de Fuensanta del Valle, Konservatorium (Calle Angel de Saavedra). Vom ursprünglich von Rodrigo Méndez de Sotomayor 1531 errichteten Bau sind noch das *Portal* mit Hohlsteinrahmung im Netzverband sowie Teile des Innenhofes erhalten. *Treppe* aus dem 18. Jh.

Palacio del Marqués de Viana, ehem. **Casa de los Villaseca,** auch **Casa de Don Gómez** genannt (Calle de S. Agustín). Das Palais mit zahlreichen Innenhöfen stammt zum großen Teil aus dem 17.–19. Jh., ist aber eine Gründung des 15. Jh.

Darin eine sehenswerte **Sammlung** von römischen Grabungsfunden, Leder- und Silberarbeiten aus Córdoba, Fliesen, Möbeln,

Porzellanen, Waffen u.a. verschiedenster Epochen und Provenienz. – Umfangreiche **Bibliothek zum Jagdwesen.**

Palacio de los Villalones (Plaza de Orive). 1560 erbauter Renaissance-Palast. Die 3geschossige Mirador-*Fassade,* die »ausgewogenste in ganz Córdoba« (F. Chueca Goitia), entwarf Hernán Ruiz II.

Platzanlagen und Straßen

Plaza de la Corredera

Die angebliche Lokalisierung des römischen Amphitheaters innerhalb dieses Bereiches wird durch die bisherigen Grabungen nicht gestützt. Hier standen, außerhalb der Stadtmauern, römische Villen, von denen noch einige Mosaiken in Alcázar Nuevo erhalten sind. Die ersten Angaben über den Platz stammen aus der Zeit nach der Reconquista; 1571 fanden hier Festlichkeiten anläßlich des Sieges von Juan d'Austria bei Lepanto und 1624 die ersten Stierkämpfe (Corridas) statt, auf die der Name zurückgeht. Seine heutige Gestaltung erhielt der Platz 1683–88 nach dem Vorbild der 1617–19 erbauten Plaza Mayor von Madrid. Vom späten 19. Jh. bis in die 30er Jahre des 20. Jh. diente die Anlage als Hauptmarkt.

Der Platz hat Rechteckgrundriß und wird auf den 4 Seiten von gleichmäßig hohen 3geschossigen Gebäuden mit Rechteckfenstern auf rundbogigen Arkadengängen umschlossen. Eine Ausnahme bilden im SO die aus dem 16. Jh. erhaltenen sog. **Casas de Doña María Jacinta** und die **Casa del Corregidor,** deren Untergeschoß von 1586 bis in das 19. Jh. als Gefängnis diente.

Plaza de los Dolores, volkstüml. Bezeichnung der Plaza de los Capuchinos, auch Plaza (del Cristo) de los Faroles genannt. ●

Der Rechteckplatz wird von den Gebäuden des Kapuzinerklosters und des Hospital de los Dolores eingefaßt. Er erhielt seine heutige Gestalt Ende des 18. Jh.

Der **Convento de Capuchinos** wurde 1629–33 erbaut, die **Klosterkirche** (an der Stirnseite des Platzes, gegenüber dem »Cristo de los Faroles«) um 1640 und im 18. Jh. wesentlich umgestaltet. Urspr. öffnete sich die Fassade der Kirche in 3 Rundbogen, von denen lediglich der mittlere

Córdoba. Plaza de los Dolores
mit der Kapuzinerkirche und dem »Cristo de los Faroles«

(überhöht von der Nischenfigur des hl. Franziskus) erhalten blieb. Aus dem 17. Jh. noch die mudejare *Holztür*. – **Kirche** und **Hospital de los Dolores** (eigtl. Hospital de S. Jacinto), 1728–31.

Im spiegelornamentierten Camarín der Kirche die Prozessionsfigur der *»Virgen de los Dolores«* (Schmerzensmutter), 18. Jh.

Auf der Platzmitte der Marmorkruzifixus (1794) **»Cristo de los Faroles«,** so genannt nach den schmiedeeisernen Laternen.

Plaza del Potro

Der Name (»Fohlenplatz«) geht auf den ehem. Viehmarkt zurück. Der Platz wird von Cervantes erwähnt; fraglich ist, ob er auch in dem Gasthof gewohnt hat.

Die **»Posada del Potro«** stammt aus dem frühen 15. Jh., vom Typus her ein nordafrikanischer Funduk (das span. *fonda* ›Gasthof‹ kommt hiervon), mit Ställen im unteren und Schlafräumen im oberen Geschoß der um einen Hof gruppierten 3 Gebäudeflügel. – Gegenüber das **ehem. Hospital de la Caridad** (→ Museo Provincial de Bellas Artes).

Der **Brunnen** mit bekrönender Fohlenskulptur stammt von 1577. – Das **Denkmal** zu Ehren des **Erzengels Raphael,** 1772, schuf Miguel Verdiguier.

Plaza de las Tendillas. Moderne Platzanlage mit historistischen Bauten des späten 19. und 20. Jh. – **Reiterdenkmal des »Gran Capitán«** aus Marmor und Bronze, 1924 von dem Cordubeser Architekten und Bildhauer Mateo Inurria. Der »Große Kapitän«, Gonzalo Fernández de Córdoba y Aguilar (1443–1515), Feldherr der Kath. Könige (gegen Portugal und Granada), erhielt diesen Beinamen anläßlich seines siegreichen Feldzugs gegen die Truppen Karls VIII. von Frankreich in Unteritalien (1495).

Plaza de Toros (Ciudad Jardín im W der Stadt). Moderne Anlage von 1964/65. – Schauplatz der »klassischen« Cordubeser Stierkampfschule war 1846–1965 die Arena der Plaza de los Tejares.

Straßen. Zahlreiche Straßen des »alten Córdoba« haben ihren Charakter des 16. und 17. Jh. bewahrt; die »typischsten« befinden sich in der **Judería** (aus der die Juden 1492 vertrieben wurden). Hingewiesen sei auf die Calle de Velázquez Bosco, die frühere Calle de Comedias, in der sich im 16. Jh. der Komödienhof befand; ferner auf die malerische Calleja de las Flores; die Calle de las Cabezas (so genannt nach den Ende des 10. Jh. hier zur Schau gestellten Köpfen Erschlagener) und Calle de S. Fernando, früher Calle de la Feria, mit dem hufeisenförmigen **Arco del Portillo** (nahe der Casa de los Marqueses del Carpio) aus dem 14. Jh. An dieser Stelle verlief die östl. Mauer, die in maurischer Zeit die **Medina** (Zentrum) von der **Ajarquía,** den Stadtvierteln im O, trennte.

Brücken

Puente Romano (Römische Brücke) → »Denkmäler aus vormaurischer Zeit« (S. 112). In der Mitte die **Statue des Erzengels Raphael** von Bernabé Gómez del Río, 1651 nach einer Pestepidemie errichtet. Der Kopf des Engels wurde im 18. Jh. erneuert.

Puente Nuevo (Neue Brücke) von 1953.

Puerta del Puente (Stadtseite des Puente Romano). Ehem. Tor der Stadtmauer, 1571 von Hernán Ruiz III. an der Stelle von Vorgängertoren in römischer und maurischer Zeit sowie nach der Reconquista erbaut. Alte Stiche zeigen das Tor noch im Mauerverbund; die Umgestaltung zum »Triumphbogen« erfolgte im 18. Jh.

Triunfo de S. Rafael (Plaza del Triunfo, bei der Puerta del Puente). Unter den zahlreichen zwischen 1651 (Puente Romano) und 1958 (Puente Nuevo) errichteten Denkmälern (Triunfos) zu Ehren des Erzengels Raphael, des Schutzpatrons von Córdoba, ist dieses das bedeutendste und aufwendigste.

Die Errichtung des Denkmals wurde 1736 vom Domkapitel beschlossen, nachdem die Stadt von einem Erdbeben verschont geblieben war, und nach Plänen des Malers Domingo Escroys und des Bildhauers Simón (Simone) Martínez begonnen. Nach längerer Bauunterbrechung wurde die Ausführung vermutlich 1765 zwei Franzosen, dem Architekten Balthasar Graveton und dem Bildhauer Miguel Verdiguier, übertragen und von letzterem 1781 vollendet.

Der Stil zeigt Elemente des italienischen Spätbarock und des französischen Rokoko. Über eine Grotte mit den Sitzfiguren der hll. Acisclo, Victoria und Barbara erheben sich ein Rundtempel und die Säule mit der bekrönenden Statue des Erzengels; am Fuß verschiedene Tiere und Pflanzen und das Grabmal des Don Pascual, eines Bischofs von Córdoba im Mittelalter.

Museen

● **Museo Arqueológico Provincial** (Plaza de Jerónimo Páez 7) Im 1540 erbauten **Palast** der Cordubeser Adelsfamilie **Páez de Castillejo.** Die Fassade im figurenreichen plateresken Stil »Principe Felipe« von Hernán Ruiz II. (um 1501–69).

Im **Untergeschoß** veranschaulicht Saal I die Prähistorie bis zur spätesten Bronzezeit (um 500 v. Chr.), u. a. Keramik der Glockenbechergruppe aus der Jungsteinzeit und frühen Bronzezeit (etwa 3000–1800 v. Chr.). – Saal II ist der spezifisch iberischen Kultur gewidmet, die im 5.–3. Jh. v. Chr. orientalische Einflüsse eigenständig umformte. Die *Tierskulpturen* folgen sowohl naturnahen griechisch-orientalischen wie auch archaisierenden Vorbildern hethitisch-syrischer Tradition; beide Einflüsse zeigt der *Steinlöwe aus Nueva Carteya* (bei Cabra, Prov. Córdoba; 4. Jh. v. Chr.) mit naturnah gebildetem Körper und abstrahierend-archaisierender Kopfformung. – Ornamentalisierte *Keramik* und *Bronze-Exvotos* des 3.–1. Jh. v. Chr. – *Ornamentfragmente aus der ehem. Karthager- und späteren Römerstadt Castulo* bei Linares (Prov. Jaén), 4./3. Jh. v. Chr. – *Schatz von Los Almadenes,* (Pozoblanco, nördl. von Córdoba), 2./1. Jh. v. Chr.

Die römische Kunst ist durch zahlreiche Mosaiken, Architekturfragmente, Stelen, Keramik u. a. vertreten. Unter den Skulpturen der Kaiserzeit sei besonders hingewiesen auf die *Marmorgruppe des den Stier tötenden Mithras* aus dem späten 2./frühen 3. Jh. Der Kopf des Gottes ist zur Sonne gewandt, entsprechend dem mythischen Bild von der Tötung des Mondstieres durch die »Sonne« Mithras, Symbolkern der hellenistischen Mithras-Religion. Der *Silenus-Kopf* (bez. als »Bacchus«) stammt aus dem späteren 2. Jh. Unter den frühkaiserzeitlichen Porträtbüsten des 1. Jh. qualitativ und erhaltungsmäßig hervorragend der aus Puente Genil stammende *Kopf von Drusus d. J.*

Der *frühchristliche Säulensarkophag* mit den Szenen »Abrahams Opfer«, »Petrus verleugnet Christus«, »Brot- und Weinvermehrung«, »Adam und Eva nach dem Sündenfall«, »Petrus schlägt Wasser aus dem Felsen« wurde 1962 bei Córdoba gefunden. Er ist konstantinisch, um 330. Aus dieser Zeit stammt auch das *Sarkophagfragment* mit der Darstellung Daniels in der Löwengrube. – Aus westgotischer Zeit bewahrt das Museum einen Teil des *Schatzfundes von Torredonjimeno* (Prov. Jaén), der vermutlich der Bischofskirche von Sevilla gehörte und heute auf die Archäologischen Museen von Córdoba, Madrid und Barcelona verteilt ist. Er besteht aus Bruchstücken von Weihekronen sowie Hängekreuzen, Folienkreuzen und Pendilien (Gehänge aus Golddraht und durchbohrten oder gefaßten Steinen), ausschließlich aus Gold und Halbedelsteinen, aus dem 7. Jh. Vieles wurde nach der Auffindung (1926) aus Unkenntnis zerstört. – Hingewiesen sei auch auf ein korinthisches *Kapitell mit der Darstellung der 4 Evangelistensymbole,* das vermutlich aus der ehem. westgotischen Hauptkirche S. Vicente von Córdoba stammt und in das späte 7. Jh. datiert werden kann. Die Gesichtszüge hat man vermutlich in maurischer Zeit abgearbeitet.

Im **Obergeschoß** Exponate aus maurischer Zeit, Architekturfragmente, Keramik, Metallkunst. Die wichtigsten Funde stammen aus dem 10. Jh. und kommen aus der Palaststadt Medina az-Zahra bei Córdoba. Hierzu gehören v. a. der *Bronze-Hirsch,* dessen stilisierter Körper mit einem netzartigen Dekor goldeingelegter Kreismuster überzogen ist, *Marmorplatten der Wandverkleidungen* mit Weinlaub- und Akanthusdekor, eine *mit Musikantenfiguren bemalte Vase.*

An mudejarer Kunst, 13.–15. Jh., gibt es u. a. eine *Brunnenmündung* aus grün glasierter Reliefkeramik mit verschlungenen Kreismustern und typischem Blendarkadenmotiv.

Eine *spätgot. Verkündigungs-Gruppe* verrät flämischen Einfluß, um 1480/90.

Museo Provincial de Bellas Artes (Plaza del Potro 1)

Das Museum der Schönen Künste ist im Gebäude des Anfang des 16. Jh. von den Kath. Königen gegründeten **Hospital de la Caridad** untergebracht. Die Fassade ist historistisch neu gestaltet; aus der Erbauungszeit stammt noch das Portal der **Kirche.**

Das Museum bewahrt eine umfangreiche Sammlung von Kunstwerken des 14.–20. Jh., z. T. aus den im frühen 19. Jh. aufgelösten Klöstern Córdobas. Schwerpunkte bilden die Arbeiten Cordubeser Maler und Bildhauer.

Das älteste Werk ist ein Freskenfragment *(Christus-Kopf)* aus der Capilla de Villaviciosa der Moschee-Kathedrale, die Alonso Martínez 1296 ausgemalt hat. Es dürfte jedoch aus stilistischen Gründen eher einer Dekoration aus der Mitte des 14. Jh. angehören. – Den *»Hl. Nikolaus von Bari«* im sog. Hispano-flämischen Stil des letzten Drittels des 15. Jh. malte vermutlich Pedro de Córdoba (vgl. sein Hauptwerk, die »Verkündigung« in der Moschee-Kathedrale). Das Retabel *»Christi Geißelung«,* 1530/40, in dem sich starker Einfluß des frühen römischen Manierismus mit spätgotischen Reminiszenzen verbindet, ist vielleicht ein Werk des Juan de Zamora.

In Pedro Romanas *»Madonna«* äußert sich italienischer Einfluß mit spätgot. Reminiszenzen, vor 1527.

Alejo Fernández: *»Geißelung Christi«,* frühes 16. Jh. Fernández stammte vom Niederrhein und nannte sich selbst »der deutsche Maler«. Er arbeitete 1496–1508 in Córdoba, danach bis zu seinem Tode 1545 oder 1546 in Sevilla. Sein vom frühen römischen Manierismus geprägter Stil, hier besonders deutlich in der Christus-Figur, ist charakteristisch für die andalusische Malerei in der 1. Hälfte des 16. Jh. – Pablo de Céspedes (1538–1608), von dem u. a. die *»Hochzeit zu Kana«* stammt, war von Raffael und Michelangelo beeinflußt und wurde der führende Maler Córdobas. Von seiner Schule und Nachfolge ist besonders Juan Luis Zambrano (*»Siegreicher David«*) zu nennen. – Antonio del Castillo (1616–68; von ihm u. a. *»Kreuzigung«, »Erzengel Raphael«, »Hl. Ferdinand«, »Hl. Katharina«*) war der Hauptvertreter der barokken Malerei Córdobas im 17. Jh. Schüler seines Vaters Agustín del Castillo (1565–1636; *»Hl. Dreifaltigkeit«*), wurde sein Werk schon früh von Zurbarán beeinflußt (ganz deutlich in der »Kreuzigung« von 1645) sowie von Cano und Ribera.

● Juan de Valdés Leal (1622–90; *»Virgen de los Plateros«*) war neben Murillo und Zurbarán einer der Hauptmeister der Sevillaner Malerschule des 17. Jh. Das Bild stammt aus seiner frühen Zeit und wurde im Auftrag der Goldschmiedezunft gemalt.

Die barocke Malerei des 17. Jh. ist ferner durch Arbeiten der Schulen von Murillo, Zurbarán, Ribera und Cano vertreten; hingewiesen sei auch auf Lucas Valdés, Juan del Santísimo Sacramento und die Zurbarán-Schüler José de Sarabia und Bernabé de Ayala.

Francisco de Goya y Lucientes (1746–1828): Porträts *»Karl IV.«* und *»Königin Maria Luise«*, 1789.

Die klassizist. Malerei des späteren 18. Jh. ist durch die Schule von Anton Raphael Mengs (1761–69 und 1774–76 in Madrid) vertreten, die romantisch-bürgerliche des 19. Jh. u. a. mit Eduardo Rosales Martínez (1836–73) und Joaquín Sorolla (1863–1923). – Unter den Malern des späten 19. und des 20. Jh. fallen der den Fauves, der Pariser Künstlergruppe um Henri Matisse, nahestehende Francisco Iturrino (1864–1924) sowie der sozialkritische Ramón Casas (1866–1932) auf.

Zeichnungen des 16.–20. Jh., u. a. von Agustín del Castillo, José de Sarabia, Lucas Valdés, Antonio Palomino, Miguel Verdiguier, Rafael Romero Barros und Rafael Romero de Torres, Vater und Bruder des seinerzeit berühmten Julio Romero de Torres (s. u.).

Skulpturen des Cordubesers Mateo Inurria (1866–1924).

Museo Histórico de la Ciudad. Das Historische Museum der Stadt Córdoba ist in der Torre de la Calahorra (Puente Romano) untergebracht; → S. 136.

Museo Julio Romero de Torres (Plaza del Potro 2)

Die dem Museo de Bellas Artes angeschlossene Sammlung wurde 1931 in einem modernisierten und erweiterten Gebäude aus der Mitte des 18. Jh. eingerichtet, dem **ehem. Wohnhaus** der Familie des Künstlers.

Julio Romero de Torres (1874–1930) erfuhr schon früh höchste Anerkennung und Wertschätzung (bereits 1923 wurden Straßen nach ihm benannt). Sein Stil wurzelt im bürgerlich-repräsentativen Realismus des spanischen Fin de siècle, mit zahlreichen Rückgriffen auf spanische und italienische Maler der Vergangenheit. Kein anderer Maler vermochte Schönheit und Melancholie der andalusischen Frau so eindringlich wiederzugeben. »Frauen, die wir alle kennen, und die niemand kennt!« nannte sie Manuel Machado.

● Ein Hauptwerk ist *»El poema de Córdoba«* (Hymne an C., 1914) in der Form eines mehrteiligen Retabels. Der linke Flügel symbolisiert die siegreiche Vergangenheit mit der Statue des »Gran Capitán« im Hintergrund. Symbole literarischer Größe sind die Bilder mit den Statuen des Cordubeser Dichters Luis de Góngora (1561–1627) und des jüdischen Philosophen Maimonides. Das Mittelteil nimmt auf die Goldschmiedekunst Córdobas und den Schutzpatron Raphael Bezug, außerdem ist der römischen Vergangenheit mit dem Denker Seneca gedacht. Es folgt das Córdoba der Klöster (mit der Fassade der Kapuzinerkirche) und des Stierkampfs (mit dem Denkmal des Toreros Rafael Molina, »El Lagartijo«). – Sein letztes, 1930 vollendetes und meistreproduziertes

● Bild *»La chiquita piconera«* (Mädchen mit Holzkohlebecken) läßt sozialkritisch die Situation vieler junger Andalusierinnen jener Zeit aufleuchten. Nur die mechanische, fast kraftlose Geste zeigt Resignation, das noch kindliche Antlitz den festen Willen, einen Ausweg aus Armut und Hoffnungslosigkeit zu finden. Die »Chiquita piconera« hat Eingang in die Literatur und das andalusische Volkslied gefunden.

Museo Taurino y de Artes Populares (Stierkampfmuseum und Museum für Volkskunst; Plaza de las Bulas)

In der **Casa de las Bulas,** aus dem 16. Jh., sind im Untergeschoß *Cordubeser Lederarbeiten* (Ziegenleder), z.T. aus dem 16. Jh., ausgestellt, im Obergeschoß Dokumente zur *Stierkampfkunst,* Trophäen und Erinnerungen an die großen Cordubeser Toreros.

Umgebung

Las Ermitas (ca. 15 km nordwestl. von Córdoba)
Von der Plaza de Colón fährt man, nach dem Viadukt, die Avenida del Brillante entlang und biegt von dieser (links) in die zum Parador nacional führende Avenida de Arruzafa ab, die in den Camino de las Ermitas übergeht.

Die Einsiedeleien liegen in der sehr schönen Landschaft der Sierra von Córdoba. Die heutigen **Klausen** nehmen die Standorte ein, wo sich schon in frühchristlicher Zeit Einsiedeleien befunden haben sollen. Die **Kirche** ist aus dem 18. Jh., das **Denkmal des hl. Herzens Jesu** 1929 von Lorenzo Coullaut Valera.

Monasterio de S. Jerónimo (westl. von Córdoba)

Etwa 1,5 km vor Medina az-Zahra, von Córdoba kommend, sieht man das hochgelegene ehem. Hieronymitenkloster, das der portugiesische Mönch Vasco de Sousa 1405 auf einem ihm überlassenen, »Valparaíso« (paradiesisches Tal) genannten Landgebiet gegründet hat. (Die Hauptklöster des 1373 vom Papst bestätigten, der Regel der Augustiner unterworfenen Ordens der Eremiten des hl. Hieronymus [340–420; einer der vier lateinischen Kirchenväter] waren Guadalupe und Yuste; der Orden hat sich in Spanien und Amerika erhalten.)

Die Mönche kauften von der Stadtverwaltung von Córdoba die Ruine der Medina az-Zahra und verwendeten die Steine und andere Materialien zum Bau des Klosters, das bis 1835 im Besitz des Ordens war und heute Privatbesitz der Marqueses de Mérito ist. – Besichtigungen sind grundsätzlich nicht gestattet, Ausnahmen jedoch möglich.

Die **Kirche** wurde zum größten Teil 1704 neu erbaut; vom Erstbau des frühen 15. Jh. zeugen noch das von krabbenbesetzten Fialen gerahmte *Fassadenportal* und dessen von einem Wimperg überhöhtes Tympanon mit got. und spätgot. Maßwerkornamenten. Das gestufte Rundfenster darüber und der Okulus im Giebel sind 18. Jh. – Im 18. Jh. auch wurde der got. **Kreuzgang** des frühen 15. Jh. umgestaltet.

Lange Zeit wurde im Kloster die aus Medina az-Zahra stammende Bronzeskulptur eines stilisierten Hirsches bewahrt; dieser berühmte »Bronze-Hirsch« befindet sich im Archäologischen Museum von Córdoba. Das Geweih fehlt, wie auch bei einer sehr ähnlichen, in Córdoba gefundenen Skulptur im Archäologischen

Museum von Madrid. Die in der Darstellung an diese beiden Bronzeskulpturen erinnernde *Brunnenfigur* des Kreuzgangs wiederholt das Thema.

• **Medina az-Zahra** (E2)

929 hatte sich Abd ar-Rahman III. (912–961) unter dem Namen »al-Nasir li Din Allah« (Verteidiger der Religion Allahs) zum Kalifen ernannt. Als seine Residenz und als Verwaltungszentrum des Kalifats gründete er 936, 8 km westlich von Córdoba, Medina az-Zahra, *die »Stadt der Blume«, vermutlich nach dem Namen seiner Lieblingsfrau. Baubeginn war am 19. November 936; die Aufsicht führte sein Sohn und Nachfolger al-Hakam. Überliefert ist der Name des leitenden Architekten, Maslama ibn Abd Allah aus Córdoba, dem weitere Baumeister aus Bagdad und Byzanz zur Seite standen. Nach dem Tode Abd ar-Rahmans wurde das neue Wohn- und Verwaltungszentrum unter al-Hakam II. (961–976) noch beträchtlich erweitert, so daß die Gesamtbauzeit rd. 40 Jahre betrug. Die Angaben arabischer Quellen über die enormen Baukosten, die riesigen Mengen des herbeigeschafften Materials und das Heer von 10 000 Arbeitern sind gewiß übertrieben, dokumentieren jedoch vergleichsweise den gewaltigen Aufwand, der Medina az-Zahra zu einem der bedeutendsten Herrschersitze der damaligen arabischen Welt werden ließ. Von exakt 4313 Säulen wird berichtet, die meisten aus dem blaufarbenen Marmor der Sierra von Córdoba und dem rötlichen der 70 km entfernten Sierra von Cabra. Ein Teil stammte aus den vielen Schiffsladungen von Marmorspolien aus Nordafrika, vornehmlich aus Karthago. Die märchenhafte Pracht beschreiben auch zeitgenössische nichtarabische Besucher.*
Die Palaststadt, in die der Hof 945 übersiedelt war, erlebte nur eine kurze Glanzzeit. Bereits 981, nur wenige Jahre nach dem Abschluß aller Arbeiten, zog der Hof in das 978/979 von al-Mansur gegründete Verwaltungszentrum Medina az-Zahira *(»die glänzende Stadt«) östlich von Córdoba um (es ist völlig untergegangen, die exakte Lokalisierung noch nicht gesichert). 1010–13, während der »fitna«, des Bürgerkriegs um die Thronfolge zwischen Omayyaden und Nachfahren al-Mansurs, der 1031 zum Untergang des Kalifats führte, begannen die Zerstörungen und Plünderungen. Almoraviden und Almohaden verwendeten zahlreiche Architektur- und Dekorationselemente für ihre Bauten. Nach 1236 diente die Ruine jahrhundertelang als Steinbruch für christliche Bauten.*
Nachdem der Cordubese Ambrosio de Morales (1513–91), seit 1563 Chronist Philipps II., die verbliebenen Reste noch für römisch ge-

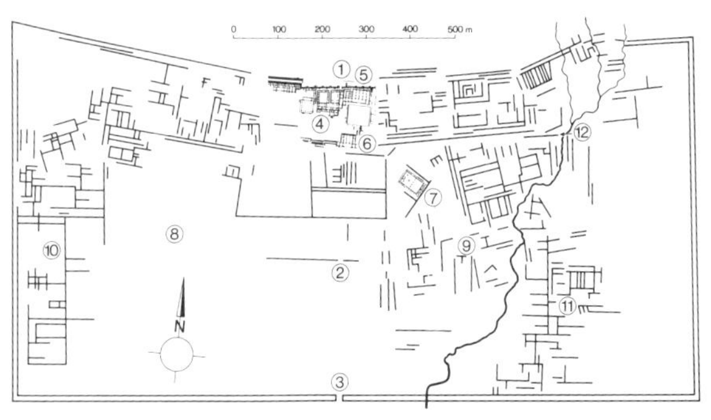

1 Bergtor (Bab al-dschabala, Puerta del Monte)
2 Mittleres Tor (Bab asudda)
3 Südtor (Bab al-qubba, Puerta de las Bóvedas)
4 Palastbereich
5 Audienzsaal (?)
6 Dar al-Munk
7 Moschee
8 Gartenbereich
9 Stadtbereich
10 Unterkünfte der Reiterei
11 Unterkünfte der Fußtruppen
12 Aquädukt

Medina az-Zahra. Lageplan (nach Gómez-Moreno u. a.)

halten hatte, identifizierte sie 1625 der Historiker Pedro Díaz de Rivas mit dem ehem. Kalifenpalast. Aber erst der Historismus der 2. Hälfte des 19. Jh. weckte wieder das Interesse und führte 1910 zum Beginn der Grabungen und der Restaurierung eines Teils der Anlage. Die Grabungen haben einen Bericht des arabischen Geographen al-Idrisi bestätigt, der 1160 die damals schon teilzerstörte Stadt gesehen hat.

Die an einem Berghang der Sierra von Córdoba gelegene Stadt bildet ein riesiges Rechteck von etwa 750 m von N nach S und 1500 m von O nach W und war von einer doppelten, jeweils 5 m starken **Mauer** mit ebenso breitem **Umgang** umgeben. Eine Ausnahme bildete die Umwallung im mittleren Drittel der N-Seite (Bergseite); hier befand sich nur eine einfache, mit äußeren Bollwerken verbundene Mauer, in der sich ein relativ kleines **Tor (Bab aldschabala** = Tor des Berges) öffnete, das dem heutigen Eingang entspricht. In der Mitte der S-Mauer (Talseite)

befand sich das mit 3 Kuppeln gewölbte **Haupttor** (Bab al-qubba).
Die Stadt war in 3 Terrassen aufgebaut: Auf der obersten im N standen die Palastbauten; die mittlere war mit Gärten bedeckt; auf der untersten im S breitete sich der eigentliche Stadtbezirk mit Wohn- und Verwaltungsbauten, Werkstätten, Märkten, öffentlichen Bädern und der Moschee aus. An den Seiten, nahe den Begrenzungsmauern, befanden sich die militärischen Unterkünfte, im W für die Berittenen, im O für die Fußtruppen.

Über den Palastbereich geben die bisherigen Grabungen und Restaurierungen einigermaßen Aufschluß. In der Nähe des »Tores des Berges«, also des heutigen Eingangs, befinden sich die den Grundriß nachzeichnenden Fundamente des **Kalifenpalasts** und von **Häusern hochgestellter Hofbeamter** sowie von **Repräsentationsbauten.** Die große **Pfeilerhalle im O** war wohl Audienzsaal. Besterhaltener ● Palastbau ist die sorgfältig restaurierte **Dar al-Munk,** das »Königliche Haus« (Casa Real), von dem spanischen Kunsthistoriker Manuel Gómez Moreno wegen der reichen Dekoration »Salón Rico« benannt und in die Jahre 953–957 datiert. Der Palast diente zur Unterbringung hochgestellter Gäste; er besteht aus einer 3schiffigen basilikalen Halle mit seitlichen Nebenräumen, die sich auf einen quergestellten 5bogigen, von quadratischen Anbauten flankierten Portikus öffnet; davor liegt ein rekonstruiertes Zierbecken. Unter dem gesamten Palastbereich verliefen unterirdische Gänge, wohl für die Dienerschaft.

Die **Moschee,** im unteren Stadtbezirk, war bereits 941 fertiggestellt; ihre 1964 ausgegrabenen Grundmauern erlauben eine annähernd exakte Rekonstruktion des Gebäudes. Die Anlage bildete ein großes Mauerrechteck mit Qibla-Wand im SO, der Richtung nach Mekka. Der *Betsaal* hatte 5 rechtwinklig zur Qibla angeordnete Schiffe; am Ende des breiteren Mittelschiffs öffnete sich in der Qibla der Mihrab. In den Betsaal führten vom Moscheehof aus 3 Portale. Der *Moscheehof* (sahn) war an den beiden Längsseiten von Galerien (riwaqs) umgeben; in der Mitte lag der Brunnen für die rituellen Waschungen. In der nordwestl., der Qibla gegenüberliegenden Begrenzungsmauer öffnete sich in der Mitte das *Eingangsportal;* daneben erhob sich im Mauerverband das *Minarett.* Nach Vollendung der Moschee wurde der Qibla eine weitere Wand hinzugefügt, wodurch ein Gang entstand, der vermutlich als dem Kalifen vorbehaltener Eingang diente.

Der Dekorationsstil von Medina az-Zahra erinnert an die Fassade des Palasts von Mschatta (Jordanien), der vermutlich in der späten Omayyadenzeit, kurz vor 750, erbaut wurde (bedeutende Dekorationsteile befinden sich im Berliner Pergamon-Museum). Zwar fehlen den Wandverkleidungen die dortigen Tierdarstellungen; die vegetabilischen Muster, Weinlaub und Akanthus, stimmen jedoch überein. Im sog. *1. Stil von Medina az-Zahra* verzweigt sich in den Schmuckfeldern ein Stamm von der Mitte aus symmetrisch nach beiden Seiten zu abstrakt geformten Früchten und Blumen. Im sog. *2. Stil,* zuerst nachgewiesen im 953 begonnenen »Salón Rico«, hat die vegetabilische Ornamentik, unter stärkerem byzantinischem Einfluß, eine annähernd naturalistische Form. Beide Stile existieren nebeneinander und vermischen sich. Byzantinischen Einfluß zeigen auch die scharfkantigen Kompositkapitelle der Säulen, die denen des 964 erbauten Mihrab der Moschee von Córdoba gleichen. Die Kufi-Inschriften und die Zackenbogen zeigen Elemente der frühen Abbasidenkunst. Bei den wenigen aufgefundenen figürlichen Relieffragmenten dürfte es sich um römische Spolien handeln, wie auch die Statue der Zahra, die nach Berichten das Haupttor schmückte, vermutlich antik war.

Die kostbare Ausstattung stammte z.T. aus eigenen Werkstätten. Objekte dieser in frühabbasidischer Tradition stehenden lokalen Produktion (Keramik, Elfenbein- und Metallarbeiten, marmorne Ablutionswannen u.a.) befinden sich heute in spanischen und ausländischen Museen. Die aufgefundene *Keramik* ist meist auf weißem Grund grün (Kupferoxyd) und manganbraun bemalte Ware mit Kufi-Dekor, Tiermotiven und stilisierten Menschenfiguren, z.T. auch Goldlüsterware. Unter den berühmten *Elfenbeinarbeiten* aus Medina az-Zahra sei die 968 datierte Büchse im Louvre genannt, mit einer Vielzahl höfischer Szenen. Von der hohen Qualität der *Metallkunst* zeugt der Bronze-Hirsch im Archäologischen Museum von Córdoba.

Neben dem Eingang sind einige **Grabungsfunde** ausgestellt.

Alamiría (E2)

Landsitz-Ruine

Am Fuße der Sierra von Córdoba, 2,5 km westl. der Medina az-Zahra, ließ al-Mansur, De-facto-Regent unter Hischam II., im letzten Viertel des 10. Jh. einen Landsitz errichten.

Bei Ausgrabungen wurden die Fundamente einiger **Pavillons** und verschiedener Mauern gefunden, die rechteckige Flächen, vermutlich Gärten, umgaben. Von besonderem Interesse ist ein von einem Arkadengang umgebener **Brunnen** (47,70 × 28 m). Als Baumaterial dienten Quadersteine.

ÉCIJA (Sevilla E3)

Die nach Sevilla bedeutendste Stadt (42000 Einwohner) der Provinz geht auf griechischen Ursprung zurück; nach der Legende soll ein Grieche Astir oder Astur, der nach dem Trojanischen Krieg mit anderen Kampfgefährten auf die Iberische Halbinsel kam und Asturien seinen Namen gab, der Gründer des später römischen Astigi(s) *sein. Von dieser bedeutenden römischen Stadt sind viele Zeugnisse überkommen, so das Mosaik aus der Mitte des 2. Jh. im Rathaus und das Bacchus-Mosaik des 3. Jh. im Archäologischen Museum von Sevilla. – Nach der Überlieferung soll der hl. Apostel Paulus i. J. 63 hier angekommen sein. – Aus maurischer Zeit, als Écija* Medina Estighia *(»Reiche Stadt«) hieß, ist nur sehr wenig überkommen (s. Pfarrkirche Sta. Cruz); der maurische Alcázar wurde nach der Rückeroberung, 1240, restlos zerstört. Seither nahm die Stadt einen steten Aufstieg, der im 18. Jh. seinen Höhepunkt erreichte. Écija ist insbesondere eine sehenswerte barocke Stadt; die umfangreichen Zerstörungen des Erdbebens 1755 wurden noch im selben Jahrhundert wieder behoben; die meisten der vielen Türme stammen aus dieser Wiederaufbauzeit.*

● Mittelpunkt der Stadt ist die langgestreckte Plaza Mayor, offiziell Plaza de España, von den Einheimischen, den Ecijanos, liebevoll »Salón« (»Gute Stube«) genannt, eine der schönsten Platzanlagen des 18. Jh. in Spanien. Von hier aus sind alle sehenswerten und wichtigen Monumente schnell und bequem zu Fuß zu erreichen. – Auf der Seite des **Ayuntamiento,** unmittelbar hinter diesem, liegt die kleine Plaza de Sta. María mit der

Iglesia de Sta. María. Die 1778 geweihte Kirche, eine 3schiffige Rechteckanlage von 4 Jochen mit Querhaus und gerade geschlossenem Chor sowie Kapellenanbauten und Kreuzgang an der N-Wand und am Chor, wurde nach Plänen von Pedro de Silva errichtet, doch bis zum Beginn des 19. Jh. verändert. Das untere Geschoß des Turms im NW entstand 1717, das obere, mit Rokoko-Elementen, nach dem Erdbeben von 1755.

Ansehnliche Stücke der Ausstattung sind das manieristisch geprägte *Chorgestühl* von 1628 und das Tafelgemälde der »Virgen de la Antigua«, um 1575, im Chor. Im südl. Seitenschiff, bei dem 1570 bezeichneten Altar, die *Grabmäler* der Teresa López de Córdoba und ihres Sohnes Lope Suárez de Figueroa, um 1390. In der Sakristei ein *Rokoko-Schrank* mit dem Gemälde des schlafenden Jesuskindes, aus der Mitte des 18. Jh.

Unterhalb der Kirche liegt einer der bedeutendsten Palastbauten der Stadt, der **Palacio de los Condes de Valverde,** mit machtvoller, von Pilastern gegliederter Ziegelstein-Fassade, im 1. Drittel des 18. Jh. erbaut. Das prunkvolle *Portal* wird von keinem anderen in Écija an Monumentalität übertroffen. ●

In unmittelbarer Nähe liegt die kleine, im 18. Jh. grundlegend veränderte **Iglesia de la Divina Pastora** (Hermanas de la Cruz) aus der Mitte des 17. Jh. – 3 Querstraßen weiter südlich, in der Calle de Padilla, die

Iglesia de Santiago. Diese nach dem Erdbeben von 1755 erbaute Kirche ist eine 3schiffige Querhausanlage mit polygonalem Chorschluß. Von einem mudejaren Vorgängerbau um 1500 stammen noch Teile des W- und des S-Portals, von der 1755 zerstörten Kirche die Sakristei des 17. Jh. und die 1630 bezeugte Kapelle auf der S-Seite. Der Turm (Ziegelstein) ist kurz nach 1755 erbaut und 1786 verändert worden.

Hochaltar um 1530. Am nördl. Seitenaltar ein *Kruzifixus* von Pedro Roldán, um 1685. *Altarbilder* (Virgen de la Antigua, Jesus bei den Pharisäern, Heimsuchung Mariä, Himmelfahrt, hl. Lucia, hl. Cäcilie, hl. Agathe, Martyrium Johannis d. T., hl. Martha, hl. Katharina, u. a.) von Pedro de Campaña und seiner Werkstatt, aus der

Mitte des 16. Jh. Der südl. Seitenaltar, um 1573, wurde im 18. Jh. umgestaltet; das Verkündigungsrelief ist ein Werk des 16. Jh.

Die unterhalb gelegene **Iglesia de la Victoria** stammt aus dem 16.–18. Jh.; sie wurde im 20. Jh. völlig restauriert; aus dem 18. Jh. blieb nur der 5geschossige Turm erhalten. – Erwähnenswert ist ebenso die nahegelegene kleine **Iglesia de Nuestra Señora de las Mercedes** (Salesianerinnen) aus dem 17. und 18. Jh., mit Hochaltar von 1615.

Der kurze Rückweg zur Plaza Mayor führt am **Palacio de los Marqueses de Peñaflor** (Calle Emilio Castelar) vorbei, der durch Balkone über die gesamte Breite auffällt (daher volkstümlich »La casa de los balcones largos«, das Haus mit den langen Balkonen, genannt) und sich durch seine gemalte Architektur und Skulptur auszeichnet. Das mächtige *Hauptportal* ist 1726 bezeichnet. Vom Eingangs-Patio gelangt man zu sämtlichen Gebäudeteilen, sowohl in das Obergeschoß über die stuckverzierte Treppe wie auch zu den Stallungen und in den 2geschossigen Haupt-Patio.

Es folgt die **Iglesia de S. Gil,** eine ursprünglich mudejare Kirche aus dem späten 15. Jh., die in der 2. Hälfte des 18. Jh. umgebaut und erweitert wurde.

Im nördl. Seitenschiff das Gemälde *»Wunder des hl. Ägidius«* (des Kirchenpatrons) von dem »deutschen« Maler Alejo Fernández, frühes 16. Jh. – In der Sakristei Tafelbilder der hll. Gregorius und Ambrosius aus dem frühen 16. Jh.

Auf der Rathaus-Seite der Plaza Mayor (Calle Nicolás María Rivero) erstreckt sich die reich ausgestattete spätklassizist. **Iglesia de Sta. Bárbara** aus der 1. Hälfte des 19. Jh. Von einem mudejaren Vorgängerbau des 15. Jh. stammt noch die heutige Küsterwohnung am nördl. Seitenschiff und aus dem 18. Jh. die Sakramentskapelle (Capilla del Sagrario) des nördl. Seitenschiffs.

Die Skulptur der hl. Barbara des klassizist. Hochaltars stammt von einem Vorgängeraltar aus der Mitte des 18. Jh. Das Chorgestühl wurde 1762 vollendet.

Der barocke *Turm* schräg gegenüber hat das Erdbeben von 1755 überdauert. Er gehört zur ursprünglich Ende des

Écija. Turm der Kirche S. Juan

18. Jh. erbauten **Iglesia de S. Juan,** die von einem Vorgängerbau um 1600 die Capilla Sacramental übernommen hat.

Im **Pfarrhaus** eine »Immaculata« des Madrider Malers Antonio de Pereda (1611–78), des Meisters der »Vanitas-Stilleben«.

Auf der anderen Seite der Plaza Mayor liegt die **Iglesia de S. Francisco,** eine 3schiffige Querhausanlage mit Rechteckchor, die unter Einbeziehung von Teilen aus dem späten 15. Jh. im 18. Jh. errichtet worden ist. – Hochaltar um 1730.

Auf dieser Seite der Plaza Mayor auch die **Iglesia del Convento de S. José** (Las Teresas). Das Kloster der Theresianerinnen nimmt den ehem. Palast des Grafen von La Palma ein, dessen mudejare Bauten aus dem 14. und dem 15. Jh. stammen; die kleine Kirche, mit mudejarer Ornamentik, enthält noch Teile aus der 2. Hälfte des 14. Jh.

Wenige Schritte weiter, am Ende der Calle Duque de la Victoria, befindet sich das **Hospital de la Concepción,** dessen **Kirche** am Portal 1592 (Gründung) und 1598 (Erbauung) bezeichnet ist.

Die nahe **Iglesia del Carmen,** die 2schiffige Kirche des ehem. Karmeliterinnenklosters, wurde im 16. Jh. erbaut; Portal und Turm stammen aus dem 18. Jh.

Im nördl. Seitenschiff eine 1644 bezeugte »Ecce-Homo«-Skulptur.

Vorbei an der 1614 geweihten, im 18. Jh. ausgestalteten Kirche **Los Descalzos** (Iglesia de la Concepción), der Klosterkirche **Las Marroquíes** (Iglesia del Convento de la Concepción), einer 1596 geweihten 1schiffigen Anlage mit mudejarer Artesonado-Decke aus dieser Zeit, und der Kirche **Las Filipenses** (Iglesia del Convento de la Visitación), der im 18. Jh. erbauten Kirche des im 16. Jh. gegründeten Nonnenklosters, gelangt man in die Calle Más y Prat zur

Iglesia de Sta. Cruz. Die Pfarrkirche, eine 3schiffige Anlage von 5 Jochen, deren beide westl. Joche nicht eingewölbt sind, wurde nach dem Erdbeben von 1755 zwischen 1776 und 1836 an der Stelle von Vorgängerbauten errichtet. Von einem westgotischen Vorgänger sind noch Kapitelle, von einem mudejaren ein Blendbogen mit Wappen erhalten. Der Turm im NO wurde 1869 vollkommen erneuert; die beiden eingemauerten Steintafeln aus d. J. 930 und 977 beziehen sich auf den Bau von Brunnen unter Abd ar-Rahman III. bzw. Hischam II., dem ersten und dem dritten Kalifen von Córdoba.

Der *Hochaltar* stammt aus der 1. Hälfte des 18. Jh., die »Virgen del Valle« in der Mittelnische wird um 1575 datiert; die Altarmensa in der Mitte des Chors ist ein *frühchristlicher Sarkophag* vom Ende des 5. Jh. mit den Darstellungen des Guten Hirten, des Opfers Abrahams und Daniels in der Löwengrube. – Das Gestühl im Langhauschor wurde im 2. Drittel des 18. Jh. gefertigt. Das Tafelbild »Cristo Fuente de la Vida« (Christus Lebensquell) im südl. Seitenschiff hat um 1550 Pedro de Villegas Marmolejo d. Ä. gemalt, ein von Raffael beeinflußter Maler, der nicht zu den allerersten Künstlerpersönlichkeiten seiner Zeit gehörte. – In der Sakristei eine Monstranz des manieristischen Silberschmieds Francisco de Alfaro, 1586.

Nahebei die **Iglesia del Convento de Sta. Florentina,** die 1714 neuerbaute Kirche des im 16. Jh. errichteten Dominikanerinnenklosters; der jetzt bestehende **Klosterbau** ist 17. und 18. Jh. (am Portal »1759«).

Hochaltar von 1714. Im Chor einige Skulpturen des 16. Jh.

Außer an den beiden schon genannten Palacios führt ein Stadtrundgang noch an zahlreichen anderen **Palästen** und prachtvollen *Portalen* aus dem 18. Jh. vorbei. Besonders erwähnt seien darunter der **Palacio de los Orduña** (Calle de Marmóles) mit 4seitig geschlossenem Patio und das Portal des **Instituto Laboral** im ehem. Palacio de los Marqueses de Alcántara (Calle Emilio Castelar 47).

ESPARTINAS (Sevilla C3)

Im Umkreis des kleinen Ortes mit 2stöckigen **Häusern** aus dem 18. Jh. befanden sich römische und später maurische Ansiedlungen.

Iglesia de la Asunción. Die im 17. Jh. erbaute 3schiffige Kirche geht auf einen mudejaren Vorgängerbau zurück. 1726 wurde sie erweitert; der Glockenturm entstand kurz vor 1770, die neugot. Kapelle im NO Anfang des 20.Jh.

Die Holzdecke im Innern nach der Mitte des 20. Jh. Hochaltar von Luis de Vilches, 1732, mit Zufügungen des späten 18. und des frühen 20. Jh. Der Taufstein ist 1627 bezeichnet.

Convento de Loreto

Das Kloster unweit des Ortes gehört überwiegend dem 18. Jh. an. Bereits im 14. Jh. soll hier eine Kapelle gestanden haben; Mitte des 16. Jh. gründeten Franziskanermönche ein der Muttergottes von Loreto geweihtes Kloster.

Am Eingangsportal steht d. J. 1727. Von einer **Kirche** des 17. Jh. ist noch die Chorkapelle, die heutige Sakristei, erhalten. Die heutige Kirche baute 1717–33 Diego Antonio Díaz aus Sevilla.

Die Ausstattung im Innern ist meist 18. Jh. (auch in der Sakristei), die Skulptur des hl. Diego von Alcalá am südl. Seitenaltar Ende 16. Jh.

Der ursprünglich mudejare 2geschossige Kreuzgang, der **Claustro del Aljibe** (Zisterne), stammt aus dem 16. Jh. und wurde im 18. Jh. umgestaltet; der **Brunnen** ist 1757 bezeichnet. Ein **zweiter Kreuzgang** entstand im 18. Jh. – Der 15 m hohe, 4geschossige **Turm** wurde nach der Rückeroberung, vermutlich noch im 13. Jh., errichtet. Er diente als Wachturm und hat ein extrem hoch gelegenes Zugangsportal, das, wie üblich, nur über eine Leiter erreichbar war.

ESTEPA (Sevilla E4)

Im Ortsbereich wurden iberische und punische Siedlungsspuren gefunden (Einzelstücke im Archäologischen Museum von Sevilla). Antike Quellen nennen sowohl ein »Astapa« *wie ein* »Ostippo«*; beide Bezeichnungen beziehen sich vermutlich auf das heutige Estepa. Im 2. Punischen Krieg, 208 v. Chr., wurde das mit Karthago verbündete Astapa von den Römern zerstört. Die danach erbaute römische Stadt* Ostippo *gehörte zum Conventus, der Vereinigung römischer Bürger, von Astigi (Écija). – Das maurische* Istabba *hat 1240 Ferdinand d. Hl. zurückerobert; danach wurde es Sitz der Ritter des Santiago-Ordens (Orden des hl. Jakob vom Schwert).*

Iglesia de Sta. María. Der Rechteckchor und die 3 östl. Joche der Kirche stammen aus der 1. Hälfte des 16. Jh., die beiden westl. Joche von einem Vorgängerbau des 14./15. Jh. Die Sakristei ist im 18. Jh. erbaut, der Turm 1894 wiedererbaut.

Der *Hochaltar* aus dem späten 16. Jh. wurde im 18. Jh. barock überarbeitet.

Iglesia de S. Sebastián. Die 3schiffige Kirche von 4 Jochen mit quadratischem Chorhaupt stammt aus dem späten 16. Jh.; die Seitenkapellen hat man im späten 18. und im 19. Jh. hinzugefügt.

Im nördl. Seitenschiff ein *Rokoko-Altar* mit qualitätvoller Skulptur des hl. Johannes d. T. – Sehenswert auch im Mittelschiff die Jaspis-*Kanzel* aus dem 18. Jh. mit den Reliefs der Kirchenväter und vergoldetem Holz-Schalldeckel.

Iglesia Virgen de los Remedios. Die 1schiffige Kirche von 6 Jochen geht im Kern auf eine spätmittelalterl. Anlage des 15./16. Jh. zurück. Das Schiff wurde im 18. Jh. barock umgestaltet; gleichzeitig entstand der Rechteckchor. Von besonderem Interesse ist der 1758–90 von Nicolás Bautista de Morales errichtete 8eckige Camarín mit Treppe und Sakristei. Die Kapellen stammen im wesentlichen aus dem 19. und 20. Jh.

Iglesia de Nuestra Señora del Carmen. Die 1schiffige Kirche mit Camarín einschließlich Treppe und Sakristei stammt aus dem 2. Drittel des 18. Jh.; ihr 2geschossiges, reich ornamentiertes Portal trägt die Zahl 1768.

Der Innenraum mit originaler Ornamentik und Ausstattung ist ein hervorragendes Beispiel des andalusischen Barock.

Iglesia de la Asunción. Barocke 1schiffige Kirche mit 6eckigem Camarín, Treppe und Sakristei aus dem späten 17. und frühen 18. Jh.

Von besonderem Interesse sind die *Malereien* (hauptsächlich Szenen aus dem Marienleben und der Vita Christi) des 18. Jh. im Innern.

Iglesia de Sta. Ana. Saalkirche des späten 18. Jh. mit 1840 bezeugtem Portal.

Schmiedeeiserne *Kanzel* mit vergoldetem hölzernem Schalldeckel um 1700.

Iglesia del Convento de S. Francisco. Über lateinischem Kreuz im 17. Jh. erbaut; Camarín und Sakristei kamen um 1800 hinzu.

Im klassizistisch ornamentierten Camarín eine qualitätvolle Skulptur des *hl. Franziskus von Assisi* aus dem späten 17. Jh.

Iglesia del Convento de Sta. Clara, eine frühbarocke Klosterkirche aus dem 1. Viertel des 17. Jh.

Besondere Beachtung gebührt dem *Hochaltar* von Pedro Ruiz de Paniagua, 1708. In den Nischen der Frontseite stehen zwischen gedrehten Säulen unten die hll. Klara und Franziskus, darüber Antonius von Padua und Petrus von Alcántara; oben ist der Gnadenstuhl (Hl. Dreifaltigkeit), ein Relief, zu sehen.

Die 40 m hohe, 5geschossige **Torre de la Victoria** von 1760–66 gehörte zur Kirche des zerstörten Paulinerklosters.

Castillo, Festungsmauern, Palastbauten

Der maurische Alcázar wurde bei der Rückeroberung 1240 zerstört; die überkommenen Reste der **Festungsmauern** stammen aus dem 13. und 14. Jh., aus der Zeit nach 1267, als der Santiago-Orden den Ort von Alfons X. »d. Weisen« erhielt. Erhalten ist u. a. der 26 m hohe Bergfried **(Torre del Homenaje)** aus der Zeit um 1400.

Aus dem 18. Jh. besitzt die Stadt einige bemerkenswerte Palastbauten, darunter die **Casa de los Marqueses de Cerverales** (Calle Castillejos 18) mit sehenswertem Innenhof.

ESTEPONA (Málaga D6)

Der Ort (ca. 30000 Einwohner) hieß in vorrömischer Zeit Astapa, *unter den Römern* Astaba, *unter den Mauren* Estebuna. *Die Identifikation mit dem römischen Municipium* Salduba *ist nicht gesichert (vgl. Marbella). Den Alcázar der Mauren zerstörte 1457 Heinrich IV. Die im 16. Jh. neu erbaute Festung (Castillo de S. Luis) wurde im späten 18. Jh. abgerissen.*

Aus römischer Zeit blieben Reste der **ehem. Römerstraße,** auch geringe Spuren eines nahen **Aquädukts.**

Am Strand sind die Reste mehrerer Wachtürme überkommen, u. a. die 1565 erneuerte **Torre de Arroyo Vaquero** aus maurischer Zeit und die im 18. Jh. innen umgestaltete **Torre del Padrón** aus dem frühen 16. Jh. Die über quadratischem Grundriß errichtete **Torre del Guadalmansa** ist vermutlich ein ehem. Leuchtturm aus römischer Zeit. Die **Torre del Saladillo** und die **Torre de Baños** gehen auf das 16. Jh. zurück; die **Torre de la Sal Vieja** stammt aus dem 18. Jh.

Die **Pfarrkirche Nuestra Señora de los Remedios** stammt aus dem späten 18. Jh. und wurde 1943 umgebaut. Spätbarocker 4geschossiger Turm mit keramikverkleidetem Pyramidendach von 1795. – Die kleine **Ermita del Calvario** mit 8eckigem Turm stammt aus dem 18. Jh. – Von der **alten Pfarrkirche** ist nur der bemerkenswerte, 1818 errichtete *Turm* erhalten; die beiden unteren Geschosse über quadratischem Grundriß, das Glockengeschoß und die Kuppel oktogonal.

Der Paseo de la Alameda wurde im 19. Jh. angelegt.

FUENGIROLA (Málaga E5)

Der Ort (ca. 30600 Einwohner) hieß in römischer Zeit Suel, *unter den Mauren* Suhayl.

Die Festungsanlage am Ortsausgang (Richtung Marbella), **Castillo de Suhail,** wurde in der Mitte des 10. Jh. von Abd ar-Rahman III. erbaut und anläßlich der Rückeroberung durch die Kath. Könige zum großen Teil zerstört. Karl V. ließ sie als eines der Bollwerke innerhalb der von Wachtürmen gebildeten Küstenverteidigungslinie wiederherstellen. 1812 diente sie den napoleonischen Truppen als Bollwerk.

FUENTES de Andalucía (Sevilla D3)

Der seit dem 14. Jh. von Carmona unabhängige Ort bewahrt noch gut sein Aussehen im 18. Jh.

Iglesia de Sta. María de las Nieves. An die 3 Schiffe des 17. Jh. wurden im 18. Jh. 2 weitere Außenschiffe angebaut. Das untere Turmgeschoß ist aus dem 17., das obere aus dem 18. Jh.

Hochaltar vom Ende des 17. Jh. In der Capilla Bautismal (Taufkapelle) eine Skulptur des *hl. Josef mit Jesuskind* von Juan de Mesa, 1615/16.

Iglesia de S. José. Die ehem. Klosterkirche der Barmherzigen Brüder (Convento de P. P. Mercedarios) wurde im 17. und im frühen 18. Jh. erbaut, das W-Portal in der 2. Hälfte des 18. Jh. Die Ausstattung ist aus dem 17. und 18. Jh.

Iglesia del Convento de la Encarnación, Klosterkirche der Unbeschuhten Barmherzigen Schwestern (Mercedarias Descalzas), aus dem 18. Jh. Hochaltar aus dem frühen 17. Jh.

Iglesia de S. Francisco. Bemerkenswert das von ionischen Pilastern gerahmte *Portal* der Kirche aus dem 18. Jh.
In der **Capilla de la Aurora** ein Rokoko-*Hochaltar* aus dem frühen 18. Jh. mit der Skulptur der »Virgen de la Aurora« in der Mittelnische.

Die turmbewehrte Festungsanlage über quadratischem Grundriß, das **Castillo,** stammt zwar noch aus maurischer Zeit, wurde aber im 15. und im 16. Jh. umgebaut.

● Beachtenswert sind zahlreiche **Häuser des 18. Jh.,** deren eigenwillige und reiche Ornamentik auf die lokale Baumeister-Sippe der Florindo zurückgeht, so die Bauten in der **Calle Carrera 1,** in der **Calle Lora 8** und in der Calle General Armero der **ehem. Pósito** (Getreidespeicher).

GIBRALTAR ([Cádiz] D6)

Der antike Name Calpe *(abgeleitet von griech. calpis ›Krug‹) geht zurück auf eine Höhlung des Felsens im W, die heute durch Anschüttungen und Bebauung größtenteils ausgefüllt ist. Der Felsen bildete eine der beiden mythischen »Säulen des Herkules« (die andere war der Felsen von Avila auf der afrikanischen Küste). Die Römer gründeten hier die* Colonia Iulia Calpe.
Im April 711 landete hier der Berberführer Tarik mit einem Expeditionsheer von ca. 7000 Mann und ließ am N-Hang eine Festung errichten, die Ausgangsbasis für die Eroberung Spaniens. Die Mauren nannten den Felsen »Dschabal at-Tarik«, *Berg des Tarik, woraus der Name Gibraltar entstand.*
1309–33 wurde Gibraltar vorübergehend, 1462 endgültig zurückerobert. Im Spanischen Erbfolgekrieg eroberte Georg von Hessen-Darmstadt Gibraltar 1704 für England, was 1713 im Utrechter Frieden bestätigt wurde.

In der Stadt ist nur wenig aus vorenglischer Zeit überkommen: Die ältesten Partien des ruinierten **Moorish Castle** am NW-Hang des Felsens stammen noch von der Almohaden-Burg aus dem frühen 13. Jh. – In der Main Street steht die **Kath. Kathedrale St. Mary the Crowned** aus dem 16. Jh. an der Stelle einer maurischen Moschee, und der **Gouverneurspalast** nimmt das 1531 begonnene ehem. Franziskanerkloster ein. – Die **Anglikanische Kirche Holy Trinity** am Cathedral Square wurde 1821 überraschend »maurisch« erbaut.

Origineller sind die 1814 mit subtropischen Pflanzen angelegten **Alameda Gardens** am S-Ende der englisch geprägten Stadt.

GRANADA (Provinzhauptstadt G4)

Die Hauptstadt der gleichnamigen Provinz (270000 Einwohner) liegt 682 m ü. M. am NW-Abhang der Sierra Nevada, am Rande der fruchtbaren Vega des Flusses Genil, dessen Nebenfluß Darro das Stadtzentrum z. T. unterirdisch durchfließt und die Hügel Sacromonte und Albaicín von dem der Alhambra trennt.

In der Nähe befand sich vermutlich die von Plinius d. Ä. genannte Ibererstadt Illiberis, *die mit dem im 5. Jh. v. Chr. von Hekataios von Milet erwähnten* Elibyrge *und mit dem auf späteren iberischen Münzen geprägten* Ihverir *identisch sein könnte. In der römischen Kaiserzeit wird Illiberis auf Münzen und Inschriften oft genannt. Nicht gesichert ist, ob dieses römische Municipium im Bereich der heutigen Stadtviertel Alcazaba und Albaicín bestand, wo einige Baureste gefunden wurden, oder aber im Gebiet der 11 km von Granada gelegenen Ruinen von* Elvira, *dem Ort des Concilium Eliberitanum (zwischen 300 und 309), der auch in westgotischer Zeit weiterhin als Bischofssitz genannt wird. Nach der arabischen Invasion, 711, wurde der nunmehr* Libira *oder auch* Ilbira *genannte Ort Hauptstadt der gesamten Region, bis diese, am Ende des Kalifats von Córdoba, durch Aufstände 1010 zerstört wurde.*
Hauptstadt des 1013 von dem Berberfürsten Zawi ibn Ziri gegründeten Taifa-Reiches von Granada wurde die bis dahin unbedeutende, aber strategisch günstiger gelegene Siedlung Garnatha. *Unter den Ziriden, insbesondere während der Regierungszeit von Badis ibn Habbus (1037–73), spielte das nunmehr stark befestigte Granada*

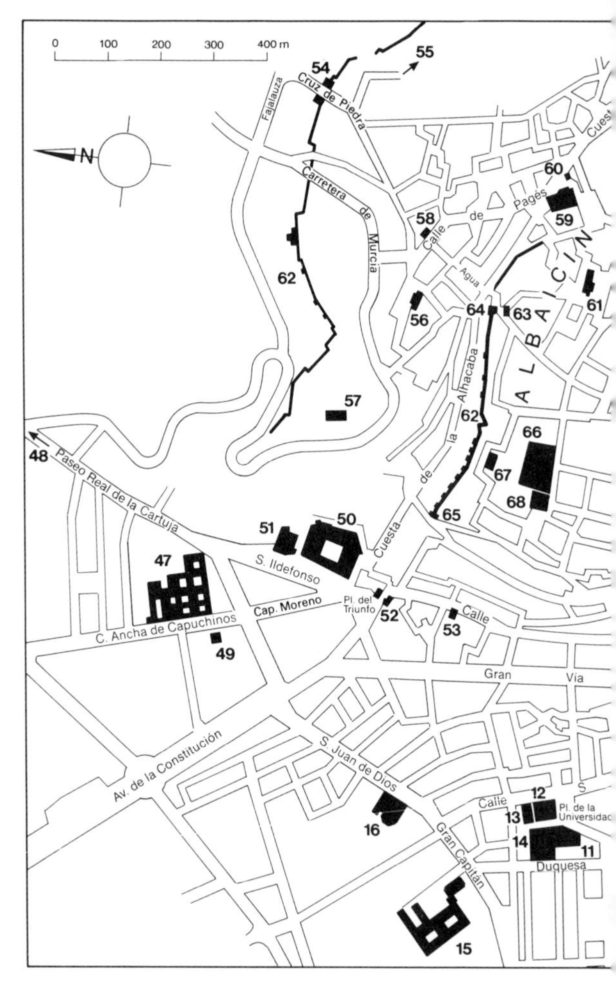

Granada. Lageplan

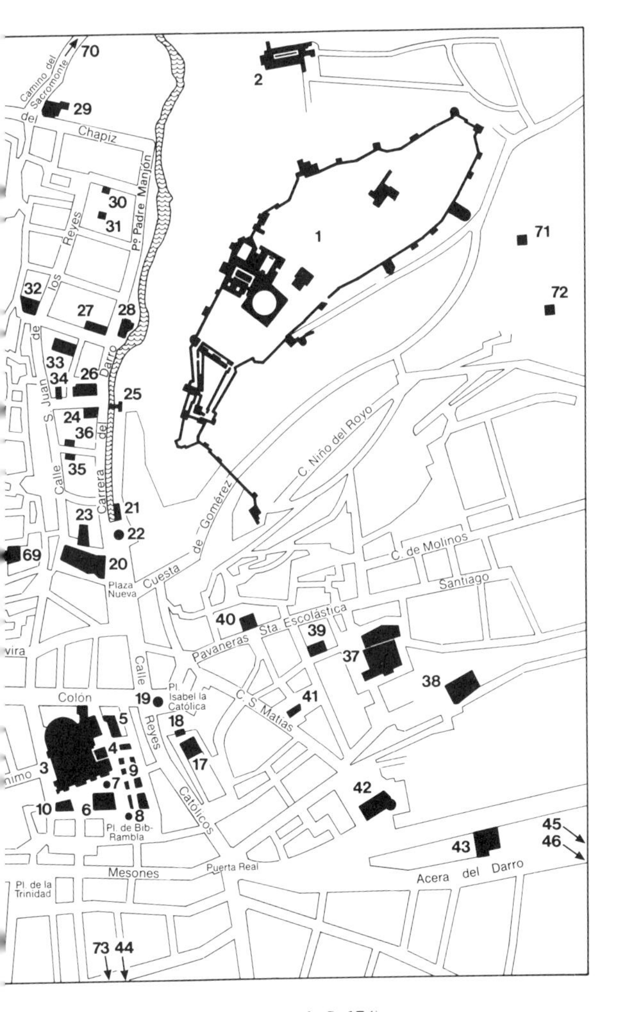

(Legende S. 174)

1 Alhambra
2 Generalife
3 Kathedrale Sta. María de la Encarnación
4 Lonja
5 Casa del Cabildo Antiguo, ehem. Medrese (»La Madraza«)
6 Erzbischöflicher Palast
7 Denkmal für Alonso Cano
8 Neptun-Brunnen
9 Alcaicería
10 Curia Eclesiástica
11 Universität
12 Stos. Justo y Pastor
13 La Encarnación
14 S. Bartolomé y Santiago
15 S. Jerónimo
16 S. Juan de Dios
17 Casa (Corral) del Carbón
18 Casa de los Duques de Abrantes
19 Denkmal für Isabella d. Kath.
20 Audiencia, Chancillería
21 Sta. Ana
22 Pilar del Toro
23 Casa de los Pisas
24 Casa de los Condes del Arco
25 Puente del Cadí
26 Bañuelo (arabisches Bad)
27 Casa del Castril
28 S. Pedro y S. Pablo
29 Casas del Chapiz
30 Moriskenhaus Calle del Horno de Oro
31 Moriskenhaus Cuesta de la Victoria
32 S. Juan de los Reyes
33 Sta. Catalina de Zafra, Casa de Zafra
34 La Concepción; Maristan
35 Casa de Agreda
36 Sta. Inés
37 Sto. Domingo (ehem. Sta. Cruz la Real)
38 Cuarto Real de Sto. Domingo
39 Casa de los Girones
40 Casa de los Tiros
41 S. Matías
42 Diputación Provincial (ehem. Castillo de Bibataubín)
43 Nuestra Señora de las Angustias
44 Las Agustinas, Sta. María Magdalena
45 S. Sebastián
46 Alcázar Genil
47 Hospital Real
48 La Cartuja
49 La Inmaculada
50 Gobierno Militar (ehem. La Merced)
51 S. Ildefonso
52 Puerta de Elvira
53 Santiago
54 Puerta de Fajalauza
55 S. Miguel, Ermita
56 S. Bartolomé
57 S. Cristóbal
58 Casa de los Mascarones
59 S. Salvador
60 Bab al-Bunud
61 S. Nicolás
62 Mauern
63 Puerta Hernán Román
64 Puerta Nueva
65 Puerta Monaita
66 Sta. Isabel la Real
67 Dar al-Horra
68 S. Miguel
69 S. José
70 Sacromonte
Museo Arqueológico Provincial (Casa del Castril) → 27
Museo Nacional de Arte Hispano-Musulmán de la Alhambra → 1
Museo Provincial de Bellas Artes (Alhambra) → 1
71 Museo de la Fund. Rodríguez Acosta
Casa-Museo Ángel Barrios; Arabisches Bad (Alhambra, Calle Real) → 1
72 Casa-Museo Manuel de Falla; Auditorio Manuel de Falla
73 Casa Museo Federico García Lorca

eine bedeutende Rolle, bis zum Sieg der Almoraviden (1090), denen 1148 die Almohaden folgten.
1232, als Ferdinand III. die Rückeroberung des Königreichs von Jaén begann, rebellierte der Nasride Mohammed ibn Jusuf ibn Nasr ibn al-Ahmar gegen den damals mächtigen Ibn Hud von Murcia (1238 ermordet), der die Oberherrschaft der Abbasiden von Bagdad anerkannte, verbündete sich sowohl mit dem Emir von Tunis wie auch mit Kastilien, bemächtigte sich 1233 der Stadt Jaén und besetzte 1237 Granada, das er 1246, nach der Rückeroberung von Jaén durch Ferdinand III., zur Hauptstadt seines Königreichs machte. Dieses letzte maurische Reich auf spanischem Boden umfaßte in etwa die heutigen Provinzen Granada, Málaga und Almería; seinen Fortbestand sicherte Mohammed I., wie sich Ibn al-Ahmar als König nannte, indem er tributpflichtiger Vasall Ferdinands III. wurde und diesen 1248 bei der Rückeroberung von Sevilla unterstützte. Beim Tode Mohammeds I. (Ende 1272) war das neue Königreich konsolidiert. Auf dem höchsten Hügel der Stadt, im Schutz der alten Festung, erhoben sich die Palastbauten des Hofes, auf der anderen Seite des Flusses Darro die Wohnviertel der Bevölkerung, die aufgrund des Flüchtlingszustroms aus den wiedereroberten christlichen Gebieten (Córdoba 1236, Sevilla 1248) auf etwa 150000 Einwohner angewachsen war, mit Schulen, Krankenhäusern und Bädern. Den Höhepunkt seiner Bautätigkeit und seines Glanzes erreichte Granada in der relativ friedlichen Periode der beiden letzten Drittel des 14. Jh. unter den Nasriden Jusuf I. (1333–54) und Mohammed V. (1354–91), als das Stadtgebiet vergrößert und die Alhambra in ihrer heutigen Form erweitert wurde. Unter dem kriegerischen Mohammed VII. (1392–1408) begann der Niedergang, den innere Machtkämpfe immer mehr beschleunigten, bis Abu Abd Allah (in der spanischen Verballhornung »Boabdil«), Mohammed XII., kapitulierte und die kastilischen Truppen die Stadt in der Nacht vom 1. zum 2. Januar 1492 kampflos besetzten.
Viele Einwohner emigrierten nach Afrika; die mit zahlreichen Privilegien ausgestatteten Neusiedler aus Kastilien veränderten und erweiterten die Stadt weit über die bestehenden Viertel hinaus. Die den Mauren in der Kapitulationsvereinbarung zugesicherte Glaubensfreiheit ging schon 1499 zu Ende, als der Erzbischof von Toledo die »Bekehrung der Heiden vom Albaicín« verlangte; nach einem erfolglosen Aufstand ließen sich fast alle Albaicín-Bewohner »freiwillig« taufen. Granada wurde Erzbischofssitz; außer zahlreichen Kirchen, Klöstern und öffentlichen Bauten entstanden Schulen für die Unterrichtung der Morisken (getaufte Mauren) in der christlichen

Glaubenslehre. 1526 gründete Karl V. die Universität. Seiner vergleichsweise liberalen Politik folgten unter Philipp II. brutale Unterdrückungsmaßnahmen. Im Dezember 1568 brach im Albaicín ein Aufstand los, der, 1570 von Juan d'Austria niedergeschlagen, zur Vertreibung fast aller Morisken im Königreich Granada und deren Zwangsumsiedlung in andere Gebiete Andalusiens und nach Neukastilien führte. Die Bevölkerungszahl der Hauptstadt Granada sank damals von 52000 auf 33000. (Die Gesamtzahl der aus dem ehem. Königreich Granada vertriebenen Morisken betrug etwa 80000; unter Philipp III. wurden 1608–11 alle Morisken aus Spanien ausgewiesen.) Überragende Künstlerpersönlichkeit im 17. Jh. war Alonso Cano (1601–67), Architekt, Maler und Bildhauer, tätig auch in Sevilla, Madrid, Valencia und Málaga. Sein Schüler Pedro de Mena (1628–88) verließ 1658 die Stadt und gründete die barocke Bildhauerschule von Málaga. Der schöpferische Elan, der Granada im 17. und 18. Jh. zu einer bedeutenden Barockstadt werden ließ, war Anfang des 19. Jh. gebrochen; die lange Stagnationsphase war begleitet von zahlreichen Zerstörungen im Spanischen Unabhängigkeitskrieg gegen Napoleon, während der Revolutionen in der Mitte und am Ende des 19. Jh., vor der Proklamation der 2. Republik 1931 und im Spanischen Bürgerkrieg.

Maurische Bauten

● Alhambra

Die Alhambra war eine befestigte Palaststadt mit Wohn- und Verwaltungsgebäuden, Kasernen, Stallungen, Moscheen, Schulen, Bädern, Friedhöfen und Gärten. Ihr Name kommt von arab. *kalat al-Hamra* (Rote Festung), offensichtlich bedingt durch die rötliche Farbe des eisenhaltigen Gesteins des Hügels, den die Mauren al-Sabika nannten.

In der arabischen Geschichtsschreibung wird die »al-Kasbah al-Hamra« 889 erstmals genannt; der Name »Hisn Garnata« bezieht sich auf einen befestigten Palast, den der jüdische Wesir des Berberfürsten Badis, Jusuf ibn Nagrela, um 1060 hier erbauen ließ. Diese Anlagen wurden 1144 von den Almoraviden und 1161 von den Almohaden zerstört. Als der Gründer der Nasriden-Dynastie Mohammed ibn al-Ahmar (Mohammed I., 1238–72) Granada zur Hauptstadt seines Königreichs machte, baute er die Alcazaba auf der W-Seite des Hügels wieder auf und leitete, als Voraussetzung für den Palastbau, das Wasser des Flusses Darro vom Berg zum Alhambra-

Hügel ab. Unter seinen Nachfolgern Mohammed II. (1273–1302) und Mohammed III. (1302–09) waren die den Hügel umschließenden Wehrmauern im wesentlichen fertiggestellt. Von dem ehem. Palast ist noch ein geringer Teilrest in der heutigen Anlage vorhanden, die fast ausschließlich aus der Zeit Jusufs I. (1333–54) und Mohammeds V. (1354–59 und 1362–91) stammt. Bis zum Ende der Nasriden-Herrschaft 1492 erlebte die Alhambra keine nennenswerten baulichen Veränderungen, abgesehen von der »Torre de las Infantas« unter Abu Nasr Sad (1454–62/64).

Nach der Rückeroberung wurden Festung und Paläste Eigentum der Krone; der Alhambra-Bereich erhielt eigenes Stadtrecht. 1495 entstand an der Stelle eines maurischen Palasts das ehemals bedeutende Kloster S. Francisco (heute dort der Parador); 1526 beschloß Karl V. den Bau des nach ihm benannten Palastes; 1576 wurde die Hauptmoschee abgerissen und an ihrer Stelle 1581–1618 die Kirche Sta. María erbaut. Das Interesse, das die Habsburger an der Erhaltung der Alhambra gezeigt hatten, erlosch fast ganz unter den Bourbonen im 18. Jh. Während des Spanischen Unabhängigkeitskriegs diente die Alhambra als Kaserne; die 1812 abziehenden napoleonischen Truppen sprengten einen Teil der Festung.

Nicht zuletzt die 1832 in London veröffentlichten »Erzählungen von der Alhambra« des Amerikaners Washington Irving (1783–1859) und wohl auch das gleichzeitige Interesse der spätromantischen Maler an »orientalisch«-exotischen Motiven haben dazu beigetragen, die 1828 zögernd begonnenen Restaurierungsarbeiten zu intensivieren und die Alhambra vor dem Verfall zu retten.

Der Zugang aus der Stadt erfolgt von der Plaza Nueva aus, durch die um 1536 nach Entwurf des in Italien geschulten Architekten Pedro Machuca errichtete **Puerta de las Granadas,** so genannt nach den 3 geöffneten Granatäpfeln des Giebels, der auch das kaiserliche Wappen und die allegorischen Figuren der Pax (Frieden) und der Abundantia (Wohlstand) trägt. – Die Gartenanlage der **Alamedas** wurde im 17. und 18. Jh. über dem maurischen Friedhof mit dem Grab des Dynastiegründers Mohammed ibn al-Ahmar (gest. Ende 1272) angelegt. – Im S (rechts) die **Torres Bermejas** (so genannt nach der zinnoberroten Mörtelfarbe), eine Vorburg mit 3 Türmen, mit geringen Resten des späten 8./frühen 9. Jh.; sie wurde im 13. Jh. wiedererbaut, im 16. Jh. umgestaltet und im 19. Jh. restauriert. –

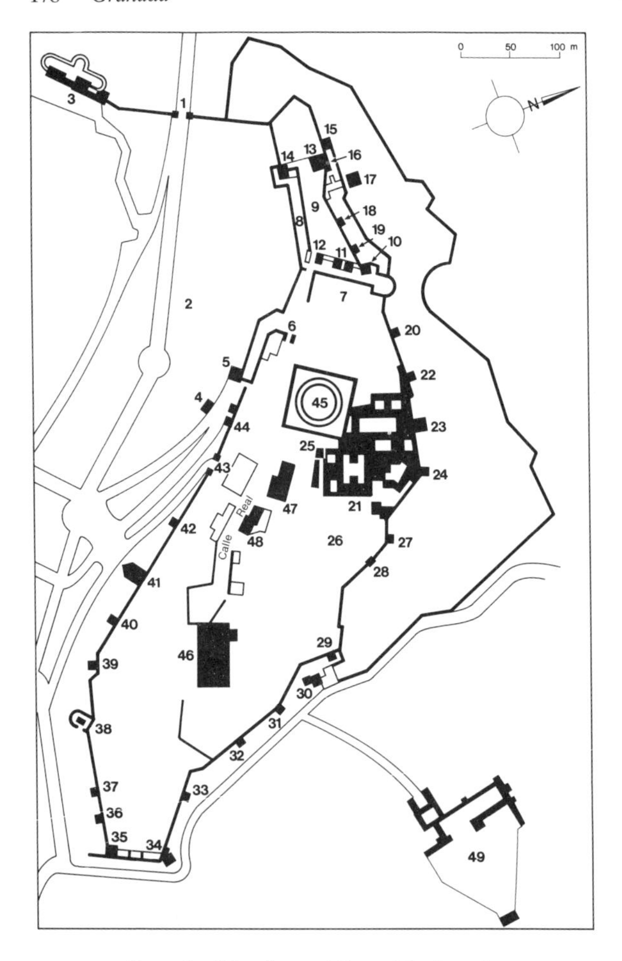

Granada. Alhambra und Generalife. Lageplan

1 Puerta de las Granadas
2 Alamedas
3 Torres Bermejas
4 Pilar de Carlos V.
5 Puerta de la Justicia
6 Puerta del Vino
7 Plaza de los Aljibes
8 Jardín de los Adarves
9 *Alcazaba,* Plaza de Armas
10 Torre del Homenaje
11 Torre Quebrada
12 Torre del Adarguero
13 Torre de la Vela
14 Torre de la Pólvera
15 Torre de los Hidalgos
16 Caballerizas (ehem. Stallungen)
17 Torre und Puerta de las Armas
18 Torre de Alquiza
19 Torre del Criado del Doctor Ortiz
20 Torre de la Gallinas (de Mohamed)
21 *Palacio Real*
22 Torre de Machuca
23 Torre de Comares
24 Torre de Abu l'-Hayyay (del Peinador)
25 Torre de la Rauda
26 Jardines del Partal
27 Torre de las Damas
28 Torre del Mihrab
29 Torre de los Picos
30 Puerta de Hierro (del Arrabal)
31 Torre del Cadí (del Candil)
32 Torre de la Cautiva
33 Torre de las Infantas
34 Torre del Cabo de la Carrera
35 Torre del Agua
36 Torre de Juan de Arce
37 Torre de Baltasar de la Cruz
38 Torre und Puerta de 7 Suelos
39 Torre del Capitán
40 Torre del Atalaya
41 Torre de las Cabezas
42 Torre de Peralada
43 Puerta del Carril
44 Torre de Barba
45 *Palast Karls V.*
46 Parador Nacional (zuvor: Kloster S. Francisco)
47 Sta. María de la Alhambra
48 Maurisches Bad, Casa-Museo Ángel Barrios
49 *Generalife*

Die mittlere Straße führt weiter zum Generalife, der links abzweigende Weg, mit *Marmorkreuz* von 1599, zur Alcazaba und den Palästen.

Vor dem Haupteingang (Puerta de la Justicia) der **»Brunnen Karls V.«,** 1545 im Auftrag des Grafen von Tendilla von Pedro Machuca entworfen, ausgeführt von dem Italiener Nicolao de Corte, 1624 anläßlich des Aufenthalts Philipps IV. in Granada von dem granadinischen Bildhauer Alonso de Mena restauriert. Die Maskarone sollen die 3 Flüsse von Granada, Darro, Genil und Beiro, darstellen. Darüber das Wappen des Grafen von Tendilla; in den Mauermedaillons mythologische Szenen.

Die **Puerta de la Justicia** (Gerechtigkeitstor), das bedeutendste der 4 Haupttore in die Alhambra, öffnet sich in einem 1348 von Jusuf I. erbauten Turm. Ob hier tatsächlich Gericht gehalten wurde, ist nicht geklärt.

Im Schlußstein des von einem Alfiz überhöhten Hufeisenbogens die sog. Hand der Fatima, Symbol gegen Unheil oder, wahrscheinlicher, der 5 unerläßlichen Gebote des Islam (rituelle Waschungen, 5 tägliche Gebete, Almosen, Fasten, Pilgerfahrt nach Mekka). Im Zentrum des inneren Bogens ein Schlüssel mit Schnur, Wappen der Nasriden-Könige, die Kapitelle der eingestellten Säulen mit dem islamischen Glaubensbekenntnis: »Lob sei Gott. Es gibt keinen Gott außer Gott, und Mohammed ist sein Gesandter. Es gibt keine Macht als die Gottes.« In der Nische die Kopie einer Madonna um 1501 (Original, von Maestre Ruberto Alemán, im Museo de Bellas Artes).

Die **Puerta del Vino** zur Plaza de los Aljibes stammt vermutlich von einer Mauer, die den Palastbezirk von der sich im S ausbreitenden Stadt trennte. Der inschriftlich unter Mohammed V. (2. Hälfte des 14. Jh.) errichtete Torbau diente seit 1556 als Ausgabedepot des steuerfreien Weins der Alhambra-Einwohner; nicht auszuschließen ist die Hypothese, daß das urspr. »Bab al-Hamra« genannte Tor volkstümlich zu »Bab al-Dschamra« (Tor des Weins) wurde. – In dem Tal, das Alcazaba und Paläste ursprünglich trennte, ließ der Graf von Tendilla 1494 Zisternen bauen, nach denen die heutige Plaza de los Aljibes benannt ist. Westlich des später über der mittelalterl.-christlichen Anlage eingerichteten Platzes liegen der **Jardín de los Adarves** (Mauergangsgarten) aus dem 17. Jh. und die

Alcazaba.

Diese Festung (al-Kasbah) wird gegen Ende des 9. Jh. erstmals erwähnt; der größte Teil wurde im 13. Jh. von Mohammed I. (Ibn al-Ahmar) erbaut; auf ihn gehen insbesondere der doppelte Mauergürtel, die Torre de la Vela im W sowie die Torre Quebrada und die Torre del Homenaje im O zurück. Seine Nachfolger im 14. und 15. Jh. scheinen nur wenig verändert zu haben; erst nach der Rückeroberung setzten umfangreiche Instandsetzungs- und Befestigungsarbeiten ein. 1590 verursachte die Explosion eines Pulvermagazins im Darro-Tal erhebliche Schäden. Später und bis zum Beginn der Restaurierungen im frühen 20. Jh. diente die Zitadelle als staatliches Gefängnis.

In der O-Mauer (zur Plaza de los Aljibes) erhebt sich zum Fluß hin die 26 m hohe, 5geschossige **Torre del Homenaje,** der Huldigungsturm; vom 16. bis 19. Jh. wohnte hier der Burgvogt. In der Mitte die 1838 eingestürzte und daher so genannte **Torre Quebrada,** im S die **Torre del Adarguero** (Schildknappenturm). – Gegenüber, auf dem höchsten Punkt, der fast 27 m hohe Wachturm **Torre de la Vela,** auf dem zu Beginn d. J. 1492 die Fahne der Kath. Könige gehißt wurde, mit Glockenstuhl aus dem 18. Jh.; der Turm wurde in christlicher Zeit erheblich umgestaltet. Im SW der sog. **Pulverturm** und an der NW-Ecke die 2geschossige, im 16. Jh. mudejar erbaute **Torre de los Hidalgos** (Edelmannsturm). – Angrenzend auf der N-Seite die im 16. Jh. wiederhergestellten **ehem. Stallungen** aus dem 13. oder 14. Jh., die **Torre de las Armas** (Waffenturm) aus dem 13. Jh. mit der **Puerta de las Armas,** die zur Alhambra führte, sowie die beiden kleinen, so schon im 16. Jh. genannten Türme **Torre de Alquiza** und **Torre del Criado del Doctor Ortiz.**

Im offenen Innnenhof (Plaza de Armas) eine große **Zisterne** und die *Fundamente* maurischer **Häuser** und anderer Einrichtungen für das Festungspersonal, u. a. die Werkstatt eines Waffenschmieds und eine Bäckerei, ein Bad zwischen Torre de la Vela und N-Mauer sowie ein Kerker bei der Torre Quebrada.

Palacio Real (Königspalast) •

Der Königspalast ist kein in sich geschlossenes Bauwerk, sondern das Ergebnis zahlreicher Um- und Neubauten während der Nasridenzeit, abgesehen von späteren Veränderungen und Restaurierungen. – Von dem Dynastiegründer Mohammed I. ist nur bekannt, daß er in der Alcazaba residierte; urkundlich gesichert ist erst ein Palastbau Ismails I. (1314–25) nahe der Großen Moschee, der nach der Thronbesteigung Jusufs I. (1333–54) bis auf den Mechuar (Audienz- und Gerichtssaal) abgerissen wurde. Die beiden berühmtesten Palastkomplexe sind der offizielle Bereich (Diwan) des Myrtenhofs und der private (Harem) des Löwenhofs mit ihren Bauten; ersterer entstand unter Jusuf I. und Mohammed V., letzterer allein unter Mohammed V. (1354–91).

Mechuar

Der Zugang zu diesem 1. Komplex im W erfolgt von der Puerta de las Armas aus. Der erste Hof ist von den *Fundamenten* maurischer Anlagen (vermutlich aus der Zeit Ismails I.) und christlicher Bauten umgeben; an der SO-Ecke

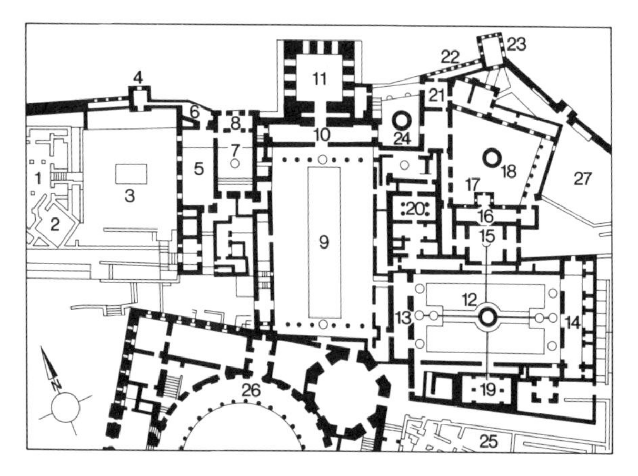

1 1. Hof
2 Moschee-Ruine
3 2. (Machuca-)Hof
4 Galería und Torre de Machuca
5 Mechuar
6 Oratorio
7 Patio del Mechuar
8 Cuarto Dorado
9 Patio de los Arrayanes
10 Sala de la Barca
(darunter: Sala de las Ninfas)
11 Torre de Comares,
Sala de Embajadores
12 Patio de los Leones
13 Sala de los Mocárabes
14 Sala de los Reyes
15 Sala de las Dos Hermanas
(darunter: Sala de los Secretos)
16 Sala de los Ajimeces
17 Mirador de Daraxa
18 Patio und Jardín de Daraxa
19 Sala de los Abencerrajes
20 Baños
21 Gemächer Karls V.
22 Galerie del Tocador
23 Torre de Abu l'-Hayyay
(del Peinador)
24 Patio de los Cipreses (de la Reja)
25 Rauda (Nekropole)
26 Palast Karls V.
27 Jardines del Partal

Granada. Alhambra. Palacio Real. Lageplan

die Ruinen einer kleinen **Moschee.** – Marmorstufen führen in den höher gelegenen zweiten Hof mit einem Bassin in der Mitte. An seiner N-Seite stehen ein 9bogiger Portikus und ein kleiner Turm, **Galería** und **Torre de Machuca;** hier wohnten die Architekten Pedro und Luis Machuca während des Palastbaus Karls V. – Der heute Mechuar genannte überdachte Raum an der O-Seite des Hofes öffnete sich urspr. zu diesem in Arkaden; man betritt ihn jetzt durch ein restauriertes Tor an der S-Seite. Dieser ehem. Audienz- bzw. Gerichtssaal wurde außen und innen seit 1492 erheblich verändert, besonders im 16. Jh. Im vorderen Teil tragen 4 Marmorsäulen Gebälk mit Stuckdekor und eine Holzdecke aus dem 16. Jh.

Eine Inschrift weist auf Ismail I. (1314–25) hin; aus dieser Zeit könnten auch Teile des oberen Wanddekors stammen. Die Fliesenverkleidung der unteren Wandpartien mit den Wappen der Nasriden und Karls V., den Säulen des Herkules und geometrischer Musterung wurde Mitte des 16. Jh. von Morisken gearbeitet.

Der rückwärtige Teil war vermutlich bei Gerichtssitzungen dem König oder Kadi vorbehalten; hier wurde im frühen 17. Jh. eine Kapelle mit Chorempore eingerichtet. – Ein moderner Zugang führt in einen kleinen Betsaal (Oratorio), den man urspr. von der Torre de Machuca aus betrat. In der N-Wand, zum Darro hin, sitzen kleine Balkone mit Zwillingsarkaden und Fenstern.

Die reich dekorierte Mihrab-Nische trägt die arabische Inschrift »Sei nicht unter den Nachlässigen. Komm zum Gebet«; unter den anderen Inschriften finden sich Lobpreisungen Mohammeds V.

An der O-Seite des Mechuar schließt sich ein kleiner Hof an, der heute Patio del Mechuar oder del Cuarto Dorado genannt wird. Ältere Schriften bezeichnen ihn (vermutlich irrtümlich) als »Hof der Moschee«. Die Mitte der ganz erheblich restaurierten Anlage nimmt die moderne Kopie des urspr. *Marmorbrunnens* ein. – Den nördl. Abschluß bildet der im 16. Jh. so genannte Cuarto Dorado (Goldener Raum), ein schmaler Raum mit 3bogigem Portikus, dessen Kapitelle aus dem 13. Jh. für den Bau Mohammeds V. wiederverwendet wurden. – Von besonderem Interesse ist gegenüber die *S-Fassade des Hofes*, unter Mohammed V. als Eingang zum offiziellen Palastbereich erbaut. Die über einem Mosaikfliesensockel stuckierte

Wand öffnet sich in 2 fliesengerahmten Türen; darüber sitzen 2 Zwillingsfenster mit einem kleineren Fenster in der Mitte, überhöht von einem Muqarnas-Fries und hölzernem Vordach.

Zahlreiche Inschriften preisen Allah und Mohammed V.; die Balkeninschrift über dem Muqarnas-Fries bezeichnet diese Eingangswand eindeutig als Tor für den Fürsten.

Die rechte Tür führte früher unmittelbar in den Mechuar; die linke führt in einen z. Z. der Kath. Könige ausgestatteten Raum und durch einen mehrfach gewinkelten Gang in den Myrtenhof, den offiziellen Palastbereich.

● **Der Myrtenhof** (Patio de los Arrayanes) **und seine Bauten**

Der rechteckige Hof (36,60 × 23,50 m), seit dem 16. Jh. Patio de Comares, heute nach dem Wasserbecken (34 × 7,10 m) in der Mitte auch Patio de la Alberca genannt, wird an den Längsseiten von relativ einfachen Bauten mit Einzelgemächern und Durchgängen zu anderen Teilen des Palastes begrenzt, die dem Aufenthalt der Frauen dienten. An der *S-Seite* hat er einen 7bogigen Portikus mit moderner Tür, der zu einem 1537 anläßlich des Palastbaus Karls V. abgerissenen Saal führte. Über diesem Saal befanden sich ein Zwischen- und ein weiteres Geschoß; erhalten sind noch die beiden Korridore dieser beiden Geschosse mit kleinen Fenstern (Gitter modern) im unteren und offenen Arkaden im oberen.

An der *N-Seite* wird ein 7bogiger Portikus von einer modernen zinnenbewehrten Mauer mit 2 Ecktürmen und dem **Comares-Turm** im Hintergrund überragt, dessen Name von ehem. farbigen Glasfenstern kommt; die Außenmauern des 45 m hohen Turmes stammen vermutlich noch aus dem 13. Jh. Der Säulengang mit einer (nach Brand 1890 rekonstruierten) Artesonado-Decke, Sockelfliesen aus dem späten 16. Jh. und je einer reich dekorierten Nische an den Schmalseiten öffnet sich in einem von 3 Gitterfenstern überhöhten Bogen zur Sala de la Barca. Die Ablagenischen in den Eingangsseiten dienten zum Aufstellen von

Granada. Alhambra
Myrtenhof

Wasserkrügen und Blumenvasen. Der Name des Saales kommt vermutlich nicht von der (ebenfalls nach dem Brand von 1890 rekonstruierten) barkenähnlichen Arteso- nado-Decke, sondern von dem arab. Wort »baraka« (Segen), das im reichen Stuckdekor der Wände erscheint.
Eine doppelte Arkade führt in den sog. Saal der Gesandten (Sala de Embajadores) im Innern des Comares-Turms, einen 18,20 m hohen quadratischen Raum von

11,30 m Seitenlänge mit je 3 etwa 2,50 m tiefen, offenen Nischen in den Außenmauern.

Der urspr. Marmorboden wurde im 16. Jh. durch Ton ersetzt; aus dieser Zeit datiert auch das Fliesensegment in der Mitte. Die *Fliesen* der Wandsockel bilden verschiedenartige geometrische Muster; darüber liegt überreicher Stuckdekor mit vegetabilischen und geometrischen Elementen und Schriftornamenten. Umlaufende Schriftbänder fassen die Fensterzone ein; auf dem Gesims unter

Granada. Alhambra
Stuckrelief aus der Sala de Embajadores

der Kuppel aus Zedernholz ist die Sure 67 des Koran zu lesen, die »Sure des Königreichs«, aus der die Bestimmung des Raumes als Thronsaal hervorgeht. Das *Artesonado-Gewölbe* zeigt ein siebenfaches Geflecht aus 8- und 16zackigen Sternen – Symbol der sieben Himmel des islamischen Paradieses mit dem Thron Gottes im achten – in der Kuppelmitte sowie den 4 Bäumen des Lebens in den Diagonalen. – Die *mittlere Nische in der N-Wand,* gegenüber dem Eingang, ist reicher ausgestattet als die anderen; außer der z.T. restaurierten Koran-Inschrift im Alfiz (Sure 113) findet sich über dem Fliesensockel im Innern ein Gedicht, dessen letzte Verse lauten: »Mein Gebieter, Jusuf, der Günstling Gottes, hat mich geschmückt mit Gewändern aus Glanz und Ruhm und nicht aus Stoff. Und er hat mich auserwählt als Thron des Königreichs. Möge seiner Hoheit der Herr des Lichtes und des göttlichen Himmelsthrones beistehen.« Diese Verse belegen zweifelsfrei, daß hier der Thron Jusufs I. stand.

Der Löwenhof (Patio de los Leones) **und seine Bauten**

Der dem privaten Bereich vorbehaltene berühmteste Palastteil, der Harem, ist, gesichert durch Lobpreisungs-Inschriften, ausschließlich unter Mohammed V. entstanden. Er besteht aus dem rechteckigen Hof (28,50 × 15,70 m) mit umlaufendem Säulengang und 4 Hauptgemächern: im W dem Muqarnas-Saal, im O dem Saal der Könige, im N dem Saal der Zwei Schwestern mit dem Mirador de Daraxa und im S dem Saal der Abencerragen mit seinen oberen Harem-Räumen.

In der Mitte steht der **Löwenbrunnen,** nach dem der Hof seit der Reconquista benannt ist. Die 12 archaisch wirkenden wasserspeienden *Löwen* werden unterschiedlich datiert; es ist nicht auszuschließen, daß sie noch von dem Palast stammen, den Jusuf ibn Nagrela, der jüdische Wesir des Berberfürsten Badis, um 1060 erbauen ließ. Das 12eckige *Becken* stammt aus der Zeit Mohammeds V.; die umlaufende Inschrift verdeutlicht die Symbolik von Wasser und Licht: »Gesegnet sei Er, der dem Imam Mohammed die Ideen schenkte, seine Residenz zu schmücken. Denn sind in diesem Garten nicht Wunder, die Gott in ihrer Schönheit unvergleichbar machte, und eine Skulptur, deren Schleierpracht aus Perlen besteht und deren Ränder Edelsteine wie Tautropfen schmükken? Geschmolzenes Silber fließt zwischen den Perlen, gleicht diesen in Schönheit und weißer Reinheit. Wasser und Marmor scheinen ineinander überzugehen, ohne daß wir wissen, was in Wahrheit flüssig ist. Siehst Du, wie das Wasser über das Becken rinnt, aber seine Rinnen halten es geborgen? Wie ein Verliebter, dessen Augen überströmen von Tränen, die er verbirgt aus Angst vor einem Verräter. Ist es in Wirklichkeit nicht wie eine weiße Wolke, die über den Löwen verströmt und der Hand des Kalifen gleicht, die den Löwen des Krieges Gunst gewährt? [...]«

Der Muqarnas-Saal (Sala de los Mocárabes) an der W-Seite heißt nach dem 1590 durch Brand zerstörten Stalaktiten-Gewölbe, von dem Reste noch erhalten sind. Die Renaissance-Decke stammt aus dem frühen 17. Jh.

Die Kapitelle der 3bogigen Arkade zum Hof enthalten Lobpreisungen Mohammeds V.

Der Saal der Könige (Sala de los Reyes) auf der O-Seite (31 × 7 m) besteht aus 3 quadratischen Kompartimenten, die von stuckierten Muqarnas-Kuppeln über Bogenfenstern gewölbt sind und durch schmale Rechteckabschnitte mit Bogengängen verbunden werden. Zusammen mit den beiden Eckalkoven entstehen derart 7 Raumteile mit unterschiedlichen Lichteffekten. In der Rückwand öffnen sich 3 durch kleine Räume getrennte Alkoven.

Von besonderem Interesse sind die *Deckengemälde:* In der Mitte diskutieren 10 auf Kissen sitzende maurische Könige, vielleicht die ersten Nasriden-Könige bis Mohammed VII. (1392–1408). Nicht dargestellt wären dann die Rivalen Mohammeds V., die Usurpatoren Ismail II. (1359–60) und Mohammed VI. (1360–62), welche die Regierungszeit Mohammeds V. unterbrochen hatten. Die anderen Malereien zeigen Jagd- und höfische Szenen. Vermutlich stammen sie aus der Zeit um 1400 und sind unter französischem Einfluß entstanden.

An der N-Seite der Saal der Zwei Schwestern (Sala de las Dos Hermanas), so genannt in neuerer Zeit nach den beiden Platten des Marmorbodens. Den quadratischen, von einer Muqarnas-Kuppel auf oktogonalem Tambour überwölbten Saal kann man vielleicht als das Zentrum der Residenz der Sultanin bezeichnen, nachdem gesichert ist, daß die Mutter Boabdils, des letzten Nasriden-Königs, hier gewohnt hat. Die Holztüren des Bogeneingangs sind erhalten. Rechts führt ein Gang zur Treppe in die oberen Räume, links zu anderen Räumen und einer Latrine.

Im Innern des Saales steht über dem Fliesensockel ein Gedicht des Hofpoeten Mohammeds V., Ibn Zamrak, das den Garten (Löwenhof) und den Raum mit den Sternbildern vergleicht und von der Kuppel sagt, daß »die leuchtenden Sterne am Himmel ihre Wanderung gerne abbrechen würden, um hier für immer zu verweilen«. Ebenso wie im Saal der Gesandten symbolisiert auch hier die Kuppel das Himmelsgewölbe.

Der Rechteckraum an der N-Seite heißt nach den Zwillingsfenstern Sala de los Ajimeces (Stalaktiten-Decke des 16. Jh.) und führt zum sog. Mirador de Daraxa ● Verballhornung von »Dar Aischa«, Haus der [Sultanin] Aischa), einem Rechteckraum mit 2 Bogenfenstern in den Längsseiten und einem Zwillingsbogen in der Stirnwand.

In diesem Raum erreicht die islamische *Stuck-Dekorationskunst* der Alhambra ihren Höhepunkt, wozu die *Sockelfliesen* in ihrer kunstvollen Musterung und Farbigkeit – schwarz, weiß und außergewöhnlich effektvoll gelb – beitragen.

Der Raum reicht in den Daraxa-Hof, der vor dem Bau der Gemächer Karls V. zu den Gärten gehörte, die sich bis zur Mauer ausdehnten.

Die Sala de los Abencerrajes an der S-Seite verdankt ihren Namen einem maurischen Fürstengeschlecht, dessen letzte Angehörige während der Stammesfehden am Ende der Nasriden-Herrschaft, vermutlich unter Mohammed IX. um 1450, hier enthauptet wurden. Der quadratische Mittelraum (Holztüren restauriert) mit 2 Rechteck-Alkoven an den Seiten wird von einer Muqarnas-Kuppel überwölbt, die auf einem oktogonalen, sternförmigen Tambour ruht.

Der Stuckdekor der Wände stammt aus der Mitte des 16. Jh., ebenso der Fliesensockel.

Im Eingangsbogen führte urspr. der rechte Gang zur Treppe zu den Frauengemächern im Obergeschoß (Harem), die 1924 restauriert wurden.

Das Bad (Baños)
Sowohl mit dem Myrtenhof wie auch mit dem Löwenhof verbunden, liegt das Bad jedoch unterhalb von deren Niveau. Es folgt dem klassischen Typus privater römischer Thermen indessen so, wie ihn die islamische Welt allgemein übernahm. Der 2geschossige Hauptraum, die Sala de las Camas (Saal der Ruheliegen), zeigt in der Mitte einen quadratischen Bereich mit Brunnen, an der O- und W-Seite um 0,50 m erhöhte Ruhenischen hinter Zwillingsarkaden. 4 Säulen tragen die früher mit Holzgittern geschlossenen Galerien für die Musiker und für den Sultan, der von hier aus seine Wahl unter den Frauen traf.

Die Dekoration des unter Jusuf I. erbauten Raumes stammt fast ausschließlich aus christlicher Zeit, hauptsächlich von der umfassenden Restaurierung in der Mitte des 19. Jh. Bodenfliesen und Artesonado-Decke sind aus dem 16. Jh.

An der W-Seite liegen die Eingangstür und die Tür zum Myrtenhof, an der O-Seite Zugänge zum Daraxa-Garten und zu den Baderäumen mit dem Tepidarium (Abkühlraum) in der Mitte; der anschließende 3geteilte Raum entsprach dem Caldarium (Warmbad). Die sternförmigen Öffnungen in den Gewölben der beheizten Räume dienten zum Abzug des Dampfes, der mittels Wassererhitzung in Kupferkesseln und einem Röhrensystem unter dem Boden erzeugt wurde.

Der Jardín de Daraxa, auch Orangen- oder Marmorgarten genannt, entstand 1526–38, als Karl V. in den Alhambra-Gärten die nach ihm benannten Gemächer erbauen ließ, die er allerdings nie bewohnt hat.

Der *Marmorbrunnen* in der Mitte, mit barockem Becken, wurde 1626 hier aufgestellt; die gerippte Brunnenschale stammt aus dem Mechuar-Hof (dort Kopie) und preist mit einem umlaufenden Gedicht Mohammed V. und ihre eigene Schönheit: »[...] Ich bin eine Muschel und die Perlen sind die Wassertropfen [...].«

An der S-Seite erstreckt sich der Mirador de Daraxa (s. w. o.) und, unter dem Saal der Zwei Schwestern, die

Sala de los Secretos (Saal der Geheimnisse), so genannt wegen ihrer akustischen Effekte.

Die Gemächer Karls V. (Habitaciones de Carlos V)
Dieser 1526–38 errichtete Anbau besteht aus 6 Räumen. Die beiden ersten liegen zwischen dem Patio de la Reja und dem Patio de Daraxa, die 4 anderen bilden die N-Seite des Patio de Daraxa. In diesen wohnte 1829 der amerikanische Schriftsteller Washington Irving, der mit seinen Berichten die öffentliche Aufmerksamkeit auf die Alhambra lenkte. 1729 waren die Gemächer als Wohntrakt für den Bourbonenkönig Philipp V. und Elisabeth von Parma (Isabella Farnese) hergerichtet worden. In den beiden wegen der Dekoration Salas de las Frutas genannten Räumen hängen interessante alte Stiche der Alhambra. – Die im 16. Jh. auf dem alten Mauergang errichtete, 1842 restaurierte Galerie del Tocador führt zu dem für Isabella von Portugal, eine Gemahlin Karls V., vorgesehenen Tocador (oder auch Peinador) de la Reina (Ankleidezimmer der Königin) im Obergeschoß des **Torre de Abu l'-Hayyay** (auch **»del Tocador«** und **»del Peinador«**) genannten Turmes in der nördl. Befestigungsmauer. Im mittleren Raum sind die urspr. maurischen Fensteröffnungen noch erhalten. Wandfresken von 1539–46 schildern hier den Feldzug Karls V. nach Tunis (1535).
Von den Gemächern Karls V. führt eine Treppe aus der Mitte des 17. Jh. in den Patio de los Cipreses oder de la Reja (des Gitters) mit modernem *Brunnen* und 4 Zypressen. Der Hof dürfte gleichzeitig mit dem Anbau Karls V. entstanden sein. – Die nach Nymphenstatuen aus Marmor (heute im Palast Karls V.) benannte Sala de las Ninfas liegt unter der Sala de la Barca des Myrtenhofs und ist durch Gänge mit dem Comares-Turm, dem Chemin rond der Alcazaba, dem Mechuar-Hof und den Bädern verbunden.

La Rauda
Nach dem arab. Wort »rawda« (Garten) wird eine **Nekropole** genannt, die hinter der Sala de los Abencerrajes des

Löwenhofs lag und deren Fundamente noch erhalten sind. Man erreicht sie durch eine Tür in der SO-Ecke des Löwenhofs. Der **Torre de la Rauda** genannte Backsteinturm stammt z. T. noch aus dem 13. Jh. und bildete vermutlich den Eingang des Gartenfriedhofs.

Jardines del Partal

Der weiträumige Partal-Garten im O des Löwenhofs wurde im 20. Jh. angelegt. Hier hatten sich die von arabischen Dichtern gerühmten Palastgärten befunden, auf deren Schönheit auch ein Vers im Mirador de Daraxa hinweist. Von den zahlreichen ehem. Bauten sind nur noch Reste erhalten. Einer der Wohnbauten hochgestellter Hofbeamter in Palastnähe ist überkommen, die sog. **Torre de las Damas,** deren *Portikus* (Partal) dem Garten seinen Namen gab. Die Arkaden des Säulengangs ruhten auf Ziegelpfeilern; von den 5 Bogen ist nur der mittlere ursprünglich. Im Innern des artesonadogedeckten Saals preisen Inschriften Allah und den Palastbau. Eine Treppe führt zum Mirador (seine originale Kuppel befindet sich im Museum für Islamische Kunst, Berlin) mit Blick über das Tal des Darro. Die Anlage stammt aus dem späten 13. oder frühen 14. Jh.; vor ihr liegt, persischer Tradition folgend, ein länglicher Teich als Kompositionsachse. Die steinernen *Löwen* wurden um 1365 für den untergegangenen Maristan (maur. Hospital für psychisch Kranke) gearbeitet. – An der linken Palastseite sind die Reste kleiner **Häuser für die Dienerschaft** erhalten.

In dem nächstgelegenen Haus sind noch Teile des Stuckdekors und *gemalte maurische Wandfriese* zu sehen: in der oberen Zone Jagdszenen und Tierdarstellungen, in der unteren Männer und Frauen, die Musikern und Sängern zuhören, in der Mitte Krieger mit Pferden und Kamelen, vielleicht auf dem Zug nach Mekka.

Östl. der Torre de las Damas die **Torre del Mihrab** mit einem kleinen Betsaal im Innern. Der Mihrab über polygonalem Grundriß, mit Hufeisenbogen und Muqarnas-Kuppel, folgt nordafrikanischen Vorbildern des mittleren 14. Jh.

Weitere Bauten des Alhambra-Bereichs

Der nächste Befestigungsturm in östl. Richtung ist die **Torre de los Picos,** so genannt nach ihren (erneuerten) Zinnen. Das oberste der 3 Geschosse ist rippengewölbt und weist mit anderen got. Bauelementen auf einen christlichen Architekten hin. Der Ende des 13. oder Anfang des 14. Jh. erbaute Turm sicherte das sog. **Eisentor,** heute **Puerta del Arrabal** genannt, mit dem es durch einen gewölbten Gang verbunden ist. Hier befand sich der Haupteingang zum Generalife; die Befestigung stammt aus der Zeit der Kath. Könige.

Über den Mauergang gelangt man zur **Torre del Cadí** oder auch **del Candil**, deren (restaurierter) Hauptraum an den 3 Fensteröffnungen noch Stuckdekor aus der Zeit Jusufs I. bewahrt.

Der Turm der Gefangenen (**Torre de la Cautiva**) verdankt seinen Namen der Legende, daß hier die von den Mauren entführte Isabel de Solis, die Favoritin Muley Hassans, gelebt haben soll. Im reich dekorierten Innern preisen zahlreiche Inschriften die Schönheit des unter Jusuf I. um 1340 erbauten Turmes. Die Artesonado-Decke stammt aus dem 19. Jh.; die ursprüngliche war ebenso wie der Bodenbelag von den Truppen Napoleons zerstört worden.

Die **Torre de las Infantas** (Turm der Infantinnen/Turm der Kinder) ist seit dem 17. Jh. nach einer Legende benannt, deren Inhalt Washington Irving unter dem Titel »Die Sage von den drei schönen Prinzessinnen« bekannt gemacht hat. Der im 14. Jh. erbaute Turm wurde unter Abu Nasr Sad (1454–62/64) zu einem kleinen Palast umgestaltet. Die langgestreckten Räume sind in mehreren Stockwerken um einen inneren Hof mit Brunnen geordnet; auch hier ist die urspr. Muqarnas-Kuppel im 19. Jh. ersetzt worden.

Es folgen im SO der Umfassungsmauer die Reste von 4 Türmen, die 1812 von den Truppen Napoleons gesprengt wurden: die **Torre del Cabo de la Carrera** am Ende der einstigen Hauptstraße der Alhambra, die **Torre del Agua** unmittelbar an der Wasserleitung vom Generalife zur Al-

hambra, die **Torre de Juan de Arce** und die **Torre de Baltasar de la Cruz.**
Die **Puerta de Siete Suelos** (Tor der Sieben Stockwerke, auch Tor der Sieben Himmel genannt) war einer der beiden Haupteingänge zur Alhambra auf der S-Seite – der andere war die Puerta de la Justicia – und hieß in maurischer Zeit »Tor der Zisternen«. – Es folgt die restaurierte **Torre del Capitán** mit den Resten von 2 **maurischen Häusern** in unmittelbarer Nähe.
Die weiteren, z.T. restaurierten **Türme** zu beiden Seiten der **Puerta de la Justicia** (Tor der Gerechtigkeit; vgl. S. 179) sind weniger von Interesse.

Alhambra Alta

Südlich des Palastbezirks breitete sich nach O die **Alhambra-Stadt** (Madinat al-Hamra) aus. Von ihr zeugen nur noch Ruinen aus maurischer und christlicher Zeit.

An der Stelle des heutigen **Parador** befand sich das 1495 unter Einbeziehung eines maurischen Palasts erbaute **Kloster S. Francisco,** das bis 1521 Grabstätte der Kath. Könige war. Die restaurierten älteren Bauteile stammen meist aus dem 18. Jh.; die **ehem. Kirche** bewahrt Reste aus dem 15. und 16. Jh. (Ziegelsteinturm von 1787); im Patio Spuren aus maurischer Zeit.
Der Mittelpunkt der Alhambra-Stadt befand sich im Bereich der **Kirche Sta. María,** die an der Stelle einer um 1308 unter Mohammed III. erbauten Moschee steht (in der Nähe hat man Reste von **Bädern** gefunden). Die 1581–1618 erbaute Kirche zeigt im Grundriß ein lateinisches Kreuz; die Pläne hatte noch Juan de Orea († 1580) gezeichnet, nachdem die urspr., wesentlich aufwendigere Planung von Juan de Herrera wegen zu hoher Kosten abgelehnt worden war.

Der 1671 von Juan López Almagro gearbeitete *Hochaltar* mit korinthischen Säulen zeigt den Einfluß von Alonso Cano; der Kruzifixus und die hll. Susanna und Ursula an den Seiten sind Werke des Alonso de Mena. Die Taufstein-Schale stammt von einem maurischen Brunnen.

Granada. Alhambra. Palast Karls V. Südfassade

Der Palast Karls V.

Den Entschluß zum Palastbau faßte Karl V. im Sommer 1526, während seines Aufenthalts in Granada. Die Ausführung wurde Pedro Machuca aus Toledo übertragen, der 1520, nach seiner Ausbildung in Italien, u. a. bei Michelangelo, den frühen römischen Manierismus nach Spanien gebracht hatte. Nach seinem Tode 1550 setzte sein Sohn Luis die 1527 begonnenen Arbeiten bis zum Moriskenaufstand i. J. 1568 fort. Der Bau blieb unvollendet.

Der für Spanien atypische, ganz und gar italienische Palastbau setzt die römischen Paläste von Raffael und Bramante voraus. Sein Grundriß zeigt ein Quadrat von 63 m Seitenlänge mit kreisrundem Innenhof. Die 2geschossigen Außenfassaden im Stil der toskanischen Frührenaissance zeigen Bossenwerk im unteren Geschoß und zwischen den Pilastern von Okuli überhöhte Rechteckfenster. Die von Adler- und Löwenköpfen gehaltenen Bronzeringe zum Anbinden der Pferde weisen auf florentinische Vorbilder des 15. Jh. hin. Im Obergeschoß ist das vertikale Gliederungsschema, ornamental bereichert, beibehalten. Der Mittelrisalit der *W-Fassade* öffnet sich in 3 Portalen zwischen dorischen Säulenpaaren, die ein Gebälk mit Metopen und Triglyphen tragen. Dem 1551–63 vom Sohn Machucas erbauten Portalgeschoß wurde 1586–92 das Obergeschoß hinzugefügt.

Die *Reliefs* der hohen Portalpostamente zeigen in der Mitte den »Triumph des Friedens«, an den Seiten vermutlich die Schlacht von Pavia (1525); über den Giebeln in der Mitte das kaiserliche Wappen, an den Seiten »Herakles tötet den Löwen von Nemea« und »Herakles fängt den Kretischen Stier«.

Der 1557 von Luis Machuca nach Plänen seines Vaters begonnene kreisrunde Hof mit 2 Säulengeschossen ionischer und dorischer Ordnung war 1568 bis auf das Obergeschoß fertiggestellt; dieses im wesentlichen 1584–1616.

Im Innern heute das **Museo Nacional de Arte Hispano-Musulmán** und das **Museo Provincial de Bellas Artes,** → Museen.

Die **Casa-Museo Ángel Barrios** in der Calle Real de la Alhambra erinnert an den Granadiner Komponisten (1882–1964). Hier auch ein (restauriertes) **öffentliches Bad** aus der Zeit Mohammeds V.

Der Generalife

Oberhalb der Alhambra, an den Hängen des Cerro del Sol, liegen die Gärten und Pavillons des Generalife, dessen seit dem 14. Jh. gebräuchlicher Name eine Ableitung vom arab. »Yannat al-Arif« ist und entweder »Garten des Erhabenen« oder »edelster und vornehmster aller Gärten« bedeutet. 1862 wurden die Gärten zum größten Teil neu angelegt; die Bauten sind erheblich verändert.

Der Palast **(Palacio del Generalife)** diente den Königen von Granada als zeitweilige Ruhe- bzw. Erholungsresidenz; seine urspr. Anlage dürfte auf das 13. Jh. zurückgehen; 1319 wurde sie unter Ismail I. um- und neugestaltet.

Das mit der Torre de los Picos verbundene sog. **Eisentor** (heute **Puerta del Arrabal** genannt) verknüpfte ursprünglich Alhambra und Generalife; die Zypressenallee wurde 1862 anläßlich des Besuchs Isabellas II. in Granada angelegt, ebenso der von Oleander gesäumte Paseo de las Adelfas, an dessen Ende Teile von **Gebäuden für die Dienerschaft** zu sehen sind.

2 Vorhöfe (mit neuen Bauten) führen in den Hauptkomplex, den Patio de la Acequia (Hof des Wassergrabens) mit einem langgestreckten, von Pflanzen umgebenen Bassin in der Mitte. An der *O-Seite* stand urspr. nur eine Trennungsmauer zu den Oberen Gärten; im 16. Jh. wurden hier Wohnräume errichtet. Auch die *W-Seite* war in maurischer Zeit durch eine Mauer geschlossen, mit einer einzigen Öffnung zu dem Mirador in der Mitte; die **Arkadengalerie** (restauriert) stammt aus dem 16. Jh. Ihr **Mirador** in der Mitte wurde im 16. Jh. zur christlichen Kapelle umgestaltet; in dem (restaurierten) maurischen Stuckdekor lassen sich Reste maurischer Inschriften erkennen. Das Gebäude an der *S-Seite* (Eingang) war in maurischer Zeit das bedeutendere; von seiner Fassade ist noch der 5bogige Portikus erhalten. Eine wiedererbaute Treppe führt zu den Oberen Gärten und zum Obergeschoß; an der Stelle der ehem. Terrasse wurde 1926 ein Mirador erbaut. – Das ursprünglich niedrigere **nördl. Gebäude** bestand aus einem Portikus, einem langgestreckten Saal dahinter und einem quadratischen Mirador darüber; die anderen Bauteile wurden 1494 hinzugefügt. Im Mirador-Saal führt links eine Treppe zu den 1494 erbauten Räumen; rechts befindet sich der Zugang zum Zypressenhof mit der sog. *Zypresse der Sultanin,* nach der Legende heimlicher Treffpunkt der Ehefrau Boabdils mit einem Nachkommen des Stamms der Abencerragen.

Von dem im N durch eine 2geschossige **Galerie** (1584–86) geschlossenen Hof führt eine Treppe des 19. Jh. zu den

Oberen Gärten mit einer *Treppe* aus maurischer Zeit, in deren Geländer Wasser herabläuft. Am Treppenende ein 1836 geschaffener Mirador und auf dem höchsten Punkt die sog. *Silla del Moro* (Sitz des Mauren), wo sich eine kleine Moschee befand. Weiter oberhalb noch Reste maurischer Bauten, darunter das sog. **Haus der Braut** (Dar al-Arusah).

Die Kathedrale und ihre Umgebung

● **Kathedrale de Sta. María de la Encarnación** (Eingang Gran Vía de Colón)

Nach 1492 diente zunächst die Moschee der Alhambra als christliche Kathedrale, später die Kirche des Klosters S. Francisco im Alhambra-Bereich, auf Wunsch Isabellas dann die ehem. Hauptmoschee (an der Stelle des im 18. Jh. an der SO-Seite angebauten Sagrario). 1505 entstanden die Pläne für eine neue Kathedrale neben der geweihten Hauptmoschee, nach dem Vorbild der got. Kathedrale von Toledo. Nach der Grundsteinlegung 1523 kamen die Arbeiten unter der Leitung von Enrique Egas nur zögernd voran, bis 1528 das Domkapitel Diego de Siloe die Leitung übertrug, der den gotisch begonnenen Bau im Renaissance-Stil bis zu seinem Tod 1563 fortführte. Ihm folgten als Baumeister u. a. im 16. Jh. Juan de Maeda, Juan de Orea und Ambrosio de Vico, im 17. Jh. Miguel Guerrero und Alonso Cano. Erst 1704 war der Bau fertiggestellt.

Der Grundriß zeigt ein 5schiffiges Langhaus mit Seitenkapellen, an das sich das 1schiffige, nicht ausladende Querhaus und der O-Teil mit Umgang und Kapellen anschließen.

Am Außenbau öffnet sich im O die *Puerta del Colegio*, 1530/31 von Siloe. Von den beiden Portalen der N-Seite (Calle de la Cárcel) ist die *Puerta del Perdón* am Querhaus besonders beachtenswert; ihr platereskes (unteres) Geschoß gehört zu den besten Arbeiten von Siloe (1537).

Unter dem figürlichen Gebälkfries mit korinthischen Säulen sind in den Bogenzwickeln *Glaube* und *Gerechtigkeit* dargestellt mit einer Kartusche, in der »nach 700jähriger maurischer Herrschaft« eben diese zwei Tugenden der Kath. Könige gepriesen werden. An den Strebepfeilern die Wappen der Kath. Könige und Karls V. (Doppeladler).

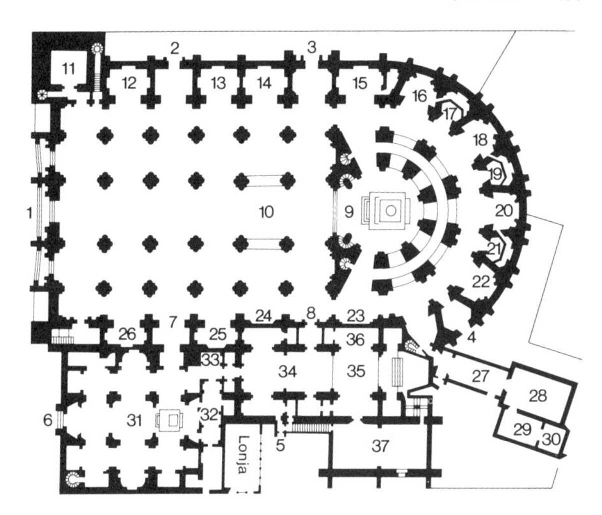

1 Hauptfassade
2 Puerta de S. Jerónimo
3 Puerta del Perdón
4 Puerta del Colegio, del Ecce Homo
5 Eingang Capilla Real
6 Eingang Iglesia del Sagrario
7 Innerer Eingang Iglesia del Sagrario
8 Ehem. Hauptportal der Capilla Real
9 Capilla Mayor
10 Coro
11 Turm, Tesoro
12 Cap. N. S. del Pilar
13 Cap. N. S. del Carmen
14 Cap. N. S. de las Angustias
15 Cap. N. S. de la Antigua
16 Cap. Sta. Lucía
17 Cap. del Cristo de las Penas
18 Cap. Sta. Teresa
19 Cap. S. Blas
20 Cap. S. Cecilio
21 Cap. S. Sebastián
22 Cap. Sta. Ana
23 Santiago-Altar
24 Jesús-Nazareno-Altar
25 Cap. de la Trinidad
26 Cap. S. Miguel
27 Antesacristía
28 Sacristía
29 Kapitelsaal
30 Oratorium
31 Iglesia del Sagrario
32 Sacristía del Sagrario
33 Cap. de Pulgar
34 Capilla Real
35 Grablege
36 Cap. Sta. Cruz
37 Sacristía de la Capilla Real, Museum

Granada. Kathedrale
Grundriß

Das obere Geschoß entstand 1610. – Das 1532 dat. Portalgeschoß der *Puerta de S. Jerónimo* im NW entwarf Siloe, das obere sein Schüler Juan de Maeda. – Die Hauptfassade im W (zur Plaza de las Pasiegas), 1667 von Alonso Cano entworfen, gliedert sich in 2 Geschosse mit 3 hohen, den Schiffen entsprechenden Nischen und zeigt ein strenges lineares System aus Pilastern und Flächenschichten. Die Skulpturen, Statuen und Reliefs, stammen aus dem 18. Jh. Der Entwurf von Siloe hatte eine 2-Turm-Fassade vorgesehen; lediglich der nördl. *Turm* wurde errichtet, blieb jedoch unvollendet. Das untere Geschoß hat noch Siloe begonnen, die oberen entstanden 1564–89.

Im Inneren wirkt die Renaissance-Architektur dem spätgot. Grundriß und Konzept wie aufgepfropft; die mächtigen kannelierten Pfeilerstützen auf hohen Sockeln und mit ausladenden Kämpfern, die als Pilaster ausgebildeten Strebepfeiler und die rundbogigen Fenster befremden etwas unter den mittelalterlich hohen Gewölben mit spätgot. Schlingformen. Eine geniale Leistung Siloes dagegen ist die
● *Rotunde* im O, in der sich die überkuppelte Capilla Mayor in Rundbogen zum Querhaus und zum Chorumgang öffnet; Vorbild für diese Verbindung von Rotunde und Basilika war die Grabeskirche in Jerusalem.

Die Balkone an den Pfeilern des Hauptbogens zum Querhaus dienten zur Lesung von Evangelium und Epistel; die Oranten-Figuren der *Kath. Könige* darüber schuf Pedro de Mena (1675–1677), die Büsten von Adam und Eva in den Rundnischen Alonso Cano (nach seinem Tod 1667 hat sie Juan Vélez de Ulloa gefaßt). Im unteren Pfeilergeschoß stehen auf barocken Konsolen *Apostelstatuen* vermutlich von Martín de Aranda 1612; der hl. Paulus ist von Pedro de Mena; 1674 datiert sind die *Skulpturen* der hll. Franz von Assisi und Xaver, Pedro de Alcántara, Dominikus, Ignatius von Loyola und Johannes von Gott. Im oberen Geschoß 7 Szenen aus dem *Marienleben,* 1652–64 von Alonso Cano gemalt. In der Zone darüber flämische *Glasfenster* aus der Mitte des 16. Jh. mit Passionsszenen; die Kuppelfenster enthalten biblische Szenen von Jan Campen nach Zeichnungen von Siloe, 1559–61. – Das Chorgestühl des 16. Jh. hat geringe künstlerische Qualität. Von Alonso Cano entworfen und z. T. ausgeführt sind das Chorpult und die

Granada. Kathedrale
Inneres

beiden Silberlampen an den Seiten des modernen Tabernakels. Die barocken Marmorkanzeln sind von Francisco Hurtado Izquierdo, 1713–17.
Von der weiteren Ausstattung sind besonders zu erwähnen: Rokoko-*Orgelprospekt* 1745–49 von Leonardo Fernández Dávila.

(Nahebei sind Alonso Cano und die 1831 hingerichtete Freiheitskämpferin Mariana Pineda aus Granada beigesetzt.) – Der barocke *Altar Jesús Nazareno* von 1722, neben dem urspr. Portal zur Capilla Real im südl. Querarm, trägt Bilder von José de Ribera (»Das Jesuskind erscheint dem hl. Antonius«, »Martyrium des hl. Laurentius«, »Maria Magdalena«) und Alonso Cano (»Passion«, »Hl. Jungfrau«, »Hl. Augustinus«). Das Mittelbild »Hl. Paulus Eremita« ist eine Kopie des 1844 gestohlenen Originals von Ribera.

Von den Kapellen am nördl. Chorumgang sind von besonderem Interesse die Capilla de Nuestra Señora de la Antigua (auf der linken Seite die 1.) mit einer flämischen *Madonna* aus dem späteren 15. Jh., lt. Inschrift an der W-Wand von Isabella d. Kath. gestiftet; den barocken Altar von 1718 entwarf Pedro Duque Cornejo. In der Capilla de Sta. Lucía (2. links) in der Mittelnische des 1620–24 von Gaspar Guerrero gearbeiteten *Retabels* die *hl. Lucia* von Alonso de Mena. In der Capilla del Cristo de las Penas (3. links) eine *Kreuzigung* des 16. Jh. In der Capilla de Sta. Ana (rechts die 2. nach der Scheitelkapelle) ein *Retabel,* 1615, von Gaspar Guerrero mit Bild der *Anna selbdritt* aus dem späteren 16. Jh.

Von den Seitenkapellen im Langhaus ist besonders zu erwähnen die Capilla de la Trinidad (rechts, am 4. Langhausjoch von W) mit dem Bild der *Hl. Dreifaltigkeit* von Alonso Cano.

In der 1. südl. Chorumgangskapelle von W, östl. des barokken *Santiago-Retabels* (1707) mit der Reiterstatue des hl. Jakobus d. Ä. von Alonso de Mena (1640), öffnet sich das 1534 von Diego de Siloe geschaffene *Portal* zur Sakristei aus der 2. Hälfte des 18. Jh. Besonders eindrucksvoll sind hier der lebensgroße *Kruzifixus* von Martínez Montañés, das Gemälde »Verkündigung« und die 1656 urspr. für das Chorpult bestimmte Figurine der *Immaculata* von Alonso Cano sowie die Gemälde »Jakobs Kampf mit dem Engel« und »Jakobs Traum von der Leiter« von Melchor de Guevara. – Im Kapitelsaal ein churriguereskes *Oratorium.* – Im **Tesoro** (Schatzkammer der Kathedrale; hier war bis 1928 der Kapitelsaal; Eingang bei der Turmtreppe im NW) u. a. eine *Silbermonstranz,* um 1500, Geschenk Isabellas von Kastilien (im 16., 17. und 18. Jh. verändert). Unter den *Skulpturen* in Vitrinen bemerkenswert »Hl. Paulus«, »Virgen de Belén« (Bethlehem) und »Hl. Johanneskind« von Alonso Cano, »Madonna« und »S. Pedro de Alcántara« von Pedro de Mena sowie die »Johannesschüssel« (Schmerzenshaupt Johannes d. T.) von Torcuato Ruiz del Peral.

Die **Iglesia del Sagrario** an der SW-Seite der Kathedrale wurde 1705–59 an der Stelle der ehem. Hauptmoschee erbaut, eine 3schiffige Kirche mit Querhaus und Vierungskuppel.

Die Capilla de Pulgar birgt das Grab des spanischen Offiziers Hernán Pérez de Pulgar († 1531), der 1490 während der Belegung von Granada heimlich in die Stadt gekommen war und versucht hatte, die Moschee in Brand zu setzen. – Marmor-*Taufstein,* 1520–22, von den Italienern Francisco Florentín und Martín Milanés.

Capilla Real

Die 1504 von den Kath. Königen als Grabeskirche gegründete Königliche Kapelle wurde 1506–21 unter der Leitung von Enrique Egas erbaut. Am 10. 11. 1521 hat man die sterblichen Überreste von Isabella († 12. 10. 1504, einen Monat nach der Gründung) und Ferdinand († 1516) vom Franziskanerkloster in der Alhambra hierher überführt.

Der Grundriß zeigt ein lateinisches Kreuz mit je 4 Seitenkapellen und polygonaler Apsis. – Die an Kathedrale, Sagrario und Lonja grenzende Kapelle bewahrt nach außen lediglich die Fassade zur Plazuela de la Lonja, mit spätgot. Maßwerkornamentik und einem 1527 von Juan García de Pradas gearbeiteten plateresken *Portal,* von dem nur das Giebelgeschoß, mit Maria, Johannes d. T. und Johannes Ev. als Nischenfiguren, ursprünglich ist; das untere Geschoß 1733. – Das *einstige Hauptportal* an der N-Seite der Kapelle wurde beim Bau der Kathedrale in diese einbezogen (im südl. Querarm der Kathedrale); es ist um 1527 unter der Leitung von Enrique Egas vermutlich von Jorge Fernández, mit spätgot. und plateresken Stilelementen, angelegt worden.

In der Archivolte des Rundbogens sitzen die Apostel, an den Seiten stehen die beiden Johannes. Im Tympanon das Wappen der Kath. Könige zwischen Joch und Pfeilen, ihren Emblemen, überhöht von der »Anbetung der Könige«.

Im Innern ruhen die spätgot. Rippengewölbe auf Bündelpfeilern. An der W-Seite, unter dem Hochchor, ist das Portal zum Sagrario.

Die 1. Seitenkapelle der N-Seite schließt ein plratereskes *Gitter* von Meister Bartolomé aus Jaén, um 1523. Die 2. Kapelle entspricht dem urspr. Eingangsportal in die Kathedrale. – In der 1. Kapelle der S-Seite (Eingang) ein Gemälde des 16. Jh. mit dem Wappen des Hernán Pérez de Pulgar, der 1490 versuchte, die Hauptmoschee in Brand zu setzen. In der 2., der Capilla de la Cruz, ein plratereskes Gitter und ein barocker Altar von 1752.
Das Lang- und Querschiff trennende *Gitter* schmiedete 1518–20 ebenfalls Meister Bartolomé. Im unteren Register tragen plateresk ornamentierte korinthische Pfeiler ein ebenso verziertes Gebälk, das Apostelfiguren unter spätgot. Maßwerkbaldachinen und das Wappen der Kath. Könige trägt. Über dem oberen Register mit Apostelfiguren sind 10 Szenen aus der Passion Christi und dem Martyrium der beiden Johannes dargestellt, ganz oben Christus am Kreuz mit Maria und Johannes Ev.
Das Querschiff dient als Grablege. Hier steht (südl., zur Sakristei hin) seit 1522 das *Grabmal der Kath. Könige* mit den Liegefiguren von Ferdinand und Isabella. Es war 1517 in Genua von dem in Rom geschulten Florentiner Domenico Fancelli in Carrara-Marmor vollendet worden. Den Auftrag hatte Fancelli von König Ferdinand in Anerkennung seines Grabmals des Infanten Juan in Sto. Tomás in Ávila (1513) erhalten. Beide Grabmäler haben wesentlich zum Eindringen der italienischen Renaissance in die spanische Bildhauerkunst beigetragen. – Weniger ausgewogen das *Grabmal Johannas (d. Wahnsinnigen) und Philipps d. Schönen* daneben, 1519–20 von dem Spanier Bartolomé Ordóñez im Auftrag Karls V. geschaffen, doch erst 1603 aufgestellt. (Die sterblichen Überreste dieser vier königlichen Personen, der Großeltern und Eltern Karls V., dazu die des portugiesischen Infanten Miguel, eines Neffen der Kath. Könige, ruhen in Bleisärgen in der [restaurierten] Krypta.)
Das *Hochaltarretabel* (1520–22), von Felipe Bigarny, ist in seiner architektonischen Gliederung eines der frühesten Renaissance-Retabel in Spanien. Der Figurenstil zeigt Einflüsse von Alonso Berruguete und aus Burgund, dem Herkunftsland Bigarnys. An der Predella sind der Einzug der Kath. Könige in Granada und die Taufe von Mauren in Reliefs dargestellt. Im unteren Register des Retabels »Anbetung der Könige«, »Taufe Christi« und »Johannes auf Patmos« zwischen den Figuren beider Johannes, im mittleren deren lebensgroße Figuren zwischen den Szenen ihres Martyriums, im oberen Christus am Kreuz mit Maria und Johannes Ev. zwi-

Granada. Sakristei der Capilla Real
Felipe Bigarny: Ferdinand d. Kath.

schen »Kreuztragung« und »Pietà«. An den Seiten Oranten-Figuren der Kath. Könige, vermutlich von Diego de Siloe, um 1526. Im Querschiff 2 Reliquienaltäre, 1630–32, von Alonso de Mena; an der N-Wand ein Altar, 1521, von Jacobo Florentino mit Passions-Triptychon von Dirk Bouts, um 1450.
Die Sakristei dient als **Tesoro** (Kirchenschatz) und **Pinakothek**.

Neben den Antonio del Rincón zugeschriebenen Porträts der Kath. Könige und Oranten-Figuren der beiden von Felipe Bigarny, um 1522, sind Krone und Zepter Isabellas, Ferdinands Schwert, eine vergoldete Silbertruhe und ein zur Monstranz umgearbeiteter Spiegel Isabellas zu sehen. – Die zahlreichen *Tafelgemälde* stammen aus beider Besitz, sind folglich aufschlußreich für ihre künstlerischen Interessen. An bedeutenden flämischen Meistern sind *Rogier van der Weyden* (»Geburt« und »Pietà« von einem vor 1450 gemalten Triptychon), *Hans Memling* (»Maria lactans«, »Geburt Christi«, »Pietà«, als Zuschreibungen »Kreuzabnahme«, »Hll. Frauen«, »Madonna mit 2 Heiligen« und sog. »Johannes d. T.«) und *Dirk Bouts* (»Madonna«, Maria mit dem unbekleideten Kind von singenden Engeln umgeben; »Christus«) vertreten. Unter den Italienern ragen *Sandro Botticelli* (»Das Gebet Christi im Garten Gethsemane«) und *Perugino* (»Christus vor dem Sarkophag«) heraus, unter den Spaniern *Pedro Berruguete* (»Johannes Ev.«) und der anonyme *Maestro de la Santa Sangre* (Meister des Hl. Blutes) mit einer »Kreuzabnahme« aus der 2. Hälfte des 15. Jh. (Kopie?).

Lonja (Plazuela de la Lonja, neben der Capilla Real). Die ehem. Handelsbörse, 1518–22 nach Entwürfen von Pedro de Morales und Enrique Egas erbaut, ist seit dem 19. Jh. mit der Capilla Real verbunden. Das platereske *Portal* 1521 von Juan García de Pradas.

Casa del Cabildo Antiguo, auch **»La Madraza«** und **Ayuntamiento Viejo** (Plazuela de la Lonja, gegenüber der Capilla Real). An der Stelle des barocken Baues (1722–29) befand sich die 1349 vollendete, zur Hauptmoschee gehörige maurische Medrese. Sie umfaßte eine arabische theologische Schule, Studentenwohnungen, Lehrsäle und einen *Betsaal*, der zu Teilen erhalten ist. Nach 1500 hatte die Medrese als Rathaus gedient.

Erzbischöflicher Palast (Plaza de Alonso Cano). Nach 1600 begonnen, 1613 fertiggestellt.

Im Innern Porträts der Bischöfe von Granada (17. Jh.) sowie Gemälde und Skulpturen granadinischer Künstler des 17. und 18. Jh.

Denkmal für **Alonso Cano** (1945) auf der gleichnamigen Plaza. – Auf der nach dem ehem. Bab al-raml (= Sandtor) der arabischen

Granada. Lonja
Rechts das Portal zur Capilla Real der Kathedrale

Stadtmauer benannten Plaza de Bibarrambla steht ein **Neptun-Brunnen** des späten 17. Jh. – In einer Mauernische des Erzbischöflichen Palastes eine Marmor-*Madonna* von 1716. – Nahebei liegen 2 Eingänge zur

Alcaicería, dem maurischen Bazar, vornehmlich für Seidenstoffe. Er erstreckte sich von der Plaza de Bibarrambla bis zur Calle del Tinte und von der Hauptmoschee (Sagrario) bis zum Darro. In christlicher Zeit bildete er ein kleines Stadtviertel mit 10 Toren, 200 Läden und eigener Rechtsprechung. Nach der völligen Vernichtung durch Brand 1843 gleicht der wenige Jahre später erfolgte Wiederaufbau in keiner Weise der urspr. Anlage, die sehr kleine, einfache Bauten hatte.

Curia Eclesiástica (Plaza de las Pasiegas, W-Seite der Kathedrale). Der 1527–44 errichtete platereske Bau war Sitz der 1526 von Karl V. gegründeten

Universität, bis diese 1769, 2 Jahre nach dem Verbot der Jesuiten, in das **ehem. Jesuitenkolleg** (Plaza de la Universidad) verlegt wurde. Von diesem sind die barocke *Portalfassade* vom Anfang des 18. Jh. und 2 Innenhöfe des 17. Jh. erhalten.

Iglesia de los Stos. Justo y Pástor (Plaza de la Universidad). Die ehem. Jesuitenkirche ist vermutlich ein Werk des Jesuiten Martín de Baceta. 1575 begonnen, waren 1589 das Langschiff, 1621 die O-Teile und die Kuppel, 1719 der Turm (von José de Bada) fertiggestellt.

Am *Hauptportal* von 1740 Marmorreliefs (»Der hl. Franz Xaver tauft Eingeborene im Fernen Osten«, »Die hll. Jesuiten Franz von Borja und Stanislaus Kostka«), dazu im Giebel die »Bekehrung des hl. Paulus« und eine Ignatius-Statue, alle von Agustín de Vera Moreno. – Im Innern *Fresken* von Martín de Pineda, 1728 (u. a. Szenen aus dem Leben des Missionsheiligen Franz Xaver). Den *Hochaltar* schuf 1630 wieder ein Jesuit, Francisco Díaz del Rivero aus Burgos. Die Kirche enthält ferner Gemälde mit Szenen aus der Vita des hl. Paulus, »Geißelung Christi« von Pedro Atanasio Bocanegra (um 1688) und Skulpturen der Titelheiligen von Torcuato Ruiz del Peral.

Convento de la Encarnación (Placeta de la Encarnación). Von dem 1524 gegründeten Klarissinnenkloster blieb der Innenhof des späten 16. Jh. erhalten.

Colegio Mayor Universitario de S. Bartolomé y Santiago (Calle de S. Jerónimo). Der Bau ist z.T. noch aus der 2. Hälfte des 16. Jh. Von besonderem Interesse des *Portal,* dessen unteres Geschoß vom Anfang des 17. Jh., dessen oberes, mit den Statuen der Titelheiligen, aus dem 18. Jh. stammt.

● **Monasterio de S. Jerónimo** (Calle del Gran Capitán). Das ehem. Hieronymiten-**Kloster** wurde 1492 von den Kath. Königen gegründet; Baubeginn war 1496. Der 2geschossige Haupthof war 1519 fertiggestellt. Die 7 **Torbauten** hat nach 1528 Diego de Siloe hinzugefügt. Der kleinere Hof mit seinen spätgot., mudejaren und Renaissance-Elementen wurde 1520 vollendet. – Der eigentliche Gestalter der vor 1513 noch spätgotisch begonnenen **Kirche** war Diego de Siloe. Er hat sie 1528–47 im Renaissancestil zu Ende geführt, gab ihr die W-Fassade (Marmorportal erst 1590) und den nach seinem Tode 1565 vollendeten, von den Truppen Napoleons gekappten SW-Turm. Im Innern Rippengewölbe im Langschiff, Tonnengewölbe in den von Siloe erbauten O-Teilen.

Das 1605 vollendete *Hochaltar-Retabel* enthält ein nach dem urspr. Entwurf und dem Kontrakt von 1570 nicht vorgesehenes 4. Register; die Figuren stellen den Gran Capitán und seine Ehefrau María Manrique, Duquesa de Sesa y de Terranova, dar. Im Querschiff die Grabplatte des Gran Capitán († 1515) und Fresken von Juan de Medina, 1723–35 (u. a. Szenen aus der Vita Christi). Chorgestühl 1544 von Diego de Siloe.

Hospital de S. Juan de Dios (Calle de S. Juan de Dios). Das Portal von 1609 führt in den Hof aus der 2. Hälfte des 16. Jh. mit Bildern aus dem Leben des hl. Johannes von Gott um 1750. – Die **Kirche,** 1737–59, besitzt einen churrigueresken *Hochaltar* von José Francisco Guerrero, Mitte des 18. Jh.

● **Casa (Corral) del Carbón** (Calle de Mariana Pineda). Der ehem. arabische Funduk (Karawanserei) aus dem frühen 14. Jh. war Warenlager und Unterkunft der Händler und Fuhrleute, in christlicher Zeit der Kohlenträger (span. *carbón* ›Kohle‹), auch Komödienhof. Bei der Restaurierung hat man die traditionelle Rechteckanlage mit Innenhof und Eingangspavillon beibehalten.

Casa de los Duques de Abrantes (Plaza de Tovar). Von dem ehem. Bau aus den ersten Jahren des 16. Jh. zeugen noch spätgot. Portalreste sowie mudejare Türen und die Treppenhaus-Decke.

»Kolumbus trägt Isabella seine Pläne vor« lautet das Thema des **Monumento a Isabel la Católica** von Mariano Benlliure Gil (Rom, 1892) auf der Plaza de Isabel la Católica.

Audiencia, Appellationsgericht (Plaza Nueva). Der Baukomplex bestand bis zum 19. Jh. aus der Chancillería, dem höchsten Appellationsgericht für ganz Andalusien, und dem Gefängnis (16. Jh.). Die quadratisch angelegte **Chancillería** wurde um 1531 begonnen; den 2geschossigen

Innenhof baute um 1540 vermutlich Diego de Siloe; das Treppenhaus mit 6teiliger Artesonado-Decke war 1578 vollendet. Für die 2geschossige Renaissance-*Fassade,* Vorbild für den Bischofspalast von Málaga, lieferte vermutlich Francisco del Castillo den Entwurf; sie wurde 1587 vollendet.

Iglesia de Sta. Ana (Plaza de Sta. Ana). Ein Bau des Diego de Siloe, 1537–48 an der Stelle einer kleinen Moschee angelegt. Den Turm baute 1561–63 Juan de Castellar.

Das platereske *Portal* gestalteten 1542–47 Sebastián und Juan de Alcántara, seine Nischenfiguren (hll. Anna, Maria Jacobi, Maria Salome) und das Madonnen-Relief Diego de Aranda. – In der restaurierten Capilla Mayor eine mudejare Artesonado-Decke. Eindrucksvolle Skulpturen von dem Cano-Schüler José de Mora sind die *»Mater Dolorosa«* (1671) in der 3. südl. und der *»Hl. Pantaleon«* in der 3. nördl. Kapelle von W.

Der nach seinem wasserspeienden Stierhaupt benannte **Pilar del Toro** auf der Plaza de Sta. Ana ist ein Brunnen von Diego de Siloe, 1559.

In der **Casa de los Pisas** (Calle de los Pisas, bei der Plaza de Sta. Ana) wird das Sterbezimmer (heute Kapelle) des hl. Johannes von Gott (1495–1550) gezeigt. Vom Bau des späten 15. Jh. ist noch das Portal z. T. erhalten.

Carrera del Darro und Umgebung

An der Straße, einer der ältesten Granadas, sind ansehnliche Baureste aus dem 16. und 17. Jh. zu sehen, so an **Nr. 21** die eines maurischen Hauses des 16. Jh. – **Nr. 29** ist die **ehem. Casa de los Condes del Arco** aus dem frühen 17. Jh. – Auf der anderen Flußseite liegen Reste des **Puente del Cadí,** der Brücke, die Alhambra und Abaicín verband. – Gegenüber, im Haus Nr. 31, befindet sich das

● **Bañuelo** (Arabisches Bad) aus dem 11. Jh. (?). Seine Kapitelle sind z. T. westgotische und römische Spolien, einige auch aus der Zeit des Kalifats von Córdoba zwischen 929 und 1031.

Casa del Castril (Carrera del Darro 43). Renaissance-Bau des 16. Jh. mit plateresker Portal-Fassade (1539 bez.); das

Portal wird Diego de Siloe zugeschrieben. – Hier das →**Museo Arqueológico Provincial.**

Iglesia de S. Pedro y S. Pablo (Carrera del Darro), 16. Jh. In der nordwestl. (Tauf-)Kapelle *»Geißelung Christi«* von einem flämischen Triptychon, 16. Jh.

Die **Casas del Chapiz** (Cuesta del Chapiz) sind 2 miteinander verbundene Bauten im frühmudejaren Stil des 16. Jh., mit maurischen, spätgot. und renaissancistischen Elementen, benannt nach einem ihrer Besitzer, dem Morisken Lorenzo el Chapiz. (Seit 1932 Schule für Arabische Studien.)

Casas moriscas. Das besterhaltene der kurz nach der Wiedereroberung erbauten Häuser, **Calle del Horno de Oro 14,** hat einen 2geschossigen Innenhof und mudejare Artesonado-Decken. Reste eines anderen (schlecht restauriert) in der **Cuesta de la Victoria 9.**

Iglesia de S. Juan de los Reyes (Calle de S. Juan de los Reyes). Spätgot., leider schlecht restaurierte Kirche, um 1520 von Rodrigo Hernández an der Stelle einer Moschee des 13. Jh. erbaut. Das *Minarett* wurde beibehalten.

Im **Kloster** (1881) einige *Gemälde* von Pedro Atanasio Bocanegra, der 1638 in der Kirche getauft wurde.

Convento de Sta. Catalina de Zafra (Calle de Zafra). In der 1678 ausgebrannten **Kirche** steht ein *Hochaltar* des 18. Jh. Von den 1540 vollendeten **Klosterbauten** stammt die **Casa de Zafra** noch aus dem 14. Jh.

Convento de la Concepción (Plaza de la Concepción). Von dem 1523 gegründeten Kloster blieb das spätgot. *Portal* z. T. erhalten. – Im fragmentierten **Maristan** (maur. Hospital für psychisch Kranke) war in christlicher Zeit bis zum 16. Jh. die Münze.

Casa de Agreda (Cuesta de Sta. Inés), Adelshaus des späten 16. Jh.

Convento de Sta. Inés (Cuesta de Sta. Inés), 1. Drittel 16. Jh. In der Kapelle Grabmal des Diego de Agreda († 1634).

Plaza de Santo Domingo und Umgebung

Der Platz bildet den Mittelpunkt des Viertels **La Antequeruela,** so genannt nach den maurischen Flüchtlingen aus Antequera (1410 rückerobert).

Iglesia de Sto. Domingo (Plaza de Sto. Domingo). Die 1512 spätgotisch begonnene und nach Unterbrechung 1532 im Stil der Renaissance weitergebaute Kirche gehörte zum 1492 von den Kath. Königen gegründeten **Kloster Sta. Cruz la Real,** von dem noch ein Innenhof, die *Haupttreppe* aus dem späten 16. Jh. mit Kuppelmalereien von Pedro de Raxis d. Ä. sowie eine kleinere überkuppelte barocke Treppe des 18. Jh. erhalten sind.

Die Ausstattung der Kirche ist meist barock, 17. und 18. Jh. In der 1. nördl. Kapelle von W die Alabaster-Statuette der »*Virgen de la Esperanza*«, 16. Jh.

Cuarto Real de Sto. Domingo (Calle de Sto. Domingo). Von dem **ehem. maurischen Palast** aus der 1. Hälfte des 13. Jh., dessen Funktion nicht geklärt ist, hat sich ein *Turm* innerhalb moderner Bauten (Privatbesitz) erhalten mit einem von Alkoven begleiteten Innenraum (Cuarto).

Die **Casa de los Girones** (Calle Ancha de Sto. Domingo) birgt im Untergeschoß einen Raum des urspr. maurischen Palasts aus der Mitte des 13. Jh. Teile des Innenhofs und die Treppe sind 16. Jh.

Casa de los Tiros, Fremdenverkehrsamt (Calle Pavaneras 19/Plaza del Padre Suárez). Der 1530–40 errichtete Bau gehörte zur Befestigungsmauer. Die restaurierte Fassade hatte urspr. nur ein Fenster über dem Eingang.

Fassadenschmuck sind Skulpturen von Herkules, Theseus, Jason, Hektor und von Merkur als Herold mit dem Wappen der granadinischen Familie Venegas. – Einziger originaler Raum ist die sog. Cuadra Dorada im Obergeschoß. Sie hat eine Artesonado-Decke mit Reliefbüsten spanischer Könige und Helden (1539).

Das Gebäude beherbergt auch ein **heimatkundliches Museum,** in dem ein Saal dem Schriftsteller Washington Irving (1783–1859), dem »Erwecker« der Alhambra, ein anderer der in Granada geborenen Eugénie de Montijo (1826–1920), Ehefrau Napoléons III., gewidmet ist.

Iglesia de S. Matías (Calle de S. Matías), 1526–50. – Das *Hochaltar-Retabel* 1750 von Blas Antonio Moreno; darin ein hl. Matthias des 16. Jh. und Skulpturen von José Risueño (1665–1732).

Puerta Real und Umgebung

An dieser Stelle stand bis 1790 das im 16. Jh. erbaute Tor Puerta del Rastro (Schlachthaus, Fleischmarkt), seit dem Besuch Philipps IV. in Granada 1624 Puerta Real (Königliches Tor) genannt.

Diputación Provincial, ehem. **Castillo de Bibataubín** (Plaza del Campillo). Beim Bau der Provinzverwaltung 1752–64 hat man einen *Turm* der maurischen Festungsmauer einbezogen.

Iglesia de Nuestra Señora de las Angustias (Acera del Darro). Juan Luis de Ortega war Leiter des Baues, 1664–71. Die 2-Turm-Fassade kam im 18. Jh. davor.

Das Hauptportal mit einer *Pietà* schufen Bernardo Francisco de Mora und José de Mora, 1665/66. – Im Innern verdienen die Apostelstatuen von Pedro Duque Cornejo, 1714–18, der Hochaltar und der churriguereske Camarín des 18. Jh. Beachtung.

Convento de las Agustinas und **Iglesia de Sta. María Magdalena** (Calle de Nuestra Señora de Gracia). Die Klosterkirche, seit Mitte des 19. Jh. Pfarrkirche, erbaute 1677–94 vermutlich Juan Luis de Ortega, vielleicht nach einem Entwurf von Alonso Cano († 1667). Hochaltarbild 1685 von Juan de Sevilla.

Ermita de S. Sebastián (am Ende des Paseo del Violón, südl. Genil-Ufer). Der überkuppelte quadratische Raum eines »Marabut«, d. h. der Grabkapelle eines islamischen Gottesdieners, wurde lt. Inschrift 1615 christlich umgestaltet, 1844 restauriert.

Alcázar Genil (nahe Ermita de S. Sebastián). Ehem. maurischer Palast vermutlich aus dem späten 12. Jh., unter Jusuf I. umgebaut, zuletzt im Besitz der Mutter Boabdils. Die (nicht gut) restaurierte Anlage besteht aus einem Turm mit von Alkoven begleitetem Innenraum. Davor liegt ein urspr. 125 m langes und 28 m breites Bassin.

Hospital Real und Umgebung

Hospital Real, Universitätsverwaltung und -bibliothek (Carretera Ancha de Capuchinos)

1504 als Krankenhaus für Arme und Pilger gegründet. Das Gebäude ist 1511 vermutlich nach Entwurf und unter der Leitung von Enrique

Egas begonnen worden; 1516 war das untere Geschoß fertig. Nach einer Unterbrechung führte ab 1522 Juan García de Pradas den Bau weiter; 1527 war das Obergeschoß vollendet.

Der Grundriß zeigt ein Kreuz, das einem Quadrat von 100 m Seitenlänge eingeschrieben ist. Von den 4 geplanten Innenhöfen blieben die südlichen (rechts) unbeendet, von den beiden nördlichen wurde Ende des 16. Jh. nur der hintere ganz vollendet. – 4 plateresken Fenster betonen die Hauptfassade. Das barocke Portal kam 1632 hinzu.

Die Portalfiguren der Kath. Könige in Gebetshaltung schuf Alonso de Mena. Im Obergeschoß sind mudejare Artesonado-Decken und plateresker Stuckdekor erhalten.

● **Monasterio de la Cartuja** (Paseo de la Cartuja)

Zugang durch ein platereskes *Portal* aus dem 3. Jahrzehnt des 16. Jh. von Juan García de Pradas mit einer Madonnen-Skulptur, Holz, 16. Jh.

Der Bau des 1506 gegründeten Kartäuserklosters wurde 1519 begonnen, aber erst 3 Jahrhunderte später vollendet. Bei einem Teilabriß der Klosteranlage 1842 fiel u. a. der Große Kreuzgang weg.

Der Zugang zu den erhaltenen **Klosterbauten** des 16. Jh. erfolgt heute vom sog. **Claustrillo** (Kleiner Kreuzgang) des frühen 17. Jh. aus.

Im 1531 bis nach 1550 erbauten Refektorium sind Gemälde des Kartäusers Juan Sánchez Cotán (1561–1627) zu sehen, u. a. »Abendmahl« (1618) und Szenen aus der Vita des hl. Bruno, des Stifters des Kartäuserordens (1032–1101). In der Sala de Profundis (1600) weitere Arbeiten von ihm, ebenso im 1515–19 erbauten Capítulo de Frailes. Im Kapitelsaal (1565–67) Gemälde von Vicente Carducho, der zeitweilig Hofmaler in Madrid war.

Die Mitte des 16. Jh. begonnene **Kirche** hat Cristóbal de Vilches im 1. Drittel des 17. Jh. vollendet. Von ihm auch die Treppe vor der W-Fassade, mit Portal von 1794.

Das Innere wurde 1662 überreich barock stuckiert. Den Chor der Mönche und der Laienbrüder trennen Gittertüren mit Intarsien, 1750; an ihren Seiten stehen 2 Altäre mit »Taufe Christi« und »Flucht nach Ägypten« von Juan Sánchez Cotán. – Von der weiteren Ausstattung im Schiff seien die 7 Bilder von Pedro Atanasio Bocanegra (1670) mit Darstellungen aus der Vita Mariä (Unbe-

Granada. Monasterio de la Cartuja. Sakristei

fleckte Empfängnis, Christi Geburt, Darstellung im Tempel, Verlöbnis, Verkündigung, Visitatio und Lichtmeß) hervorgehoben. Im Altarraum weitere Bilder von Sánchez Cotán; von Bocanegra u. a. an der Stirnwand »Marientod« und »Mariä Himmelfahrt«. Francisco Hurtado Izquierdo aus Córdoba schuf 1710 den Baldachin-Altar und seine vegetabilisch sowie mit eingelegten Spiegeln ornamentierten Säulen.

Hurtado Izquierdo auch gestaltete 1704–20 die üppige hochbarocke Dekoration der Kapelle des Sagrario in der Apsis. Zu ihrem reichen Skulpturenschmuck gehören José de Moras »Hl. Bruno« und »Hl. Josef« und Pedro Duque Cornejos »Hl. Magdalena«. Von José Risueño sind der »Hl. Johannes d.T.« und die »Tugenden« sowie die Skulpturen am polychromen Marmortabernakel in der Mitte der Kapelle. An den Wänden Bilder mit alttestamentlichen Darstellungen von Antonio Palomino, der 1712, zusammen mit Risueño, die Kuppel ausgemalt hat: im Zentrum die Dreifaltigkeit über dem die Welt tragenden hl. Bruno, in den Pendentifs die 4 Evangelisten.

Einen Höhe- und Endpunkt erreichte der spanische Barock in der Sakristei. Bot die Ornamentik des Sagrario noch naturalistische Pflanzenmotive und intensive Farbkontraste, so sind die organischen Motive hier zurückgedrängt zugunsten geometrischer Linienscharen. Die vielfältig gebrochenen Profile und Voluten erinnern an die Muqarnas der Alhambra; wie dort läßt das ständige Linienspiel das Auge kaum Halt finden, die Formen zerfließen und verändern sich im Licht.

Schränke mit eingelegten polychromen Hölzern, Elfenbein, Schildpatt und Silber unterstützen diesen Effekt. Die Kuppel malte Tomás Ferrer aus Zaragoza 1753 mit Heiligen und Erzengeln aus; einige Leinwandbilder (Kartäuserheilige) sind von dem Kartäuser Francisco de Morales. Die Statue *»Der hl. Bruno in Meditation«* im polychromen Marmorretabel an der Stirnseite ist einem berühmten Werk aus dem Portal des Kartäusergästehauses des Klosters El Paular in Madrid, von Manuel Pereira, nachempfunden: Der Heilige meditiert über einem Totenschädel in seiner linken Hand. Unter den Skulpturen fällt die kleine Statue des *»Hl. Bruno«* (Piscina neben dem Altar) von José de Mora auf.

Plaza del Triunfo

In diesem Bereich befand sich ein ausgedehnter, im 13. Jh. angelegter maurischer Friedhof. – Das **Monumento a la Inmaculada,** Denkmal zu Ehren der Unbefleckten Empfängnis Mariä, trägt eine Marienstatue von Alonso Cano (1631).

Gobierno Militar (Plaza del Triunfo), das **ehem. Kloster La Merced** (Barmherzige Brüder), 1. Hälfte 17. Jh. Von der um 1530 erbauten **Kirche** sind Relikte vorhanden.

Iglesia de S. Ildefonso (Nähe Plaza del Triunfo). Den Renaissance-Bau hat 1553 Cristóbal Barreda begonnen. Das von Diego de Siloe entworfene *Portal* führte Juan de Alcántara 1554/55 aus.

Das Relief »Maria überreicht dem hl. Ildephonsus die Kasel« ist von dem Siloe-Schüler Diego de Aranda. – Schöne Stücke der Ausstattung sind die mudejaren *Artesonado-Decken* und die *Sitzmadonna* von Diego de Mora, 1726, in der 5. nördl. Seitenkapelle. *Hochaltar* von Blas Antonio Moreno, 1720.

Puerta de Elvira (Plaza del Triunfo). »Bab Ilbira« (Tor der vom röm. »Illiberis« abgeleiteten Medina Ilbira) war das bedeutendste maurische Stadttor und wurde bereits im 9. Jh. erwähnt. Nur sein zinnenbekrönter äußerer Hufeisenbogen aus dem 11. Jh. blieb erhalten. – Nahebei (Placeta de los Naranjos, Haus Nr. 3) liegen Reste **arabischer Bäder** des 13. Jh.

Iglesia de Santiago (Calle de Elvira, Nähe Plaza del Triunfo). Die profanierte Kirche wurde 1525–53 an der Stelle einer Moschee erbaut; Hauptportal 1602/03.

Ihre Capilla Mayor deckt eine mudejare *Artesonado-Decke.* Das churriguereske Hochaltar-Tabernakel fertigte vermutlich Francisco Hurtado Izquierdo im frühen 18. Jh.

Albaicín und Alcazaba Qadima

Die beiden auf dem Hügel gegenüber der Alhambra gelegenen ehem. maurischen Stadtviertel bilden eine Einheit. Die **Alcazaba Qadima** (Alte Festung) wurde im 8. Jh. begonnen und im 11. Jh. erweitert. Der angrenzende **Albaicín** ● ist vermutlich nicht nach den von Ferdinand d. Hl. aus Baeza vertriebenen Mauren genannt, die sich 1227 hier niederließen, sondern nach den Falknern (arab. al-bayyazin), die in diesem Viertel wohnten.

Die **Puerta de Fajalauza,** ein Tor der nördl. äußeren Stadtmauer, führte in das Viertel der Töpfer (arab. al-fayyarin) und trägt ihren Namen nach der blauweißen Keramik, die dort hergestellt wurde.

Auf der Placeta de la Cruz de Piedra eine **maurische Zisterne.** – Nahebei die

Ermita de S. Miguel (Cerro de S. Miguel), an der Stelle eines Mauerturms nach Zerstörung der christlichen Vorgängerkapelle im 19. Jh. wiedererbaut. – »Hl. Michael« von Bernardo Francisco de Mora, 1675.

Iglesia de S. Bartolomé (Plaza de S. Bartolomé). 1542–70 nach Entwurf von Francisco Hernández de Móstoles erbaut, an der Stelle einer maurischen Moschee, von der eine **Zisterne** erhalten ist. (Weitere **maurische Zisternen** in der Calle Larga de S. Cristóbal.)

Iglesia de S. Cristóbal (Carrera de S. Cristóbal). Im frühen 16. Jh. an der Stelle einer maurischen Moschee erbaut, nach Brand 1557 z. T. erneuert.

Casa de los Mascarones (Calle de Pagés), so genannt nach den grotesken Masken der Fassade. Erbaut im 1. Drittel des 17. Jh. an der Stelle von Moriskenhäusern des 16. Jh. für den granadinischen Dichter Pedro Soto de Rojas (†1658).

Die Calle del Agua ist nach den in maurischer Zeit bedeutendsten **Bädern** Granadas benannt, von denen nur wenige Reste (13. Jh.?) überkommen sind. In dieser Straße und ihrer Umgebung stehen noch **Moriskenhäuser** aus dem 16. Jh.

Iglesia de S. Salvador (Plaza del Salvador). An dieser Stelle befand sich bis zum Ende des 16. Jh. die Hauptmoschee des Albaicín, von der noch der Moscheehof und die **Zisterne** vorhanden sind. – Die 1936 durch Brand völlig zerstörte Kirche des 16. Jh. wurde im Mudejarstil restauriert. – Auf der Plaza del Salvador eine **maurische Zisterne** und Teile des **Bab al-Bunud** (Fahnentor), das Albaicín und Alcazaba verband.

Von der Terrasse der **Iglesia de S. Nicolás** (Plaza de S. Nicolás), einem Neubau nach Brand 1932, bietet sich ein herrlicher Blick auf Alhambra und Generalife, mit der Sierra Nevada im Hintergrund.

Befestigungsmauern der Alcazaba Qadima. Nahe der Kirche S. Nicolás, im Callejón de S. Cecilio, steht die **Puerta**

de Hernán (oder auch Hisn) **Román,** urspr. aus dem 11. Jh. – Das besterhaltene Mauersegment führt von der **Puerta Nueva** (Plaza Larga) zur **Puerta Monaita** im W, die einen rechtwinklig geführten Verteidigungsgang und einen Innenhof hat.

Convento de Sta. Isabel la Real (Calle de Sta. Isabel la Real)

Die Gründung der Königin Isabella (1501) wurde ab 1507 samt neuer Kirche für die Franziskanerinnen in den Bauten eines maurischen Palastes etabliert.

Das spätgot. Portal der **Kirche** schuf Enrique Egas; *Turm* um 1549. Im Innern interessieren besonders die mudejare *Artesonado-Decke* im Schiff und das spätgot. *Fächergewölbe* der Capilla Mayor. Der *Hochaltar* vom Ende des 16. Jh. wurde im 18. Jh. umgestaltet. – Das eigentliche **Kloster** entstand erst 1574–92 unter Einbeziehung von Teilen des maurischen Palastes. Zum Kloster gehört der Palast

Dar al-Horra (Callejón del Ladrón del Agua), das »Haus der Witwe«, aus dem 2. Drittel des 15. Jh. Er war Residenz der Mutter Boabdils. Der Dekorationsstil ist dem der Alhambra des 14. Jh. nachempfunden.

Iglesia de S. Miguel (Plaza de S. Miguel). Zu der in der 1. Hälfte des 16. Jh. durch die Kirche verdrängten Moschee gehörte die **Zisterne** (13. Jh.) an der O-Seite. Das *Portal* (1555/56) entwarf vermutlich Diego de Siloe. Im Innern der ursprünglich 3schiffigen Anlage eine mudejare Artesonado-Decke.

Iglesia de S. José (Plaza de S. José)

Hier befand sich die zwischen dem späten 8. und dem 10. Jh. erbaute Moschee der »Marabut«, eines am Senegal zur Islamisierung der Berber gegründeten Missionsordens, aus dem die Almoraviden hervorgegangen sind.

Die 1492 christlich geweihte Moschee wurde 1517 abgerissen; erhalten blieben das mit christlichem Glockengeschoß aufgestockte **Minarett** im NO und eine **Zisterne.** Die **Kirche** baute 1501–25 Rodrigo Hernandéz; 1540–49 wurde sie bereits erweitert.

Hochaltar Ende 18. Jh. Der *Kruzifixus* (in der 4. N-Seitenkapelle von W) von José de Mora (1695) ist in seiner verhaltenen Expressivität einer der qualitätvollsten des spanischen Barock.

Sacromonte

Von den Casas del Chapiz (S. 211) führt der Camino del Sacro Monte an den **Cuevas del Sacromonte,** den touristisch als interessant empfundenen Höhlenwohnungen der Zigeuner, vorbei zur

Abadía del Sacromonte.

Sie wurde 1598 an der Stelle gegründet, wo 1594 ein Verbrennungsofen und Aschenreste zusammen mit einigen auf die Märtyrer Caecilius, Hiscius und Thesifon hinweisenden Bleitafeln gefunden wurden.

Die Abtei besteht aus Kloster, Priesterseminar und höherer Lehranstalt. Ihre **Kirche** war 1610 fertiggestellt; 1762 wurden die beiden Seitenschiffe hinzugefügt, Ende des 19. Jh. die Capilla del Sagrario, von der aus ein Zugang zu den **Santas Cuevas** mit dem Verbrennungsofen besteht. Vom **Kloster** war 1610 der **Kreuzgang** fertiggestellt; die anderen Teile stammen aus dem 18. und 19. Jh.

Im **Museum** des Klosters verdienen eine Gerard David (1450/1460–1523) zugeschriebene *»Madonna mit Rose«,* eine *»Marienkrönung«* von José Risueño (frühes 18. Jh.) und die *»Inmaculada«*-Statuette von Alonso de Mena besondere Beachtung.

Museen

Museo Arqueológico Provincial (Casa del Castril, Carrera del Darro 43)

Zum Gebäude → S. 210. – Die Säle I-IV sind der Prähistorie gewidmet. Saal V enthält phönizische und iberische Grabfunde, Saal VI römische Kunst der Kaiserzeit und Saal VII westgotische Kunst. – Sehr beachtlich sind die *Zeugnisse der arabischen Epoche* in Saal VIII, u. a. eine Brunnenschale mit Inschrift von 970, Architekturfragmente und Bronzelampen aus der im 11. Jh. ausgebrannten Moschee der Medina Ilbira, Keramik des 10. Jh. Mudejare Kunst des 16. Jh. kam aus den Morisken-Häusern von Granada. – Aus der Zeit nach der Reconquista sind spätgot. und Renaissance-Fragmente, Münzen und (blauweiße) Fajalauza-Keramik ausgestellt.

Museo Nacional de Arte Hispano-Musulmán de la Alhambra (Alhambra, Palast Karls V.)
Die Sammlung umfaßt hauptsächlich *Funde aus der Alhambra,* darunter *Brunnen-Fragmente* (besonders beachtenswert ein rechteckiges Marmor-Becken aus dem 10. Jh. mit Reliefdarstellungen: 4 Löwen reißen Rehe; Adler und Tiere; nachträglich ist die Lobesinschrift auf Mohammed III. samt der Jahreszahl 704 [A. H. = 1305 A. D.]), *Grabsteine* des 13.–15. Jh., Kapitelle aus dem 9.–14. Jh., Stuck- und Fliesenfragmente. – Bedeutendstes Ausstellungsstück der reichen *Keramik-Sammlung* ist die 1,32 m hohe sog. *Gazellen-Vase* aus dem späteren 14. Jh., mit blauem und goldenem Dekor auf weißem Grund.

Museo de Bellas Artes de la Provincia (Alhambra, Palast Karls V.)
Von den Beständen des 1836 gegründeten Museums der Schönen Künste, die aus den unmittelbar davor aufgelösten Klöstern Granadas stammen, seien die Hauptwerke genannt:
Im Eingang ein *Triptychon* aus Limosiner Email, um 1500. – Saal I: *Grablegung*, um 1520, vermutlich von dem Michelangelo-Schüler Jacobo Florentino gen. »El Indaco«; *Madonna* vom »Tor der Gerechtigkeit« der Alhambra, um 1501, von Maestre Ruberto Alemán; mehrere *Tafelgemälde* des 16. Jh., u. a. von Juan de Aragón, Juan Ramírez und Juan de Palenque. –Saal II: 32 *Reliefs vom Chorgestühl der Klosterkirche Sto. Domingo,* vor 1580, von Juan de Orea und Francisco Sánchez. – Saal III: Gemälde des Kartäusers Juan Sánchez Cotán (1561–1627), darunter ein »Bodegón« (Stilleben) *»Distel mit Mohrrüben«.* – Saal IV: Spanische Malerei des 17. Jh., u. a. von Mateo Cerezo, Schüler des Hofmalers Juan Carreño in Madrid. – Saal V: Spanische Malerei und Skulptur des 17. Jh., u. a. *»Kopf des hl. Johannes von Gott«* von Alonso Cano. –Säle VI und VII: Gemälde von Juan de Sevilla (1643–95) und Pedro Atanasio Bocanegra (1638–89). – Saal VIII: Spanische und insbesondere andalusische Malerei des 17. Jh., u. a. *»Vision der hl. Maria Magdalena von Pazzi«,* das einzige authentische Werk von Pedro de Moya (1610–66?/74?), dem Arbeiten in Granada (und Madrid) fälschlich zugeschrieben sind. – Saal IX ist dem Maler und Bildhauer José Risueño (1665–1732) gewidmet. – Saal X ist als *»Empfangssalon« des 17. Jh.* mit einem italienischen Marmorkamin ausgestaltet. – Saal XI: Spanische Malerei des 19. Jh., u. a. Arbeiten von Federico de Madrazo (1815–94), José Gutiérrez de la Vega (1791–1865) und José Moreno Carbonero (»Die Bekehrung des Herzogs von Gandía«, 1884). – In den

Sälen XII–XIV weitere spanische und andalusische Maler des 19. und 20. Jh., darunter Antonio Muñoz Degrain (s. Málaga, Museo de Bellas Artes), José María Rodríguez Acosta (s. Museo Fundación R. A.) und José María López Mezquita (1883–1954).

Museo de la Fundación Rodríguez Acosta (Callejón de la Sierra, im Stadtteil Antequeruela). In dem 1920 erbauten **Carmen** (Haus mit Garten) des Malers José María Rodríguez Acosta (1878–1941) sind Werke des Malers und Kunstgegenstände, die er von zahlreichen Reisen mitbrachte, ausgestellt.

Casa-Museo Ángel Barrios (Calle Real de la Alhambra) → S. 196.

Casa-Museo Manuel de Falla (Antequeruela Alta 11). In dem nach 1962 neugestalteten **Carmen** lebte und arbeitete der aus Cádiz stammende Komponist Manuel de Falla (1876–1946). Sehenswert ist das 1978 erbaute **Auditorio Manuel de Falla.**

Casa-Museo Federico García Lorca (Calle Virgen Blanca 6, »Huerta S. Vicente«). Erinnerungen an den Dichter (1898–1936).

GUADIX (Granada H4)

Die 949 m ü. M. gelegene Stadt (rd. 20000 Einwohner) ist vermutlich iberischen Ursprungs. In römischer Zeit hieß sie Acci, *unter den Mauren* Wadi Asif *(›Flußtal‹), daraus ist der heutige Name abgeleitet. Sie wurde 1489 wieder christlich. Im Spanischen Bürgerkrieg erlitt Guadix schwere Zerstörungen.*

Die ansehnlichen Originalabschnitte der **arabischen Stadtmauer** reichen z. T. in das 9. Jh. zurück. Im SW liegen die Ruinen der **Alcazaba** aus dem 14. und 15. Jh.

Die **Kathedrale Sta. María de la Encarnación** geht auf ein 3schiffiges, polygonal geschlossenes Chorhaupt zurück, das Pedro de Morales (?) 1510–20 der Hauptmoschee angefügt hatte. Nach dem Abriß der Moschee, 1549, entwarf Diego de Siloe nach dem Vorbild der Kathedrale von Málaga einen neuen Chor mit Umgang und Kapellen, den Juan de Arredondo bis zu seinem Tode, 1574, ausführte. Ein ebenfalls noch von Siloe geplanter Turm kam erst im 17. Jh. hinzu. Der Renaissance-Bau wurde im 18. Jh. vom Kathedralbaumeister von Cádiz, Vicente de Acero, und seinem Nachfolger, Gaspar Cayón, barock umgestaltet; seine

Guadix. Kathedrale. Fassade

monumentale Fassade (1754–60) zeigt sogar schon frühklassizist. Stilelemente.

Das qualitätvolle *Chorgestühl* (1741) ist ein Werk von Torcuato Ruiz del Peral, dem letzten bedeutenden Meister des Granadiner Spätbarock. – Im **Kathedralmuseum** u. a. Gemälde des 17. Jh.

Zu dem 1540 vom Erzbischof von Granada und Santiago de Compostela, Gaspar de Avalos, gegründeten **Convento de Santiago** gehört eine 1558 geweihte got.-mudejare **Kirche.** Ihr plattereskes *Portal* von 1546 trägt den kaiserlichen Doppeladler. Im Innern mudejare *Artesonado-Decken.*

Auch in der ursprünglich got.-mudejaren **Kirche** des **Convento de S. Francisco** sind die mudejaren *Artesonado-Dekken* bemerkenswert. In den Kapellen Skulpturen aus dem späten 17. und frühen 18. Jh.

Die ursprünglich got.-mudejare **Kirche Sta. Ana,** aus der Mitte des 16. Jh., steht an der Stelle einer 1500 abgetragenen Moschee. Sie bewahrt ebenfalls ihre alten *Artesonado-Decken.*

Plaza Mayor. Die Platzanlage des frühen 17. Jh. hat man nach den Zerstörungen im Spanischen Bürgerkrieg mit Gebäuderesten des 17. und 18. Jh. wiedererbaut.

HUELVA (Provinzhauptstadt A4)

Die Stadt (127800 Einwohner) liegt auf der kleinen, von den Flüssen Tinto und Odiel gebildeten Halbinsel Ribera de la Anticoba an der Atlantikküste. 1461 schrieb der maurische Geograph al-Himyari: »Awnaba [Huelva] ist eine Stadt mit natürlichen Verteidigungsanlagen, die sie umgebenden Berge gewähren nur schmale Zugänge. Sie ist alt, und dort finden sich Reste aus der Vergangenheit [...]. Sicher werden Ausgrabungen noch viele herrliche Reste zutage fördern [...].«
Vermutet wird, daß sich hier eine phönizische Handelsniederlassung befand, wie Malaka (Málaga), Sexi (Almuñécar) und Abdera (Adra). Die Identifikation der (Huelva vorgelagerten) Insel Saltés mit dem sagenhaften, in der Antike erwähnten Tartessos ist allerdings reine Spekulation.
Gesichert ist, daß sich hier, in der Umgebung reicher Erzvorkommen, die römische Stadt Onuba *befunden hat. Von hier aus führte eine Römerstraße, die seit dem Mittelalter sog. Vía de la Plata, über Emerita Augusta (Mérida) nach Asturien. (Die Übersetzung »Silberstraße« ist unrichtig; der mittelalterl. Bezeichnung der Straße liegt das arab. Wort ›balata‹ = Pflasterung zugrunde, daher richtig »Pflasterstraße«.)*
Das maurische Awnaba *wurde 1257 von Alfons X. »d. Weisen« zurückerobert, der die Stadt, zusammen mit Niebla, 1283 seiner Tochter Beatriz, der Königinwitwe von Portugal, schenkte. In der Folgezeit gehörte Huelva der Familie Guzmán und seit dem späteren 15. Jh. den Herzögen von Medina Sidonia. – Aus dem 17. Jh. wer-*

den verheerende Pestepidemien berichtet. 1755 wurde die Stadt durch das Erdbeben »von Lissabon« fast völlig zerstört.
Der Dichter Manuel Machado nennt Huelva »la orilla de las tres carabelas« (Ufer der drei Karavellen), denn nicht weit von hier, im heute nicht mehr benutzbaren Hafen von Palos de la Frontera, lief Kolumbus am 3. August 1492 mit seinen 3 Schiffen zur Entdekkungsfahrt aus. Jeweils vom 1. bis 6. August finden in Huelva die »Fiestas Colombinas« statt.

Am Zusammenfluß von Tinto und Odiel wurde **Kolumbus** ein modernes **Denkmal** errichtet, 1929 von den USA geschenkt, ausgeführt von der amerikanischen Bildhauerin Gertrude Whitney.

Iglesia de la Merced (seit 1953 **Kathedrale;** Plaza de la Merced). Das Kloster La Merced wurde 1605 von den Grafen von Niebla gegründet. Die barocke 3schiffige Kirche steht an der Stelle des 1755 durch Erdbeben zerstörten Vorgängerbaus und wurde 1783 begonnen. Die 3 Glockenhalter sind neu, 1976/77.

Im Innern stammt die Skulptur »Cristo de Jerusalén« aus dem 13. Jh., die irrtümlich Martínez Montãnés zugeschriebene »Virgen de la Cinta« aus dem späten 16. Jh.

Das an die Fassade anschließende langgestreckte Gebäude des 1835 aufgehobenen **Klosters** diente zunächst als Kaserne und ist heute **Hospital Provincial** (Krankenhaus); das oberste Stockwerk wurde 1952 hinzugefügt.

Iglesia de S. Pedro (Plaza de S. Pedro). »Im Osten der Stadt steht eine große von den Einwohnern verehrte Kirche, die Reliquien eines der Apostel bewahren soll«, so berichtet 1461 al-Himyari, der maurische Geograph. Die heutige Pfarrkirche steht an der Stelle einer maurischen Moschee und ist eine ursprünglich mudejare Rechteckanlage aus dem 15. Jh., die später, besonders nach 1755, umgestaltet wurde. Glockenturm 1770–74; die Portale 1771–72.

Iglesia de la Concepción (Calle Concepción). 3schiffige, ursprünglich mudejare Kirche aus der 1. Hälfte des 16. Jh., nach dem Erdbeben von 1755 barock umgestaltet und der Turm wiedererbaut.

Convento de las Agustinas (Plaza de las Monjas). Von dem 1515 gegründeten Augustinerinnenkloster sind noch Teile erhalten, darunter bedeutende Reste des mudejaren Innenhofs. Nach dem Bürgerkrieg von 1936–39 z. T. umgebaut. Das *Portal* der **Kirche** aus dem 17. Jh.

Santuario de Nuestra Señora de la Cinta (Avenida Manuel Siurot). Vom spätgot. Bau des späten 15. Jh., den Kolumbus gekannt hat, ist nichts überkommen. 1890 dienten die Gebäude als Lazarett. Heute eine weitgehend moderne Anlage.
In der **Kirche** steht ein barocker *Altar* mit dem modernen Bild der »Virgen de la Cinta« (Madonna vom Gürtel; nach der Legende soll die Muttergottes einem Kranken einen heilenden Gürtel gegeben haben). Die Prozessionsfigur der »Virgen de la Cinta« ist ein Werk des 17. Jh.

Im **Museo Provincial** (Alameda Sundheim 13) sind einige jungstein- und bronzezeitliche Ausgrabungsfunde von Interesse.

ITÁLICA (Sevilla C3) → Sevilla-Umgebung

JAÉN (Provinzhauptstadt G3)

Die Stadt geht vermutlich auf iberische Anfänge zurück; die frühesten Funde stammen aus römischer (Ortsname: Aurigi*) und westgotischer Zeit. Unter den Mauren (Ortsname:* Giyen *= Karawanenweg) war sie schon während des Kalifats von Córdoba (10./11. Jh.) von Bedeutung und nach dessen Zerfall zeitweise Hauptstadt eines kleinen Königreichs. Der Nasride Mohammed ibn al-Ahmar, Gründer des Königreichs von Granada und seit 1233 Besitzer von Jaén, übergab die seit August 1245 von Ferdinand III. belagerte Stadt im März 1246. Während der kriegerischen Auseinandersetzungen zwischen Kastilien und dem Königreich von Granada, im 13.–15. Jh., spielte die Grenzfestung eine wichtige Rolle.*

Castillo de Sta. Catalina und **Befestigungsmauern**

Der arabische Geograph al-Idrisi bezeichnete im 12. Jh. den Alcázar von Jáen als »einen der unzugänglichsten und meistbefestigten«. Dennoch wurden 1233–37 die Befestigungen von Mohammed ibn al-Ahmar erweitert.

1 Kathedrale und Sagrario
2 S. Andrés
3 S. Bartolomé
4 Carmelitas Descalzas
5 Sta. Clara
6 Sto. Domingo
7 Franciscanas Descalzas (Las Bernardas)
8 S. Ildefonso
9 S. Juan
10 La Magdalena
11 La Merced
12 Arco S. Lorenzo
13 Baños Arabes, Palacio de los Torres, Hospicio de Mujeres
14 Castillo Sta. Catalina, Parador Nacional
15 Museo Provincial
16 Palacio Episcopal

Jaén. Lageplan

Jaén
Blick über die Stadt auf die Kathedrale

Die Ruinen der heutigen **Burg** (im Burgbereich der moderne Parador de Sta. Catalina) entsprechen dem von Ferdinand III. eingeleiteten fast völligen Neubau, an dem maurische Handwerker aus Granada mitwirkten, so auch in der 2. Hälfte des 13. und im frühen 14. Jh. an der Dekoration der got. **Kapelle Sta. Catalina** in einem der nördl. Verteidigungstürme. – Von den mit der einstigen Burgumwallung verbundenen **Stadtmauern** (älteste Bausubstanz 13. Jh.) stehen die bedeutendsten Relikte am Aufgang zum Castillo (Calle del Obispo González und Carrera de Jesús). – Von den ursprünglich 8 Stadttoren blieb allein die frühbarocke **Puerta del Ángel** aus den 1640er Jahren. •

Baños Arabes (Plaza de Sta. Luisa de Marillac; Hospicio de Mujeres). Über den auch **»Baños de Alí«** (nach einem Taifa-König des frühen 11. Jh.) genannten Bädern wurde im 16. Jh. der **Palacio de los Torres** erbaut. Die Anlage aus dem 10. Jh. ist mit 470 m² die größte, zugleich die bedeutendste aus der Zeit des Kalifats von Córdoba. •

Arco de S. Lorenzo (Ecke Calle Madre de Dios/Calle Almendros Aguilar). Tonnengewölbter Turmbogen aus der Mitte des 15. Jh. mit urspr. von Handwerkern aus Granada dekorierter **Kapelle.** Erhalten ist ihre *Fliesenverkleidung*.

Kathedrale (Plaza de Sta. María) •

Die seit 1246 als christliche Kathedrale dienende ehem. Hauptmoschee wurde 1368, eine folgende Kirche 1492 abgetragen. Vom Nachfolgerbau, unter Leitung von Pedro López und Enrique Egas, ist lediglich die O-Wand der 1519 vollendeten Apsis erhalten. Die heutige Renaissance-Kathedrale wurde 1540 nach Plänen von Maestre Jerónimo und Pedro Martínez begonnen, seit 1548 unter der Mitwirkung und 1554/55–75 unter der Leitung von Andrés de Vandelvira, dem sein Schüler Alonso de Barba bis 1579 folgte; von diesen beiden stammen die bedeutendsten Teile der S-Seite mit Kapitelsaal, Sakristei und Querhausportal. Erst 1634 erfolgte der Weiterbau mit dem nördl. Seitenschiff und dem Chorhaupt samt Capilla Mayor (geweiht 1660) unter der Leitung von Juan de Aranda. 1667 begann Eufrasio López de Rojas den Bau der W-Fassade, deren beide Türme 1688 fertiggestellt waren. 1726 Einbau des Langhaus-

chors von José Gallego aus Salamanca, 1764–1801 Anbau des Sagrario nach Plänen von Ventura Rodríguez.

Der Grundriß der Hallenkirche zeigt ein Rechteck mit 3 Schiffen und Seitenkapellen sowie Anbauten am Chorhaupt (Sakristei, Kapitelsaal, Sagrario). Die *2-Turm-Fassade* im W öffnet sich in 3 *Portalen* zwischen korinthischen Säulen auf hohen Postamenten; die beiden Nischenfiguren von Petrus und Paulus sowie die Skulpturen des Attikageschosses (hl. Ferdinand, 4 Evangelisten und 4 Kirchenväter) schuf 1675–84 Pedro Roldán. Von den beiden *Seitenportalen* ist besonders das platereske südliche von Vandelvira bemerkenswert. Die *O-Mauer* stammt z.T. noch vom Vorgängerbau des frühen 16. Jh., mit isabellinischer Ornamentik. Der Innenraum mit korinthischen Bündelpfeilern auf hohen Sockeln, ausladenden Kämpfern und Kuppelgewölben wirkt harmonischer und weniger kolossal als der der Kathedralen in Granada (begonnen 1523) und Málaga (begonnen 1528). Bedeutendster Bauteil ist zweifellos die tonnengewölbte platereske Sakristei (1548–56 von Vandelvira) mit gekuppelten Säulen und gewölbten Nischen für die Schränke.

Ausstattung. Das *Chorgestühl,* mit alt- und neutestamentlichen Szenen, stammt z.T. noch aus dem Vorgängerbau des frühen 16. Jh. Am Altar des frühklassizistisch ornamentierten Trascoro eine *»Hl. Familie«* von dem in Italien geschulten Hofmaler Mariano Salvador de Maella, 2. Hälfte 18. Jh. – In der Capilla Mayor u.a. ein *Reliquienschrein* (»Schweißtuch der Veronika«) des frühen 17. Jh. von dem Cordubeser Goldschmied José Francisco de Valderrama und eine (restaur.) Sitzmadonna, *»Virgen de la Antigua«,* 14. Jh. – In der 2. südl. Seitenkapelle ein *»Hl. Sebastian«* von Sebastián Martínez aus Jaén, Hofmaler Philipps IV., um 1650, in der 5. südl. Seitenkapelle die *»Virgen de las Angustias«,* eine Skulptur von José de Mora (1642–1724). – Im Kapitelsaal ist das vom frühen römischen Manierismus geprägte Retabel *(»S. Pedro de Osma«)* von Pedro Machuca, 1546, zu beachten.

Im **Kathedralmuseum** (ehem. Capilla del Panteón, unter der Sakristei) der *Tenebrario,* ein nur in der Karwoche gebrauchter sog. Teneberleuchter mit reliefierter Scheibe, 14 Lichtern und dem Wappen des Bischofs Alonso Suárez (1500–22), sowie ein *Oster-*

leuchter (um 1530), beide von Meister Bartolomé aus Jaén, ferner ein *Reliquienschrein der hl. Cäcilia* (Florenz, 2. Hälfte 18. Jh.).

Iglesia de S. Andrés (Calle de S. Andrés, Calle del Sto. Rostro). Der mudejaren Kirche des 15. Jh. wurde im 18. Jh. eine Portalfassade unter Verwendung älterer Substanz vorgesetzt. ●

In der Sta. Capilla des frühen 16. Jh. ist ein platereskes *Gitter* des Meisters Bartolomé aus Jaén (Mariä Verlöbnis, Wurzel Jesse) zu bewundern.

Iglesia de S. Ildefonso (Plaza de S. Ildefonso). Die 3schiffige got. Kirche des 15. Jh. wurde im 16. und 17. Jh. erweitert; im späteren 18. Jh. gab ihr Ventura Rodríguez eine klassizist. *Fassade*.

Von besonderem Interesse ist das platereske *Seitenportal* mit der Darstellung »Maria übergibt dem hl. Ildephonsus das Meßgewand« in der Giebelnische, aus der Mitte des 16. Jh. – Das *Hochaltarretabel* entwarf im frühen 18. Jh. Pedro Duque Cornejo; dargestellt ist die wunderbare Hilfe der Muttergottes beim Kampf der Einwohner von Jaén gegen die Übergriffe der Mauren von Granada i. J. 1430.

Iglesia de S. Bartolomé (Plaza de S. Bartolomé). Im frühen 15. Jh. angelegter Bau, mit mudejaren Artesonado-Decken. Keramik-*Taufstein* des 15. Jh.

Iglesia de S. Juan (Plaza de S. Juan). Die 3schiffige Kirche aus dem späten 13./14. Jh. wurde später umgestaltet.

Zum künstlerischen Inventar zählen Prozessions-Skulpturen des 17./18. Jh., die fälschlich Montañés (Guter und Böser Schächer) und Luisa Roldán (Sitzmadonna) zugeschrieben wurden.

Der Wehrturm **Torre del Consejo** stammt aus dem späten 13. Jh.

Iglesia de la Magdalena (Plaza de la Magdalena). Die an der Stelle einer Moschee erbaute Kirche stammt in ihren ältesten Teilen noch aus dem 15. Jh.

Über dem Portal ist das *Wappen* von Esteban Gabriel Merino, 1523–35 Bischof von Jaén, zu sehen. – Platereskes *Hochaltarretabel* mit Magdalenen-Skulptur von Mateo de Medina aus Jaén, 18. Jh. Von Jacobo Florentino gen. »El Indaco« (1478–1526), einem Mitarbeiter Michelangelos, der seit 1520 in Granada und dann in Jaén arbeitete, ist die *Kreuzigungsskulptur*.

Convento de las Franciscanas Descalzas (»Las Bernardas«) (bei der Puerta del Ángel, Paseo de la Alameda). Das Kloster der Bernhardinerinnen hat im frühen 17. Jh. vermutlich der in Rom geschulte Juan Bautista Monegro († 1621) entworfen.

In der **Kirche** sind einige *Retabelgemälde* des Toskaners Angelo Nardi, Hofmaler Philipps IV., u. a. eine »Verkündigung« von 1634.

Real Monasterio de Sta. Clara (Calle de Sta. Clara/Calle de Sta. Cruz). Gegründet nach 1246 von Ferdinand III.; seit 1495 an dieser Stelle. Aus dem 16. Jh. ist u. a. der **Kreuzgang** erhalten.

Convento de las Carmelitas Descalzas (Calle Juan Montilla). Das Kloster der Unbeschuhten Karmelitinnen wurde 1615 gegründet. Die **Kirche** baute im 3. Viertel des 17. Jh. Eufrasio López de Rojas.

Das Kloster bewahrt den *»Canto Espiritual«* des Mystikers Johannes vom Kreuz (1542–91), der den Karmeliterorden zusammen mit der hl. Theresa von Avila reformiert hat.

Convento de la Merced (Plaza de la Merced). Urspr. im späten 16. Jh. erbaut.

In der **Kirche** Passions-Christus *»Nuestro Padre Jesús Nazareno«* aus dem frühen 17. Jh., modern restauriert.

Real Convento de Sto. Domingo, heute Schule (Calle Los Uribe). Im 16. Jh. war das 1382 gegründete Kloster Sitz eines theologischen Kollegs. Die ältesten Bauteile stammen aus der 2. Hälfte des 16. Jh., der **Kreuzgang** ist 17. Jh. Die **Kirche,** mit *Portal* vermutlich nach Entwurf von Andrés de Vandelvira, wurde 1578 geweiht.

Unter den **Profanbauten** des 15.–17. Jh. sind hervorzuheben: **Palacio Episcopal** (Plaza de Sta. María), um 1490 begonnen; die meisten Bauteile des Bischofspalastes sind aber aus dem 16. und 17. Jh. – **Palacio de Nicuesa** (Calle de Ramón y Cajal), 16. Jh., Portal 18. Jh. Gegenüber der **Palacio de los Vélez de Mendoza,** 16. Jh., mit Fassade von 1630. – **Casa de Cristóbal de Vilches** (Plaza del Deán Mazas), 16./17. Jh. – **Casa del Obispo Alonso Suárez** (Calle Almendros Aguilar), frühes 16. Jh. – **Palacio de Fernando Quesada Ulloa** (Plaza de la Merced), Mitte 16. Jh. – **Palacio del Condestable Miguel Lucas de Iranzo** (Calle de Martínez Molina), 15. Jh., mit (restaurierten) *Artesonado-Decken* von Handwerkern aus Granada aus der urspr. Bauzeit.

Brunnen. Fuente de los Caños (Plaza de los Caños), 1648. – **Fuente del Arrabalejo** (Calle Millán de Priego), 1574.

Museo Provincial (Paseo de la Estación 29)

In die moderne Fassade einbezogen ist das *Portal* des **ehem. Kornspeichers** aus der Mitte des 16. Jh. Im Hof steht das *Portal* der im 19. Jh. abgetragenen **Kirche S. Miguel,** von Andrés de Vandelvira, 1560 (nicht 1561, wie im Fries angegeben) vollendet.

Das Museum der Provinz Jaén vereinigt eine Kunstsammlung mit einer (bedeutenderen) Archäologischen Sammlung.

Die Archäologische Abteilung umfaßt u. a. *Höhlenmalereien der Cueva de la Graja* bei Jimena (Prov. Jaén) aus der Jungsteinzeit und frühen Bronzezeit (3./2. Jt.) mit schematisch reduzierten Figuren. – Ungewöhnlich ist der *Iberische Stier von Porcuna* aus dem 4. Jh. v. Chr. Die unmittelbaren stilistischen Vorbilder solcher Tierskulpturen einheimischer Künstler sind nicht bekannt; sie wurzeln in der hethitisch-syrischen Tradition, die von den Phöniziern vermittelt wurde.

Unter den *römischen* Exponaten – Keramiken, Mosaiken, Statuen und Münzen von meist durchschnittlicher Qualität – sei auf den qualitätvollen *frühchristlichen Sarkophag aus Martos* hingewiesen. In den Säulennischen enthält er neutestamentliche Szenen (Heilung des Blinden und des Gelähmten, das kanaanäische Weib bittet um Heilung ihrer vom Dämon besessenen Tochter, Petri Verleugnung, Vermehrung der Brote und der Fische, Hochzeit zu Kana), die stilistisch auf die konstantinische Zeit, etwa um 330, verweisen.

Westgotische Funde des 7. Jh. kamen aus der Nekropole auf dem Cerrillo Salido bei La Guardia nahe Jaén. – Ansehnlich ist auch die *Keramik* aus *maurischer Zeit,* ebenso ein mudejarer *Türbogen,* um 1500, aus der »Casa de la Virgen« von Jaén (Cuesta de S. Miguel).

An Gemälden des 15.–20. Jh. sieht man u. a. einen »Schmerzensmann« (Christus an der Martersäule) von Pedro Berruguete (Ende 15. Jh.), die »Virgen de Belén«, eines der zahlreichen »schönen« Madonnenbilder von Alonso Cano (1601–67); »Hl. Johannes vom Kreuz« und »Hl. Theresa« von Sebastián Martínez (1602–67) aus Jaén. Geschätzt werden in Spanien Maler des 19. Jh. wie José de Madrazo (1781–1859), unter den späteren Daniel Vázquez Días (1881–1969).

JEREZ de la Frontera (Cádiz C5)

Die Anfänge der für ihre Weine und die Pferdezucht berühmten Stadt sind ungeklärt; in der Nähe befand sich jedenfalls die römische Siedlung Asta Regia. *In westgotischer Zeit muß Jerez Bedeutung gehabt haben: Aus dem 6. Jh. ist eine der Jungfrau Maria geweihte Kirche bezeugt. Die Entscheidungsschlacht zwischen Westgoten und Mauren 711 lokalisiert die neuere Forschung nicht hierher, an den Río Guadalete, sondern wesentlich weiter südöstlich, ins Tal des Río Barbate, nahe der (ausgetrockneten) Laguna de la Janda, bei Vejer de la Frontera. – Das maurische* Serez *oder* Xeret *hat Alfons X. 1255 vorübergehend, 1264 endgültig wiedererobert. Wie andere Grenzfestungen zum Königreich von Granada erhielt die im 13. und 14. Jh. von den Mauren mehrfach angegriffene Stadt im späteren 14. Jh. die zusätzliche Bezeichnung »de la Frontera« (an der Grenze).*

● Von den **Befestigungsmauern** der **Almohaden-Stadt** (2. Hälfte 12. Jh.) sind noch Teile erhalten. Der **Alcázar** in der SO-Ecke geht auf die Almoraviden (Ausgang 11./1. Hälfte 12. Jh.) zurück; wesentliche Teile – die **arabischen Bäder,** der oktogonale **Turm,** die **Capilla de las Conchas** – stammen aus der Almohaden-Zeit. Die kreisförmige **Capilla de Sta. María la Real** von 1264 steht an der Stelle einer Moschee, wie Reste des *Mihrab* und des Moscheehofs belegen.

Colegiata de S. Salvador (Plaza de la Encarnación)

1695 auf den Fundamenten der ehem. Hauptmoschee nach Plänen von Diego Moreno Meléndez begonnen, 1755–65 von Torcuato Cayón de la Vega spätbarock vollendet.

5schiffige Kirche mit auffällig zur Schau gestelltem Strebesystem und pompös gestufter Querschnittfassade.

Der *»Cristo de la Viga«* ist ein Kruzifixus des frühen 17. Jh. Die *»Virgen Niña dormida«* (Maria als schlafendes Kind), 17. Jh., wurde irrtümlich Zurbarán zugeschrieben.

Iglesia de S. Dionisio (Plaza de la Asunción). Der mudejare Bau aus der Mitte des 15. Jh. wurde im 18. Jh. barock umgestaltet. Vom 1. Bau sind u. a. Teile der *W-Fassade* und des N-Seitenportals sowie der ehem. Wachturm **Torre de la Atalaya** erhalten.

Iglesia de S. Marcos (Plaza de S. Marcos). Am Außenbau ist nur noch das S-Portal aus der Ursprungszeit, dem 15. Jh. Die W-Fassade datiert von 1613, der Glockenstuhl aus dem 18. Jh.

Am barocken *Hochaltar* schlecht restaurierte Bilder des 16. und 19. Jh.

Iglesia de Santiago (Plaza de Santiago). Umgestaltete und modern restaurierte Kirche aus dem späten 13. Jh. Die Fassade hat ein spätgot. *Portal* (Ende 15. Jh.) und ein barockes Turmgeschoß (1663–65). Der Glockenstuhl über der Apsis ist von 1760. Mudejare Capilla de la Paz, um 1430. Die Sakristei wurde im späten 16. Jh., der barocke Sagrario im 18. Jh. angebaut.

Iglesia de S. Miguel (Plaza de León XIII). 3schiffige Kirche mit Querschiff und 3-Apsiden-Chorschluß, um 1430 begonnen, gegen Mitte des 16. Jh. vollendet. Die barocke *Turmfassade* baute 1672–1701 Diego Moreno Meléndez aus Jerez. Auf der S-Seite ein spätgot. *Portal* im Isabellinischen Stil, um 1482. Die reich ornamentierten Sterngewölbe sind in der 1547 erbauten Capilla del Socorro besonders beachtlich; hier auch einige manieristische Figurenreliefs.

Den *Hochaltar* von 1617 hat Martínez Montañés entworfen; bis zur Mitte des 17. Jh. erhielt er Figuren und Reliefs von Montañés und dem Flamen José de Arce, der wohl auch den Kruzifixus *»Cristo de la Salud«* geschaffen hat.

Kartause Sta. María de la Defensión bei Jerez de la Frontera
Portalfassade

Antigua Casa del Cabildo (Plaza de la Asunción). Hinter der spätplateresken Portalfassade korinthischer Ordnung, 1575 von Andrés de Ribera, Martín de Oliva und Bartolomé Sánchez erbaut, befinden sich heute die **Bibliothek** und das **Archäologische Museum** der Stadt.

Die meisten *Grabungsfunde* stammen aus der nahen römischen Siedlung *Asta Regia.* U. a. hier auch ein *bronzezeitliches Idol* aus Lebrija (Sevilla) und ein *korinthischer Helm,* um 630 v. Chr.

Unter den **ehem. Adelshäusern** des 16.–18. Jh. mit nennenswerten Architekturresten sei hingewiesen auf die **Casa de Ponce León** (plateresker Erker 1537), die **Casa de Riquelme** (Renaissance-Portal, Mitte 16. Jh.), die **Casa de Dávila** (Barock-Portal, 18. Jh.) und die **Casa Domecq** (18. Jh.).

Umgebung

La Cartuja de Sta. María de la Defensión (ca. 5 km südöstl. von Jerez, an der Carretera nach Medina Sidonia)

Das Kartäuserkloster wurde 1463 von Alvaro Obertos de Valero y Morla, einem Edelmann genuesischer Abstammung, gegründet.

Von der spätgot. Anlage sind noch die **Kirche** (1476, 1schiffiger Raum mit sterngewölbter pentagonaler Apsis; barocke Fassade 1667), das **Refektorium** und die beiden im 16. Jh. vollendeten **Kreuzgänge** erhalten. Das monumentale *Klosterportal* errichtete 1571 Andrés de Ribera aus Jerez.

Der *Hochaltar* des 17. Jh., mit der Skulptur von »Nuestra Señora de la Defensión«, 1794, ersetzt den ursprünglichen, dessen Zurbarán-Bilder (1637) in Museen verwahrt sind. Von den *Skulpturen* des Flamen José de Arce blieben noch ein Kruzifixus und Apostel im Refektorium. Chorgestühl 1547; Gitter 1760. – Das Grab des 1482 gestorbenen Klostergründers trägt eine qualitätvolle Ritzgrabplatte.

LACALAHORRA (Granada H4)

Der Ortsname ist vermutl. von arab. kalat *(Festung) und* horr *(frei, außerhalb) abgeleitet.*

Castillo

Die Burg ist von Oktober 1500 bis Januar 1513 erbaut worden vom 1. Marqués del Cenete, Rodrigo de Vivar y Mendoza (†1522), erstgeborener Sohn des Großen Kardinals Pedro González de Mendoza. Planender und leitender Baumeister war Lorenzo Vázquez, der 1487–91 das Colegio de Sta. Cruz in Valladolid errichtet hatte. 1509 fiel Vázquez bei dem Marqués del Cenete in Ungnade, vermutlich wegen seines Widerstands gegen eine von dem Genuesen Michele Carlone geforderte und durchgesetzte Planerweiterung, und landete im Kerker. Carlone oblag der Innenbau; seine Planerweiterung bezog sich auf den westl. Rechteck-Vorbau für die Haupttreppe. Zahlreiche Dekorationselemente des Innenbaus waren in Genua gefertigt worden; nach 1510 arbeiteten italienische Bildhauer und Handwerker, meist aus der Lombardei, an Ort und Stelle.

Der Grundriß zeigt eine quadratische 4-Turm-Anlage mit Rechteck-Vorbau im W. Der Außenbau, mit geschlossenen Mauern, Wehrgängen, 4 Ecktürmen mit kuppelgedecktem Rücksprung, folgt mittelalterl. kastilischen Vorbildern.

Über dem einzigen, rundbogigen Eingangstor das Wappen der María de Fonseca, der (seit 1506) 2. Frau des Marqués del Cenete.

Die noch in der mittelalterl. Tradition errichtete Verteidigungsanlage umschließt einen Innenbau der italienischen Renaissance mit florentinischen und insbesondere lombardischen Stilelementen.

Die lateinischen Inschriften und die Wappenschilder des quadratischen 2geschossigen Patio, mit je 5 Rundbogenarkaden auf jeder Seite, beziehen sich auf die Verbindung der Familien des 1. Marqués del Cenete und seiner Frau María de Fonseca; in 2 Bogenzwickeln des oberen Geschosses das Fonseca-Wappen und die Inschrift »Uxoris Munus« (Geschenk der Gattin). Am monumentalen Eingangsportal zum »Salón de los Marqueses« stehen die Nischenfiguren von Abundantia, Fortuna (mit Augenbinde), Herkules und Apollo.

LEBRIJA (Sevilla C4)

Funde auf dem Areal und in der Umgebung der Bezirkshauptstadt weisen auf eine sehr frühe Besiedlung hin, so die 6 goldenen Kultleuchter aus dem 9./8. Jh. v. Chr. im Archäologischen Nationalmu-

seum von Madrid. Vom römischen Nebrissa *zeugen Büsten und zahlreiche andere Fundgegenstände, von den Westgoten Spolien an der Pfarrkirche Sta. María de la Oliva. Der unter den Mauren befestigte Ort wurde von Alfons X. wiedererobert. Ein berühmter Sohn der Stadt, aus der 2. Hälfte des 15. Jh., ist Antonio de Nebrija, der Verfasser der ersten Grammatik einer romanischen Sprache.*

Parroquia Sta. María de la Oliva. Der Umbau des 15. Jh. und Erweiterungen im 15., 16. und 18. Jh. bestimmen das Bild der in der 2. Hälfte des 13. Jh. erbauten Kirche. Von dem urspr. Bau sind noch die 4 westl. Joche der kuppelgewölbten Seitenschiffe, die 3 westl. Joche des Mittelschiffs sowie das W-Portal und das nördl. Seitenportal erhalten (dessen Sturz mit 2 flechtbandornamentierten Steinkreisen und einer Grabplatte aus Marmor, Spolien aus westgotischer Zeit). – Der **Kreuzgang** am Chorhaupt, 1474 begonnen, wurde im 16., 17. und 19. Jh. umgestaltet. – Der *Turm* im NW, 1756–78, steht in der Nachfolge der Giralda von Sevilla.

● Der *Hochaltar* von Miguel Cano (1629) geht vermutlich zurück auf einen Entwurf seines Sohnes Alonso Cano (1601–67), der die Retabelarchitektur und die »Virgen de la Oliva« (Abb. S. 240) in der Mittelnische sowie den Kruzifixus und die hll. Petrus und Paul an den Seiten geschaffen hat. Es handelt sich um ein Jugendwerk des herausragenden Meisters, zieht man in Betracht, daß er erst seit 1626 seine Ausbildung beendet hatte und selbständig war.

Iglesia de Sta. María de Jesús. Aus der Erbauungszeit in der 2. Hälfte des 16. Jh. und im frühen 17. Jh. sind der Chor, die Sakristei und das von einem Segmentgiebel überhöhte südl. Seitenportal der Kirche übriggeblieben. Das Schiff ist spätes 18. Jh.

Der *Hochaltar* stammt aus dem frühen 18. Jh., die Skulptur der »Sta. María de Jesús«, in der Mittelnische, gehört aber noch dem 17. Jh. an.

Die nach der ehem. Festung benannte **Iglesia de Sta. María del Castillo** ist eine mudejare 3schiffige Pfeilerkirche von 3 Jochen mit spitzen Hufeisenarkaden und quadratischer Apsis mit Seitenkapellen, aus dem 3. Viertel des 14. Jh.

Lebrija. Kirche Sta. María de la Oliva
Alonso Cano: »Virgen de la Oliva« (zu S. 239)

Iglesia del Convento de las Concepcionistas. Die Saalkirche des ehem. Nonnenklosters wurde in der 2. Hälfte des 16. Jh. erbaut. – Barocker Hochaltar, 1729–31.

Iglesia de S. Francisco. Um 1600 erbaut, im späten 17. Jh. erweitert. Die im frühen 17. Jh. an der N-Wand errichtete Capilla de S. Antonio weist eine bemerkenswerte Kassettendecke auf; ihre Reliefs zeigen das Wappen von Portugal und Heilige. – Der *Kruzifixus* des Hochaltars (Anfang 19. Jh.) stammt aus der Mitte des 16. Jh.

Capilla de la Vera Cruz. Die Kapelle des frühen 16. Jh. hat man im 2. Viertel des 18. Jh. umgestaltet. Moderne Artesonado-Decke im mudejaren Stil.

Capilla de Nuestra Señora de la Aurora. Barocke, 1717 vollendete Kapelle mit Artesonado-Decke aus der Erbauungszeit.
Capilla de Belén, Kapelle aus dem 1. Viertel des 18. Jh. Hochaltar Ende 18. Jh.

Von der ehem. Festung **(Castillo)** sind nur noch Reste der Außenmauer erhalten. Die urspr. römische Festung war in maurischer Zeit erweitert und nach der Rückeroberung umgebaut worden. – Die **Casa del Cabildo,** bei der Pfarrkirche Sta. María de la Oliva, wurde kurz vor 1600 erbaut. – Einige **alte Häuser** enthalten Bauteile des 17. und 18. Jh. – Das **Ayuntamiento** (Rathaus) an der Plaza Mayor ist von 1868.

LOJA (Granada F4)

Die Stadt (rd. 19500 Einwohner) hieß in römischer Zeit Laus Ilipula, *unter den Mauren* Lauza. *1486 wurde sie nach langer Belagerung wiedererobert. Ihre Burg diente dem »Gran Capitán« († 1515) als letzte Residenz, nachdem Ferdinand d. Kath., eifersüchtig auf den Ruhm des großen Feldherrn, ihm seine Gunst entzogen hatte.*

Die ältesten Teile der ruinierten **Burg** reichen in das 10. Jh. zurück; eine 3schiffige *Zisterne* mit Spitzbogenarkaden zeugt von baulichen Veränderungen nach der Wiedereroberung. – Besser erhalten sind Partien der arabischen **Stadtmauer** (14. Jh.) mit ihren weit auseinandergezogenen Rund- und Vierecktürmen.

Die Renaissance-**Kirche S. Gabriel** wurde 1552–68 vermutlich nach Plänen von Diego de Siloe († 1563) erbaut. Das Seitenportal mit den Nischenfiguren der »Verkündigung« ist 1566 bezeichnet.

In der 1568 vollendeten Capilla Mayor fallen die Skulpturen (Heiligenbüsten, Engel, Gottvater) der Kuppel auf. Das Schiff hatte eine mudejare Artesonado-Decke, die 1936 durch Brand zugrunde ging.

Nahebei steht ein **Denkmal für Ramón María de Narváez** (1800–68) aus Loja, der ab 1844 mehrmals spanischer Ministerpräsident war. Seine diktatorische Regierungsweise trug erheblich zum Ausbruch der Revolution von 1868 und so zum Sturz Isabellas II. bei.

Die **Kirche Sta. María de la Encarnación,** aus der 2. Hälfte des 18. Jh., bezieht Reste eines spätgot. Baues des frühen 16. Jh. ein.

LUCENA (Córdoba F3)

Die Bezirkshauptstadt ist berühmt für die Herstellung von Öllampen und riesigen irdenen Krügen zur Aufbewahrung von Wein, den Tinajas, die bis zu 500 l fassen.

Von der ehem. maurischen Festung, dem **Castillo del Moral,** sind noch 2 Türme erhalten; der oktogonale heißt **Prisión de Boabdil** (Gefängnis des B.).

Hier war Abu Abd Allah Mohammed XII. (»Boabdil« in der spanischen Verballhornung), letzter König von Granada (1482/83 und 1486–92), nach der Schlacht von Lucena im April 1483 von den Christen gefangengehalten worden. Es vergingen einige Monate, bis er laut Vertrag von Córdoba mittels Tributzahlungen wieder frei kam. (Boabdil hatte sich 1482 gegen seinen Vater Hassan empört, führte nach dessen Tod den Bürgerkrieg gegen seinen Oheim Mohammed fort und erleichterte dadurch den Kastiliern die Eroberung des größten Teils des Landes.)

Iglesia parroquial de S. Mateo (Plaza Nueva), 16.–18. Jh. Von besonderem Interesse ist die 1740 begonnene und 1772 geweihte Sakramentskapelle (El Sagrario), deren bewegter Barockstil churriguereske Elemente hat. Geschaffen hat sie ein Sohn Lucenas, der Baumeister, Maler und Dichter Leonardo Antonio de Castro (1656–1745). Die etwas harte Ausmalung der Kapelle geht auf eine Restaurierung 1856–57 zurück.

Von Leonardo A. de Castro stammen auch der Hochaltar des **Klosters S. Pedro Mártir** (1705–08), das Portal der **Kirche Inmaculada** (Mariä Unbefleckte Empfängnis; 1715) sowie die Innengestaltung der **Ermita de Araceli** (1722; 5 km südl. von Lucena).

MÁLAGA (Provinzhauptstadt F5)

Rd. 504000 Einwohner. – Das antike Malaca *geht sicherlich auf eine phönizische Gründung zurück; der Name kommt von phön. »mlkt« = (Stätte der) Arbeit (die Herleitung von griech. »maena«, einem Pökelfisch, beruht auf der Verwechslung mit der nahen, von Griechen gegründeten Stadt* Mainake, *die zusammen mit Tartessos von den Karthagern zerstört wurde). – Malaca geriet am Ende des 2. Punischen Krieges, 206, unter römische Herrschaft und wurde zum wichtigen Hafenplatz für den Handel mit Nordafrika. Seine Bedeutung während der römischen Kaiserzeit ist durch Münzen und die Bronzetafel mit der »Lex municipii Malacitani« aus d. J. 82–84 erwiesen; andere Funde und Inschriften bezeugen seine weiten Handelsverbindungen. – Das Christentum hatte früh Eingang gefunden; schon auf dem Konzil von Elvira, um 306, unterschrieb ein »episcopus Malacitanus«. Etwa 552–570 war Malaca unter byzantinischer Herrschaft und wurde dann von König Leowigild (568–586) dem westgotischen Reich eingegliedert.*

Während der maurischen Herrschaft seit 711 behielt Málaga seine Bedeutung als Handelsplatz, spielte jedoch darüber hinaus keine überragende Rolle. In arabischen Schriften des Kalifats von Córdoba wird die Stadt kaum erwähnt. Anfang des 11. Jh. war Málaga für kurze Zeit selbständiges Taifa-Reich, in der 2. Hälfte des 11. Jh. unter der Herrschaft der Ziriden von Granada und gehörte seit 1237 zum Königreich von Granada, bis zur Rückeroberung 1487.

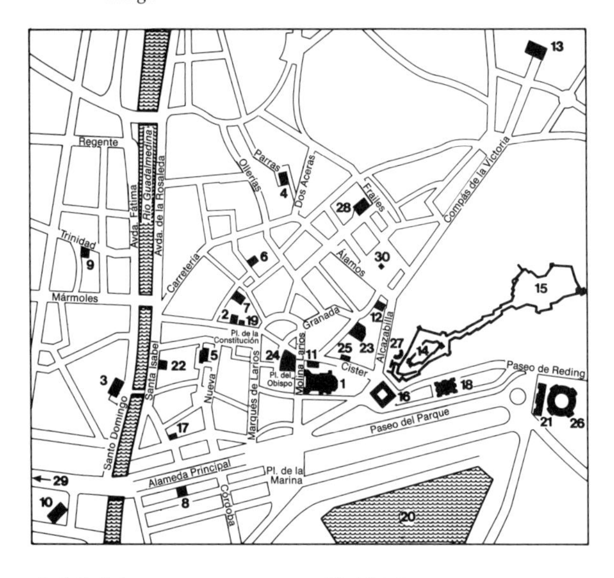

1 Kathedrale
2 Santo Cristo
3 Sto. Domingo
4 S. Felipe Neri
5 S. Juan Bautista
6 S. Julián mit Museo de la Agrupación de Cofradías malagueñas
7 Stos. Mártires
8 Nuestra Señora de Belén
9 S. Pablo
10 S. Pedro de los Percheles mit Museo de la Cofradía del Santísimo Cristo
11 Sagrario
12 Santiago
13 La Victoria
14 Alcazaba, Museo Arqueológico
15 Castillo de Gibralfaro
16 Aduana
17 Las Atarazanas
18 Ayuntamiento
19 Casa del Consulado
20 Hafen
21 Hospital Noble
22 Museo de Artes Populares
23 Pal. Buenavista, Museo Provincial de Bellas Artes
24 Palacio Episcopal mit Museo Diocesano de Arte Sacro
25 Pal. Gálvez
26 Plaza de Toros
27 Römisches Theater
28 Teatro Cervantes
29 Jardínes de la Aurora mit Picasso-Monument
30 Torrijos-Denkmal

Málaga. Lageplan

Zeiten großer wirtschaftlicher Blüte erlebte Málaga im 16. und 17. Jh., als die Hafenstadt vom Handel mit Amerika profitierte, sowie durch die Industrialisierung im späten 18. und im 19. Jh.

Römisches Theater (Calle de la Alcazabilla)

Der Bau wird an das Ende des 1. vorchr. Jh. datiert; Strabon erwähnt ihn.

Erhalten sind (restauriert) Sitzreihen, Teile der Orchestra und ein Eingangsbogen. Marmorverkleidungen und Säulen wurden z. T. für den Bau der maurischen Alcazaba wiederverwendet.

Bauten aus maurischer Zeit

Alcazaba ●

Die Baudaten der arabischen Geschichtsschreiber, 1057–63, müssen sich auf Wiederaufbau und Erweiterung unter Badis ibn Habbus, dem Taifa-König von Granada, beziehen, denn es gibt maurische Baureste aus der 1. Hälfte des 11. Jh. und des 9. Jh. und sogar Spuren eines römischen Palastes. Das von Badis verwendete 2farbige Mauerwerk aus Kalk- und Ziegelstein machte, bedingt durch die rasche Verwitterung des Kalksteins, unter den Nasriden im späten 13. und im 14. Jh. die Wiederherstellung der Anlage erforderlich. In den folgenden Jahrhunderten erlebte die Festung immer wieder bauliche Veränderungen, bis sie 1843 militärisch aufgegeben und zur Behausung der Ärmsten der Stadt wurde. Die umfassende Restaurierung seit den 1930er Jahren hat den urspr. Aspekt z. T. wiederhergestellt, indem spätere Bauten entfernt und andere im maurischen Stil neu errichtet wurden.

Die auf einem Hügel errichtete befestigte Palastanlage wird von einem inneren und einem äußeren, jeweils unregelmäßig verlaufenden Mauerring mit quadratischen Türmen umgeben. Der Eingang liegt im W und führt durch das **Haupttor** (Gewölbe noch aus der Kalifenzeit), die **Puerta de las Columnas** (Tor der Säulen; die Säulenschäfte sind Spolien vom römischen Theater, das übrige ist modern) und das Tor **Arco de Cristo** (erneuert im Stil der Kalifenzeit) in den Bereich zwischen äußerer und innerer Mauer mit der Plaza de Armas (Waffenhof; so genannt nach der Reconquista), der **Torre de la Vela** (Glockenturm, nach der Reconquista) und **römischen Mauerresten.** – In den inneren Mauerring und Palastbereich führt das von 2 Türmen flankierte, nach alten Stichen wiedererbaute Tor **Arcos de Granada.** – Die sog. **Cuartos de Granada** (Wohnräume von G.) entsprechen lagemäßig dem ehem. Palast der maurischen Herrscher, von dem 1933 nur noch minimale Reste vorhanden waren, so die Fundamente von 3 Innenhöfen aus der Nasridenzeit (13./14. Jh.) und eine 3bogige Eingangsarkade aus dem frühen 11. Jh. Die im Stil von Granada errichteten Bauten vermitteln daher, abgesehen von einigen Dekorationsresten, keinen Eindruck des urspr. Aspekts.

Von besonderem Interesse ist die ausgestellte *Keramik,* v. a. die sog. *Loza dorada* (vergoldete Keramik) mit goldenem und blauem Dekor auf weißer Glasur, die in Málaga im 12. – 14. Jh. hergestellt wurde und deren Export ein wesentlicher wirtschaftlicher Faktor war; ferner *Keramik aus Medina az-Zahra* (10. Jh.) mit braun konturiertem grünfarbigem Dekor auf weißem Grund sowie in Cuerdaseca-Technik (mit grauen Konturen), darunter ein aus einzelnen Scherben wiederhergestellter Krug mit Tierdarstellungen.

Zwischen dem ehem. Nasridenpalast des 13./14. Jh. und der Torre del Homenaje im O befinden sich die Ruinen eines **Wohnviertels** aus dem 11. Jh., vermutlich für die Dienerschaft. Es besteht aus 3 Häuserblöcken zwischen maximal 1,20 m breiten Gassen. Die sehr kleinen Häuser haben alle einen fast quadratischen Innenhof mit anliegenden Wohnräumen und Abort. Das Kanalisationssystem unter dem Boden führte die Abwässer außerhalb der Mauern. Einige Häuser haben noch hohe schmale Stufen, die zum Obergeschoß führten. Im NW die Reste eines sehr kleinen öffentlichen **Bades.** – Der Hauptturm des inneren Mauerrings, seit der Reconquista **Torre del Homenaje** (Bergfried) genannt, wurde über quadratischem Grundriß im 14. Jh. von den Nasriden wiedererbaut; der innere Kernturm stammt noch teilweise aus dem 11. Jh. – Weiter östlich, im äußeren Mauerring, liegt der Ausgang zu dem mit der Alcazaba durch einen von 2 Mauern begrenzten **Gang** verbundenen

Castillo de Gibralfaro. •

Der Name ist eine Verballhornung vom arab. »dschabal Faruk« (Berg des Leuchtturms), wie der arabische Geograph al-Idrisi den ca. 132 m hohen Berg im 12. Jh. nannte. Ob der Leuchtturm damals noch existierte und über seinen Ursprung ist nichts bekannt. Im 13. Jh. befand sich dort nach arabischer Überlieferung ein Ribat, eine befestigte Unterkunft und Gebetsstätte. Reste einer früheren Festungsanlage aus der Kalifenzeit, die im 11. Jh. als Gefängnis gedient haben soll, sind nicht überkommen.

Die jetzige Bausubstanz stammt, abgesehen von Restaurierungen (insbesondere anläßlich der 500-Jahr-Feiern 1992), aus dem 13. und 14. Jh.; es ist meist Bruchsteinmauerwerk, an Bögen und Gewölben mit Ziegelsteinen. Der urspr. Aspekt der Festung ist nicht überliefert; Stiche aus dem späten 16. Jh. zeigen eine noch größere Ausdehnung und den damals noch stehenden Hauptturm an der höchsten Stelle. Gut erhalten sind die **Torre Blanca** und die Verbindungsmauer dieses Außenturms. – Reste der **ehem. Moschee.**

Las Atarazanas (Calle Atarazanas)

Ein vermutlich unter den Nasriden im 14. Jh. für die Wartung der Flotte des Königreichs von Granada angelegter Komplex umfaßte sowohl eine Schiffswerft wie auch Magazin- und Verwaltungsbauten für militärische Zwecke.

Allein erhalten blieb der **Torbau** aus Marmor, heute Eingang zum Hauptmarkt (Mercado central). In den Zwickeln des von einem Alfiz überhöhten spitzen Hufeisenbogens sieht man Wappen und Wahlspruch der Nasriden z. Z. Mohammeds V. (1354–91).

Kirchliche Bauten

Kathedrale Nuestra Señora de la Encarnación •

Von 1528 bis zum Ende des 18. Jh. wurde an der Bischofskirche gebaut, z. T. auf dem Areal der maurischen Hauptmoschee. Über den entwerfenden Architekten gibt es nur Vermutungen; genannt werden u. a. Enrique Egas aus Toledo, Hernán Ruiz I. aus Córdoba und Pedro López, der bis 1541 die Arbeiten leitete, die damals jedoch über Fundamente nicht hinausgekommen sind. 1549 wurden

die Arbeiten nach neuen Plänen von Diego de Vergara, der 1528 mit Enrique Egas aus Toledo gekommen war, wieder aufgenommen. 1564 war der Chor (O-Chor) mit Umgang und Kapellen, 1587 das Querhaus (dessen Portale erst 1632) fertiggestellt. Der Coro im Langhaus entstand 1592–1662. Erst 1719 beschloß das Domkapitel die Fortsetzung des Baues unter der Leitung von José de Bada aus Granada, der, beginnend mit der W-Fassade, das Langhaus aufführte. 1756 übernahm Antonio Ramos, der Baumeister des Bischofspalasts, die Leitung.
1782 wurden die Arbeiten mangels ausreichender Finanzierung eingestellt; der S-Turm der W-Front blieb unvollendet, daher die volkstümliche Bezeichnung »La Manquita« (Die Einarmige) für die Kathedrale.

Der Grundriß der 3schiffigen Hallenkirche folgt, in reduzierter Form, dem der 1523 begonnenen Kathedrale von Granada; er zeigt ein Langhaus von 4 Jochen mit Seitenkapellen, nicht ausfluchtendem Querhaus, Chorjoch und polygonal geschlossenem Chorhaupt mit Umgang und Kapellen.
Eine Besonderheit sind die beiden Türme an jeder Querhausfassade. An der *W-Fassade* ist, wie am ganzen Bau, die Horizontale durch starke Gurtgesimse betont; korinthische Doppelsäulen vor Strebepfeilern und auf hohen Postamenten bilden die kräftigen vertikalen Achsenzäsuren, die allerdings in schwächlichen Sprenggiebeln enden. Die Fassade von 1719 sollte den Renaissance-Stil des 16. Jh. fortsetzen, wurde jedoch, auf Wunsch eines Teils des Domkapitels, durch barocke Elemente »belebt«, wie gedrehte Säulen, gesprengte Giebel und die Ornamentik im oberen Geschoß zeigen. Der Fassadenabschluß gelangte nur noch im Ansatz zur Ausführung.

Im Tympanon des *Mittelportals* eine »Verkündigung« von Antonio Ramos; die Reliefs der *Seitenportale* stellen die Schutzheiligen von Málaga, Cyriakus und Paula, dar.

Der monumentale Innenraum verdankt seine einheitliche Wirkung der Konsequenz, mit der die Baumeister des 18. Jh. am Plan des 16. Jh. festhielten. Im späteren Langhaus sind die kannelierten Pfeilerstützen und die Gesimse

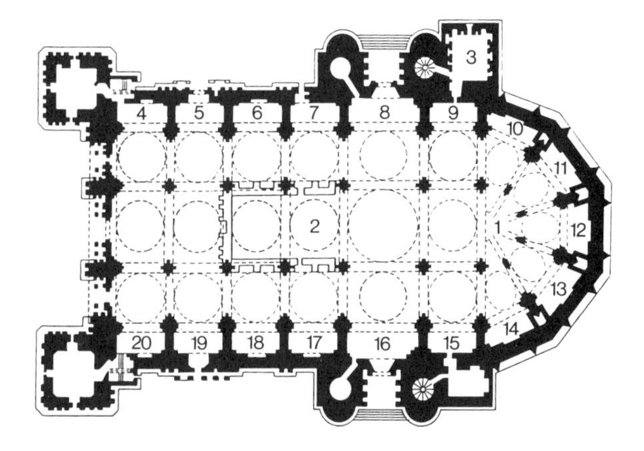

1 Capilla Mayor
2 Coro
3 Sacristía Mayor
4 Cap. Cristo de los Niños
5 Cap. Cristo de la Buena Muerte
6 Cap. S. Rafael
7 Cap. N. S. de las Angustias
8 Nördl. Querarm, Puerta de las Cadenas
9 Cap. S. Julián
10 Cap. Cristo del Amparo
11 Cap. Virgen del Pilar
12 Cap. de la Encarnación
13 Cap. Sta. Bárbara
14 Cap. S. Francisco
15 Cap. Virgen de los Reyes
16 Südl. Querarm, Puerta del Sol
17 Cap. de la Purísima Concepción
18 Cap. Virgen del Rosario
19 Cap. del Sagrado Corazón de Jesús
20 Capilla nueva (Cap. de la Victoria)

Málaga. Kathedrale. Grundriß

lediglich reicher profiliert, und die Gewölbe zeigen florale und figürliche Motive von minderer künstlerischer Qualität. Hier findet sich das Motiv des rundbogigen Drillingsfensters, wie an der Kathedrale von Granada, doch ist es überhöht von einer weiteren Rundbogenöffnung zwischen je einem Ochsenauge, ganz wie an der W-Front wiederholt.

Málaga. Kathedrale. Gewölbe

Die Ausstattung ist überaus reich; im einzelnen sind zu nennen: In der Mittelnische der Altarrückwand (Trascoro) des Coro, im 3. und 4. Mittelschiffjoch von W, eine florentinische Marmor-*Pietá,* um 1800. – Das *Chorgestühl* haben Luis Ortiz de Vargas aus Jerez (Provinz Cádiz), der vorher in Lima (Peru) und Sevilla gearbeitet und den Wettbewerb des Domkapitels gewonnen hatte, und der Italiener José Micael Alfaro 1632–47 begonnen; 1658–62 vollendete es Pedro de Mena, dessen 40 Hochreliefs stärkere Verinnerlichung und Beseelung ausdrücken. Zu seinen besten Arbeiten zählen die hll. Lukas und Sebastian auf der S-Seite, Ambrosius und Isidor auf der N-Seite. Man vergleiche damit u. a. den härteren

Gewandstil z. B. der Madonna am 1635 bezeugten Bischofsstuhl und den hl. Petrus von Ortiz de Vargas oder den hl. Paulus (N-Seite) von Micael Alfaro. – *Adlerpult* aus Bronze, 1681. *Orgelprospekte* 1780/81. – Im Altarraum (Capilla Mayor) Pfeilerfiguren und Reliefs um 1580 und ein Marmortabernakel, 1859/60, dessen klassizist. Stil auf einen früheren Entwurf zurückgeht.

Seitenkapellen, N-Seite (von W)
1. Capilla del Cristo de los Niños oder de S. Sebastián. Im modernen Altar eine Skulptur des *»Hl. Sebastian«*, 17. Jh. *Kruzifixus* von Pedro de Mena.
2. Capilla del Cristo de la Buena Muerte. Die weniger als 1 cm hohen Figuren des *hl. Paschalis Baylon* und *Ludwigs d. Hl.*, König von Frankreich, stammen vom urspr. Tabernakel der Capilla Mayor; es sind Werke von Pedro de Mena. *Kreuzigung* des 18. Jh.
3. Capilla de S. Rafael. Vom ehem. Altar (1764–68) des Fernando Ortiz ist nur noch der Giebel erhalten; die anderen Teile wurden im Bürgerkrieg zerstört und modern rekonstruiert.
4. Capilla de Nuestra Señora de las Angustias oder de S. José. *Triptychon,* 1579, von dem Piemontesen Cesare Arbasia. Unter den Gemälden eine bemerkenswerte *»Hl. Klara«* aus der kastilischen Schule des 16. Jh.
5. Nördl. Querarm (sog. *Puerta de las Cadenas*). Der *Altar* von 1782 enthält Bilder des Venezianers Jacopo Palma d. J. von 1590.
6. Capilla de S. Julián. Von den Gemälden des 16.–19. Jh. sind *»Maria erscheint dem hl. Julián«,* 17. Jh., von Cristóbal García y Salmerón und *»Das Gastmahl im Haus des Pharisäers«* (Luk. 7,36) von dem flämischen Rubens-Nachfolger Miguel Manrique (um 1603–47) besonders zu erwähnen.

In der Sakristei (Sacristía Mayor) u. a. *Gemälde* des 16.–18. Jh., meist aus den Schulen von Málaga und Sevilla. Eine manieristische *»Mater Dolorosa«* wird Luis de Morales (1500–86) zugeschrieben; der *»Hl. Thomas von Villanova«* ist eine Murillo-Kopie des 18. Jh.

Kapellen im Chorumgang (von N nach S)
1. Capilla del Cristo del Amparo (Christus als Beschützer). Der *»Cristo del Amparo«* ist ein Holzkruzifix des 17. Jh. *»Kreuzigung«* aus der kastilischen Malerschule des 16. Jh. *»Tod des hl. Johannes von Gott«* und *»Tod des hl. Franz Xaver«* von Juan Niño de Guevara, 2. Häfte 17. Jh.; ferner Kopien nach van Dyck, Rubens und Murillo, 17. Jh.

2. Capilla de la Virgen del Pilar. »Immaculata« von Juan Niño de Guevara.
3. Capilla de la Encarnación. In der Scheitelkapelle klassizist. *Marmoraltar* nach Entwurf von Ventura Rodríguez oder Juan de Villanueva, 1785 vollendet. *Grabdenkmäler* der Bischöfe Bernardo Manrique (†1564) und José Molina Lario (spätes 18. Jh.).
4. Capilla de Sta. Bárbara. Spätgot. *Retabel* aus dem frühen 16. Jh.; in den Figuren (Maria, Johannes Ev. unter dem Kreuz) äußert sich z.T. der Stilwille der Renaissance; Skulptur der hl. Barbara aus dem 18. Jh. – Die beiden Gemälde *Christi* und *Mariä Himmelfahrt* sind von Juan Niño de Guevara, 2. Hälfte 17. Jh. Szenen aus dem *Marienleben,* 18. Jh.
5. Capilla de S. Francisco. Das *Retabel* des 17. Jh. ist kastilisch. *Grabmäler* des späten 16. Jh. für Luis de Torres, Erzbischof von Salerno (W-Seite), und für dessen gleichnamigen Neffen, Erzbischof von Monreal; interessant ist die spätmanieristische Liegefigur (Bronze) des Bischofs von Salerno.
Seitenkapellen, S-Seite (von O)
1. Capilla de la Virgen de los Reyes. Die *»Enthauptung des hl. Paulus«* malte Enrique Simonet aus Málaga 1889. – An der O-Wand steht eine Replik des durch Brand verlorenen Retabels, das 1676 Pedro de Mena in Auftrag gegeben und von Juan Niño de Guevara entworfen worden war. In der Mitte auf barockem Sockel des 17. Jh. die *»Virgen de los Reyes«* von einem unbekannten kastilischen Meister aus der Mitte des 15. Jh.; angeblich wurde sie von den Kath. Königen bei der Reconquista mitgeführt; zu beiden Seiten die *Adoranten-Figuren* Isabellas und Ferdinands von Pedro de Mena.
2. Südl. Querarm (sog. *Puerta del Sol*). *Altarbilder* von Juan Niño de Guevara aus der 2. Hälfte des 17. Jh. (Hll. Michael, Antonius von Padua, Petrus).
3. Capilla de la Purísima Concepción (Unbefleckte Empfängnis). Das *Gemälde* dieses Themas im Hauptaltar von Mateo Cerezo d. J. (1635–85) ist offensichtlich beeinflußt von Murillo. *Kruzifixus* Sevillaner Provenienz, 18. Jh.
4. Capilla de la Virgen del Rosario. Großes Gemälde *»Maria mit Kind erscheint im Rosenkranz«* von Alonso Cano (1601–67). Unter den Skulpturen ein *»Hl. Paulus«* aus der kastilischen Schule des 16. Jh. und eine *»Hl. Klara«* der Schule von Málaga, 17. Jh.
5. Capilla del Sagrado Corazón de Jesús (Hl. Herz Jesu). Das *Retabel* des 16. Jh. kam aus der Kirche S. Pelayo von Becerril

de Campos (Prov. Palencia). Die Tafeln mit Szenen aus dem Leben und Martyrium eines mozarabischen Jungen, der 925 in Córdoba enthauptet wurde, sind stilistisch von dem Kastilier Pedro Berruguete beeinflußt. Die Skulptur *»Hl. Herz Jesu«* schuf 1940 Francisco Palma Burgos aus Málaga.
6. Capilla de la Victoria oder Capilla nueva. Moderner Altar im Desornamentado-Stil Herreras. Der Kruzifixus des späteren 17. Jh. wird Pedro de Menas Sohn Alonso zugeschrieben. Von Pedro selbst die Halbfigur einer *Schmerzensmutter.* Niederländische Gemälde des 17. Jh. zeigen die Allegorien der Gerechtigkeit und Barmherzigkeit.

Im **Tesoro** (Schatzkammer) der Kathedrale sei auf ein spätgot. *Pacificale* (um 1511) mit Marienhalbfigur und krönenden Engeln hingewiesen.

Im **Museum der Kathedrale** sind *Gemälde* des 16.–19. Jh. ausgestellt, darunter eine *»Pietà«* von Luis de Morales (1500–86) und ein signierter und 1630 datierter *»Hl. Paulus Eremita«* von José de Ribera.

Iglesia del Sagrario (neben der Kathedrale, N-Seite). Die 1schiffige Pfarrkirche wurde 1714 erbaut.

Aufmerksamkeit verdient der platereske *Hochaltar* mit Darstellungen aus der Vita der hll. Petrus und Paulus. Er stammt aus einem Kloster in Becerril de Campos (Prov. Palencia), ein unbekannter Meister in der Nachfolge des kastilischen Bildhauers Juan de Valmaseda hat ihn in der 2. Hälfte des 16. Jh. geschaffen.

In der Krypta Fundamentreste des ehem. **Minaretts.** Vom 1542 in der NO-Ecke des ehem. Moscheehofs errichteten **Vorgängerbau** der heutigen Kirche sind noch Mauerreste und ein 1542 bezeichnetes *Portal* erhalten. – Das *Portal zur Calle Sta. María* hin verbindet Elemente der Spätgotik und der Frührenaissance. Es wird mit der Puerta del Perdón in Zusammenhang gebracht, die der 1. Bischof von Málaga 1498 als Haupteingang zum Hof der dem christlichen Gottesdienst dienenden Moschee erbauen ließ. Stilistisch und heraldisch gehört es aber nicht d. J. 1498, sondern den 20er Jahren des 16. Jh. an; es ersetzt vermutlich ein älteres Portal.

In den Pfeilernischen unter fialenbekrönten Maßwerkbaldachinen Maria und der Engel der Verkündigung, Evangelisten, Kirchenväter; im Wimperg thront Christus über den Aposteln im Rundbogen; an den Seiten sieht man die Wappen Bischof César Rosarios (1519–40), im oberen Register Kardinal Pedro de Mendoza mit Jakobus d. Ä. und den Beichtvater Isabellas von Kastilien, Fray Hernando de Talavera, mit Engel; die hl. Jungfrau ist noch als Torso vorhanden.

Iglesia de Nuestra Señora de Belén (Bethlehem; Alameda Principal). Bemerkenswerte moderne Kirche von José María García de Paredes, 1965 vollendet. Im Innern *Skulpturen* des 17. und 18. Jh.

Iglesia de S. Felipe Neri (Calle Gaona). Die Kirche besteht aus 2 verschiedenen Baukörpern: Einem oktogonalen Zentralbau, 1720–30, wurden in der 2. Hälfte des 18. Jh. ein größerer über ovalem Grundriß und die 2-Turm-Fassade vorgelagert, dies nach Plänen der Kathedralbaumeister José de Bada und Antonio Ramos (mit Änderungen von Ventura Rodríguez).

Der klassizist. *Baldachinaltar* ist von José Martín de Aldehuela, 1795. – **Ehem. Klosterbauten** um 1750.

Iglesia de S. Juan Bautista (Calle S. Juan). 3schiffige Rechteckanlage mit Seitenkapellen zwischen den Strebepfeilern, im 18. Jh. an der Stelle einer von den Kath. Königen gegründeten Kirche errichtet. Von dieser ist die mudejare Artesonado-Decke unter den barocken Gewölben erhalten. Der *Portikus* 1763–83.

Iglesia de los Stos. Mártires (Calle de los Mártires). Der Bau von 1491 geht auf ein Gelöbnis der Kath. Könige, die Stadt nach der Wiedereroberung den hll. Cyriakus und Paula zu weihen, zurück. Nach Verfall wurde sie 1767–77 im Rokoko-Stil restauriert und erweitert, nach 1938 erneut restauriert.

Zur Ausstattung gehören eine Skulptur des *Hl. Karl Borromäus* aus dem 17. Jh. und einige Gemälde des 18. Jh.

Iglesia de S. Pablo (Calle de S. Pablo). Neugot. 3schiffige Kirche, 1874–91 an der Stelle eines Vorgängerbaus von 1645 errichtet.

Iglesia de Santiago (Calle de Granada). 1490 von den Kath. Königen gegründet, in den folgenden Jahren an der Stelle einer ehem. Moschee als 3schiffige Anlage mit polygonalem Chorschluß errichtet und im 18. Jh. barock umgebaut. Von der urspr. mudejaren Kirche blieben der *Turm* mit Sebka-Dekor und das ehem. *Portal* mit lazo-ornamentierten glasierten Keramikfliesen in den Zwickeln des Eselsrückens. – Hochaltar 18. Jh.

Iglesia del Santo Cristo (Calle de la Compañía, nahe Plaza de la Constitución). Ehem. Kirche des Jesuitenkollegs, ein 1598–1624 errichteter Zentralbau.

Die *Kuppelmalereien* von 1639–43 stellen Märtyrer und Märtyrerinnen dar. In der SW-Kapelle das Grabmal des Bildhauers Pedro de Mena y Medrano († 1688).

Iglesia de Sto. Domingo (Calle de Sto. Domingo). 3schiffige Klosterkirche aus dem 16. Jh., um 1700 barock umgebaut, 1931 teilweise zerstört.

Iglesia de S. Julián (Calle de S. Julián). 1683–99 errichtete Saalkirche. Ein *Gemäldezyklus* von Juan Niño de Guevara, 1690–98, zeigt Szenen aus der Vita des Kirchenheiligen.

Iglesia de la Victoria (Compás de la Victoria)

Die Gründung der Kirche geht auf eine Madonnenstatue zurück, die Kaiser Maximilian I. den Kath. Königen geschenkt haben soll und die diese während der Belagerung von Málaga mit sich führten. Nach der Einnahme der Stadt am 18. August 1487 wurde für die »Madonna des Sieges« auf dem Lagerplatz eine kleine Kapelle errichtet. 1492 erhielten Mönche des 1454 von Franz von Paula gegründeten Paulanerordens die Erlaubnis zur 1. Klostergründung dieses Ordens in Spanien, an der Stelle der Kapelle. Die neue Kirche wurde 1518 geweiht, der Klosterbau (seit 1836 Militärhospital) war 1606 fertiggestellt. Anstelle dieser Kirche wurde 1693–1700 auf Kosten des Grafen von Buenavista der heutige Bau errichtet.

Die barocke Klosterkirche über dem Grundriß eines lateinischen Kreuzes ist eine 3schiffige Anlage mit Seitenkapellen. Von besonderem Interesse ist der *Camarín-Turm* im O, in dem übereinander Krypta, Sakristei und Camarín durch eine Wendeltreppe miteinander verbunden sind. ●

In der quadratischen Krypta zeigen Todes- und Vanitas-Symbolik in weißem *Stuckdekor* auf schwarzem Grund ihre Bestimmung zur Familiengruft der Grafen von Buenavista an. Über der ebenfalls quadratischen Sakristei hat der oktogonale Camarín eine üppige spätbarocke *Stuckdekoration* (Keramiksockel mit Fliesen von 1971); in der Kuppel (Verglasung der Tambourfenster 1971) sind die vegetabilischen Motive um Figuren bereichert. Hier befindet sich die *»Virgen de la Victoria«*, die vermutlich eine im 17. Jh. gearbeitete Kopie einer niederländisch-burgundischen Sitzmadonna des späten 15. Jh. ist. – Hochaltar 1661. Am Altar »Cristo de la Victoria« eine *»Mater Dolorosa«* von Pedro de Mena (1628–88) und ein moderner *Kruzifixus*. Die übrige Ausstattung stammt meist aus dem 18. und 20. Jh.

Iglesia de S. Pedro de los Percheles (nahe Callejón del Perchel), 1. Hälfte 17. Jh., die 6eckige Kapelle an der N-Seite um 1720. Nach Zerstörungen 1931 und 1936 wurde die Kirche in den 40er Jahren des 20. Jh. umgestaltet.

Profanbauten

Palacio Episcopal (Plaza del Obispo). Den Bischofspalast bildet ein Gebäudekomplex zwischen den Straßen Salinas, Fresca, Sta. María, Molina Lario und der Plaza del Obispo. Vom Palast des Bischofs Manrique (1541–64) ist die 2-Turm-Fassade zur Calle de Sta. María hin z. T. erhalten. Den spätbarocken Palast (**Museo Diocesano de Arte Sacro,** s. d.) hat 1756–76 Antonio Ramos erbaut; 1931 wurde er schwer beschädigt. Besonders gelungen ist die *Fassade zur Plaza del Obispo* hin, eine barocke Version der Spätrenaissance-Architektur der Chancillería von Granada.

Der **Palacio de los Condes de Buenavista** (Calle de S. Agustín) ist ein um 1520 im frührenaissancistisch-mudejaren Stil erbauter Palast mit Mirador-Turm. Ein weiterer, kleiner Turm stammt z. T. von einem maurischen Vorgänger-Palast. Der Hauptpatio ist im Stil der italienischen Frührenaissance gehalten, der kleinere Hof mudejar. Seit 1961 ist das Gebäude Sitz des →**Museo Provincial de Bellas Artes.** – Gute *Barockarchitektur* bieten u. a. der **Palacio de los Gálvez** (Calle del Cister, bei der Calle de S. Agustín) aus dem späten 17./frühen 18. Jh., mit Portal aus der Mitte des 18. Jh., und die **Casa del Consulado** (Plaza de la Constitución), 18. Jh., deren frühklassizist. *Marmorportal* 1776 José Martín de Aldehuela entworfen hat; die **Aduana,** das Zollhaus (Plaza de la Aduana), ein klassizist. Bau, entstand 1791–1810 und 1826–29 nach Plänen von Manuel Martín Rodríguez (1746–1823). (Vor der Aduana die neomudejare **Casa del Jardinero,** 1916.) – Von den zahlreichen *historistischen Bauten* verdienen das **Teatro Cervantes** (1870) und die **Plaza de Toros** (begonnen 1874) Beachtung, aus dem *frühen 20. Jh.* das **Ayuntamiento** (Rathaus) sowie die Bauten der Plaza de la Marina.

Am 1588 begonnenen und nach 1717 erweiterten **Hafen** sind die heutigen Gebäude meist ebenfalls historistisch.

Auf der Plaza de la Merced erinnert ein 1842 von Rafael Mitjana geschaffenes **Denkmal** an den Freiheitskämpfer **José María Torrijos** und seine 49 Kameraden, die 1831 erschossen wurden. – Hier steht auch das **Geburtshaus Picassos.**

Die 1783 angelegte Alameda wurde Ende des 19. Jh. östl. der Plaza de la Marina (mit der *Statue* des populären *Verkäufers von Chanquetes,* kleinen Fischen der lokalen Küste, von Jaime Francisco Pimentel) durch den Paseo del Parque mit seinen **Parkanlagen** erweitert bis zum **Hospital Noble** (1867). In den Gärten finden sich üppige, oft exotische Vegetation, Teiche, Brunnen und Statuen, darunter ein Renaissance-Brunnen, die *»Fuente de Génova«* im **»Jardín de la Cascada«.** In den **»Jardínes de la Aurora«,** mit vermutlich der interessantesten Flora, steht eine Picasso gewidmete abstrakte *Bronzeskulptur* von Miguel Berrocal (1977).

Museen

Museo Arqueológico (Alcazaba)

Die Sammlung des Archäologischen Museums bietet alt- und jungsteinzeitliche Funde aus der *Cueva de la Pileta* bei Ronda, Grabbeigaben aus der *Cueva de la Mina* bei Málaga, iberische Keramik, römische Statuen und Büsten. Eine Besonderheit ist ein *westgotischer Ziegel* mit dem Christogramm zwischen Taube und Zweig, 5./6. Jh. *Mozarabische Grabinschriften* des 10. und 11. Jh. und *maurische Dekorationsfragmente* des 9.–11. Jh., z. T. aus der Alcazaba. – In Málaga hergestellte *Keramikvasen,* 14.–18. Jh.

Museo de Artes Populares (»Mesón de la Victoria«, Pasillo de Sta. Isabel 10, nahe dem Mercado central)

Im Museum für Volkskunst, in einem Gebäude von 1632, einst Herberge der Paulanermönche der Virgen de la Victoria, ist u. a. eine gute Sammlung volkstümlicher Bildwerke aus Ton zu sehen.

● **Museo Provincial de Bellas Artes** (Calle de S. Agustín 8)

Zum Gebäude – seit 1961 der Palacio de los Condes de Buenavista – s. S. 256. – Innerhalb der bedeutenden Skulpturen-Sammlung des 13.–20. Jh. sind besonders zu erwähnen:

Mittelalter: Got. *Kruzifixus* (mit Krone) und *Sitzmadonna* (Kind mit Krone) aus der 1. Hälfte des 13. Jh.; *Sitzmadonna* aus der 2. Hälfte des 13. Jh.; französisches *Elfenbeindiptychon* des 14. Jh. (»Fußwaschung« und »Christus vor Pilatus«); *Maria* einer Kreuzigungsgruppe (die Mantelschürze mit betonten Faltenschüsseln), 1. Hälfte des 14. Jh. Spätgot. *Maria* einer Kreuzigungsgruppe, 1. Hälfte des 15. Jh.; niederländische *Hl. Margarete,* 2. Hälfte des 15. Jh.; *Sitzmadonna* (Arme des Kindes fehlen), Mitte des 15. Jh.

Renaissance: *Hl. Margarete* (mit Drachen), Mitte des 16. Jh.; platereske *Reliefs mit Petrus und Paulus,* 2. Hälfte des 16. Jh.; *Kruzifixus* (Höhe 27 cm), 2. Drittel des 16. Jh.; lebensgroßer *Kruzifixus,* kastilisch, spätes 16. Jh.

Barock: *Die Jungfrau erscheint dem hl. Antonius von Padua,* 1675/1676, von Pedro de Mena; *Immaculata* und *Kopf des hl. Johannes von Gott* von Fernando Ortiz, Mitte des 18. Jh.

19./20. Jh.: *Die 3 Marien* von Antonio Casasola Escribano (1873–1903) im »romantischen« Stil des späten 19. Jh.; *Bildnisbüste des Malers José Moreno Carbonero,* 1902, von Mariano Benlliure Gil (1862–1947); realistische *Bildnisbüste Picassos,* 1960–68, von José María Palma Burgos (* 1928).

Bei den Gemälden liegt der Schwerpunkt auf der sog. Schule von Málaga des späten 19. und des 20. Jh.

Der *Manierismus* ist v. a. durch den »göttlichen« Luis de Morales (1500–86) vertreten, die *barocke Malerschule von Sevilla* durch ihre Hauptmeister Francisco de Zurbarán (1598–1664) und Bartolomé Esteban Murillo († 1682), deren Umkreis und Nachfolge, die *barocke Malerei Málagas* durch Juan Niño de Guevara (1632–98) und seine Schule, *andere andalusische Schulen* durch Alonso Cano (1601–67; Granada) und Antonio del Castillo (1616–68; Córdoba), dessen plastische Hell-Dunkel-Malerei den Einfluß von Zurbarán und José de Ribera (1591–1652) zeigt. – Auch die *nieder-*

ländische (Rubens-Umkreis) und die *italienische Malerei des Barock* sind vertreten. – Innerhalb der *spanischen Malerei des 19. Jh.* sei auf die Landschaften des hispanisierten Belgiers Carlos de Haes (1829–98) und die Porträts von Antonio María Esquivel (1806–57) hingewiesen, unter den Arbeiten der *Schule von Málaga* auf die Porträts, Landschaften, historischen und religiösen Darstellungen von José Moreno Carbonero (1860–1942), die dramatisch-realistische *»Anatomie«* (1890) von Enrique Simonet y Lombardo (1863–1927), die folkloristische Szene *»Nach dem Stierkampf«* von José Denis Belgrano (1844–1917).
Ein Saal ist dem aus Valencia stammenden *Antonio Muñoz Degrain* (1841–1924) gewidmet, der Picasso als Kind, bis zu dessen Wegzug von Málaga nach La Coruña im April 1891, unterrichtet hat. Unter seinen Arbeiten sind die großformatigen impressionistischen Landschaften beachtenswert. Sein Einfluß bleibt noch spürbar in den frühesten Bildern von *Pablo Ruiz Picasso* (1881–1973), so den »Zwei Alten«, 1891, und dem »Mann mit Decke«, 1895, den Picasso seinem (damals schon ehemaligen) Lehrer gewidmet hat. ●
Umfangreich ist die Sammlung von Goldschmiedekunst mit besonders qualitätvollen Objekten wie einem *spätgot. Prozessionskreuz* vom Ende des 15. Jh. und einem *plateresken Prozessionskreuz* mit Evangelisten und Aposteln aus dem frühen 16. Jh.

Museo Diocesano de Arte Sacro (Palacio Episcopal; Plaza del Obispo)
Das Diözesanmuseum für Kirchliche Kunst wurde 1975 eingerichtet. Zum Gebäude *→ S. 256.*
Im Treppenhaus *»Kreuzigung des hl. Petrus«*, *»Wunder des hl. Petrus«* und *»Befreiung Petri aus dem Gefängnis«* von Diego de la Cerda (1675–1745) aus Málaga.
Im Großen Saal u. a. *»Mariä Himmelfahrt«* des Valencianers Jerónimo Jacinto de Espinosa (1600–80); *»Christus am Kreuz«* von Juan Niño de Guevara, dem bedeutendsten Barockmaler der Schule von Málaga; *»Tod des hl. Franz von Assisi«* von Francisco Rizzi (Francesco Ricci; 1614–85) aus der Madrider Malerschule unter Einfluß von Velázquez; *»Haupt Johannis d. T.«* von dem Blumen- und Stillebenmaler des Madrider Barock Juan de Arellano (1614–76).
Sala de Arte clásico. *»La Madonna del Saco«* von Perugino (um 1445–1523), dem Lehrer Raffaels; *»Die hll. Kosmas und Damian«* (Damian setzt einem Kranken das gesunde Bein eines Mohren an) von Fernando López, 1. Hälfte 16. Jh.

Sala de la Inmaculada. Skulptur *»Immaculata«*, 18. Jh., Schule von Granada. – Unter den Gemälden besonders beachtenswert: *»Hl. Agatha«* des Genuesers Luca Cambiaso (1527–85), *»Venerable Abad Joaquín«* des Madrider Barockmalers Alonso del Arco (1625–1704), *»Miguel de Mañara«* von Juan de Valdés Leal, dem Hauptmeister des Sevillaner Barock neben Murillo und Zurbarán (vgl. Sevilla, Hospital de la Caridad und Museo de Bellas Artes) sowie von der Schule von Málaga des 19. Jh. *»Immaculata«* (Kopie nach Murillo) von Pedro Sáenz (1863–1927) und *»Hl. Rosalia«* von José María Murillo Bracho (1827–82).
In der Sala de Picasso *»Die Letzte Ölung«* von Pablo Picasso (1881–1973), vermutlich aus der Zeit seines 1. Aufenthalts in Barcelona, 1895–97.
Im Innenhof *Mosaiken* Sevillaner Provenienz, 18. Jh.

Museo de la Agrupación de Cofradías malagueñas (Calle de S. Julián; in der ehem. Hospitalkirche S. Julián)
In dem hier eingerichteten **Museum der Karwoche** werden Prozessionsfiguren und andere Gegenstände der Bruderschaften von Málaga gezeigt.

Museo de la Cofradía del Santísimo Cristo de la Expiración (nahe Callejón de Perchel; in den nordwestl. Kapellen der Kirche S. Pedro de los Percheles)
Prozessionsfigur *»Cristo de la Expiración«* der gleichnamigen Karwochen-Bruderschaft 1939 von Mariano Benlliure Gil (1862–1947).

Fundación Pablo Ruiz Picasso im **Geburtshaus Picassos** (Plaza de la Merced 15)
Dokumentationszentrum für den hier am 25. Oktober 1881 geborenen und bis 1891 hier lebenden Sohn des Malers und Akademieprofessors José Ruiz Blasco und seiner Frau María Picasso López.

MARBELLA (Málaga E5)

Als Zentrum des »gehobenen« Tourismus hat Marbella in den 1960er und 1970er Jahren einen geradezu gigantischen Aufschwung genommen. Zwischen den Flüssen Río Verde und Guadaliza, 5 km westl. vom Zentrum Marbellas, zu beiden Seiten der Málaga mit Cádiz verbindenden N 340, entstand 1966 die neue Stadt **»Nueva Andalucía«** (Neu-Andalusien), mit dem von José Banús geschaffenen Hafen

»Puerto Banús«, der 1970 eingeweiht wurde und sich zu einer touristischen Attraktion ersten Ranges entwickelt hat.

Marbella soll aus dem – von Plinius erwähnten – römischen Municipium Salduba *(Salzstadt) an der Via Augusta, die Rom mit Tartessos verbunden hat, entstanden sein. Vermutlich lag das antike Salduba an der Mündung des Río Verde, nach dem das heutige Wohngebiet »Río Verde« benannt ist. Dort befanden sich früher Salinen. Die volkstümliche Erklärung des heutigen Namens »Schönes Meer«, wonach Isabella von Kastilien angesichts der Bucht »Que mar tan bella« (Wie schön das Meer ist!) ausgerufen haben soll, gehört in das Reich der Fabel. Die Königin war nie dort; der Ort hieß bereits vor 711 und in maurischer Zeit* Marbellí, *vielleicht als Derivat von Maharballa, das ein Offizier Hannibals namens Maharbal gegründet hat. Unter den Mauren gehörte Marbella zuletzt zum Königreich Granada; wiedererobert wurde es am 11. Juni 1485.*

Die Kernstadt Marbella gliedert sich in zwei deutlich von der Hauptverkehrsstraße (Avenida Ramón y Cajal – Avenida Ricardo Soriano) getrennte Teile, die Altstadt im N und die moderne Stadt im S zum Meer hin, deren hohe Bauten bis zum großzügigen Paseo Maritimo und den Stränden Playa del Fuerte und Playa de la Fontinilla reichen.

Die **Altstadt,** mit unregelmäßig verlaufenden Straßen, reizvollen Plätzen und weißen Häusern mit schmiedeeisern vergitterten und blumengeschmückten Fenstern, hat ihren andalusischen Charakter zum großen Teil bewahrt. – Mittelpunkt ist die Plaza de los Naranjos (Platz der Apfelsinenbäume) mit der Denkmalbüste Juan Carlos' I. (1983). Den von 4 (leider kopflosen) Putti bekrönten oktogonalen **Brunnen** auf der kleinen Plaza Nueva im SO ließ 1504 der erste christliche Bürgermeister der Stadt, Pedro de Villandrado, Graf von Ribadeo, erbauen. Die **Casa del Corregidor** (Haus des Landvogts), im N, ist ein Bau der Mitte des 16. Jh.

Das Rathaus **(Ayuntamiento)** auf der W-Seite wurde 1552 fertiggestellt, 1632 und 1779 erweitert (so auf den beiden von Wappen überhöhten Gedenksteinen in der Mauer).

Eine weitere Gedenktafel bezieht sich auf die Rückeroberung am 11. Juni 1485.

In der 1. Etage *Wandmalereien* von 1572. Dargestellt sind die Wappen Marbellas (Burg auf Wasserwellen) und der Kath. Könige, der Gekreuzigte mit Ferdinand und Isabella, Gottvater, die Sevillaner Schutzheiligen Justina und Rufina. Der Sitzungssaal (Salón de Sesiones) hat eine mudejare *Artesonado-Decke* des 17. Jh.; in der mittleren Vitrine liegt die von den Kath. Königen der Stadt verliehene *Standarte*, die jedes Jahr am 11. Juni die feierliche Prozession zum historischen Ort begleitet, wo 1485 der maurische Statthalter Mohammed Abu Neza Ferdinand d. Kath. die Schlüssel der Stadt übergab.

Dort steht, in der alten Calle de Málaga, eine 1955 wiedererbaute **Kapelle** mit der »Cruz del Humilladero« (Kreuz der kleinen Kapelle).

Von der maurischen, nach der Rückeroberung instand gesetzten Festung **(Alcázar)** sind einige Teile überkommen. Die meisten Überreste der **Mauer** befinden sich in der Calle de la Trinidad; dort auch der gut erhaltene **ehem. Hauptturm.** Den völlig verschwundenen westl. Mauerteil nehmen heute die Straßen Virgen de los Dolores und Ortiz de Molinillo ein. Einige **Wachtürme** stehen noch in der Calle del Carmen. Der Waffenhof nahe der Plaza de S. Bernabé diente bis 1872 als Friedhof; von hier aus gelangt man über Treppen zum Hauptturm.

Von Klöstern des 16. Jh. sind nur Reste erhalten, so die auf mehrere Häuser verteilten Überreste des **ehem. Hospital de Bazán** (Plaza de la Iglesia/Calle de la Trinidad); dort befand sich auch das völlig verschwundene Kloster Santísima Trinidad (Hl. Dreifaltigkeit). – Die barocke **Pfarrkirche Nuestra Señora de la Encarnación** auf der Plaza de la Iglesia, an der Stelle einer Vorgängerkirche des 16. Jh., wurde zwar schon 1712 begonnen, aber nach Bauunterbrechung erst in der 2. Hälfte des 18. Jh. fertig. Beachtenswert ist v.a. der 4geschossige Turm mit hohen Schallarkaden und keramikverkleidetem Pyramidendach.

Umgebung

San Pedro de Alcántara (Stadtverwaltung Marbella)

Der Ort ist vom Touristenboom der Costa del Sol geprägt, hat jedoch sein typisch andalusisches Erscheinungsbild bewahrt.

1868–74 gegründet von General Gutiérrez de la Concha, 1. Marqués del Duero (1808–74), auf einem von der Krone geschenkten Areal, blühte San Pedro durch die Verarbeitung des Zuckerrohrs der Gegend rasch auf.

Das Gebäude der **ehem. Zuckerraffinerie** ist z. T. noch erhalten. Die nach dem Gründer benannte Hauptstraße führt zur Plaza de la Iglesia mit der historistischen **Pfarrkirche** im spanischen Kolonialstil, 1860–66.

● Zur Ausgrabungsstätte der **westgotischen Basilika** von **Vega del Mar** führt von der N 340 bei km 177 ein gut ausgeschilderter, etwa 200 m langer Weg. In unmittelbarer Strandnähe, auf dem Gebiet des Ferienzentrums **Lindavista,** liegt die Basilika neben einem Ruinenfeld, das dem antiken Municipium Silniana zugeschrieben wird (s. u.). Ihr Erhaltungszustand läßt die einstige Gliederung gut erkennen: Ein rechteckiger Grundbau umfaßt den 3schiffigen Kirchenraum und seine Pfeilerstellung sowie einen auf der N-Seite (zum Meer hin) angegliederten 2geteilten Raum, über den die Kirche zugänglich ist. Die halbkreisförmige und mit 2 Stufen erhöhte O-Apsis tritt aus der Umfassungsmauer heraus, während auf der W-Seite eine Rundapsis in das Rechteck des Baues eingezogen ist und Platz für 2 kleine Nebenräume ausgrenzt. Im nördl. Nebenraum dienten eine gut erhaltene kreuzförmige Piscina und ein kleines gesondertes Becken der Erwachsenen- bzw. Kindertaufe. An der S-Seite des Kirchenraums schließt sich eine **Nekropole** mit etwa 150 Gräbern an. Die Kirche gehört noch dem späten 5. Jh. an; die Gesamtanlage, die vermutlich im Zusammenhang mit der maurischen Besetzung nach 711 zerstört wurde, dürfte im späten 5. bzw. 6. Jh. entstanden sein. Der Bau zählt, wie die in der Grundrißdisposition vergleichbare Kirche von Alcaracejos (s. d.), zum Typus von Basiliken mit gegenständigen Apsiden, der vermutlich nordafrikanischen Ursprungs ist.

Westl. der Ausgrabungsstätte, auf dem Gebiet der Urbanización **Guadalmina,** soll sich das römische Municipium **Silniana** befunden haben, das im 2. Jahr der Regierung der Kaiser Valens und Valentinian, 365, durch ein Meerbeben zerstört wurde. Die sog. **Torre de las Bóvedas,** nahe der Kaserne der Guardia Civil, war vermutlich das Endreservoir eines Aquädukts.

● In der **Villa romana** (römische Villa) **de Río Verde,** im Wohngebiet **Río Verde,** sind Säulenbasen und qualitätvolle geometrische und figürliche *Fußbodenmosaiken* (Haupt der Medusa, Meeresmotive) erhalten, die in das Ende des 2. Jh. datiert werden können. Besonders interessant und in Spanien einzigartig ist die Darstellung römischer Küchengeräte auf der S-Seite des Peristyls.

MARCHENA (Sevilla D4)

Funde aus der Bronzezeit bezeugen eine frühe Besiedlung. Der interessante Ort (21000 Einwohner) bewahrt zahlreiche Zeugnisse aus seiner maurischen Vergangenheit.

Iglesia de S. Juan Bautista. Die hinter der Plaza Mayor gelegene 5schiffige Kirche des hl. Johannes d. T. vom Ende des 15./Anfang des 16. Jh. zeigt mudejare und spätgot. Stilelemente.

Von großem Interesse sind insbesondere 2 spätgot. Altäre aus dem ● frühen 16. Jh.: der *Hochaltar* mit 14 Tafelbildern aus der Vita Christi und Johannis d. T. von dem »deutschen« Maler Alejo Fernández und der *nördl. Seitenaltar* mit dem Abendmahl und Heiligenfiguren in den von Maßwerkbaldachinen mit Fialen und Eselsrücken überhöhten Nischen. – Der südl. Seitenaltar entstand um 1770. – Gestühl im Langhauschor 1715–17; ebenfalls aus dem frühen 18. Jh. stammt das Chorgitter. – In der Sakristei ein Gemälde der *Hl. Sippe,* um 1590; die Skulptur der Immaculata ist 1759 bezeichnet.

Museo Parroquial (Calle Cristóbal de Morales). In dem kleinen Museum der Kirche sind 3 *Gemälde* von Francisco de Zurbarán zu sehen (»Hl. Jakobus«, »Kreuzigung« und »Immaculata«). Von dem Silberschmied Francisco de Alfaro stammen die große, 1586 bezeichnete *Monstranz* und weitere zwischen 1580 und 1607 gearbeitete liturgische Gegenstände.

Iglesia de S. Miguel. Die ursprünglich mudejare Ziegelstein-Kirche, eine 3schiffige Anlage von 3 Jochen, wurde im 18. Jh. umgebaut; der Turm und die Portale sind klassizistisch. 1964 restauriert. Im Innern ruhen die Spitzbogenarkaden auf kreuzförmigen Pfeilern.

Rokoko-*Hochaltar* aus der 2. Hälfte des 18. Jh. Skulptur des *Hl. Michael* von Pedro Roldán, 1657.

Iglesia de S. Agustín. Die ehem. Klosterkirche, eine rechteckige Querhausanlage von 5 Jochen, wurde in der 2. Hälfte des 18. Jh. im Übergangsstil vom Barock zum Klassizismus erbaut. Die *W-Fassade* mit sich in 3 Arkaden öffnender Vorhalle zeigt Rückgriffe auf Madrider Bauten aus dem früheren 17. Jh.

Die *Madonna* des barocken Altars im nördl. Querhaus ist eine gute Arbeit des späten 16. Jh.

Iglesia de S. Sebastián. 3schiffige, an der Stelle eines Vorgängerbaus errichtete Kirche, 1778 geweiht. Das Eingangsportal auf der N-Seite ist 1823 bezeichnet. Von besonderem Interesse ist die 1758–62 von Ambrosio de Figueroa erbaute Sakramentskapelle (Capilla del Sagrario) mit oktogonaler, von einer Laterne bekrönter Kuppel.

Iglesia de Sta. María la Mota. Die aus dem 14. Jh. stammende 3schiffige Kirche neben der Plaza Mayor wurde im 17. und im 18. Jh. umgebaut. Das W-Portal ist noch vom Bau des 14. Jh. Die Holzempore an der inneren W-Wand war früher mit dem nicht mehr bestehenden Palast der Herzöge von Arcos verbunden.

Hochaltar 1670, der mittlere Altar in der nördl. Seitenkapelle aus dem frühen 18. Jh. Die *Christus-Skulptur,* um 1575, stammt von Jerónimo Hernández (um 1515–86) aus Avila, der wegen seiner meisterhaften Zeichenkunst und seiner exakten Kenntnis der menschlichen Anatomie gerühmt wurde.

Die im 17. Jh. erbaute **Iglesia de Sto. Domingo** gehörte zu einem nicht mehr bestehenden, 1517 gegründeten Dominikanerkloster.

Hochaltar um 1620. Die Sockelzone des Chors mit interessanter, 1638 bezeichneter *Azulejo-Verkleidung*.

Iglesia del Convento de Sta. Isabel. Von dem ehem. Jesuitenstift sind noch der **Kreuzgang** sowie das Mittelschiff und das Querhaus der ursprünglich 3schiffigen **Kirche** aus dem späten 16. Jh. erhalten.

Hochaltar 1610. Der südl. Seitenaltar, um 1750, hat als Mittelbild eine allegorische Darstellung der Unbefleckten Empfängnis von Juan de las Roelas, 1607/08.

Iglesia del Convento de S. Andrés (Las Mercedarias). Die Klosterkirche der Barmherzigen Schwestern, aus dem 17. Jh., war urspr. eine im frühen 16. Jh. errichtete mudejare Anlage, von der noch das Portal stammt.

Im nördl. Seitenschiff ein Tafelbild *»Christus mit Kreuz«* von Luis de Morales (1500–86). Morales, der seinen Figuren den Ausdruck gesteigerter Frömmigkeit zu geben suchte, erfreute sich hoher Wertschätzung, wie sein Beiname »El Divino«, der Göttliche, beweist; allerdings teilte Philipp II. diese nicht.

Die **Iglesia del Convento de la Inmaculada Concepción,** neben der Kirche Sta. María la Mota im Bereich des ehem. Palasts der Herzöge von Arcos, entstand in der Mitte des 17. Jh. und wurde im 18. Jh. umgebaut. – Hochaltar Mitte 18. Jh.

Iglesia de Sta. Clara. In der gleichnamigen Straße gelegene Kirche des ehem. Franziskanerinnenklosters, im frühen 17. Jh. erbaut.

Der Hochaltar um 1640, die schmiedeeiserne Kanzel mit holzgeschnitztem Schalldeckel 1731 bezeichnet.

Die kleine 3schiffige **Capilla de la Vera Cruz** wurde um 1500 erbaut.

Ihr Hochaltar ist 1759 bezeichnet. Schmiedeeiserne Kanzel aus der 2. Hälfte des 16. Jh.

Von der ehem. maurischen **Festung** sind noch große Teile der teilweise in die spätere Bebauung einbezogenen **Um-**

mauerung mit **Verteidigungstürmen** erhalten. Die maurische Festung des 11. Jh. wurde in christlicher Zeit, im 15. Jh., erweitert. Aus maurischer Zeit stammen die Türme über quadratischem bzw. 8eckigem Grundriß sowie die von einem Alfiz gerahmten Hufeisenbogen-*Tore,* aus christlicher Zeit die Rundtürme.

Das Gebäude der 1713 vollendeten **Antiguas Casas Capitulares** (ehem. Ordenshaus), an der Plaza Mayor, ist teilweise noch erhalten; an der Stelle des ehem. Palasts der Herzöge von Arcos, 1631 begonnen, steht jetzt ein modernes Wohnhaus. – Auffallende Bauten des späten 18. Jh. sind die **Cilla del Cabildo,** 1771–73, bei der Kirche S. Juan Bautista neben der Plaza Mayor, das **Haus Nr. 52** in der Calle Torres und das **Haus Nr. 12** in der Calle Sta. Clara.

MARTOS (Jaén FG3)

Das ehem. Tucci *der iberischen Turduler hieß unter den Römern* Augusta Gemina Tuccitana *und war westgotischer Bischofssitz. Ferdinand III. eroberte die Stadt am 29. Juli 1222 zurück, am Namenstag der hl. Martha, wovon sich vermutlich der heutige Name herleitet.*

Die Stadt liegt zu Füßen eines steilen Hügels mit den bedeutenden Resten der **ehem. maurischen Festung »La Peña«**. Inmitten der Häuser ragt der mittelalterl. Turm **»El Torreón«** hervor, einst Amtssitz der Stadtverwalter.
Die **Kirche Sta. María** aus dem 13. und 15. Jh. wurde im 19. Jh. wesentlich verändert. Die **Kirche Sta. Marta** mit isabellinischem, von krabbenbesetzten Fialen begrenztem Portal, stammt aus dem 15. Jh. – Das **Rathaus** wurde 1577 erbaut, die **Fuente Nueva** (Neuer Brunnen) 1584.

MEDINA AZ-ZAHRA (Córdoba E2)

→ Córdoba-Umgebung

MIJAS (Málaga E5)

Der 475 m ü. M. gelegene typisch andalusische Bergort (rd. 15000 Einwohner) mit seinen weiß getünchten, meist 2stöckigen Häusern ist ein beliebtes Ausflugsziel.

Das Tamisa *der Römer wurde von den Mauren befestigt. Aus dieser Zeit sind noch geringe Reste der Alcazaba überkommen. Während der Erhebung des Omar ibn Hafsun gegen Córdoba, Ende des 9. und Anfang des 10. Jh., rekrutierte sich ein Kontingent der aufrührerischen Mozaraber aus Mijas.*

Die **Pfarrkirche Sta. María de la Inmaculada Concepción** wurde im frühen 17. Jh. an der Stelle des maurischen Castillo erbaut; ihr Glockenturm ist einer der ehem. maurischen Festungstürme.

In der Taufkapelle (Capilla Bautismal) Gemälde *»Hl. Josef«* aus dem späten 17. Jh.; im 1. südl. Seitenschiffjoch von W Gemälde *»Marienkrönung«,* auf der Rückseite sign. Bonilla und dat. 1791.

Die kleine 1schiffige **Kirche Nuestra Señora de los Remedios** stammt aus dem frühen 18. Jh. und wurde in neuerer Zeit restauriert.

Die Holzskulptur *»Maria lernt lesen«* im Innern stammt ebenfalls aus dem frühen 18. Jh.

Die Kapelle **Ermita de S. Antón** aus dem 18. Jh. wurde in neuerer Zeit restauriert. – Die **Ermita del Cristo del Puerto** ist von 1876. – Die **Ermita de la Virgen de la Peña,** eine Höhlenkapelle, stammt aus dem 17. Jh.; die Sakristei auf der S-Seite wurde später, den Naturstein imitierend, angebaut, ebenso der Rundbogen und der kleine Glockenturm. – In der **Ermita de S. Sebastián** aus dem späten 17. Jh. tragen die Kappen des Kreuzgratgewölbes im Camarín (im O) Freskenmalerei (Putten) aus dem 18. Jh. Auf der N-Seite des Chors Elfenbein-Kruzifixus des 17. Jh.

Die im 19. Jh. erbaute **Plaza de Toros** ist ein seltenes Beispiel einer über rechteckigem Grundriß errichteten Stierkampfarena.

MOGUER (Huelva B4)

Die kleine Stadt (10000 Einwohner) am linken Ufer des Río Tinto ist vermutlich eine maurische Gründung; nach 1252 hat Alfons X. sie erobert und 1283, ein Jahr vor seinem Tode, seiner Tochter Beatriz von Portugal übereignet. Im 14. Jh. gelangte Moguer in den Besitz der Familie des kastilischen Admirals Jofre Tenorio und durch Heirat im 15. Jh. an die Familie der Portocarrero. – Aus Moguer stammt ein Teil der Mannschaft der Entdeckungsschiffe von Kolumbus, darunter Juan, Pedro und Francisco Niño, die ersten Angeworbenen, sowie Andrés de Moguer, Dominikaner-Provinzial des Vize-Königreichs Mexiko, der dort im 2. Drittel des 16. Jh. missionierte. – Im frühen 18. Jh., während des Spanischen Erbfolgekriegs, war Moguer Kampfschauplatz und ebenso im frühen 19. Jh., während des Unabhängigkeitskriegs gegen Napoleon.

V. a. sehenswert ist das **Kloster Sta. Clara,** in dessen Kirche Kolumbus am Tage der Rückkehr von der Entdeckung der Neuen Welt (15. März 1493) gebetet hat. Das Kloster wurde 1348 von der Witwe des Admirals Jofre Tenorio gegründet. Die 3schiffige **Kirche** mit polygonaler Apsis hat man in den folgenden Jahrhunderten umgestaltet.

● Von besonderem Interesse sind die got. Alabaster-*Grabfiguren* (15. Jh.) der Familie Portocarrero sowie das mudejare *Chorgestühl* des 15. Jh. mit dem gemalten Wappen dieser Familie. Hochaltar 18. Jh.

Erhalten sind Teile des **Kreuzgangs** aus dem späten 14. Jh.; aus dieser Zeit auch Baureste im ehem. Refektorium.

Die **Kirche Nuestra Señora de la Esperanza** des im 14. Jh. gegründeten Franziskanerklosters wurde nach dem Erdbeben von 1755 wiedererbaut, ebenso die **Pfarrkirche Nuestra Señora de la Granada** mit ihrem an die Giralda von Sevilla erinnernden Glockenturm.

Das frühklassizist. Rathaus **(Ayuntamiento)** stammt aus dem späten 18. Jh. und wurde in der Folgezeit verändert. – In dem Geburtshaus des Literatur-Nobelpreisträgers von 1956, **Juan Ramón Jiménez** (1881–1958), wurde ein **Museum** eingerichtet.

MOJÁCAR (Almería K4)

● *Der kleine, malerisch an einem Felshang gelegene Ort ist eine maurische Gründung (*Muxacar *[die iberische und später römische Ansiedlung Murgi bzw. Murgis, die Plinius erwähnt, befand sich westlich von Almería auf dem Gebiet der heutigen Gemeinde El Ejido]).*

Die maurische **Festung** wurde Ende des 15. Jh. unter christlicher Herrschaft wieder instand gesetzt und erweitert; von dieser 1518 durch Erdbeben zerstörten Anlage sind noch einige Reste erhalten.

Die **Nekropole** auf der Anhöhe **Belmonte** gehört der Los-Millares-Kultur an (s. Santa Fe de Mondújar, Prov. Almería); Ende des 19. Jh. entdeckte sie der belgische Forscher L. Siret. Die kreisförmigen Grabkammern enthielten außer Steinwerkzeugen Beigaben aus Kupfer und Gold (heute im Archäologischen Nationalmuseum in Madrid).

MONTILLA (Córdoba EF3)

Die Bezirkshauptstadt (24000 Einwohner) ist für ihre Weine, die Montilla-Moriles, berühmt und heißt vermutlich nach dem antiken Munda Baetica, *wo 45 v. Chr., in der Nähe des heutigen Montilla, Caesar die Söhne des Pompejus besiegte. – Unter den Mauren lautete der Ortsname* Montilyana. *1240 von Ferdinand III. zurückerobert.*
In der ehem. Burg von Montilla wurde 1443 Gonzalo de Córdoba y Aguilar, »El Gran Capitán«, geboren, der als Heerführer der Kath. Könige gegen Portugal und Granada kämpfte. Seinen Beinamen »Der große Kapitän« erhielt er, als er 1495 im Auftrag Ferdinands d. Kath. dem König von Neapel zur Hilfe kam und die französischen Truppen aus Unteritalien vertrieb. Nicht zuletzt aus Eifersucht auf die große Beliebtheit und den Ruhm seines Heerführers rief Ferdinand den »Gran Capitán« 1506 von Neapel nach Spanien zurück, wo dieser vom Hof zurückgezogen lebte und 1515 starb.
Die Burg war 1508 auf Befehl Ferdinands völlig zerstört worden. Auch mit dieser Maßnahme wollte Ferdinand den »Gran Capitán« treffen und demütigen, denn der unmittelbare Anlaß rechtfertigte sein Vorgehen nicht. Der Burgherr, Pedro de Alcántara Fernández de Córdoba y Pacheco, ein Neffe des »Gran Capitán«, hatte nicht ohne Grund einen Bevollmächtigten des Königs in der Burg vor-

übergehend einsperren lassen. Pedro wurde zum Tode verurteilt und kurz darauf zur Verbannung vom Hof und von Córdoba begnadigt. Bereits 1510 begnadigte ihn Johanna (»die Wahnsinnige«) vollends.

Convento de Sta. Clara. Das Kloster wurde 1512 gegründet, im 17. und 18. Jh. erweitert. Die 1schiffige **Kirche** wurde 1525 begonnen.

Die Kirche besitzt eine mudejare *Artesonado-Decke* und einen *Hochaltar* aus der Schule von Francisco Hurtado Izquierdo, 2. Hälfte 18. Jh. Die farbig gefaßten *Holzfiguren* im Presbyterium (hll. Franz von Assisi, Pedro de Alcántara und Bonaventura) werden Pedro de Mena y Medrano (1628–88) zugeschrieben, zu Unrecht, wie der Vergleich mit gesicherten Werken, z. B. den Orantenfiguren der Kath. Könige in den Kathedralen in Granada und Málaga oder Menas 40 Hochreliefs am Chorgestühl der Kathedrale in Málaga, zeigt.

Convento de Sta. Ana. Gegründet 1594. Die heutige Anlage wurde 1630–45 erbaut und 1974 umfassend restauriert. Die **Kirche** über kreuzförmigem Grundriß hat ein extrem breites Mittelschiff.

Von besonderem Interesse ist der im Sevillaner Barockstil geschaffene *Hochaltar,* 1652 dem Retabelbauer Blas de Escobar und dem Sevillaner Bildhauer Pedro Roldán in Auftrag gegeben. Roldáns Skulpturen waren 1654 vollendet. In den Nischen des oberen Registers stehen zu beiden Seiten des Kruzifixus die hll. Franz von Assisi und Andreas, darunter eine Maria Immaculata (die früheste bekannte Skulptur dieses Themas von Roldán) und die hll. Katharina und Anna.

Die klassizist. **Iglesia de S. Agustín** aus dem 18. Jh. wurde Ende des 19. Jh. und 1944 restauriert. – Ebenfalls klassizistisch und 18. Jh. ist die **Iglesia patronal de S. Francisco Solano** (Franzisco de Solano ist 1549 in Montilla geboren und 1610 in Lima gestorben; 1726 wurde er heiliggesprochen). – **Iglesia parroquial de Santiago,** 3schiffig, im 16. Jh. erbaut, mit 1789 klassizistisch umgestalteter Fassade. Der urspr. *Turm* von 1576–78 wurde 1755 durch das Erdbeben von Lissabon zerstört; der jetzige, der höchste der Stadt, 4geschossig wie sein Vorgänger, wurde 1777 errichtet. – In der **Capilla de S. Juan Bautista** (Johannes d. T.) ein qualitätvoller Renaissance-Altar von 1571/72.

Casa del Inca Garcilaso (Calle Alonso de Vargas 5)

Das Haus gehörte im 16. Jh. Alonso de Vargas, einem Edelmann aus der Extremadura. Dessen Neffe, der Hauptmann Gómez Suárez de Figueroa (1539–1616), war der Sohn des spanischen Hauptmanns und Konquistadors Garcilaso de la Vega y Vargas und – wie man sagt – der Inkaprinzessin Chimpu Ocllo. 1561 quittierte er in Cuzco (Peru) den Militärdienst und zog sich nach Montilla in das Haus seines Onkels zurück. Er selbst nannte sich Garcilaso de la Vega und erhielt den Beinamen »El Inca«. 1561–91 schrieb er dort seine »Peruanische Chronik« und die »Commentarios Reales« (1609 in Lissabon gedruckt), die ihn berühmt machten und eine der wichtigsten Quellen zur Geschichte der Inka sind. Nach 1591 lebte er bis zu seinem Tod in Córdoba.

Das »Haus des Inka Garcilaso« wird heute als Städt. Archivverwaltung und Bibliothek genutzt.

Das kleine Museum **(Casa-Museo del Inca Garcilaso)** bewahrt u. a. von Cervantes (1591) und Philipp III. (1612) unterzeichnete Schriftstücke.

Anstelle der 1369 auf römischen Fundamenten und mit Teilen eines maurischen Vorgängerbaus errichteten Burg, die Ferdinand d. Kath. 1508 schleifen ließ, war bis Mitte des 16. Jh. eine neue erbaut worden, die nicht erhalten ist. Heute steht dort der **Palacio de Medinaceli,** eine langgestreckte, architektonisch einfache Anlage von 2 Geschossen aus dem 18. Jh.

Auf der Anhöhe Reste der **»Forteleza de Dos Hermanas«** (Festung der beiden Schwestern) aus maurischer Zeit.

MORÓN de la Frontera (Sevilla D4)

Ein jungsteinzeitlicher Dolmen im Ortsbereich weist auf frühe Besiedlung hin. In römischer Zeit soll sich hier die Stadt Isipo *befunden haben. Aus westgotischer Zeit sind Sarkophage und Inschriften überkommen. Im 11. Jh. war das maurische* Mawrur *Hauptstadt eines Taifa-Königreichs. 1241 hat Ferdinand d. Hl. sie zurückerobert.*

Iglesia de S. Miguel. Die 3schiffige Kirche von 5 Jochen entstand zwischen 1503 und 1730 an der Stelle eines 1500 zerstörten Vorgängerbaus (N-Fassade zwischen 1503 und 1533, das W-Portal ist 1726 bezeichnet).

Hochaltar 1629/30. Im südl. Seitenschiff ein barocker Altar aus d. J. 1757 mit dem Relief *»Beschneidung Christi«* von Andrés de Ocampo, 1592. – Langhauschor aus dem frühen 18. Jh. mit Gemälden des frühen 19. Jh., Kopien nach Zurbarán. Der Trascoro (Chorraußenwand) mit *Triptychon* um 1540 (Mariä Himmelfahrt, Grablegung Christi, Anbetung der Hll. 3 Könige).

Iglesia de S. Francisco. 1541 gegründetes ehem. Franziskanerkloster; nach 1895 Hospital. Die **Kirche** stammt aus der Gründungszeit. Im Innern sehenswerte Yesería-Ornamentik, um 1600; aus dieser Zeit auch der 2geschossige **Kreuzgang.** Die Capilla Sacramental auf der N-Seite wurde 1731 vollendet.

In der Mittelnische des Hochaltars aus der 2. Hälfte des 18. Jh. die Skulptur *»Christus am Ölberg«* von Luis de Peña, 1622.

Iglesia de Nuestra Señora de la Victoria. Aus der Erbauungszeit der ehem. Kirche des 1584 gegründeten Paulinerklosters, um 1600, stammt die Artesonado-Decke der Capilla Mayor. Seitenkapellen aus der 1. Hälfte des 18. Jh.

In der 1. südl. Seitenkapelle eine *Skulptur Christi* von Luis de Peña, 1619/20.

Iglesia del Convento de Sta. María de la Asunción. In der kleinen Kapelle des Hieronymitinnenklosters steht ein bemerkenswerter *Altar,* um 1690, mit Skulptur »Mariä Himmelfahrt« aus der Mitte des 16. Jh.

Iglesia de S. Ignacio. Barocke ehem. Jesuitenkirche aus der 1. Hälfte des 18. Jh. mit beachtenswertem W-Portal.

Hochaltar aus der Mitte des 18. Jh.

Iglesia de la Merced, ein Bau des frühen 17. Jh. mit *Hochaltar* aus dem späten 18. Jh. und einer *»Mater Dolorosa«* des späten 17. Jh. im nördl. Querhausaltar (Mitte des 18. Jh.).

Aus der Bauzeit der **Iglesia del Convento de Sta. Clara** im späten 18. Jh. ist auch ihr Hochaltar, mit qualitätvollem *Kruzifixus* aus der Mitte des 17. Jh.

Iglesia del Antiguo Hospital de S. Juan de Dios. Der Innenraum dieser im späten 17. Jh. gebauten Kirche wurde im späten 18. Jh. umgestaltet.

Im Hochaltar des späten 18. Jh. beachtenswerte Skulpturengruppe *»Maria lernt lesen«* aus der Mitte des 17. Jh. An den Wänden 4 Gemälde mit Szenen aus der *Vita des hl. Johannes von Gott,* bez. 1770.

Ermita de Nuestro Padre Jesús de la Cañada. 1734 begonnen, 1799 vollendet, im 20. Jh. restauriert. Ausstattung meist aus dem 20. Jh.

Castillo

Das Castillo steht an der Stelle einer früheren römischen Festung. Seine ältesten Teile stammen aus maurischer Zeit, aus dem 11. Jh. Im 13., 16. und 17. Jh. umgebaut und 1812 von napoleonischen Truppen, denen es seit 1810 als Kaserne gedient hatte, gesprengt.

Überkommen sind einige Mauerteile und Türme, darunter der Bergfried *(Torre del Homenaje).*

NERJA (Málaga G5)

In römischer Zeit befand sich hier eine Ansiedlung. In maurischer Zeit hieß der Ort Narija *(»reiche Quelle«, wegen der zahlreichen Wasserläufe) und war im 10. Jh. für die Herstellung farbigen Seidenstoffs berühmt; aus dieser Zeit stammen die Reste der 1812 zerstörten Festungsanlagen, die auch den seit Alfons XII. »Balcón de Europa« genannten Bereich umfaßten.*

Die **Pfarrkirche S. Salvador,** eine 3schiffige Querhausanlage von 4 Jochen mit Rechteckchor, stammt aus dem späten 17. Jh. Sie wurde im späten 18. Jh. erweitert und um die Mitte des 20. Jh. restauriert, der 4geschossige NW-Turm 1724 erbaut.

In der 1schiffigen **Ermita de Nuestra Señora de las Angustias,** die auch **de la Piedad** genannt wird, sind die *Temperamalereien des Gewölbes* der Capilla Mayor, aus dem frühen 18. Jh., bemerkenswert. Der namentlich nicht bekannte Meister dieser Pfingstdarstellung mit den 4 Evangelisten in den Zwickeln gehört zum Kreis der damaligen Malerschule von Granada.

● **Cueva de Nerja**

Die Cueva, eine 4 km nordöstlich von Nerja gelegene, durch die hohe Kalkkonzentration der Gewässer entstandene Tropfsteinhöhle, ist von besonderem Interesse. Sie wurde Anfang Januar 1959 entdeckt, als 5 spielende Jungen aus der nahen Ortschaft Maro bei der

Jagd nach Fledermäusen in einen nahe dem alten Friedhof von Maro gelegenen 15 m tiefen, engen Schacht einsteigen wollten, den ein großer Stalaktit versperrte. Der Einstieg gelang ihnen am 12. Januar 1959, als sie mit Vorschlaghammer und Meißel zurückkehrten und den Stalaktiten teilweise zerstören konnten. Sie entdeckten ein menschliches Skelett inmitten von Tongefäßen, und lokale Presseberichte über das waghalsige Unternehmen und die Funde führten wenige Monate später zur Einsetzung einer Grabungskommission. Die erste systematische Grabung erfolgte im September 1959. Der wissenschaftliche, aber auch der hohe touristische Stellenwert der Höhle mit ihren bizarren Stalaktiten (Tropfstein, der von der Höhlendecke nach unten wächst) und Stalagmiten (Tropfstein, der vom Boden der Höhle nach oben wächst) war sofort erkannt worden, und so wurde sie bereits am 14. April 1960 feierlich eingeweiht und zur Besichtigung freigegeben, nachdem ein neuer ungefährlicher Eingang geschaffen, eine Cafeteria erbaut und in der Höhle Beleuchtungssysteme sowie akustische Untermalung (Chopin, Wagner, Beethoven, Grieg) installiert waren. Seither werden jährlich etwa 300000 Besucher gezählt.

Aufgrund der Funde wird angenommen, daß die Höhle in der Altsteinzeit, etwa zwischen 100000 und 14000 v. Chr., bewohnt war. Mehrmals war die Höhle durch Überschwemmungen (die Altsteinzeit umfaßt erdgeschichtlich die beiden letzten Vergletscherungen Europas, Riß- und Würm-Eiszeit, mit den voraufgehenden wärmeren Zwischeneiszeiten) unbewohnbar. Im Mesolithikum, etwa um 8000–6000 v. Chr., erlaubte ihre Austrocknung eine neue Bewohnung, die über die Jungsteinzeit und die Bronzezeit hinaus andauerte. Im 1. Jt. n. Chr. war die Höhle dann endgültig verlassen worden.

Am Eingang (neben dem **Denkmal** für die Entdecker von dem Bildhauer Carlos Monteverde) führt eine Treppe in den kleinen Höhlenbereich, in dem die wichtigsten und ergiebigsten Funde gemacht wurden. Es hat sich herausgestellt, daß dieser von innen her künstlich geschaffene Eingang einem der ursprünglichen, durch Erdbeben verschütteten entsprach, wie die Gräber und die Vorratsstellen für Korn und Eicheln beweisen. Der Gang führt zur Sala de Belén (Saal von Bethlehem), so genannt nach dem urspr. Vorhaben der Erschließungskommission, in der im rückwärtigen Bereich rechts befindlichen Aushöhlung während der Weihnachtszeit eine Krippe aufzustellen. Die Sala de Belén dient als Museum. In den Vitrinen sind Funde aus der Höhle ausgestellt, u. a. ein Schädel der Cro-Magnon-Rasse (jungpaläolithische Vorfahren des heutigen Europäers) sowie jungsteinzeitliche Keramik (3000–2000 v. Chr.). Anhand von Schwarzweißfotos wird die Entdeckung der 5 jungpaläolithischen Gräber (um 16000–14000 v. Chr.) des Vorraums dokumentiert. – Die über 30 m hohe Sala de la Cascada mit riesigen, einem versteinerten Wasserfall (daher ihr Name) gleichenden Tropfsteingebilden, bietet anläßlich der in der Cueva de Nerja stattfindenden Ballett- und Musikaufführungen fast 1000 Menschen Platz. – Die Sala de los Fantasmos hat ihren Namen von einigen Stalagmiten im rückwärtigen Bereich links, die an eine Familie von Gespenstern denken lassen. Mit einigem guten Willen ist ein Paar mit seinen Kindern auf dem Arm auszumachen sowie ein weiteres Kind an der Hand der Mutter. – Die Sala del Cataclismo wird von einer 68 m hohen Tropfsteinsäule beherrscht, deren Durchmesser 25 m beträgt. Im rückwärtigen Bereich wurden Reste von Kollektivbestattungen gefunden. – Von hier aus gelangt man zu den insgesamt über 2 km langen oberen Gängen, die 30 m über dem Niveau der Sala del Cataclismo liegen.

● Die *altsteinzeitlichen Malereien* der Cueva de Nerja gehören durchweg der mittleren Stufe des Jungpaläolithikums, dem früheren Solutréen (etwa 18000–14000 v. Chr.) an und stellen Jagdwild des Menschen dar, so Hirsche, Wildpferde, Wildziegen, Fische. Der Farbton ist rötlich; einige Darstellungen sind schwarzfarbig (mit Kohle ausgeführt). Die Malereien in den unteren Gängen sind kaum noch wahrnehmbar, die in den oberen dagegen durchaus gut erhalten, so insbesondere die 32 cm lange schwarzfarbige *»Capra hispanica«* oder die 42 cm lange rotfarbige Darstellung einer *Hirschkuh,* beide nahe der »Sala de la Immensidad«.

NIEBLA (Huelva B3)

Der Ort ist vermutlich vorrömischen Ursprungs und war in römischer, westgotischer und maurischer Zeit befestigt, im 11. Jh. Hauptstadt eines Taifa-Reiches. 1257 von Alfons X. »d. Weisen« zurückerobert, war er seit 1371, mit kurzer Unterbrechung Anfang des 16. Jh., im Besitz der Familie Guzmán. Im Frühjahr 1810 war der Alcázar von Niebla Operationsbasis der napoleonischen Truppen für die Eroberung von Sevilla und bis 1813 von diesen besetzt.

● Die 3schiffige **Iglesia de Sta. María la Grande** ist ein seltenes Beispiel einer *frühmudejaren Kirche* aus der 2. Hälfte des 13. Jh. (nach 1257), trotz Umgestaltungen im späten 15. Jh. und im 17. Jh.

Von der **Kirche S. Martín** blieben Ruinen. Der Bau war eine nach S orientierte 3schiffige Querhausanlage von 3 Jochen, die noch in maurischer Zeit, in der 1. Hälfte des 13. Jh., errichtet wurde.

In der ehem. Chorkapelle Reste von *Wandmalerei* aus dem 15. Jh. mit der Darstellung des hl. Martin.

Ehem. Hospital de Nuestra Señora de los Ángeles aus dem frühen 16. Jh.

Castillo. Der maurische Alcázar wurde 1813 von den napoleonischen Truppen gesprengt und ist nur in Resten überkommen; er bestand aus einem rechteckigen äußeren Festungsteil mit Barbakane (Vorburg) und zylindrischen Türmen sowie einem inneren mit 10 quadratischen Türmen.

Die **Stadtmauern** gehen zu einem geringen Teil noch auf römische und westgotische Zeit zurück, sie sind im wesentlichen maurischen Ursprungs, bis auf ein östl. Teilstück auf der N-Seite, das aus christlicher Zeit, nach 1257, stammt. Von den 4 Toren stammen die **Puerta del Socorro** im N und die **Puerta del Agua** im S aus maurischer Zeit; die **Puerta de Sevilla** im O wurde im 17. Jh. umgestaltet; die **Puerta del Buey** im W ist maurisch und modern. ●

OLIVARES (Sevilla C 3)

Am Ende des Ortes sind aus römischer Zeit Reste des **Aquädukts** erhalten, der Itálica mit Wasser versorgte.

Olivares entwickelte sich seit der Mitte des 16. Jh., gefördert vom 1. Grafen von Olivares, Pedro de Guzmán. Dessen Nachfahre, Pedro de Guzmán, Herzog von Olivares, stiftete 1623 die bedeutende

Colegiata de Sta. María de las Nieves (Plaza Mayor). Die nach 1623 begonnenen Bauarbeiten an der Stiftskirche dauerten bis zur Mitte des 18. Jh. Im Innern der 3schiffigen Querhausbasilika erstreckt sich der Coro über 5 Mittelschiffjoche bis zur Vierung.

Das *Gestühl* ist aus der Mitte des 17. Jh. – Die barocke Sitzmadonna, *Virgen de las Nieves,* im Hochaltar von 1690 schuf María Roldán, eine Schwester der bekannteren »La Roldana« und Tochter von Pedro Roldán. – Trascoro von 1706. – Die reiche Ausstattung mit *Skulpturen* aus dem 17. Jh. stammt z. T. aus der Kirche des nahen, 1843 von den damals nur noch wenigen Einwohnern verlassenen und danach untergegangenen Ortes Heliche. – In der 1. nördl. Seitenkapelle von O, der Capilla de las Reliquias, zahlreiche alte *Reliquienschreine,* der älteste bezeichnet 1590; das Gitter dort 1633. – In der Sakristei sind *Goldschmiedearbeiten* zu sehen; besonders qualitätvoll ist die »Maria im Strahlenkranz« vom Ende des 17. Jh.

Capilla de la Vera Cruz. Der Bau des 19. Jh. enthält noch Teile der urspr. Kirche aus dem 16. Jh.

Mehrere *Skulpturen* des 17. Jh. stammen aus der Kirche von Heliche. Die urspr. Madonnenfigur des 17. Jh. wurde 1903 durch die jetzige ersetzt.

Palacio Ducal (Plaza Mayor). Der langgestreckte, 2geschossige Herzogspalast gegenüber der Stiftskirche, auf der N-Seite des Platzes, wurde Ende 17./Anfang 18. Jh. erbaut. Auf dem Marmorrelief in der Mitte halten Harpyien, Sturmdämonen in Gestalt eines Vogels mit dem Kopf einer Frau, das herzogliche Wappen der Guzmáns. – Der **Pósito** (ehem. Getreidespeicher) gegenüber ist 18. Jh.

OSUNA (Sevilla E4)

Die ehem. Herzogsstadt bewahrt zahlreiche bedeutende Zeugnisse ihrer langen Vergangenheit. Frühgeschichtliche Funde erhärten die Hypothese, daß sich hier die iberische Stadt Urso *befand. Die in Osuna gefundenen, hervorragend erhaltenen Relieffragmente, unter denen ein Hornbläser und eine Flötenspielerin die schönsten sind, stammen aus der Spätzeit der iberischen Kunst (Archäologisches Nationalmuseum Madrid). Aus römischer Zeit sind viele hervorragende Zeugnisse erhalten; genannt seien die rechtsinhaltlichen Bronzetafeln aus dem 1. Jh. (ebenfalls im Archäologischen Nationalmuseum in Madrid). – Das maurische* Oxuna *wurde 1239 von Ferdinand III. zurückerobert. Seine glänzendste Zeit hatte es als Herzogsstadt (seit 1562) im 16. Jh.*

Osuna. Sta. María de la Asunción
José de Ribera : »Kreuzigung« (zu S. 280)

● **Colegiata de Sta. María de la Asunción,** Stiftskirche Mariä Himmelfahrt (Calle S. Antón, in der »Zona monumental« auf dem Hügel). Die Kirche, eine 3schiffige Halle von 4 Jochen, wurde um 1530 begonnen und um 1540 vollendet. Im späten 16. Jh., im 17. und im 18. Jh. ist einiges wenige angefügt worden. Den durch Blitzschlag zerstörten Turm im NW hat man nach 1914 neugebaut.

Ausgestattet ist die Kirche überwiegend mit Werken des 18. Jh. Die 3 *Altäre* in der nördl. Chorkapelle stammen aus dem 16. Jh.; den mittleren fertigte 1532 Juan de Zamora, ein Mitarbeiter von Alejo Fernández, dem »deutschen« Maler. In der südl. Chorkapelle ein *Kruzifixus* von Juan de Mesa. – José de Riberas ● *»Kreuzigung«* (Abb. S. 279) in der 3. nördl. Seitenkapelle von W ist eines der Hauptwerke der spanischen Malerei des frühen 17. Jh. Nach Ausbildung in Valencia, Parma und Rom ließ sich »Lo Spagnoletto«, wie der kleingewachsene Ribera in Italien genannt wurde, gegen 1616, mit etwa 25 Jahren, in Neapel nieder, wo er an der Entwicklung der italienischen Barockmalerei entscheidenden Anteil hatte. Zu der von Caravaggio ausgegangenen Hell-Dunkel-Malerei kommen bei Ribera souveräne technische Brillanz und der typisch spanische, oft bittere und immer scharfe Realismus hinzu. Ribera malte die »Kreuzigung« (und die Bilder im Museum der Stiftskirche) für den Herzog von Osuna, der Vizekönig von Neapel war und ihn förderte. Die exakte Entstehungszeit der »Kreuzigung« ist nicht gesichert; sie entstand entweder zwischen 1616 und 1620 oder aber erst um 1625–28; die unter venezianischem Einfluß erreichte Leuchtkraft der Farbe spricht für das zweite Datum.
Von der südl. Chorkapelle aus gelangt man zum Museum und zur Herzoglichen Grabstätte.

Das **Museum der Stiftskirche** ist in der ehem. Sakristei eingerichtet. Von besonderem Interesse sind auch hier die *Gemälde von José de Ribera* von 1616 und 1617 für den Herzog von Osuna (Hll. Sebastian, Petrus, Hieronymus, Martyrium des hl. Bartholomäus). – Im Nebenraum Kopien flämischer Tafelbilder des 16. Jh., im oberen Saal Teile des alten Chorgestühls der Kirche, aus dem 17. Jh.

Das **Panteón Ducal,** die Herzogliche Grablege, wurde um 1545–55 im plateresken Stil erbaut. Sie besteht aus einem 2geschossigen quadratischen Kreuzgang, der Capilla del Sto. Sepulcro und der eigentlichen Grabesgruft in der Krypta.

Die Tafel des nördlichen der 3 Altäre in der Kapelle stellt allegorisch die *Unbefleckte Empfängnis* dar; 1515 hat sie Hernando de Esturmio, ein Niederländer (Sturm oder Storm) gemalt. 11sitziges *Chorgestühl,* um 1550. In der Sakristei am Altar (um 1550) ein *Tafelbild Christi mit Kreuz,* das ohne überzeugende Gründe Luis de Morales (1500–86) zugeschrieben wird. – In der Krypta die *Grabdenkmäler* der Gründerfamilie und 2 kleine *Altäre* aus der Mitte des 16. Jh.

Antigua Universidad, heute Höhere Lehranstalt. Die ehem. Universität, eine Gründung von 1548, erstreckt sich unmittelbar im O der Stiftskirche. Die 2geschossige Rechteckanlage mit Innenhof wird von 4 Ecktürmen flankiert.

In der Kapelle im Erdgeschoß *Chorgitter* aus dem frühen 16. Jh. und Altar des 18. Jh. mit 7 *Tafelbildern* von Hernando de Esturmio, 1548 (Verkündigung, Anbetung der Hll. 3 Könige, Christi Geburt, die 4 Kirchenväter).

Der **Convento de la Encarnación** (Cuesta S. Antón 15) wurde 1549 als Hospiz gegründet, 1626 Kloster der Barmherzigen Schwestern und im 18. Jh. umgebaut.

In der **Kirche** ein barocker Hochaltar, 1723. – Ein großer Teil des **Klosters** dient heute als **Museum.** Der 2geschossige **Kreuzgang** ist in der Sockelzone mit *Azulejos* des 18. Jh. verkleidet. Gemälde der *»Mater Dolorosa«* im unteren Geschoß 1703. Im oberen Geschoß u. a. eine bemerkenswerte Sammlung von *Skulpturen des Jesuskindes* aus dem 17.–19. Jh.

Nordöstlich der Stiftskirche die **Iglesia de la Merced** aus der Mitte des 17. Jh. (im 18. Jh. umgebaut). Den 4geschossigen Turm errichtete zwischen 1767 und 1775 Alonso Ruiz Florindo aus der bedeutenden Baumeister-Familie (s. Fuentes de Andalucía).

Iglesia del Convento de la Concepción. Die 1schiffige Klosterkirche an der Plaza Mayor stammt aus dem 16. und 17. Jh. und wurde im 18. Jh. umgebaut. Hochaltar aus dem 18. Jh.

Nordwestlich davon die **Iglesia del Convento de Sta. Catalina** aus dem 17. und 18. Jh. Die Ausstattung meist 18. Jh.; aus dieser Zeit auch die Sockelverkleidung der Sakristei mit interessanten figürlichen *Azulejos* (Jagd- und Stierkampfszenen).

Weiter nördlich liegt die **Iglesia de S. Carlos el Real** des ehem. Jesuitenstifts aus dem 18. Jh.

Iglesia de Sto. Domingo. Die im Winkel der Carrera Caballos und der Calle Cueto gelegene Kirche des ehem. Dominikanerklosters wurde 1531 gegründet; die Bauzeit erstreckte sich über das 16. Jh. hinweg, und im 17. und 18. Jh. wurden weitere bauliche Veränderungen vorgenommen.

Der Hochaltar 1582. Das *Gemälde des hl. Dominikus* an der N-Wand des Schiffs, mit prachtvollem Rahmen des 18. Jh., malte um 1630 vermutlich Juan del Castillo.

Die **Iglesia de la Victoria,** nördlich auf der anderen Seite der Hauptstraße (Carrera Caballos) gelegen, ist eine ehem. Klosterkirche aus der 2. Hälfte des 16. Jh. Sie wurde im 17. und im 18. Jh. erweitert und umgestaltet.

Der Hochaltar im Chor stammt aus der Mitte des 18. Jh. Die Altäre der Kapellen auf der S-Seite aus dem 17. und dem frühen 18. Jh.

Iglesia del Convento de S. Pedro (Calle de S. Pedro). Die 1schiffige Kirche des Karmeliterinnenklosters geht auf eine mudejare Anlage um 1500 zurück, die in den folgenden Jahrhunderten umgebaut wurde. Rokoko-Hochaltar aus dem Ende des 18. Jh.

Nördlich dieser Kirche, bei den Jardínes (Gärten) de S. Arcadio, befindet sich das **Hospital de Jesús, María y José,** dessen **Kirche** aus dem 17. und 18. Jh. die ehem. Ermita de S. Arcadio ist.

Der barocke Hochaltar im Chor stammt aus der Mitte des 18. Jh.; aus dieser Zeit sind auch die beiden Altäre in den Querarmen.

Iglesia del Espíritu Santo (Hl. Geist) (Calle Sor Ángela de la Cruz). Die 1schiffige Kirche mit 3geschossigem, von einem Pyramidendach bekröntem Turm stammt aus dem 18. Jh., ebenso der Hochaltar.

Die nahe gelegene **Iglesia del Carmen** ist eine 3schiffige, um 1500 errichtete und im 18. Jh. umgebaute Klosterkirche.

Der im 18. Jh. umgearbeitete Hochaltar stammt aus dem späten 16. Jh., das Chorgestühl vom Ende des 17. Jh.

Die 3schiffige **Pfarrkirche Nuestra Señora de la Consolación** (Calle Rodríguez Marín) ist ein Bau des 16. Jh., im 17. und im 18. Jh. barock umgestaltet.

Die **Iglesia de S. Agustín** (Calle Asistente Arjona, bei der Estación de Autobuses) ist ein 1schiffiger Bau des 17. Jh. mit Seitenkapellen.

In der 2. Kapelle auf der N-Seite findet sich ein Altar des 18. Jh. mit einem qualitätvollen *Kruzifixus* aus dem frühen 16. Jh.

Ermita de Sta. Ana. Die nahe S. Agustín gelegene Kapelle wurde an der Stelle eines Vorgängerbaus des 16. Jh. in der 1. Hälfte des 18. Jh. neu errichtet.

Profanbauten

Das **Fundgebiet aus iberischer und römischer Zeit** erstreckt sich z. T. östlich der ehem. Universität.

In den Straßen zwischen den Kirchen La Merced und Sto. Domingo sind einige **Häuser aus der 2. Hälfte des 16. Jh.** noch teilweise erhalten.

Die bedeutendsten Bauten aus dem 18. Jh. befinden sich in der Calle de S. Pedro. Dort auch die **ehem. Cilla del Cabildo,** von Alonso Ruiz Florindo aus der Baumeister-Familie in Fuentes de Andalucía (s. d.); im Portalgiebel das Hochrelief der Giralda von Sevilla mit den beiden Schutzheiligen dieser Stadt, Justina und Rufina, und die Inschrift »Silla de la Santa Metropolitana Patriarcal Iglesia de Sevilla. Año de 1773«. – Der **Palacio de los Condes de la Gomera** in dieser Straße wurde um 1770 erbaut. Ebenso von Interesse sind die **Häuser Nr. 2, 21** und **27.** – Der **Palacio de los Condes de Cepeda,** bei der Plaza Mayor, stammt aus der Mitte des 18. Jh.; die **ehem. Audiencia** (jetzt Hospital), an der Carrera Caballos gegenüber der Pfarrkirche Nuestra Señora de la Victoria, wurde 1779 erbaut. – Der **Arco de la Pastora** (nahe der Plaza de Toros) ist von 1796.

Das Archäologische Museum (**Museo Arqueológico**) befindet sich in der sog. **Torre del Agua** (Plaza Mayor), einem im 14. Jh. errichteten Wehrbau.

Die Exponate reichen von iberischer – unter diesen auch Gipsabgüsse der Reliefs im Archäologischen Museum von Madrid und im Louvre – bis in westgotische Zeit. Schwerpunkte bilden römische Funde (Skulpturen, Keramiken, Gläser) sowie eine Sammlung von Terrakotten.

PALOS de la Frontera (Huelva B4)

Der Ort hieß urspr. Palos de Moguer *und ist vermutlich eine römische Gründung. Aus dem (heute versandeten) Hafen liefen am 3. August 1492 die 3 Schiffe unter dem Kommando von Kolumbus und den beiden aus Palos gebürtigen Brüdern Martín Alonso und Vicente Yáñez Pinzón aus und kamen am 15. März 1493, nach der Entdeckung der Neuen Welt, dort wieder an.*

In der **Kirche S. Jorge,** erst etwa 20 Jahre zuvor errichtet, betete Kolumbus unmittelbar vor Beginn der Entdeckungsfahrt. Die *»Puerta de los Novios«,* das spitzbogige »Brautportal« aus Ziegelstein, im N, weist mudejare Stilelemente auf.

● **Convento de Sta. María de la Rábida** (5 km südwestlich von Palos)

Der Name ist maurischen Ursprungs und leitet sich von »Ribat« (Klosterburg) ab.

Das kleine Franziskanerkloster bewahrt Erinnerungen an Kolumbus und die Entdeckung der Neuen Welt. Ältester Teil ist die im 18. und 19. Jh. veränderte 1schiffige **Kirche** aus dem 14. Jh.

Aus dem 15. Jh. blieben Reste von Wandmalereien. Ein got. Kruzifixus des 14. Jh. in der Chorkapelle (Capilla Mayor) wurde 1936 zerstört; der jetzige ist modern. Die restaurierte Alabasterfigur der *»Virgen de los Milagros«*, deren Schutz Kolumbus und seine Mannschaft vor der Ausfahrt erfleht haben sollen, stammt aus dem 14. Jh.

Der 2geschossige **Kreuzgang** (Ziegelstein) ist neomudejar restauriert; er stammt urspr. aus dem 15. Jh.

Die *Wandgemälde* mit dem Thema des Aufbruchs zur Entdeckung der Neuen Welt malte Daniel Vázquez Díaz, 1930.

PRIEGO de Córdoba (Córdoba F3)

Der Ortsname kommt vermutlich von lat. pagus (Dorf); daraus wurde arab. Bago, *nach der Rückeroberung im 13. Jh.* Pliego.
Die Bezirkshauptstadt (25000 Einwohner) gehört zu den reizvollsten Städten Andalusiens. Die Struktur des spanisch-maurischen Viertels, der alten »villa«, ist seit dem 15. Jh. mit nur wenigen Änderungen erhalten geblieben, obwohl Priego unter dem Erdbeben von 1755 stark gelitten hat. Die »neue« barocke Stadt wurde nach den Zerstörungen von 1755, zur Regierungszeit Karls III. (1759–88), großzügig und weiträumig angelegt. Die zahlreichen Herrenhäuser, die prachtvollen Plätze und Brunnen verdanken ihre Entstehung dem nach 1755 durch die Textilindustrie begründeten Wohlstand.

Die **Kirche Sta. María de la Asunción** bei der Burg wurde 1771–86 erbaut. Besondere Beachtung verdient ihre 1784 vollendete oktogonale Sakramentskapelle (El Sagrario) auf der N-Seite. Sie ist das Hauptwerk eines der großen andalusischen Rokoko-Meister, des Prieguensers Francisco Javier Pedrajas (1736–1817).

Pedrajas' stilistische Prägung findet sich auch in anderen Kirchen der Stadt, so im prachtvollen *Camarín* von **S. Pedro,** im Sagrario von **S. Francisco** (Portal bez. 1761; im Innern Skulpturen aus der Werkstatt von Juan Martínez Montañés, vermutlich von dessen Mitarbeiter Juan de Oviedo el Mozo), in **Sta. María de las Angustias** (Portal bez. 1775) und in der **Capilla de la Aurora** (Portal bez. 1771), deren Sagrario ganz wesentliche Übereinstimmungen mit Sta. María de la Asunción zeigt.

Von *F. J. Pedrajas* weiß man, daß er Zeichnungen französischer Rokoko-Meister besaß. So fehlt seinem Stil das ungehemmte Formenwuchern des Churriguerismus, wie es die vergleichbaren Sagrarios von S. Mateo in Lucena (Córdoba) und der Cartuja von Granada oder gar die Sakristei dort zeigen.

Die Burg **(Castillo)** im NW, über quadratischem Grundriß mit Ecktürmen und Türmen auf den Seitenmitten, wurde in christlicher Zeit (13. Jh.) unter Verwendung von Teilen eines maurischen Vorgängerbaus errichtet. Im 15. Jh., als Priego in der Gewalt von Granada war, wurde die Anlage wiederum umgestaltet. Der **»Torre Gorda«** (Dicker Turm) genannte Bergfried überragt 3stöckig das Castillo.

Schöne **Plätze** und **Brunnen** finden sich vielfach in der Stadt, so am Ende der Calle del Río die **Fuente del Rey** (Brunnen des Königs; um 1800, von José Álvarez y Cubero) mit dem Wassergott Neptun und 139 Wasserstrahlen.

PUERTO de Santa María (Cádiz C5)

Die Legende hat die Ortsgeschichte ausgeschmückt mit dem Namen des Menestheus, eines der griechischen Krieger im hölzernen Pferd von Troja, als Gründervater. Gesichert ist lediglich römischer Ursprung. Der maurische Hafen wurde um die Mitte des 13. Jh. von Alfons X. zurückerobert.

Castillo de S. Marcos. Die befestigte **Kirche** (des von Alfons X. gegründeten Ritterordens) **Sta. María de España** ist kurz nach 1264 auf Anordnung Alfons' X. an der Stelle einer – in Mauerteilen und dem *Mihrab* erhaltenen – Moschee des 11. Jh. erbaut und im 14.–16. Jh. umgestaltet und erweitert worden. Sie ist Mittelpunkt der befestigten 4-Turm-Anlage. Ihre mudejaren Hufeisenarkaden ruhen z. T. auf römischen Spoliensäulen.

Iglesia Mayor Prioral Nuestra Señora de los Milagros. Nach einer wundersamen Erscheinung Mariens, die Alfons X. während der Belagerung die kampflose Übergabe der Stadt verheißen hat, trägt diese Kirche aus der Mitte des 15. Jh. ihren Namen. Sie zeigt heute die Spuren der Umgestaltungen im späteren 16. und im 17. Jh.

Gutes Silber-*Retabel* von 1689. – Die Skulpturen »Christus in der Passion« und »Hl. Johannes Ev.« sind Werkstattarbeiten von Pedro Roldán, Ende 17. Jh.

Vom **ehem. Monasterio de la Victoria** aus dem frühen 16. Jh. sind **Kirche, Kreuzgang** und **Kapitelsaal** erhalten.

Die **Fuente de las Galeras,** 1735, in den Gärten am Hafen, heißt so nach dem früheren Anlegeplatz der königlichen Galeeren.

RONDA (Málaga D5)

Die Stadt (rd. 34000 Einwohner) liegt malerisch 747 m ü. M. an der Nordseite der Sierra de Ronda auf einem Felsplateau zu beiden Seiten einer über 160 m tiefen und bis zu 90 m breiten, vom Fluß Guadalevín gebildeten und »Tajo« (= Einschnitt) genannten Schlucht.

Der Ursprung von Ronda ist nicht gesichert; vermutlich errichteten keltische Einwanderer im 7./6. Jh. hier eine Ansiedlung, die sie Arunda *nannten. Jedenfalls bestanden in römischer Zeit die beiden Ansiedlungen* Arunda *und* Acinipo (Ronda la Vieja), *wobei letztere im 1. nachchr. Jh. von Plinius als eine der bedeutendsten Städte der Baetica beschrieben wird. In Arunda errichteten die Römer eine Festung.*
An deren Stelle erbauten die Mauren im 8. Jh. ihren Alcázar. Diese maurische Festung von Izna Rand Onda, *wie Ronda seit 711 hieß, war eine der bedeutendsten, stärksten und wichtigsten in al-Andalus.*
Unter den Omayyaden, bis zum frühen 11. Jh., war Ronda Hauptstadt der »Kura« (Bezirk) von Takaruna, die alle Orte der Hochebene einschloß, danach Hauptstadt des kleinen berberischen Taifa-Reiches (Taifa = Splitterstaat) der Banu Ifran, das sich 1059 der Abbadiden-König von Sevilla, al-Mutadid, aneignete. Der ließ die Festung verstärken und nannte Ronda »das schönste Kleinod meiner Krone«. Nach dem Sturz der Abbadiden durch die Almoraviden (1091) und deren Ende wiederum (1147) war Abu-l-Gamr, der Herrscher über Jerez, Arcos und Ronda, einer der ersten, die sich mit den siegreichen Almohaden vereinigten. – Im 13. Jh. gehörte Ronda zu dem von Mohammed ibn al-Ahmar gegründeten Nasriden-Reich von Granada. Dessen Sohn und Nachfolger, Mohammed II., ersuchte 1275 den Herrscher von Fes, Abu Jusuf, um Schutz und trat diesem als Gegenleistung die Festungen von Ronda und von Tarifa ab. In der Folgezeit befand sich Ronda, bis zur Rückeroberung eine der bedeutendsten Städte des Nasriden-Reiches, hin und wieder auch im Besitz des Königs von Marokko.
Mehrmals wurde Ronda von den christlichen Truppen belagert, so auch 1407 mit 2000 Lanzenreitern; alle diese Eroberungsversuche scheiterten an der Stärke der Festung und am Verteidigungseinsatz ihrer Bewohner. Erst Mitte Mai 1485 war die Situation der seit April durch Ferdinand d. Kath. belagerten Stadt unhaltbar geworden. Die Mauren forderten in Verhandlungen freien Abzug und die Erlaub-

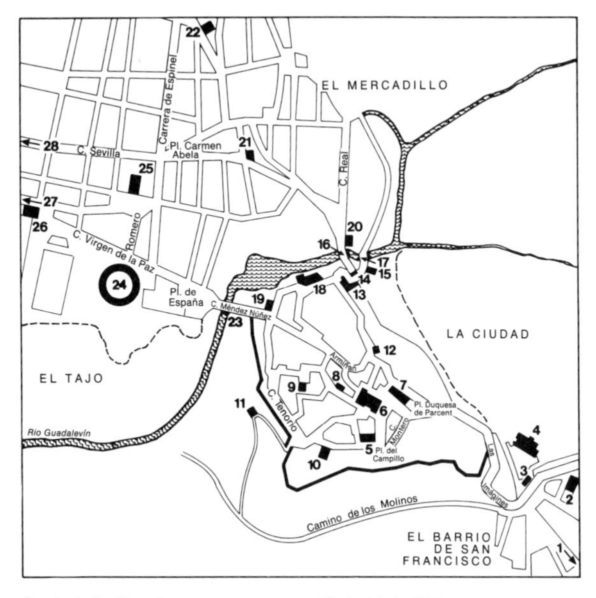

Barrio de San Francisco
1 S. Francisco
2 Nuestra Señora de la Gracia
3 Puerta de Almocábar und Puerta de Carlos I

La Ciudad
4 Espíritu Santo
5 La Caridad
6 Stiftskirche Sta. María la Mayor
7 Ayuntamiento
8 Casa del Gigante
9 Nuestra Señora de la Paz
10 Pal. Mondragón
11 Arco del Cristo
12 S. Sebastián, Glockenturm (Minarett)
13 Pal. Salvatierra
14 Puerta de Felipe V
15 Arabische Bäder
16 »Römische Brücke«
17 »Arabische Brücke«
18 Casa del Rey Moro
19 Sto. Domingo

El Mercadillo
20 Nuestro Padre Jesús, Madre de Dios
21 Posada de Las Ánimas
22 Sta. Cecilia
23 Puente Nuevo
24 Plaza de Toros
25 Nuestra Señora del Socorro
26 La Merced
27 Hotel Reina Victoria mit Rilke-Denkmal
28 nach Ronda la Vieja

Ronda. Lageplan

nis, nach Afrika oder Granada zu emigrieren. Ferdinand stimmte unter der Bedingung zu, daß alle christlichen Gefangenen unverzüglich in Freiheit gesetzt würden. Er sandte die am nächsten Tag übergebenen 400 Gefangenen nach Córdoba, wo Isabella d. Kath. ihnen Nahrung und Kleidung gab, damit sie sich in die von ihnen gewählten Orte begeben konnten. Ihre Ketten ließ Isabella an der Außenmauer der Kirche S. Juan de los Reyes in Toledo, die damals noch als Grabeskirche der Kath. Könige vorgesehen war, aufhängen.
Am 22. Mai 1485, nachdem die Mauren geflüchtet waren, wurde Ronda von den christlichen Truppen besetzt. Die Wiederbevölkerung mit christlichen Einwohnern ging anschließend nur zögernd vonstatten, zumal viele die Stadt wegen einer Epidemie wieder verließen. Die endgültige Verteilung der Liegenschaften erfolgte 1491; die Stadt wurde Herrschaftsgebiet des einzigen Sohnes der Kath. Könige, des Kronprinzen Juan (1478–97) und dessen Ehefrau Margarete von Österreich. – Im 16. Jh., bis zur endgültigen Vertreibung der Morisken unter Philipp III., 1609, war die Stadt Ausgangspunkt für die Niederschlagung der wiederholten Morisken-Aufstände in der Serranía de Ronda. – Das 18. Jh. brachte Ronda aufgrund des damaligen Wohlstands rege Bautätigkeit. Während des Unabhängigkeitskrieges, 1808–14, war die Stadt von französischen Truppen besetzt, die bei ihrem Abzug die maurische Festung zum großen Teil zerstörten.

Ronda besteht aus den 3 Stadtteilen Barrio de San Francisco, La Ciudad und El Mercadillo. Die Beschreibung der Denkmäler folgt dieser Einteilung.

Barrio de San Francisco

Von Málaga bzw. von San Pedro de Alcántara kommend, erreicht man zunächst den im SO des alten Stadtkerns gelegenen Barrio de San Francisco, der Ende des 15. Jh. aus einem Markt entstanden ist.

Der durch die alten maurischen **Stadtmauern** unterteilte Bezirk hat sich in kurzer Zeit bis zu dem 1485 von den Kath. Königen gegründeten **Kloster S. Francisco** (Paseo Monasterio S. Francisco) ausgedehnt, dessen über lateinischem Kreuz erbaute 1schiffige **Kirche** besonders wegen des isabellinischen, von einer Franziskanerkordel umrahmten *Portals* auf der N-Seite sehenswert ist. – Nördlich der

Plaza Alameda de S. Francisco steht die kleine, Ende des 15. Jh. errichtete und später umgebaute **Kirche Nuestra Señora de la Gracia.** – Die Plaza Alameda de S. Francisco wird auch Plaza de Almocábar (von *al-maqabir* ›Friedhof‹) genannt; hier befand sich urspr. der maurische Friedhof. Die **Puerta de Almocábar** aus dem 13. Jh. öffnet sich zwischen 2 Rundtürmen; sie ist das südl. maurische Tor, durch das man zum Alcázar gelangte. Das kleine Tor daneben, die vom kaiserlichen Wappen überhöhte **Puerta de Carlos I,** stammt aus der Mitte des 16. Jh.

● La Ciudad

Jenseits des Haupttors Puerta de Almocábar und der zum großen Teil restaurierten Mauern, zwischen »Las Imágines« und dem »Puente Nuevo«, erstreckt sich die urspr. maurische Kernstadt.

Unmittelbar nordwestlich erhebt sich zwischen Strebepfeilern die mächtige **Kirche Espíritu Santo** (Hl. Geist), eine 1schiffige isabellinische Anlage von 3 Jochen mit Rechteckchor, die Ferdinand d. Kath. um 1500 an der Stelle einer maurischen Moschee erbauen ließ.

Die *Gemälde* im Innern stammen aus dem 18. Jh. Das Altarblatt des barocken Hochaltars im Chor stellt die »Virgen de la Antigua« dar und ist eine im 19. Jh. gefertigte Kopie des Originals in der Kathedrale von Sevilla; das Gemälde darüber mit dem Pfingstthema stammt aus dem späten 17. Jh. – In der Sakristei 2 Gemälde der Sevillaner Malerschule, aus dem späten 17. Jh., *»Hl. Josef«* und *»Hl. Anna mit Maria«*.

Die offiziell nach einer begüterten Gönnerin von Ronda Plaza Duquesa de Parcent benannte »Plaza de la Ciudad« ist der alte Waffenplatz, auf dem Turniere und Wettkämpfe stattfanden.

In der Mitte der Gartenanlage steht die historistische **Büste** des Dichters und Musikers **Vicente de Espinal** (1551 Ronda – 1634 Madrid), der in Salamanca studierte und nach langen Jahren als Soldat dann in den geistlichen Stand trat und Kaplan des Hospitals von Ronda wurde. Sein Leben und seine Kriegsabenteuer erzählt er in den »Relaciones de la vida y aventuras del Escudero Marcos de Obregón« (Madrid 1618; Bericht des Lebens und der Abenteuer des Schildknappen M. de O.). Die alten Decimas, 10zeilige Strophen 8silbiger Verse, denen er dadurch eine neu geregelte Form gab, daß er am Schluß der 4. Zeile Punkt und Gedankenstrich verlangte, wurden nach ihm »Espinelas« genannt. Er war ein Virtuose auf der Gitarre, die ihm die fünfte Saite verdanken soll.

Außer von den Hauptsehenswürdigkeiten – der Stiftskirche und dem Ayuntamiento – ist der Platz umstanden von der **Klosterkirche La Caridad** (einer 1schiffigen Anlage von 3 Jochen mit Rechteckchor, im 17. Jh. erbaut) und dem **Convento Sta. Isabel de los Angeles** (seine **Kirche** stammt aus dem 16. Jh. und wurde im 18. Jh. barock umgebaut). – Im Hintergrund befand sich der von den napoleonischen Truppen 1812 zum größten Teil zerstörte **Alcázar,** über dessen Resten die Schule **»Colegio Salesiano del Sagrado Corazón«** errichtet wurde.

Stiftskirche Sta. María la Mayor

An der Stelle der ehem. Hauptmoschee wurde Ende des 15. / Anfang des 16. Jh. mit dem Bau begonnen; Teilzerstörungen durch das Erdbeben von 1580 bedingten einen Neubau, der mit einer Planerweiterung verbunden und erst Ende des 18. Jh. fertiggestellt war.

Der Außenbau wird zum Platz hin von dem über quadratischem Grundriß kurz nach 1523 errichteten mudejaren *Turm* beherrscht, dessen Glockengeschoß eine zurückspringende, mit rundbogigen Schallarkaden 8eckige Laterne bildet. Über einer nochmals zurückspringenden 8eckigen Brüstung erhebt sich ein krönender Aufsatz aus dem 18. Jh. – Seitlich des Turms ist der Kirche ein rundbogiger *Säulengang* mit doppelgeschossigem Balkon vorgebaut, von dem aus die geistlichen und weltlichen Würdenträger die Spiele und Wettkämpfe auf dem Platz verfolgten.

Im Innern, nahe dem Turmeingang, stammen ein Gewölberest mit geometrischen Bandmustern und der mit Kufi-Inschriften ornamentierte Hufeisenbogen des ehem. Mihrab noch von der Hauptmoschee aus der Meriniden-Zeit, aus dem letzten Viertel des 13. Jh., als Ronda vorübergehend dem König von Marokko gehörte. – An der

Ronda. Sta. María la Mayor

3schiffigen Kirche von 4 Jochen sind die Seitenschiffe in die Querarme und den Chor, dessen Schluß von 3 halbrunden Apsiden gebildet wird, verlängert; an den Querhausseiten und am Chorjoch öffnen sich ebenso halbrunde Apsiden. Die beiden Bauphasen lassen sich gut unterscheiden: Die 4 Langhausjoche mit Spitzbogenarkaden auf Pfeilern stammen vom spätgot. Bau des frühen 16. Jh.; Querhaus und Chorhaupt mit monumentalen korinthischen und toskanischen Säulen entsprechen der Planerweiterung nach 1580 und gehören dem späten 16. und dem 17. Jh. an.

Das *Gestühl* des Langhauschors im 3. Mittelschiffjoch von W, mit Heiligen-Darstellungen im Hochrelief, stammt aus der Mitte des 18. Jh. Das vegetabilisch ornamentierte, von einer Kuppel mit Laterne überhöhte *Hochaltar-Tabernakel* im Chorhaupt ist aus dem frühen 18. Jh.; alle anderen Altäre sind gleichfalls aus dem 18. Jh. Das große Wandgemälde *»Hl. Christophorus«* im südl. Seitenschiff signierte José V. Ramos aus Ronda 1798. Die *allegorischen Malereien* im N-Seitenschiff sind von R. Pagégie, 1983–87; ein »Reigen« erinnert an Hieronymus Boschs Triptychon »Garten der Lüste« im Prado. – In der Sakristei kleine *Sammlung liturgischer Gegenstände* des 18. und 19. Jh.

Ayuntamiento (Rathaus). Der im rechten Winkel zur Turmfassade der Stiftskirche stehende, langgestreckte und 3geschossige, von seinen doppelgeschossigen Arkaden geprägte Bau des ehem. Cuartel de Milicias (Kaserne) dient, wie schon vor 1843, seit der 1978 abgeschlossenen grundlegenden Restaurierung wieder als Rathaus. Urspr. war hier unmittelbar nach der Rückeroberung ein erster Bau errichtet worden; die heutige Bausubstanz gehört jedoch meist dem 18. Jh. an.

Am Portal die *Wappen* von Cuenca und von Ronda. – Im Innern befinden sich einige *Skulpturenfragmente* aus der ehem. römischen Stadt Acinipo (→Ronda la Vieja); die *Artesonado-Decke* im Treppenhaus stammt aus einem alten Haus von Ronda.

Casa del Gigante (Calle del Gigante 6) •

Das »Haus des Riesen«, hinter dem Chor der Stiftskirche, stammt aus der 1. Hälfte des 14. Jh. Der Name kommt von einem Steinrelief des Gebäudes; früher soll es »Casa de los Gigantes« (Haus der

Riesen) geheißen haben. Nach der Rückeroberung gehörte es dem Stadtvogt; im 19. Jh. war es Städt. Findelhaus. Im Laufe der Jahrhunderte wurde der Bau mehrmals umgestaltet.

Das Gebäude ist das besterhaltene Haus aus maurischer Zeit. Die kleine *Zisterne* in dem rechteckigen Innenhof ist eine Nachbildung der ursprünglichen. Die 4 Marmorsäulen mit Blattkapitellen aus maurischer Zeit standen urspr. an anderer Stelle. An den Schmalseiten des Patios öffnen sich langgestreckte Räume, von denen der nördliche, einschließlich seiner rundbogigen Eingangstür, noch sehr gut erhalten ist. Lediglich die Stuckverzierungen der Decke sind modern. Von den engen und niedrigen Räumen im Obergeschoß gibt der kleine stuckverzierte Balkon noch eine Vorstellung.

Wenige Schritte südlich erhebt sich die **Kirche Nuestra Señora de la Paz,** von deren urspr. Bau des späteren 16. Jh. nur noch das W-Portal erhalten ist. Die heutige Anlage stammt fast ausschließlich aus dem frühen 18. Jh.; aus dieser Zeit auch der kleine Glockenturm.

Das Gemälde *»Hl. Michael«* an der inneren N-Wand, im 1. Joch von W, ist eine Kopie aus dem späten 17. Jh. nach Guido Reni, dem Hauptmeister der bolognesischen Schule im frühen 17. Jh. – Der *Hauptaltar* im Chor ist 18. Jh.; die Skulptur der *»Virgen de la Paz«*, der Schutzpatronin von Ronda, in der Mittelnische stammt aus dem 15., das Kind aus dem 18. Jh. Die Silber-Urne aus dem 19. Jh. bewahrt die sterblichen Reste des Fra Diego José de Cádiz, eines bedeutenden spanischen Klerikers des 18. Jh. – An der S-Wand lebensgroßer Holz-*Kruzifixus* des cordubesischen Bildhauers Pedro Duque Cornejo (1677–1757).

Palacio de Mondragón, auch Palacio de Villasierre genannt (Calle M. Montero, neben dem Aussichtspunkt Plaza del Campillo)

Hier befand sich im 11. Jh. der Palast des Taifa-Königs; hier residierte auch der letzte Nasriden-Gouverneur, Hamet al-Zegri. Die Kath. Könige wohnten hier 1485 anläßlich der Rückeroberung und 1501 anläßlich der Niederschlagung eines Morisken-Aufstands. Das Anwesen gehörte dem Hauptmann Melchor de Mondragón und im 17. Jh. der Familie von Francisco Valenzuela, Marqués de Villa-

sierre, dessen Sohn Fernando de Valenzuela, z. Z. der Minderjährigkeit Karls II. (1661) Minister der Mutter Maria Anna von Österreich (Witwe des 1665 gestorbenen Philipp IV.), hier wohnte.*

Der heutige Bau ist zum großen Teil eine mudejar-renaissancistische Anlage des 16. Jh., die in den folgenden Jahrhunderten wiederholt umgestaltet und um 1990 restauriert wurde. Aus maurischer Zeit stammen noch der Grundriß, die Grundmauern und einige unterirdische Gänge, die den Garten mit der alten Alcazaba verbanden. Die *Fassade* des frühen 16. Jh. wird von 2 Ziegelstein-Türmen über quadratischem Grundriß begrenzt. Ein Balkon und das Giebelwappen des Melchor de Mondragón überhöhen das barocke Portal aus der Zeit um 1700; die Inschrift »Concebida sin pecado original« bezieht sich auf die Unbefleckte Empfängnis Mariä. Im Innern des Palasts, dessen kunstvolle Artesonado-Decken von besonderem Interesse sind, befinden sich mehrere Patios und ein nicht einsehbarer Garten mit Blick auf die Schlucht. Der kleine sog. »Patio mudéjar« mit spätgot., mudejaren und renaissancistischen Stilelementen wird auf 3 Seiten von Rundbogenarkaden begrenzt; über der Balustrade der 4. Seite öffnet sich ein Zwillingsfenster mit Hufeisenbogen.

Die Plaza del Campillo gewährt einen herrlichen Blick auf die Tajo-Schlucht mit der Felsenformation der »Asa de la Caldera« (Kesselhenkel) im Hintergrund und den alten Weg, der von den **ehem. Mühlen** zum **Arco del Cristo** aus dem 13./14. Jh. führt, dem im 16. Jh. Puerta de los Molinos genannten Stadttor.

Geht man in Richtung Stiftskirche Sta. María Mayor zurück und überquert die in diesem Bereich Calle Armiñán genannte Hauptstraße, so gelangt man an der Ecke zur Calle del Marqués de Salvatierra zu dem von der **Kirche S. Sebastián** allein erhaltenen **Glockenturm.** Der Turm ist das Minarett (*Alminar*) einer früheren Nasriden-Moschee aus dem 14. Jh., sein unterer Teil aus Quadersteinwerk, der obere aus Ziegelstein. Das mudejare Glockengeschoß mit 4 Schallarkaden wurde im 16. Jh. hinzugefügt. Das kleine Portal öffnet sich in einem alfizüberhöhten Hufeisenbogen.

- **Palacio de Salvatierra** (am Ende der Calle Marqués de Salvatierra)

Der Palast wurde urspr. von Vasco Martín de Salvatierra an der Stelle mehrerer maurischer Häuser erbaut, die diesem bei der Liegenschaftsverteilung des maurischen Eigentums zugefallen waren.

Die heutige Anlage enthält noch Teile des 17. Jh., ist jedoch im wesentlichen ein Neubau des 18. Jh.; die 1798 bezeichnete *Fassade* hat der Baumeister Antonio Gómez errichtet. Das barocke Portal schmücken ein schmiedeeiserner Balkon und ein Dreiecksgiebel mit dem Familienwappen.

Als Gebälkträger dienen 4 unbekleidete Azteken-Figuren auf Konsolen, deren Darstellung insofern nicht verwunderlich ist, als der Adelstitel der Familie sich auf die nördlich von Mexiko-Stadt am Fluß Lerma gelegene Stadt Salvatierra bezieht. Unter dem Architrav die Inschrift: SE COSTEO ESTA OBRA POR LOS SENORES D. BAR. FELIS SALBATIERRA Y SU ESPOSA D[a] ANTONIA SALVAT[a] Y AYALA MARQUESES DE SALVAT[a] Y DIRIGIDA POR EL MAS[o] ANT. GOMEZ N° XXX ANO DE MDCCXCVIII.

Weiter unten gelangt man zur **Puerta de Felipe V** aus d. J. 1742; von hier aus hat man einen guten Blick auf die nahen Arabischen Bäder, die sog. Römische und die sog. Arabische Brücke.

Baños Árabes. Die Arabischen Bäder liegen im ehem. »Barrio Bajo« (Unteres Viertel), das auch Bordellviertel oder Judenviertel und in christlicher Zeit, nach einer nicht mehr vorhandenen kleinen Kapelle, »Barrio de S. Miguel« (hl. Michael) genannt wurde, am Zusammenfluß von Guadalevín und einem Las Culebras genannten Bach, der einzigen Stelle, wo in maurischer Zeit genügend Wasser vorhanden war. Die im späten 13./frühen 14. Jh. erbaute Anlage besteht aus 3 Räumen, deren größter durch hufeisenförmige Ziegelsteinbogen in 3 Schiffe unterteilt ist. Ihre Tonnengewölbe haben Lichtöffnungen in Form 8eckiger Sterne, die äußeren Kompartimente haben Ziegelstein-

Kuppeln. In der westl. Mauer sind noch Reste der Kamine zu erkennen, durch die Wasserdampf und Rauch der unter dem Boden gelegenen Heizanlagen abzogen. Die starke Mauer mit hufeisenförmigen Blendbogen grenzte die Anlage zum Fluß hin ab. Das Wasser wurde mittels eines in einem Turm installierten Schöpfrads über Rinnen aus Quadersteinen zu den Bädern geleitet.

Puente Romano. Die kleine, ca. 12 m hohe einbogige Brücke hieß im 16. Jh. »La Puente Vieja« (Alte Brücke) und ist vermutlich maurischen Ursprungs. Sie wird fälschlicherweise »Römische Brücke« genannt.

Puente Árabe. Auch diese, etwas oberhalb des »Puente Romano« gelegene Brücke trägt ihren Namen zu Unrecht, sieht man davon ab, daß sie an der Stelle einer maurischen Vorgängerbrücke errichtet wurde. Sie wird heute auch **Puente Viejo** (Alte Brücke) oder **Puente de S. Pedro Mártir** genannt. Bis zum Bau des dritten Übergangs im 18. Jh. (s. w. u. Puente Nuevo) war sie der »Puente Nuevo«, die »Neue Brücke«. Obwohl erst 1616 vollendet, war das ca. 30 m hohe, weitbogige Bauwerk Ende des 16. Jh. bereits benutzbar. – Jenseits dieser Brücke, extra muros, befand sich seit dem Ende des 15. Jh. der sog. Mercadillo (s. w. u.).

Casa del Rey Moro. Geht man vom Palacio de Salvatierra die stark ansteigende Straße ein kurzes Stück hinauf, so gelangt man zum »Haus des Maurenkönigs«, an dessen Stelle früher vermutlich das Haus eines Mauren gestanden hat. Das jetzige, im 20. Jh. restaurierte Gebäude stammt aus dem 18. Jh. und ist ohne Bausubstanz aus maurischer Zeit. Sehenswert sind seine über dem Abgrund »hängenden« **Gärten**, von denen aus eine in den Fels gehauene, teilweise überwölbte *Treppe* zum Guadalevín und zur »La Mina« genannten Felsenquelle führt, in maurischer Zeit die Wasserversorgung der Stadt.

Christliche Gefangene mußten das Wasser in Schläuchen und Behältern heraufschaffen; diese mühselige Arbeit verrichteten auch die 400 kurz vor der Rückeroberung freigelassenen (s. S. 289).

Folgt man der ansteigenden Straße weiter hinauf, so befindet sich unweit der Hauptstraße, die hier Calle Méndez Núñez heißt, nahe dem Puente Nuevo, die **Kirche** des **ehem. Convento de Sto. Domingo** aus dem 1. Drittel des 16. Jh. Die spätgot.-mudejare 3schiffige Anlage wurde in der Spätrenaissance und im Barock wesentlich umgestaltet. Von besonderem Interesse sind die Reste des Renaissance-**Kreuzgangs** aus dem späteren 16. Jh., dessen teilweise Zerstörung durch die Installation einer Möbelwerkstätte verursacht wurde.

• El Mercadillo

Das Gebiet jenseits des »Puente Árabe«, extra muros, wurde seit dem Ende des 15. Jh. »El Mercadillo« genannt. Dort ließen sich, ebenso wie vor dem Haupttor der maurischen Alcazaba, der Puerta de Almocábar im S, die Händler nieder, um die innerhalb der Stadt erhobenen Steuern zu sparen, und von hier aus wuchs die Stadt auf der anderen, nördl. Seite des Guadalevín.

Gleich am Anfang der Calle Real steht die im 18. Jh. umgestaltete **Kirche Nuestro Padre Jesús** aus der Mitte des 16. Jh. Die bemerkenswerte 4geschossige *Turmfassade* öffnet sich in einem weiten Spitzbogen.

Im südl. Seitenschiff ist die vegetabilische Ornamentik des *Camarín,* aus dem 18. Jh., der Beachtung wert. Aus dem 18. Jh. stammt die Murillo-Kopie »Hl. Josef«.

Gegenüber der Kirche steht die **Fuente de los Ocho Caños** (8 Strahlen), ein öffentlicher Steinbrunnen aus dem 17. Jh., und neben der Kirche der **Convento de la Madre de Dios,** mit interessantem 2geschossigem **Kreuzgang** von 1675. Die 1schiffige **Kirche** des Dominikanerinnenklosters stammt im wesentlichen aus der 2. Hälfte des 17. Jh.

Nahebei, in Richtung der Plaza Carmen Abela, am Anfang der Calle Los Vicentes, steht die **Posada de Las Ánimas** (»Gasthaus der Armen Seelen«) aus dem frühen 16. Jh., in der Folgezeit mehrfach umgebaut. Cervantes soll hier abgestiegen sein. Bemerkenswert ist das gegen Sonne und Regen schützende Wetterdach aus dem 18. Jh., das ein früheres ersetzt.

Ganz nahe, in der Calle Virgen de los Dolores, der **Templete de la Virgen de los Dolores,** eine kleine 3bogige, 1734 bezeichnete Votivkapelle.

Zwischen den Wappen der Kath. Könige und von Kastilien und León ein Holzretabel. Die *Säulenfiguren* mit gemeinsamem Strick um den Hals haben zu den verschiedensten Interpretationen geführt; hier soll sich die Hinrichtungsstätte befunden haben, und die Dargestellten wären dann Gehenkte. Die Vogelmenschen an den Innenseiten lassen jedoch an präkolumbische Darstellungen denken, und die Votivkapelle ohne Altar folgt mittel- und südamerikanischen Vorbildern, so daß ein Bezug zu Mexiko (vgl. Palacio de Salvatierra) nicht auszuschließen ist.

Etwas weiter nördlich, an der Plaza de los Descalzos, steht die **Kirche Sta. Cecilia** des ehem. Klosters der Unbeschuhten Trinitarier. Die Ende des 17. Jh. erbaute barocke 3schiffige Querhausanlage von 5 Jochen mit Rechteckchor wurde in neuerer Zeit restauriert.

Die Ausstattung im Innern stammt im wesentlichen aus dem 18. Jh., so auch im nördl. Seitenschiff die Holzskulptur eines unbekleideten gekreuzigten Jungen, *Sto. Domingo de Val,* aus der Sevillaner Schule.

Von der Plaza de los Descalzos sind es nur wenige Schritte bis zur Carrera de Espinel, in der einige der schönsten Beispiele der **alten Häuser** mit schmiedeeisernen *Fenster-* und *Balkongittern* aus dem späten 18., dem 19. und frühen 20. Jh. stehen, die im Mercadillo so zahlreich sind.

Puente Nuevo. Die »Neue Brücke« ist die dritte Verbindung der alten Ciudad mit dem Mercadillo. Ihr Bau wurde 1735, als sich El Mercadillo immer mehr ausgedehnt hatte, beschlossen; diese erste Konstruktion stürzte allerdings ein. Die jetzige, aquäduktähnliche, 98 m hohe Brücke wurde 1784–93 von dem aragonesischen Baumeister José Martín de Aldehuela (1719–1802) in Zusammenarbeit mit Juan Antonio Díaz Machuca aus Ronda erbaut. Der tonnengewölbte Raum über dem oberen hohen Mittelbogen diente früher als Gefängnis. (Abb. S. 300.)

Auf der Seite des Mercadillo mündet die Brücke in die Plaza de España, wo sich 1843–1978 das Rathaus befand. In der Platzmitte

Ronda. Puente Nuevo (zu S. 299)

das **Denkmal** mit der Büste des Politikers **Antonio de los Ríos y Rosas** aus Ronda, der spanischer Minister und 1862 Kongreßpräsident war.

- **Plaza de Toros** (vom Puente Nuevo kommend links der Calle Virgen de la Paz)

  Der Stierkampfplatz ist einer der ältesten und traditionsreichsten Spaniens. Er gehört der 1572 von Philipp II. gegründeten »Real Maestranza de Caballería de Ronda« (Königlicher Ritterorden von

Ronda), deren Ursprung bis auf die Kath. Könige zurückgeht. Der Bau wurde 1783 begonnen und 1785, nach Hinzuziehung von José Martín de Aldehuela, dem Erbauer des Puente Nuevo, fertiggestellt. (Die nicht mehr existierende älteste spanische Arena, 1743–49 erbaut, befand sich in Madrid, bei der Puerta de Alcalá. Ebenfalls älter ist die 1761 begonnene Arena von Sevilla.)

Den Eingang bildet ein spätbarockes, von frühklassizist. Stileinflüssen, wie im Innern der Arena, bereits geprägtes *Portal* zwischen toskanischen Säulen auf hohen Postamenten. Am kunstvoll ornamentierten schmiedeeisernen Gitter des Balkons sitzen Stierköpfe; im Giebel das Wappen der Kgl. Maestranza. Die Arena von 66 m Durchmesser wird von doppelgeschossigen Arkadengalerien (rd. 5000 Sitzplätze) auf toskanischen Säulen umgeben. Sie war triumphaler Schauplatz der berühmten Stierkämpfer der »Schule von Ronda«.

Im frühen 18. Jh. – damals wurden die Spiele der »Ritter der Maestranza« noch auf dem Hauptplatz der Stadt ausgetragen – kämpfte Francisco Romero, der Gründer der Dynastie der Romeros, als erster zu Fuß und bediente sich des »La Muleta« genannten roten Tuches. Sein Enkel, Pedro Romero (1754–1839), unübertroffener Meister der Stierkampfkunst, stellte die Regeln der »Schule von Ronda« endgültig auf. Er soll insgesamt 5530 Stiere ohne eigene Verwundung erlegt haben; Goya hat ihn und seine Kunst in den Radierfolgen der »Tauromaquia« (1815) dargestellt.

In dem kleinen **Museo Taurino** (Stierkampfmuseum) unter der Orchestertribüne werden u. a. *historische* Torero-Kostüme und Utensilien des Stierkampfs gezeigt.

Die nach Pedro Romero benannte Straße, gegenüber dem Eingangsportal der Arena, führt zur Plaza del Socorro mit der 1950 erbauten neubarocken **Kirche Nuestra Señora del Socorro.**

In der Alameda de S. Carlos neben der Arena wurde **Pedro Romero** ein **Denkmal** errichtet, das inschriftlich u. a. den Ausspruch des Matadors bewahrt: »Die Furcht fügt mehr Verwundungen zu als der Stier.« – Die Alameda, die bedeutendste, 1787–1806 geschaffene und 1974 erweiterte Gartenanlage Rondas, bietet den herrlichen Blick auf das Guadalevín-Tal, der Rilke so fasziniert hat. – Ganz im Hintergrund, an einen Hügel angelehnt, steht die kleine, z. T. zerstörte **Kapelle Virgen de la Cabeza** aus dem 18. Jh.

Klosterkirche La Merced. Am Ende der Calle Virgen de la Paz führt eine breite Freitreppe zum Portal der Kirche, die zum Kloster der Unbeschuhten Karmeliterinnen gehört. In der von einem gebrochenen Giebel überhöhten Nische über dem *Portal* die Steinskulptur des S. Pedro Nolasco. Die urspr. als 3schiffige Halle von 5 Jochen in der Mitte des 17. Jh. erbaute Kirche wurde später umgestaltet.

Auf der N-Seite, in einem Schrein des späten 17. Jh., wird eine Handreliquie der hl. Theresa von Avila (1515–82), der Reformerin des Karmeliterordens, aufbewahrt.

Rilke-Denkmal. Hinter der Kirche La Merced führt die Calle Doctor Fleming zum **Hotel Reina Victoria** (Nr. 25). Dort wohnte im Winter 1912/13 Rainer Maria Rilke. Sein Zimmer mit einigen persönlichen Gegenständen wird auf Wunsch gezeigt. Im Garten das ganzfigurige Bronze-Denkmal (von Nicomedes Díaz Piquero, 1966) des 1926 51jährig an einem Lungenleiden in Val Mont bei Montreux gestorbenen Dichters und zeitweiligen Sekretärs von Rodin.

Umgebung

Ronda la Vieja (D5)

Die Ausgrabungen der römischen Stadt Acinipo, *die im 1. Jh. von Plinius als eine der bedeutendsten Städte der Baetica bezeichnet und 429 von den Vandalen zerstört wurde, befinden sich auf einem 980 m hohen Plateau in 12 km Luftlinien-Entfernung nordwestlich von Ronda. Die Straßenentfernung beträgt über 20 km; man verläßt Ronda auf der Carretera nach Jerez de la Frontera, von der eine N-Abzweigung nach Ronda la Vieja führt.*

In situ erhalten sind die Ruinen des **römischen Theaters**; Statuenfragmente und Keramikreste aus Acinipo befinden sich heute im Ayuntamiento (Rathaus) von Ronda bzw. im Archäologischen Museum von Málaga. Die Außenfront des Theaters, eines der bedeutendsten in Spanien, ist fast vollkommen zerstört; gut erhalten ist jedoch die *Bühnenfront* aus Quadersteinen. Ihre 3 Portale werden von Nischen überhöht, deren Statuen verloren sind; in der mittleren Nische über dem »Königsportal« war das Standbild des Kaisers; darüber das abschließende Gebälk. Leidlich erhalten sind auch die ursprünglich tonnengewölbten Flügelbauten. Weniger gut überkommen sind die bedeutenden Reste der in den Fels gehauenen, untermauerten und mit Steinplatten abgedeckten Sitzreihen und der Orchestra. Das Halbrund des Zuschauerraums ist in 3 Ränge unterteilt; Treppen und Zugänge zu den Sitzreihen sind nicht erhalten, außer den schmalen Gängen zu beiden Seiten der Bühne, die zu den unteren Sitzreihen führen. Diese waren Zuschauern von höherem und hohem sozialem Rang vorbehalten. – vom **ehem. Amphitheater** zeugen nur noch wenige Reste.

SAN FERNANDO (Cádiz C5)

Die Gründung der am südl. Ufer des Golfs von Cádiz gelegenen Stadt hängt mit den Resten eines römischen Aquädukts zusammen, der nach der christlichen Wiedereroberung (um 1260) in Dokumenten fälschlich als »Brücke« bezeichnet wurde.

Nahebei entstand, vermutlich noch unter Alfons X., jedenfalls vor 1328, das von Mudejaren erbaute **Castillo de S. Romualdo**, das im 15. Jh. zur Herrschaft der Segovianer Familie Zuazo gehörte. Die nach ihr benannte Brücke **Puente de Zuaso** wurde im 16. Jh., unter Verwendung der römischen Aquäduktreste, errichtet.

Unter den barocken Bauten der Calle Real und ihrer Umgebung fallen auf: **Iglesia del Carmen,** 1712–33; **Iglesia Mayor de S. Pedro y S. Pablo,** 1757–69; **Iglesia del Antiguo Hospicio de S. Francisco,** aus dem frühen 18. Jh., im (umgestalteten) Inneren 3 *Gemälde* des klassizist. Malers Mariano Salvador Maella (»Unbefleckte Empfängnis«, »Hl. Ferdinand«, »Hl. Karl Borromäus«).

Unter den klassizist. Bauten des nach 1786 entstandenen nördl. Viertels Barrio de S. Carlos ist das **Panteón de Marinos Ilustres** zu nennen, 1786 als Pfarrkirche des neuen Stadtviertels begonnen. Nach der verlorenen Seeschlacht bei Trafalgar 1805 ruhte der Bau bis 1850; danach wurde er als »Pantheon berühmter Seefahrer« fertiggestellt (u. a. ruhen dort die sterblichen Überreste des Befehlshabers der spanischen Flotte, Admiral Carlos de Gravina). – **Observatorio Astronómico,** 1793–98. – **Casas Consistoriales** (Rathaus), 1776–95, jedoch erst Ende des 19. Jh. vollendet.

SANTA FE (Granada G4)

Die heutige Stadt (rd. 18500 Einwohner) entwickelte sich aus einem von 4 Mauern mit je einem Mitteltor umgebenen befestigten Stützpunkt, den die Kath. Könige von Anfang Mai bis Juli 1491, unabhängig von der Brandzerstörung des christlichen Zeltlagers im Juli 1491, hatten errichten lassen. Zusammen mit anderen Befestigungen sollte der Stützpunkt die Ebene vor dem belagerten Granada abriegeln. In der Nähe wurde am 25. November 1491 die Kapitulation von Granada unterzeichnet; in Santa Fe (»Hl. Glaube«) unterzeichneten Isabella und Ferdinand am 17. April 1492 den Vertrag mit Kolumbus über eine Expedition nach »Indien«.

3 im 18. Jh. wiedererbaute **Mauertore** sind erhalten; am südlichen die urspr. Gründungsinschrift. – Die 1772 nach Plänen von Ventura Rodríguez begonnene **Iglesia Mayor de la Encarnación** [de Santa Fe] (Plaza de España) ist eine frühklassizist. Anlage mit 2-Turm-Fassade, Querhaus und Vierungskuppel.

SANTA FE de Mondújar (Almería I4)

Los Millares (I4)

Die 1,5 km von der Bahnstation entfernte prähistorische Siedlung von Los Millares und ihre Nekropole haben der gleichnamigen Kultur ihren Namen gegeben, die von der neueren Forschung zwischen 2500 und 1800 v. Chr. datiert wird.

Die **Siedlung** war von Befestigungsmauern mit zylindrischen Türmen umgeben. Die Wasserversorgung erfolgte durch niedrige Aquädukte von einer etwa 1 km entfernten Quelle aus.

Vor der Siedlung erstreckt sich die **Nekropole;** die Ganggräber haben meist kreisförmige, einige polygonale Grabkammern. Außer einer Vielzahl menschlicher Skelette und Knochenreste wurden als Grabbeigaben Steinwerkzeuge, Schmuckgegenstände aus Marmor, Schieferstein, Kalkstein und Tierknochen sowie unverzierte und verzierte Keramik gefunden.

SEVILLA (Provinzhauptstadt C3)

Die Hauptstadt (rd. 660000 Einwohner) der gleichnamigen Provinz und darüber hinaus der historischen Landschaft Andalusien liegt in einer fruchtbaren Vega am linken Ufer des bis hierher schiffbaren Guadalquivir (von arab. Wadi al-Kebir = großer Fluß).

Stadtgeschichte

Hispalis *(in verkürzter Form auch* Spalis*), wie Sevilla in der Antike hieß, wird zuerst genannt als Stützpunkt Caesars in dessen spanischen Feldzügen. Wahrscheinlich reichen die Anfänge bis in das 2. Jt. v. Chr. zurück, als sich Iberer im unteren Tal des Guadalquivir niederließen und vermutlich auf Inseln im Fluß Pfahlbauten errichteten. Auf Pfähle geht, nach der Überlieferung des hl. Isidor, die Wortbedeutung von Hispalis zurück.*

Die Vermutungen zur frühen Stadtgeschichte sind zahlreich und oft widersprüchlich. U. a. hat man auch an eine phönizische Gründung gedacht. 237 v. Chr. sollen die Karthager die Stadt besetzt und befestigt haben, denen 206 v. Chr., im 2. Punischen Krieg, die Römer unter Scipio Africanus d. Ä. folgten.

Gesichert ist, daß Caesar 45 v. Chr. Hispalis mit Befestigungsmauern umgab und zur Colonia Iulia Romula *erhob. Wirtschaftlicher Mittelpunkt war in römischer Zeit der Hafen mit bedeutendem Export von Waren für Rom, insbesondere Olivenöl in Amphoren. In den Akten des Konzils von Elvira, am Anfang des 4. Jh., wird Hispalis als Bischofssitz genannt.*

411 kamen die Vandalen; sie wurden schon wenige Jahre später von den Westgoten geschlagen und setzten sich, nach nochmaliger Inbesitznahme der Stadt, 429 unter ihrem König Geiserich nach Nordafrika ab. Ab 439 herrschten die Sueben, bis 461 die Westgoten Hispalis endgültig einnahmen.

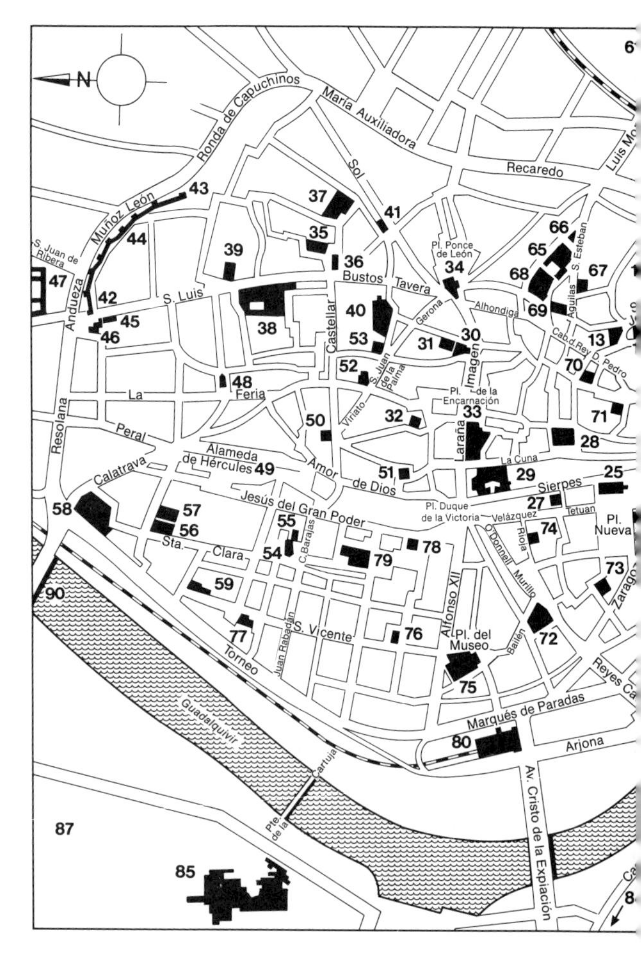

Sevilla. Lageplan

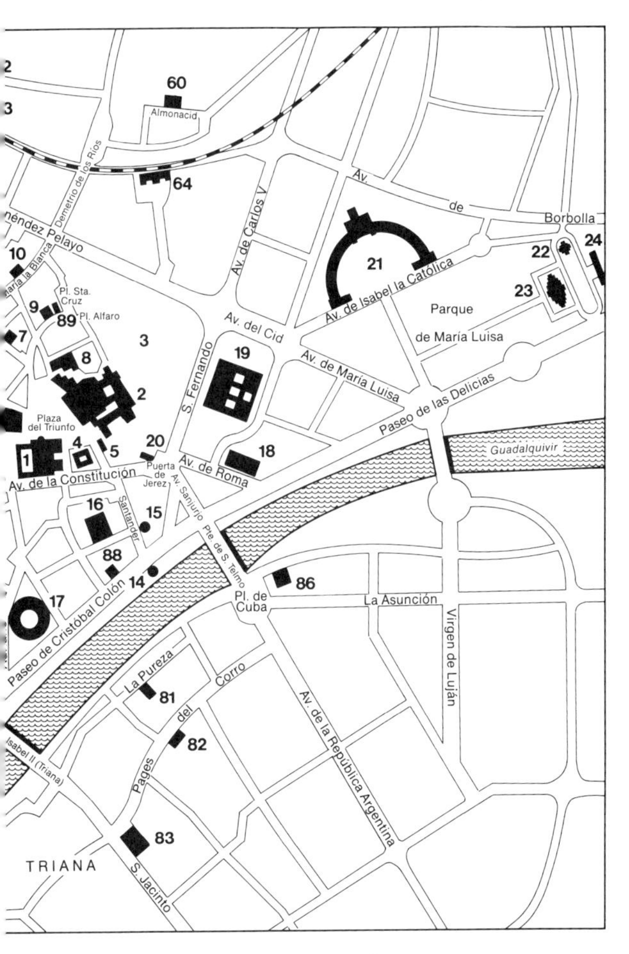

(Legende S. 308)

1 Kathedrale, Giralda, Sagrario
2 Reales Alcázares
3 Alcázar-Gärten
4 Archivo de Indias, Casa Lonja
5 Ehem. Cilla del Cabildo, Museo de Arte Contemporáneo
6 Palacio Arzobispal
7 Sta. Cruz
8 Hospital Venerables Sacerdotes
9 S. José (Las Teresas)
10 Sta. María la Blanca
11 S. Bartolomé
12 Madre de Dios
13 S. Nicolás de Bari
14 Torre del Oro
15 Torre de la Plata
16 Sta. Caridad, Hospital und Kirche
17 Plaza de Toros und Real Maestranza de Caballería
18 Pal. S. Telmo
19 Universität (ehem. Tabakfabrik)
20 Cap. del Seminario (Cap. del Maese Rodrigo)
21 Plaza de España
22 Pabellón Real
23 Pabellón Mudéjar, Museo de Artes y Costumbres Populares
24 Pabellón Renacimiento, Museo Arqueológico Provincial
25 Ayuntamiento (Rathaus)
26 Cap. S. Onofre
27 Cap. S. José
28 El Salvador
29 Casa-Museo de la Cond. de Lebrija
30 S. Pedro
31 Sta. Inés
32 La Misericordia, Hospital u. Kirche
33 Alte Universität mit La Anunciación
34 Sta. Catalina
35 Sta. Isabel
36 S. Marcos
37 Sta. Paula
38 S. Luis
39 Sta. Marina
40 Pal. Duques de Alba (Pal. de las Dueñas)
41 S. Román
42 Puerta de la Macarena
43 Puerta de Córdoba
44 Mauer-Teilstück
45 S. Gil
46 Basilica de la Macarena
47 Parlamento, ehem. Hospital de la Sangre
48 Igl. Omnium Sanctorum
49 Alameda de Hércules
50 S. Martín
51 S. Andrés
52 S. Juan de la Palma
53 Espíritu Santo
54 S. Lorenzo
55 Jesús del Gran Poder
56 Sta. Clara
57 Torre de Don Fadrique
58 S. Clemente
59 La Asunción
60 S. Bernardo
61 S. Benito
62 Cruz del Campo
63 Aquädukt-Reste (Caños de Carmona)
64 Ostbahnhof – Estación de Cádiz
65 Casa de Pilatos
66 S. Esteban
67 Sta. María de Jesús
68 S. Leandro
69 S. Ildefonso
70 S. Isidoro
71 S. Alberto
72 Sta. María Magdalena
73 S. Buenaventura
74 Sto. Ángel
75 Ehem. Conv. de la Merced, Museo Provincial de Bellas Artes
76 S. Vicente
77 S. Antonio de Padua
78 S. Hermenegildo
79 Sta. Rosalia
80 Westbahnhof – Estación de Córdoba
81 Sta. Ana
82 Las Mínimas
83 S. Jacinto
84 Cap. del Patrocinio
85 Cartuja Sta. María de las Cuevas
86 Los Remedios, Hispano-Kubanisches Institut
87 Ausstellungsgelände Expo '92
88 Teatro de la Maestranza
89 Casa-Museo Murillo
90 Puente de La Barqueta-Mapfre

Bis 554, als Toledo Hauptstadt des Westgotenreichs wurde, war Sevilla zeitweise königliche Residenz; nach 551 befand sich die Stadt vorübergehend im Besitz von Byzanz. 579 konvertierte hier Hermenegild, der Sohn des arianischen Königs Leowigild, zum katholischen Glauben. (Nach der um 318 als Irrlehre verurteilten Christologie des Arius von Alexandreia [†336] ist Christus mit Gott nicht wesensgleich, sondern dessen vornehmstes Geschöpf. Erst der Übertritt König Rekkareds I. zur katholischen Lehre [des Konzils von Nicäa], 589 auf dem 3. Konzil in Toledo, brachte die endgültige Bekehrung der Westgoten vom Arianismus.) 594 wurden unter dem hl. Leander und 619 unter dem hl. Isidor Konzile (concilia Hispalensia) gehalten. Isidorus Hispalensis (555–636), seit 600/601 als Nachfolger seines älteren Bruders Leander Bischof von Sevilla, sammelte, um der Bildung des Klerus und des westgotischen Königshofes zu dienen, antike und christliche Gelehrsamkeit. Damit wurde er zum Bewahrer und Vermittler der Wissenschaften im frühen Mittelalter. Das 7. Jh., als die von Leander und Isidor begründete »Schule von Sevilla« hohe Berühmtheit erlangte, wird auch das »Jahrhundert des hl. Isidor« genannt.

712 besetzten die vom arabischen Statthalter Nordafrikas, Musa ben Nusayr, befehligten Mauren kampflos die Stadt; viele Einwohner waren geflohen. Aus ihrem neuen Namen, Ischbiliya *(»die ausgedehnte Stadt«), hat sich der heutige gebildet. Sie wurde zum Aktionsmittelpunkt der maurischen Invasoren, bis 717 Córdoba die Hauptstadtrolle übernahm. 844 wurde Sevilla von den Normannen geplündert und teilweise zerstört. Diese Episode blieb ohne Einfluß auf die wachsende wirtschaftliche und kulturelle Bedeutung der Stadt, die sich im 10. Jh., unter den Omayyaden, als Rivalin von Córdoba begriff. 1023, in der Untergangszeit des Kalifats von Córdoba, wurde Sevilla glanzvolle Hauptstadt des Königreichs der Abbadiden. 1091 kam es in den Besitz der glaubensfanatischen Almoraviden, deren zerstörerischer und kunstfeindlicher Herrschaft die Almohaden 1147 ein Ende setzten. Sie brachten ihrem Reich eine neue wirtschaftliche und kulturelle Blütezeit. Das Minarett der ehem. Hauptmoschee (heute die Giralda der Kathedrale) und der Goldene Turm sind Zeugnisse dieser letzten maurischen Periode in Sevilla.*

1248 eroberte Ferdinand III., »der Heilige«, König von Kastilien und León, Sevilla nach mehrmonatiger Belagerung. Spätere arabische Autoren betonen die Milde des Königs, welche die Einwohner mit dem Hab und Gut, das sie tragen konnten, in das den Mauren noch verbliebene Gebiet ausziehen ließ. Ferdinand stattete

Sevilla mit großen wirtschaftlichen Privilegien aus, ebenso sein Sohn und Nachfolger Alfons X. d. Weise (1252–84), der hier das erste Schiffszeughaus Spaniens gründete. Auch im 14. Jh. brachte die Gunst der kastilischen Herrscher viele Vorteile; Peter I. d. Grausame (1350–69) ließ den nach ihm benannten Alcázar-Palast erbauen. Im 15. Jh. war Sevilla die bedeutendste Stadt des Königreichs und erreichte nach der Entdeckung Amerikas seine höchste Blüte, als es zum einzigen Umschlagplatz des Handels mit der Neuen Welt wurde. Über das von den Kath. Königen zugestandene Monopol wachte die 1503 eingerichtete Casa de Contratación, die staatliche Handels- und Finanzkammer. Zeitgenössische Berichte sprechen von Bergen von Gold und Silber, die auf Kriegsschiffen aus den Kolonien herangebracht wurden. In der 2. Hälfte des 16. Jh. zählte das reiche Sevilla 150000 Einwohner, um die Hälfte mehr als die Hauptstadt Madrid.
Um die Mitte des 17. Jh. begann die wirtschaftliche Bedeutung abzubröckeln. 1649 raffte eine Pestepidemie ein Drittel der Bevölkerung dahin. 1717 verlor Sevilla das Handelsmonopol mit Amerika; die Bourbonen verlegten die Casa de Contratación in das von ihnen bevorzugte Cádiz. Das Erdbeben von 1755 zerstörte zahlreiche Bauten. Im Unabhängigkeitskrieg gegen Napoleon konstituierte sich 1808 hier die Spanische Zentraljunta. Im Bürgerkrieg blieb Sevilla von Zerstörungen verschont.
Das einstige »Tor zur Welt« ist heute kulturelle Weltstadt; die Ibero-Amerikanische Ausstellung 1929 und die Weltausstellung 1992, für die viele historische Bauten restauriert wurden, dokumentieren die Bedeutung Sevillas im 20. Jh.

Zur Kunstgeschichte
Anders als im nahen Itálica hinterließ die römische Zeit in Sevilla keine bedeutenden Bauten; sie beschränken sich auf Mauerreste und die Spuren eines Tempels in der Calle Mármoles. Zahlreiche Marmorsäulen haben, nicht nur in westgotischer und maurischer Zeit, als Spolien Verwendung gefunden. Münzen, Skulpturen und Gebrauchsgegenstände sind in viele Museen und Privatsammlungen gelangt. – Eine westgotische Kirche befand sich im Bereich des Patio de Banderas des Alcázar; hier wurde 1976 eine zunächst rechteckige, später zu einem unregelmäßigen Achteck umgewandelte Taufpiscina entdeckt. – Aus der Zeit des Kalifats und des Königreichs von Sevilla stammen noch spärliche Mauerreste des Alcázar. Um so bedeutender sind die Zeugnisse der Almohaden, deren neue Festungsmauern z. T. erhalten sind. Die größte Nachwirkung ging

von der Giralda aus, die für viele mudejare Türme der Region Sevilla bis in das späte 17. Jh. Vorbild war.
Der Baustil der kastilischen Eroberer, die Gotik, konnte sich lange Zeit nicht durchsetzen. Baumaterial blieb weiterhin der Ziegelstein. Es fehlten sowohl erfahrene Steinmetzen wie auch genügend Steinbrüche. Aus der Verbindung von got. Stilvorstellungen (basilikale Grundform) und traditioneller maurischer Bauweise (Hufeisenbogen, flache Dekorationszeichnungen, Artesonado-Decken) entstand ein besonderer mudejarer, für Sevilla und seine Umgebung charakteristischer Stil. In der Bauornamentik überlebte das Mudejar bis ins späte 18. Jh.
Am Anfang des 15. Jh. begann der erste got. Steinbau zu entstehen, die Kathedrale, die größte Spaniens und drittgrößte der Christenheit. An der Bauleitung hatten französische und deutsche Meister maßgeblichen Anteil. In der Folgezeit, bis zum Ende des 1. Viertels des 16. Jh., beherrschten sowohl die Gotik wie auch das Mudejar die Sevillaner Architektur. Die Renaissance ist mit Diego de Riaño verbunden, der 1527 das platereske Rathaus entwarf und 1528 Kathedralbaumeister wurde. Der manieristische Baustil des Hernan Ruíz II. (um 1501–69), führend im 2. Drittel des 16. Jh., beeinflußte die Sevillaner Architektur bis zur Mitte des 17. Jh. Er entwarf den Glockenturmaufsatz der Giralda, mit dem Sevilla von spätmittelalterl. Bautraditionen endgültig Abschied nahm.
In der Malerei verwendeten Alejo Fernández und seine Werkstatt im 1. Drittel des 16. Jh. noch den Goldgrund. Schon 1537 kam mit Pedro de Campaña der Manierismus, der mit Luis de Vargas, nach der Mitte des 16. Jh., seinen Höhepunkt erreichte. Manieristisch ist auch der Stil der »Bildhauerschule von Sevilla« in der 2. Hälfte des 16. Jh., begründet von dem Kastilier Isidro de Villoldo, der, nach der Auflösung der Werkstatt von Alonso Berruguete in Valladolid, 1553 nach Sevilla kam. Der Sevillaner Barock im 17. Jh. ist in der Malerei v. a. mit den großen Namen Zurbarán, Murillo und Valdés Leal verbunden; er lebte im 18. Jh. mit Domingo Martínez und Juan de Espinal fort. Typisch für die Sevillaner Barockbaukunst, beginnend mit Leonardo de Figueroa im späten 17. Jh., ist die überreiche dekorative Gestaltung der Kapellen. Die Sevillaner Barockskulptur wurde bis zur Mitte des 17. Jh. von dem genialen Juan Martínez Montañés geprägt, der 1587 als 19jähriger nach Sevilla kam und schon bald das Haupt der nach ihm benannten Bildhauerschule wurde. Sein Stil des Ausgewogenen und der klaren Gesetzmäßigkeit hat klassische Wurzeln und ist noch weit entfernt von der leidenschaftlichen Bewegtheit des Sevillaner Barock im letzten Drittel des 17. und im 18. Jh.

Der Klassizismus hatte für Sevilla keine große Bedeutung, prägt jedoch viele Kirchen und Türme in der Provinz Sevilla, die, nach dem Erdbeben von 1755, seit dem letzten Drittel des 18. Jh. wieder instand gesetzt wurden. Das heutige Stadtbild wird bestimmt vom Historismus, der bis in die 30er Jahre des 20. Jh. fortlebte und, anläßlich der Ibero-Amerikanischen Ausstellung 1929, nochmals einen Höhepunkt als Repräsentationsstil erreichte. Seit den 50er Jahren des 20. Jh. ist Sevilla in jeder Hinsicht in die allgemeine europäische Stilentwicklung eingebunden.

Der Süden

I. Die Kathedrale und ihre Umgebung

● **Kathedrale**

Die ehem. maurische Moschee und ihre erhaltenen Zeugnisse

An der Stelle der heutigen Pfarrkirche El Salvador hatte der Omayyade Abd ar-Rahman II. im 9. Jh. die Hauptmoschee erbauen lassen. Sie behielt diesen Rang im Königreich Sevilla und unter den Almoraviden, erwies sich jedoch als zu klein und unbedeutend, als in der 2. Hälfte des 12. Jh. Sevilla Hauptstadt der Almohaden wurde. 1172 wurde an der Stelle der heutigen Kathedrale die Almohaden-Moschee begonnen, unter der Leitung des aus einer mozarabischen Familie Toledos stammenden Ahmad ibn Baso. Die dekorativen Arbeiten dauerten bis zum Eröffnungsjahr 1182. Diese von N nach S orientierte Rechteckanlage umfaßte 17 Schiffe mit (für die Baukunst der Almohaden typischen) spitzen Hufeisenbogen auf Pfeilern. Die Qibla-Wand befand sich im S, an der Stelle der heutigen südl. Seitenkapellen der Kathedrale gegenüber der Lonja (Börse), und in der Mitte der Qibla, etwa an der Stelle der heutigen Capilla de la Virgen de la Antigua[46]*, der Mihrab.*

● Orangenhof (Patio de los Naranjos)[1]

Eine Bogengalerie im N und je eine im W und im O, letztere als Verlängerung der beiden äußeren Schiffe des Betsaals, begrenzten den Moscheehof, der dem heutigen Orangenhof entsprach. In etwa behielt er sein urspr. Aussehen bis 1618, als auf der W-Seite die Pfarrkirche El Sagrario[66] *erbaut wurde. Der Chronist Alonso de Morgado rühmte im 16 Jh. die üppige Bepflanzung; außer Orangenbäumen standen dort alte Palmen, hohe Zypressen, Weinstöcke und Zitronenbäume.*

Vom Brunnen für die rituellen Waschungen in der Hofmitte, den urspr. ein glänzender Überbau schützte, ist lediglich die oktogonale *Steinschale,* eine westgotische Spolie, erhalten.

Der Haupteingang zur (Hof und Betsaal umfassenden) Moschee befand sich an der Stelle der *Puerta del Perdón*[2] (Tor der Gnade) auf der N-Seite.

Aus dem 12. Jh. stammen die mit Bronzeplatten verkleideten *Türflügel* aus Lärchenholz, mit geometrischen und floralen Motiven sowie einer sich wiederholenden, Allah preisenden Inschrift in kufischen Schriftzeichen. Die beiden bronzenen *Türklopfer* gehören zu den hervorragendsten Zeugnissen almohadischen Kunsthandwerks. Aus dem 12. Jh. auch der doppelte Hufeisenbogen der Torinnenseite; der äußere Bogen ist in seiner Anlage erhalten. Den heutigen plateresken Dekor schuf 1522 Bartolomé López, die Figuren – hll. Petrus und Paulus, Maria und Erzengel Gabriel der Verkündigung – sowie das Relief »Die Vertreibung der Händler aus dem Tempel« 1519–20 der vermutlich aus Bar-le-Duc in Lothringen stammende Bildhauer Miguel (Michel) Perrin, ausgebildet in Florenz und daher auch Miguel Florentín genannt.

Der Orangenhof und das Tor haben im Laufe der Jahrhunderte viele Umgestaltungen und Restaurierungen erfahren, die beiden letzten wesentlichen 1948 und vor der Weltausstellung 1992. (Biblioteca Capitular y Colombina[65] *und Puerta del Lagarto*[11] *im O, Puerta de la Concepción*[10] *im S, Pfarrkirche El Sagrario*[66] *im W s. w. u.)*

Giralda[3]

Auf Weisung des Kalifen Abu Jacub Jusuf wurde 1184 unter der Leitung des Moschee-Architekten Ahmad ibn Baso mit dem Bau des Minaretts begonnen – bedingt durch eine unterirdische Wasserführung – nicht, wie üblich, im Bereich der nördl. (z. B. in Córdoba), sondern an der östl. Mauer. Nach dem Tod des Kalifen im selben Jahr ruhten die Arbeiten und wurden erst 5 Jahre später, nach der Ankunft seines Sohnes und Nachfolgers Jacub al-Mansur, unter der Leitung des vermutlich aus Afrika stammenden Architekten Ali de Gomora fortgesetzt. Beide Bauphasen sind am unterschiedlichen Material – Quadersteine aus römischen Bauten im unteren, schmale Ziegelsteine im oberen Teil – deutlich erkennbar.

Nach der Fertigstellung, 1198, bot sich das Minarett so dar: Auf der mit Zinnen umgrenzten Plattform sprang, als Fortsetzung des inneren Kernturms, ein kleinerer Rechteckturm zurück, dessen Keramikkuppel, der Tradition entsprechend, von 4 senkrecht um eine eiserne Achse angeordneten, sich nach oben verjüngenden, vergoldeten Kugeln bekrönt war. Diesen Aspekt behielt das Minarett auch unter christlicher Herrschaft, bis im August 1355 ein Erdbeben die Kugeln zu Fall brachte. Die dabei zerstörte Keramikkuppel wurde erst 1400 durch einen einfachen Glockenstuhl ersetzt, so wie es das Gemälde der hll. Justina und Rufina von Hernando de Esturmio (1555) in der Capilla de los Evangelistas[39] *der Kathedrale zeigt.*

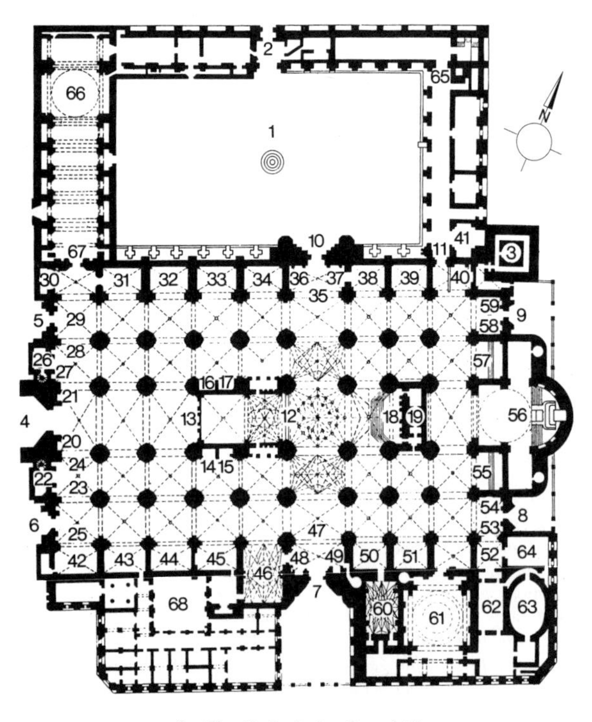

Sevilla. Kathedrale. Grundriß

1558 nahm das Domkapitel einen Entwurf von Hernán Ruiz II. aus Córdoba für das heutige Glockengeschoß mit seiner Bekrönung an, der 1560–68 ausgeführt wurde. Die Figur der »Fides« (Glaube), entworfen von Luis de Vargas, wurde 1566–68 von Bartolomé Morel in Bronze gegossen; ihr Banner dient als Wetterfahne und läßt die 4 m hohe Figur sich im Winde drehen (»Giralda« von span. girar = drehen). Von Luis de Vargas auch stammten die verlorenen Gemälde der Schutzpatrone von Sevilla an der N-Seite des Turms, die ein Bild Murillos, »Hll. Justina und Rufina«, im Museo de Bellas Artes zeigt.

---

1 Patio de los Naranjos
2 Puerta del Perdón
3 Giralda
4 Puerta Principal
5 Puerta del Baptisterio / del Bautismo
6 Puerta del Nacimiento
7 Puerta de S. Cristóbal
8 Puerta de las Campanillas
9 Puerta de los Palos
10 Puerta de la Concepción
11 Puerta del Lagarto
12 Coro
13 Trascoro
14–17 »Alabasterkapellen«
18 Capilla Mayor
19 Sacristía Alta
20 Altar del Ángel de la Guarda
21 Altar de la Virgen del Consuelo
22 Cap. S. Isidoro
23 Altar de la Virgen de la Cinta
24 Altar de la Virgen del Madroño
25 Altar del Nacimiento
26 Cap. S. Leandro
27 Altar del Niño Mudo
28 Altar de la Virgen de la Alcobilla
29 Altar de la Visitación
30 Cap. de los Jácomes o. de las Angustias
31 Cap. S. Antonio
32 Cap. de Escalas
33 Cap. Santiago
34 Cap. S. Francisco de Asís
35 Nördl. Querarm
36 Altar de la Virgen de Belén
37 Altar de la Asunción
38 Cap. de las Doncellas
39 Cap. de los Evangelistas
40 Cap. Virgen del Pilar
41 Cap. N. S. de la Granada
42 Cap. S. Laureano
43 Cap. Sta. Ana o. Cristo de Maracaibo
44 Cap. S. José
45 Cap. S. Hermenegildo
46 Cap. de la Antigua
47 Kolumbus-Grabmal
48 Altar de la Concepción o. de la Gamba
49 Altar de la Piedad
50 Cap. de los Dolores
51 Cap. S. Andrés
52 Cap. del Mariscal
53 Altar de las Stas. Justa y Rufina
54 Altar de Sta. Bárbara
55 Cap. de la Concepción Grande
56 Capilla Real
57 Cap. S. Pedro
58 Altar de la Asunción
59 Altar de la Magdalena
60 Sacristía de los Calíces
61 Sacristía Mayor
62 Antecabildo
63 Sala Capitular
64 Sala de Ornamentos
65 Biblioteca Capitular y Colombina
66 Iglesia del Sagrario
67 Puerta del Sagrario
68 Archiv, Verwaltung

Sevilla. Giralda (nach J. Guichot)
Zustand 1198 (links), nach 1400 (rechts) und 1568 (Mitte)

Der insgesamt 93,90 m hohe Turm erhebt sich über quadratischem Grundriß von 13,60 m Seitenlänge und zeigt, im Gegensatz zu den schlanken Moscheetürmen Asiens, den wuchtigen maghrebinischen Typus, vergleichbar dem Hassan-Turm in Rabat und dem Minarett der Kutubiya in Marrakesch. Im unteren Teil Quadersteinwerk, im oberen, bis zum abschließenden Gesims unter der Plattform, schmale Ziegelsteine. In diesem Teil wird die vertikale Achse der Zwillingsfenster, die im 16. Jh. z. T. Balustraden erhielten, von 2 übereinander angeordneten Ornamentfeldern eingefaßt, deren filigranes Rautengeflecht (Sebka) über zierlichen Blendarkaden wie schwerelos wirkt. Säulen und Kapitelle sind teilweise westgotischer und voralmohadischer Provenienz. Im abschließenden Kranzgesims ist das Grundmotiv der ineinander verflochtenen Bogen beibehalten.
Der quadratische *innere Kern* hat rd. 6,80 m Seitenlänge und besteht aus 7 übereinander angeordneten gewölbten Gemächern. Um ihn, also im Zwischenraum zu den Außenmauern, führt eine leicht ansteigende *Rampe* bis zur Plattform.
Der christliche *Glockenturmaufbau* des 16. Jh. bezieht den von Anfang an höheren inneren Kernturm, der urspr. die Kuppel mit den 4 vergoldeten Kugeln trug, mit ein; er überragt das Glockengeschoß auf der Plattform, von dessen Schallarkaden er umgeben ist, und er trägt, mit einer Balustrade begrenzt, die manieristisch dekorierte Laternenbekrönung mit »Fides« und Wetterfahne.

Die christliche Kathedrale (Catedral Sta. María) ●

Am 22. Dezember 1248 wurde die Almohaden-Moschee vom Erzbischof von Toledo dem christlichen Gottesdienst geweiht. Den damals erst rd. 50 Jahre alten intakten Bau zogen die Erdbeben von 1356, 1375 und 1394 derart in Mitleidenschaft, daß am 8. Juli 1401 das Domkapitel den Neubau einer Kirche beschloß, »die so schön sein soll, daß ihr keine andere gleichkommt«. Der angebliche Ausspruch eines Domherren »Bauen wir eine Kirche so groß, daß wir für verrückt gehalten werden« ist eine legendäre Übertreibung, entspricht jedoch der damaligen Volksmeinung. Der Name des planen-

den Baumeisters ist nicht bekannt; der Plan der Kathedrale gelangte zusammen mit dem der Moschee in die Bibliothek Philipps II., wurde aber im Escorial nicht gefunden. Vielleicht sind beide 1734 im alten Alcázar von Madrid verbrannt. So bleibt es ungewiß, ob Alonso Martínez, Kathedralbaumeister 1386–94, die Urheberschaft zukommt.

Die got. Kathedrale. 1402 oder 1403, nach Abriß der Moschee, erfolgt der Baubeginn mit der Capilla de S. Laureano[42]*, der 1. südl. Seitenschiffkapelle von W. 1421–34 wird Pedro García, 1434 der Flame Ysambert, 1439–49 der Franzose Carlín als Baumeister genannt. Carlín beginnt die beiden Seitenportale der W-Seite. Unter dem Franzosen Juan Norman, der 1454–72 die Arbeiten leitet, ist der Bau schon weit fortgeschritten. 1478 teilen sich Pedro de Toledo, Francisco Rodríguez und Juan de Hoces die Bauleitung. 1478–83 werden im Mittelschiff und in den Seitenschiffen bereits die ersten Glasfenster eingesetzt. 1488 übernimmt Juan de Hoces die alleinige Bauleitung. 1496 wird ein »Maestre Ximon« genannt, vielleicht Simon von Köln, der 1494 die Capilla del Condestable der Kathedrale von Burgos geschaffen hat. Er könnte der Planverfasser für die mächtige Vierungskuppel sein, die der Architekt Alonso Rodríguez, der auch an der Kathedrale von Salamanca arbeitete, 1506 vollendet, die aber 1511 mangels ausreichender Pfeilerstärke einstürzt. 1515 übernimmt Juan Gil de Hontañón die Bauleitung; Langhauschor und die 3 mittleren Querhausjoche erhalten Sterngewölbe.*

1519 ist die got. Kathedrale fertiggestellt. Das Chorhaupt, die Capilla Real[56]*, wird ihr indessen erst 1552–75 im plateresken Stil angefügt. Im 16. Jh. auch entsteht der Anbau auf der S-Seite mit der Sacristía Mayor*[61] *und dem manieristischen Kapitelsaal*[63]*; im 17. und 18. Jh. folgt im SW der barocke Verwaltungskomplex*[68]*. Das 19. und das 20. Jh. bringen, außer zahlreichen Restaurierungsarbeiten, die Fertigstellung einiger aus Kostengründen unvollendet gelassener Portale (s. w. u. Außenbau, Portale) mit den Stilmitteln des Historismus.*

Der Grundriß der 116 m langen und 76 m breiten got. Kirche (ohne Capilla Real und Anbauten nach 1519) zeigt ein großes, Langhaus, Querhaus und platt geschlossenen O-Chor einheitlich einbindendes Rechteck mit 5 Schiffen und breiten, tiefen Seitenkapellen zwischen den Strebepfeilern.

Sevilla. Kathedrale (von Südwesten)

Am Außenbau, mit sehr flachen Dächern, über die das fast waagerecht verlaufende Strebesystem gespannt ist, dominieren spätgot. und platereske Dekorationselemente. Die W-Fassade zur Avenida de la Constitución wirkt vergleichsweise nüchtern. Beide Seitenportale stammen aus dem 15. Jh., das Mittelportal lediglich in seiner Anlage.

Am Mittelportal, *Puerta Principal*[4] oder *de la Asunción* (Mariä Himmelfahrt) genannt, erfolgte die dekorative Ausgestaltung 1829–31 durch Fernando Rosales; das Tympanonrelief »Mariä Himmelfahrt« und die spannungslosen neugot. Apostelfiguren sind

Werke Ricardo Bellvers, 1877–98. – Das linke Seitenportal heißt *Puerta del Baptisterio*[5] (Taufe Christi) nach der Darstellung im Tympanon, die Lorenzo Mercadante geschaffen hat; von ihm auch die Terracotta-Figuren in den Baldachinnischen (hll. Justina und Rufina, Leandro, Isidor, Fulgencio und Florentina). Die Archivoltenfiguren von Pedro Millán. – Am rechten Portal, der *Puerta del Nacimiento*[6] (Geburt Christi), sind das namengebende Tympanonrelief, die 4 Evangelisten und die hll. Laureano und Hermenegild von Mercadante, die anderen Skulpturen von Pedro Millán.

● Die S-Seite bietet aus einiger Entfernung den besten und schönsten Blick, da hier, überragt vom Vierungsaufbau und der Giralda, die lateinische Kreuzform der Querhausbasilika und die Höhenunterschiede der Schiffe deutlich werden.

Die *Puerta de S. Cristóbal*[7] am südl. Querarm, so genannt nach einem Wandbild des hl. Christophorus im Innern (sie wird auch als *Puerta del Príncipe* bezeichnet), wurde erst 1887–95 von Joaquín Fernández Casanova erbaut.

Auf der O-Seite, zu beiden Seiten der Apsiskapellen der Capilla Real, öffnen sich 2 Portale aus dem späten 15. und frühen 16. Jh.

Die *Puerta de las Campanillas*[8] im S (links), mit dem Tympanonrelief »Anbetung der Hll. 3 Könige«, verdankt ihren Namen einigen früher dort befindlichen kleinen Glocken, die den Werkleuten Arbeitsbeginn und -ende einläuteten. Die *Puerta de los Palos*[9] im N (rechts), mit dem Relief »Einzug Jesu in Jerusalem« im Tympanon, heißt so nach den Holzpfählen einer früheren Umzäunung. Reliefs und Terracotta-Figuren (Heilige und Engel) beider Portale schuf Miguel Perrin 1520–23.

Der Renaissance-*Apsis der Capilla Real*[56] sind flache Pilaster im unteren, der kaiserliche Doppeladler und das königliche Wappen im oberen Geschoß aufgelegt.

Auf der N-Seite wurde am Querhaus, zum Orangenhof hin, die *Puerta de la Concepción*[10] (Mariä Unbefleckte Empfängnis, nach der Reliefdarstellung) 1895 von Joaquín Fernández Casanova begonnen und erst 1927 vollendet; die Terracotta-Figuren sind von Joaquín Bilbao († 1928). – Östl. davon, zur Giralda hin, öffnet sich in der letzten Seitenkapelle (Capilla del Pilar) die schlichte *Puerta del Lagarto*[11], das Eidechsenportal, zum Arkadengang des Orangenhofs; ihre mudejare Artesonado-Decke stammt aus einem anderen Gebäude Sevillas.

Obgleich im Typus einer Basilika angelegt, also mit höherem Mittelschiff, vermittelt das Innere, dank seiner enormen Ausdehnung in die Breite mit 4 Seitenschiffen und Kapellen, einen fast hallenartigen Raumeindruck. Diese Horizontaltendenz ruft die Erinnerung an die Almohaden-Moschee wach. Das mit 16 m sehr breite Mittelschiff ist nur wenig höher (36,38 m) als die gleich hohen Seitenschiffe (27 m bei 11 m Breite). Die Zweigeschossigkeit des Aufrisses – auf ein Triforium wurde verzichtet – verstärkt die Horizontaltendenz ebenso wie die Gleichförmigkeit der Kreuzrippengewölbe, 4teilig über den quadratischen Seitenschiffjochen, 6teilig im Mittelschiff; lediglich die 40 m hohe Vierung, ihre beiden angrenzenden Querhausjoche und der Coro haben komplizierte Sterngewölbe. Das Konzept der Raumlagerung und -vereinheitlichung war der got. Baukunst Kastiliens fremd, es ist hier zum ersten Mal verwirklicht. Die großen Bischofskirchen des 13. Jh., so die Bauten in Toledo und in Burgos, folgen in ihrem betonten Vertikalismus dem klassischen Kathedraltypus mit 3teiligem Aufriß. Der breitgelagerte Bau in Sevilla hingegen läßt sowohl in seiner Grundrißlösung wie auch in seiner Raumwirkung an den spätmittelalterl. Typus deutscher Hallenkirchen denken.

Ausstattung

Die Erscheinung der Architektur wird innen wesentlich von Licht und Farbe der Fenster bestimmt. Die Kathedrale bewahrt – das ist selten – einen großen Teil ihrer urspr. *Glasmalereien* aus dem 15. und 16. Jh. Die ältesten, 1478–83 von Enrique Alemán aus dem Elsaß geschaffen, zeigen im Obergaden des Mittelschiffs und in den Seitenschiffen des Langhauses zwischen W-Wand und Coro Heilige, Propheten und Apostel. Stilistisch weisen sie darauf hin, daß der Künstler aus der Werkstatt des bedeutenden Glasmalers Peter Hemmel von Andlau kam.

Im 2. Mittelschiffjoch von W trifft der Besucher auf die *Grabplatte von Hernando Colón* († 1539), Sohn des Kolumbus und Begründer der Biblioteca Colombina.

Die Einbauten im Mittelschiff. Der *Coro*[12] nimmt das 4. und 5. Mittelschiffjoch des Langhauses ein. Seinen Abschluß nach W bildet die Altarwand des 1619 von Miguel de Zumárraga entworfenen *Trascoro*[13] mit dem Bild der »Virgen de los Remedios« (Maria von der Immerwährenden Hilfe), um 1400, und darunter einem Kupferbild »Einzug des hl. Ferdinand in Sevilla«, 1621 von Francisco Pacheco. Die Marmorreliefs mit biblischen Themen und die vergoldeten Bronzebüsten der hll. Justina und Rufina entstanden um 1620. – An den Außenwänden des Coro, im 4. Joch von W, wurden 4 nach ihrem Material so genannte *Alabasterkapellen*[14–17] gestaltet, die beiden südlichen noch spätgotisch von Juan Gil de Hontañón, die beiden auf der N-Seite plateresk von Diego de Riaño. Der Altar der 2. S-Kapelle[15], 1628–31 von Juan Martínez Montañés, birgt eine Skulptur der *Immaculata*, eines seiner Hauptwerke. Wegen ihrer nach unten gerichteten Augen wird sie im Volksmund »La Cieguecita« (Die kleine Blinde) genannt. – Barokker Orgelprospekt 1725 von Luis de Vilches, die Skulpturen von Pedro Duque Cornejo. Chorgitter 1518–23 von Fray Francisco de Salamanca. – Das *Chorgestühl* mit 117 Sitzen zeigt vorwiegend noch spätgot. Stilelemente; zum größten Teil hat es Nufro Sánchez geschaffen und 1478 vollendet, lt. Inschrift am Dorsale des Königsitzes (2. der N-Seite, mit Wappen von Kastilien und León). Gonzalo Gómez und Diego Guillén vervollständigten im frühen 16. Jh. die Arbeiten im plateresken Stil. Gleiche Beachtung verdient das *Chorpult* in der Chormitte, mit Holzschnitzerei von Juan Bautista Vázquez d. Ä. und Juan Marín, Bronzeguß von Bartolomé Morel, 1562–65.

Im Anschluß an die Vierung nimmt die Capilla Mayor[18], zusammen mit ihrer Sakristei (Sacristía Alta), das 7. und 8. Mittelschiffjoch ein. Fray Francisco de Salamanca war der Künstler des mittleren der 3 plateresken Eisengitter (1518–29) und der beiden Kanzeln (1527–32). – Der *Hochaltar* (Retablo Mayor) ist der größte der Christenheit; seine Ausführung dauerte rd. 100 Jahre. Begonnen hat ihn 1482 der Flame Pierre Dancart, dem 1505–25 Jorge Fernández gen. Alemán mit zahlreichen Mitarbeitern folgte. 1550–64 waren so bedeutende Meister beteiligt wie Roque de Balduque und Juan Bautista Vázquez d. Ä., der die Arbeiten abschloß. Dargestellt sind Szenen aus dem Leben von Christus und Maria. Den oberen Abschluß bilden 12 Apostelfiguren zu seiten einer Pietà und, im Gesprenge, eine Kreuzigungsgruppe (mit ausdrucksvollem Kruzifixus aus der Mitte des 15. Jh.). Die Predella enthält Szenen aus dem Leben der Sevillaner Heiligen Isidor,

Leander, Justina und Rufina sowie Ansichten der Stadt und der Kathedrale; an den Seiten die Erschaffung Evas und der Sündenfall. Das Tabernakel vollendete der Goldschmied Francisco de Alfaro 1596; die zugehörige Sitzmadonna, »Virgen de la Sede«, entstand um 1260. – Beachtung verdienen ebenso die beiden *Glasfenster* der Kapellenseiten, Mariä Himmelfahrt und Verklärung, von dem Flamen Juan Jacques, 1511–15.
Die zur Capilla Mayor gehörende Sacristía Alta[19], 1517 bis 1522, weist eine platereske Artesonado-Decke und eine mudejar ornamentierte Tür auf. An ihren Außenwandskulpturen aus dem 16. Jh. hat vermutlich Miguel Perrin mitgewirkt; ihm wird die »Hl. Jungfrau mit dem schlafenden Kind« (gegenüber dem Gitter der Capilla Real) zugeschrieben.

Kapellen und Altäre der W-Seite

Im Mittelschiff, zu beiden Seiten des Hauptportals, ist der südl. *Altar del Ángel de la Guarda*[20] (Schutzengel) nach dem Gemälde von Murillo, um 1670, benannt, der nördl. *Altar de la Virgen del Consuelo*[21] (Trost) nach dem Gemälde von Alonso Miguel de Tovar, 1720.
Südl. inneres Seitenschiff: Capilla de S. Isidoro[22]. Gitter 18. Jh.; den Altar schuf Bernardo Simón de Pineda, 1664. Südlich steht der *Altar de la Virgen de la Cinta*[23] (Band), 17. Jh., dessen Madonna, um 1470, Lorenzo Mercadante zugeschrieben wird. Der nördl. *Altar de la Virgen del Madroño*[24] (Erdbeerstrauch) heißt so nach der Skulpturengruppe (um 1450) mit dem Engel, der dem Kind Erdbeeren reicht; auch sie wird Mercadante zugeschrieben.
Südl. äußeres Seitenschiff: *Altar del Nacimiento*[25] (Christi Geburt). Renaissance-Gitter aus der Mitte des 16. Jh. Die Altartafel »Anbetung der Hirten« malte Luis de Vargas 1555. Im Fenster über dem Portal »Verkündigung« von Vicente Menardo, um 1566.
Nördl. inneres Seitenschiff: Capilla de S. Leandro[26], 1733–34. Barocker Altar um 1630 mit einer Skulptur des hl. Leander von Pedro Duque Cornejo; die Gemälde mit Szenen aus dem Leben des hl. Leander sind von J. Maussola, 1735. – Südl. *Altar del Niño Mudo*[27] (Jesuskind), um 1735; die gleichnamige Skulptur, um 1650, wird irrtümlich Martínez Montañés zugeschrieben. – Nördl. *Altar de la Virgen de la Alcobilla*[28] (Alkoven), um 1735, mit Pietà um 1500.
Nördl. äußeres Seitenschiff: *Altar de la Visitación*[29] (Mariä Heimsuchung) mit gleichnamigem, 1566 bez. Altarbild von Pedro de Villegas Marmolejo d. Ä. Das Gitter ist 1568 bezeichnet.

Seitenkapellen der N-Seite
1. Joch von W: Capilla de los Jácomes[30]. Barocke Stuckdekoration Anfang 17. Jh. Altarbild »Pietà«, 1609, von Juan de las Roelas. – 2. Joch: Capilla de S. Antonio[31], Taufkapelle der Kathedrale. 4 Gemälde mit dem Thema der Weltschöpfung 1644 von dem Flamen Simón de Vos, die »Vision des hl. Antonius« 1656 von Murillo. – 3. Joch: Capilla de Escalas[32] (auch Scalas oder Scala), 1518 gegründet von Baltasar del Río, Titularbischof der gleichnamigen Diözese. Das Renaissance-Grabmonument (der 1541 gestorbene Bischof ist in Rom bestattet) wurde kurz vor 1539 fertiggestellt. Das Florentiner Terracotta-Relief *»Virgen de la Granada«* an der N-Wand wird der Werkstatt von Andrea della Robbia (1435–1525) zugeschrieben. Gitter 1564. – 4. Joch: Capilla de Santiago[33] (hl. Jakobus d. Ä.). Der Altar um 1660 von Bernardo Simón de Pineda mit den Gemälden »Santiago Matamoros« (hl. Jakobus Maurentöter) 1609 von Juan de las Roelas und »Martyrium des hl. Laurentius« um 1660 von Juan de Valdés Leal. Besonders hingewiesen sei auf das got. *Grabmal* mit der Alabaster-Liegefigur des Sevillaner Erzbischofs *Gonzalo de Mena* († 1401) aus den ersten Jahren des 15. Jh. Die Tumba schmücken Szenenreliefs aus der Vita Christi und dem Marienleben. Glasiertes Terracotta-Relief *»La Virgen del Cojín«* (= Kissen) aus der Werkstatt des Andrea della Robbia. Unter den zahlreichen Gemälden 13 Tafeln mit allegorischen Darstellungen des Sevillaner Malers Antón Pérez, 1548. Glasfenster »Die Bekehrung des hl. Paulus«, 1560. – 5. Joch: Capilla de S. Francisco de Asís[34]. Altarbild »Apotheose des hl. Franziskus von Assisi«, 1657, von Francisco Herrera »el Mozo« (d. J.).
Nördl. Querarm[35]: Im 6. Joch von W *Glasfenster* von Arnao de Flandes, Arnao de Vergara und Carlos de Brujas (Brügge), zwischen 1539 und 1557. – Westl. der *Altar de la Virgen de Belén*[36] mit dem gleichnamigen Bild von Alonso Cano, um 1635. Östl. der *Altar de la Asunción*[37] (Mariä Himmelfahrt) mit gleichnamigem Bild des Genuesers Gregorio dei Ferrari, 17. Jh.
7. Joch: Capilla de las Doncellas[38] (Jungfrauenkapelle, so genannt nach einer 1517 gegründeten Bruderschaft, die arme Mädchen mit einer Mitgift ausstattete). Gegründet 1530; Renaissance-Gitter bez. 1579. Barockaltar des 18. Jh. mit Tafeln des 16. Jh. – 8. Joch: Capilla de los Evangelistas[39]. Glasfenster von Arnao de Flandes, außen »Die Auferweckung des Lazarus«, 1554, innen »Christi Geburt«, 1553. Die manieristischen Altarbilder, 1555, von dem Flamen Hernando de Esturmio (span. für

»Storm«), darunter die Schutzheiligen von Sevilla, Justina und Rufina, mit der Giralda noch vor dem christlichen Glockengeschoßbau. – 9. Joch: Capilla de la Virgen del Pilar[40] (nach der »Muttergottes auf dem Pfeiler« in der gleichnamigen Kirche von Zaragoza, Patronin Spaniens). Glasfenster mit »Einzug Jesu in Jerusalem« von Arnao de Flandes, 1553, über dem 1717 bez. Gitter. Barockaltar mit der Terracotta-Madonna »del Pilar« von Pedro Millán, um 1500.

Außerhalb des Kirchenraums schließt sich im Arkadengang des Orangenhofs die Capilla de Nuestra Señora de la Granada[41] an, deren Wände z. T. noch vom Almohadenbau stammen. Einige ihrer *Bogenkapitelle* sind westgotische Spolien.

Seitenkapellen der S-Seite

1. Joch von W: Capilla de S. Laureano[42]. Gitter bez. 1702. Glasfenster darüber mit den hll. Katharina, Maria Magdalena, Martha und Margarete, 1478, von Enrique Alemán. Im Inneren Glasfenster mit den hll. Isidor, Laureano und Leander von Vicente Menardo, 1572. Altar um 1700. Grabmal des Kardinals Lluch y Garriga († 1882), 1885. – 2. Joch: Capilla de Sta. Ana oder del Cristo de Maracaibo[43] (aus dieser Stadt in Venezuela soll das in Sevilla verehrte Kruzifixus-Tafelbild gekommen sein, es ist heute durch eine moderne Kopie ersetzt). Glasfenster über dem Gitter mit 4 Märtyrerinnen von Enrique Alemán, um 1478; im Innern »Hl. Familie«, 1797. Altar 1504. Grabmal des Kardinals Luis de la Lastra, 1880. – 3. Joch: Capilla de S. José[44]. Außenfenster mit den 4 Kirchenvätern, 1478, von Enrique Alemán. Klassizist. Altar, um 1800. – 4. Joch: Capilla de S. Hermenegildo[45]. Außenfenster von Enrique Alemán, 1478. Das *Grabmal des Kardinals Cervantes,* 1458 von Lorenzo Mercadante vollendet, zeigt burgundischen Stileinfluß. Churrigueresker Altar aus dem frühen 18. Jh. mit Skulpturen der beiden hll. Jakobus, wovon die des Jüngeren Pedro Millán zugeschrieben wird, um 1500. – 5. Joch: Capilla de la Antigua[46]. Kardinal Diego Hurtado de Mendoza ließ Ende des 15. Jh. die Kapelle erweitern und mit einer eigenen Sakristei versehen. Aus dieser Zeit auch das komplizierte, 1734 überarbeitete *Sterngewölbe.* Das *Hauptgitter* wurde 1530 von Fray Francisco de Salamanca begonnen, nach 1565 von Juan López erweitert und vollendet. Marmorretabel, 1738, mit Skulpturen von Pedro Duque Cornejo. In der Mittelnische Madonnenfresko, Ende 14. Jh., gen. *»Virgen de la Antigua«.* Grabmal des Kardinals Hurtado de Mendoza von Domenico Fan-

celli, 1508. Gegenüber Grabmal des Erzbischofs Luis de Salcedo y Azcona, im Stil des Fancelli-Grabmals, 1735–40 von Pedro Duque Cornejo.
Südl. Querarm (6. Joch von W): Das hier aufgestellte imposante *Grabmal des Kolumbus* wurde 1891 von Arturo Mélida geschaffen; es war urspr. für die Kathedrale von Havanna bestimmt. Die 4 Herolde symbolisieren die Königreiche León, Kastilien, Navarra und Aragonien. Am Sockel liest man: »Als sich die Insel Kuba von der Mutter Spanien trennte, gelangten die sterblichen Reste von Kolumbus nach Sevilla, dessen Stadtrat diesen Sockel errichten ließ« und am Sarkophag: »Hier ruhen die Reste von Christoph Kolumbus. Seit 1796 bewahrte sie Havanna und (jetzt) dieser kraft königlichem Dekret vom 26. Februar 1891 dazu bestimmte Sarkophag.« Es wird jedoch bezweifelt, daß die sterblichen Überreste des Entdeckers nach dem Verlust Kubas, 1898, tatsächlich von Havanna nach Sevilla gelangt sind. – Westl. der Altar de la Concepción oder de la »Gamba«[48] (Concepción = Unbefleckte Empfängnis). Das Altarbild *»Unbefleckte Empfängnis«* ist eines der Hauptwerke von Luis de Vargas, 1561; dargestellt ist Maria mit dem Kind über dem Jessebaum. Die Bezeichnung »Gamba« geht auf das kunstvoll gekrümmte Bein des Adam im Vordergrund zurück. Östl. der Altar de la Piedad[49]. Altarbild von Alejo Fernández, 1527. Das große Wandfresko *»Hl. Christophorus«,* 1554, von dem Italiener Mateo Pérez de Alesio.
7. Joch: Capilla de los Dolores[50] (führt zur Sacristía de los Calíces). Über dem Gitter Glasfenster 1555 von Arnao de Flandes, im Innern 1931. An der W-Wand Altar Ende 18. Jh. mit der Skulptur *»Virgen de Dolores«* (»Schmerzensmutter«), um 1670 von Pedro de Mena. Grabmal des Kardinals Marcelo Spinola y Maestre von Joaquín Bilbao, 1906. – 8. Joch: Capilla de S. Andrés[51]. Außenfenster »Abendmahl« von Arnao de Flandes, bez. 1555. 4 Grabmäler der Familie Pérez de Guzmán y Ayala, um 1400. Neugot. Altar.

Kapellen und Altäre am Chorhaupt (O-Seite, von S nach N)

Capilla del Mariscal[52]. Gitter und Fenster 1555. Altargemälde mit Hauptbild »Mariä Lichtmeß«, 1553, von Pedro de Campaña. – *Altar de las Stas. Justa y Rufina*[53] (innere S-Wand der Puerta de las Campanillas). Die Skulpturen der beiden Sevillaner Schutzheiligen von Pedro Duque Cornejo, 1728 vollendet. – *Altar de Sta. Bárbara*[54] (N-Wand). Altarbilder der Hl. Familie, von Aposteln und anderen Heiligen, 1554, von dem Sevillaner Maler Antón Ruiz. Das Bild »Christus am Kreuz« von Zurbarán. – Capilla de la Concepción Grande[55] (südl. des Eingangs zur Capilla Real). Gitter 17. Jh. Barockaltar 1658. Grabmal des Kardinals Cienfuegos († 1881). – (Capilla Real[56] s. w. u.) – Capilla de S. Pedro[57] (nördl. des Eingangs zur Capilla Real). Gegründet im 16. Jh.; das barocke Gitter aus dem 18. Jh. von Fray José Cordero. Altar 1620–25 von Diego López Bueno, Altarbilder mit Szenen aus dem Leben des hl. Petrus und »Immaculata« von Francisco de Zurbarán. Zahlreiche Skulpturen des 16. Jh. – Seitlich der Puerta de los Palos südl. der 1593 begonnene *Altar de la Asunción*[58] und nördl. der *Altar de la Magdalena*[59] mit dem Tafelbild »Noli me tangere« (Christus erscheint Maria Magdalena), 1537.

Capilla Real[56] (Königliche Kapelle) •

Etwa an der gleichen Stelle befand sich nach 1248 die Königliche Kapelle schon in der ehem. Moschee. Heinrich III. (1390–1406) verbot ihren Abriß, so daß der christliche Neubau im W begonnen werden mußte statt, wie üblich, mit dem Chor im O. Erst Johann II. (1406–54) ließ den Abbruch zu, der vom Domkapitel dann sofort veranlaßt wurde. 2 Neubauprojekte wurden nicht verwirklicht. Erst 1541, also nach Vollendung des Kathedralbaus, beauftragte das Kapitel auf Drängen Kaiser Karls V. den Dombaumeister Martín de Gaínza mit einem neuen Plan, den dieser 1550 als Kuppelbau mit Seitenkapellen und Apsis vorlegte. Der 1552 begonnene Bau war beim Tode von Gaínza, 1556, fertig, bis auf die Kuppel, die Hernán Ruiz II., Dombaumeister 1557–69, in manieristischem Stil entwarf. Abschluß der Arbeiten unter Juan de Maeda 1575. Die urspr. Laterne wurde 1754 von dem Militärarchitekten Sebastian van der Borcht durch die heutige ersetzt.

Das von König Karl III. gestiftete und 1770 von Sebastian van der Borcht entworfene Eingangsgitter wird von Jerónimo Roldáns Skulpturengruppe (Holz mit Bleiüberzug) »Der hl. Ferdinand erhält vom Maurenkönig Axataf die Schlüssel von Sevilla« überhöht; im Eingangsbogen stehen die Könige von Juda. Im Innern an den Seiten die Wandgrabmäler von Beatrix von Schwaben (rechts) und Alfons X. d. Weisen, also von Gemahlin und Sohn Ferdinands d. Hl. (Figuren und Sarkophage modern, 1948). Königsbüsten schmücken die Kassetten der Pendentifkuppel. Die Engel in der Apsiskalotte entwarf Pedro de Campaña; von ihm sind z. T. auch die Figurenfriese. Der *Hochaltar*, 1643–49 von Luis Ortiz de Vargas, ist der »Virgen de los Reyes« geweiht, der von Gewändern umhüllten »Madonna der Könige«, die vermutlich französischer Provenienz, aber keinesfalls vor 1310/20 zu datieren ist. Kopf und Arme von Mutter und Kind sind beweglich. Vor dem Altar der 1665–1719 von dem Silberschmied Juan Laureano de Pina gearbeitete barocke *Sarkophag* mit dem angeblich unverwesten Leichnam *des hl. Ferdinand.* – In den Seitenkapellen Altäre aus der Mitte des 17. Jh.; in der Sala de Juntas Reliquien des hl. Ferdinand, Schmuckgegenstände der Virgen de los Reyes sowie Murillo-Kopien; in der Sakristei Gemälde des 17./18. Jh. In der Krypta Särge mit den sterblichen Resten von Peter I. »d. Grausamen«, seiner Favoritin María de Padilla und der Infanten Fadrique, Alonso und Pedro. Die Elfenbein-Madonna »Virgen de las Batallas« (Jungfrau der Schlachten) aus dem frühen 14. Jh. wurde im 17. Jh. überarbeitet.

Anbauten (S-Seite, von W nach O)
Sacristía de los Calíces[60] (Zugang von der Capilla de los Dolores). Entworfen 1529 von Alonso Rodríguez, erbaut bis 1537 unter Juan Gil de Hontañón »el Mozo«, Diego de Riaño und Martín de Gaínza. Hervorragendstes Ausstattungsobjekt ist der Kruzifixus, ● *»Cristo de la Clemencia«*, den Juan Martínez Montañés 1603 für die Cartuja de las Cuevas gearbeitet hat. Laut Vertrag sollte Christus »wie lebend« dargestellt sein, »als ob er zu dem Betenden zu seinen Füßen spreche«. Es ist nicht nur die vollendetste Kruzifixus-Skulptur im Œuvre von Montañés, sondern der spanischen Bildhauerkunst des Barock insgesamt. Gemälde: »Hl. Ferdinand« und »Hl. Familie«, 17. Jh., fälschlich Murillo zugeschrieben; besonders hingewiesen sei auf »Die Freilassung des Petrus«, um 1656, von Valdés Leal und »Die hll. Justina und Rufina«, 1817, von Goya (leider überrestauriert); von Alejo Fernández die »Anbetung der Hll. 3 Könige«, 1510. Außerdem Arbeiten von Francisco de Zurbarán, Pedro Fernández de Guadalupe, Lucas Valdés, Francisco Antolínez u. a.
Sacristía Mayor[61] (Zugang durch die Seitenkapelle am Pseudo-Chorumgang, die selbst ein Gitter des 16. Jh., darüber Bilder aus dem 1. Viertel des 16. Jh. und das Glasfenster »Vertreibung der Händler aus dem Tempel«, 1556, von Arnao de Flandes aufweist; ihre beiden Schränke fertigte 1743 Pedro Duque Cornejo; das Gemälde »Hl. Antonius« ist vermutlich von Zurbarán). Über dem Grundriß eines griechischen Kreuzes wurde die Sakristei 1530–43 nach Plänen von Diego de Riaño bis 1534 von diesem und danach von Martín de Gaínza erbaut. Im Chor das

Hauptwerk von Pedro de Campaña, die 1548 vollendete *»Kreuzabnahme«*; seitlich »Martyrium des hl. Laurentius« von Luca Giordano, in Spanien Lucas Jordán genannt, um 1700, und »Hl. Therese« vermutlich von Zurbarán. Besonders zu erwähnen auch die beiden Gemälde von Murillo (1645) »Hl. Isidor« und »Hl. Leander«. Nahe dem Eingang, vor der W-Wand, der *»Tenebrario«*, ein 7,80 m hoher Bronzekandelaber, nach dem Entwurf von Hernán Ruiz II. 1562 von dem Gießer Bartolomé Morel vollendet. Der Leuchter, mit mythologischen Sockelfiguren und den pyramidenförmig angeordneten Figuren der 12 Apostel, des Heilands, des hl. Gregorius und des Glaubens, fand früher bei den Finstermetten (lat. tenebrae) Verwendung, die am Mittwoch, Donnerstag und Freitag der Karwoche stattfanden und durch den Vortrag des Miserere berühmt waren. Von den aufgesteckten 15 Kerzen wurde nach jedem Psalm eine ausgelöscht, bis zuletzt eine einzige übrigblieb. Die 4 großen Kerzenleuchter aus getriebenem Silber von Hernando de Ballesteros, 1581, fanden am Gründonnerstag Verwendung. Ballesteros arbeitete auch an der 3,25 m hohen Silber-*Custodie* gegenüber mit, die Juan de Arfe y Villafañe, ein Neffe des vermutlich aus Köln stammenden Begründers der berühmten Silberschmieddynastie, Enrique (Heinrich) de Arfe, 1580–87 geschaffen hat. Sie ist die monumentalste der im 16. und 17. Jh. von dieser Familie gearbeiteten Monstranzen für die Fronleichnamsprozession. Das ikonographische Programm der Custodie, Symbol der Kirche mit ihren irdischen und himmlischen Repräsentanten, geht, wie Juan de Arfe 1587 schreibt, auf den Sevillaner Humanisten Francisco Pacheco, Onkel des Malers und Kunsttheoretikers gleichen Namens, zurück. Es wird über kreisförmigen Grundriß in 4 sich verjüngenden Geschossen mit einer Vielzahl von Figuren und Reliefs dargeboten. Allerdings sind der urspr. Zustand und damit die Symbolik insofern verändert, als der Silberschmied Juan de Segura 1668 einen neuen Sockel und die Engel mit Lilien hinzufügte sowie die Figur des Glaubens im 1. Geschoß durch die Immaculata und das ursprünglich bekrönende Kreuz durch eine neue allegorische Figur des Glaubens ersetzte. – Die *Sammlung von Objekten der Goldschmiedekunst* in den seitlichen Vitrinen gehört zu den reichsten und qualitätvollsten Spaniens. Der weitaus größte Teil der Exponate stammt aus dem 16.–20. Jh. Das älteste Reliquiar des Kathedralschatzes, die sog. *Tablas Alfonsíes* (»Alfonsinische Tafeln«), ein Triptychon aus Silber, wurde kurz vor 1284 gearbeitet und ist ein Geschenk Alfons' X. d. Weisen.

Sevilla. Kathedrale. Sacristía Mayor
Silber-Custodie von Juan de Arfe (zu S. 329)

Antecabildo[62], Sala Capitular[63], Sala de Ornamentos[64] (Zugang von der Capilla del Mariscal am Chorhaupt). Die Pläne für diese Nebenräume lieferte um 1564 Hernán Ruiz II.
Der Rechteckraum vor dem Kapitelsaal (Antecabildo) wurde um 1583 von Juan de Minjares vollendet. Die Wandreliefs zeigen biblische Szenen und Tugenden. In Vitrinen sind illuminierte Handschriften und Chorbücher des 15.–18. Jh. ausgestellt.
Den 1592 von Juan de Minjares vollendeten ovalen Kapitelsaal prägen in Architektur und Dekoration manieristische Stilmerkmale. Das ikonographische Programm geht wieder auf den Domherrn Francisco Pacheco zurück. Unter den Reliefs von Juan Bautista Vázquez d. Ä. und Diego de Velasco d. J., beide aus Ávila,

und Marcos de Cabrera aus Córdoba, sind Allegorien der Tugenden (1592) von dem in Córdoba tätigen Pablo de Céspedes zu sehen. Im Zusammenhang mit einigen barocken Veränderungen malte Murillo 1668 die 8 *Tondi* mit den Schutzpatronen von Sevilla (hll. Hermenegild, Ferdinand, Leander, Isidor, Laureano, Justina, Rufina, Pío) und die *»Immaculata«*, eine seiner bedeutendsten Arbeiten, in der Rundfensterzone.

In der Sala de Ornamentos werden *liturgische Gewänder und Textilien* aus dem 14.–19. Jh. bewahrt. In Vitrine 1 das seidene »Banner des hl. Ferdinand«, das dieser 1248 bei der Eroberung von Sevilla mitgeführt haben soll. Die barocke Holzskulptur »Hl. Josef mit dem Jesuskind« ist ein Werk von Pedro Roldán, 1664.

Biblioteca Capitular y Colombina[65] (im Obergeschoß des Arkadengangs an der O-Seite des Orangenhofs; nicht öffentlich)

Die **Biblioteca Capitular** umfaßt etwa 100000 Titel, die seit 1248 in den Besitz des Domkapitels gelangt sind, darunter die von Pedro de Pamplona illuminierte Bibel (13. Jh.), die vermutlich Alfons X. gehört hat, das Stundenbuch Isabellas d. Kath. aus dem späten 15. Jh. und zahlreiche Inkunabeln.

Die **Biblioteca Colombina**, mit ca. 6000 Titeln, davon rd. 1000 Handschriften, ist die Sammlung des 1539 gestorbenen Kolumbus-Sohnes Hernando Colón. Einige Bücher gehörten schon Kolumbus und sind mit dessen Randbemerkungen versehen. H. Colón hatte seinen Vater auf dessen letzter Reise begleitet, war dann in den geistlichen Stand getreten und durch Europa gereist, um Bibliotheken zu erwerben. Nachdem sein zunächst bedachter Neffe Luis eine Bedingung nicht erfüllt hatte, gelangte die Sammlung 1552, wie von H. Colón verfügt, in den Besitz des Domkapitels.

Iglesia del Sagrario[66] (an der W-Seite des Orangenhofs; Eingang [*Puerta del Sagrario*[67]] von der Kathedrale in der 1. N-Seitenkapelle von W, Capilla de los Jácomes oder de las Angustias; Haupteingang Avenida de la Constitución, W-Portal). Die »Sakramentshauskirche«, eine barocke Pfarrkirche, haben 1618–62 Alonso de Vandelvira und Cristóbal de Rojas nach Plänen von Miguel de Zumárraga erbaut, und zwar von N nach S. Der Grundriß zeigt ein Rechteck mit 3 Langhausjochen, Querhaus und gerade geschlossenem Chorhaupt sowie Kapellen zwischen den Strebpfeilern. Am Außenbau lassen sich 3 Geschosse mit vertikaler Pilastergliederung und Blendfenstern in den beiden unteren unterscheiden. Mächtige Emporen über den Seitenkapellen und eine monumentale Laternenkuppel über der Vierung bestimmen den Raumeindruck im Inneren des langgestreckten Saals.

Der Hochaltar, 1665–69, kam aus dem ehem. Franziskanerkloster; ● sein Retabel mit der »Kreuzabnahme«, Engel in den Seitennischen und das Relief »Einzug Jesu in Jerusalem« gehören zu Pedro Roldáns besten Arbeiten; die Giebelfiguren (hll. Klemens und Veronika, Engel) sind von Pedro Duque Cornejo (18. Jh.). Von ihm auch die beiden Seitenaltäre im Querhaus, 1754. An den Seiten 8 große Steinskulpturen der Evangelisten und Kirchenväter von José de Arce, 1657.

● Reales Alcázares

Der Plural bezeichnet einen Komplex von »Königlichen Palastbauten«, die im Laufe der Jahrhunderte entstanden sind.

Nach dem Einfall der Normannen, 844, befahl Abd ar-Rahman II., wie arabische Quellen berichten, den Neubau der Befestigungen. Damals entstand vermutlich der erste Alcázar mit einem Palastbau, der »Wohnung des Statthalters« (Dar al-Imara), im Bereich des heutigen Patio de Banderas. Dieser erste Alcázar ist samt Erweiterungen und Neubauten der Abbadiden (11. Jh.) untergegangen. Die frühesten Zeugnisse (Mauerteile und Patio del Yeso) stammen vom Almohaden-Alcázar, der 1248 unter Ferdinand d. Hl. königliche Residenz wurde. Alfons XI. ließ in der 1. Hälfte des 14. Jh. die Sala de la Justicia errichten, Peter I. »d. Grausame« einen neuen Palast im Mudejar-Stil. An dem 1364 begonnenen Bau waren, außer einheimi-

---

1 Patio de la Montería (davor: Puerta del León)
2 Patio del Yeso
3 Sala de la Justicia
4 Patio del León
5 Palast Peters d. Grausamen, Eingang
6 Vestíbulo
7 Patio de las Doncellas
8 Salón del Techo de Carlos V
9 Salón de Embajadores
10 Salón del Techo de Felipe II
11 Salón del Techo de los Reyes Católicos
12 Patio de las Muñecas
13 Salón del Principe
14 Dormitorio de los Reyes Moros
15 Aufgang zu den oberen Räumen
16 Cuartos del Almirante
17 Patio del Crucero, Patio de María de Padilla
18 Salones de Carlos V
19 Kapelle
20 Gärten

schen Kräften, Handwerker aus Toledo und Granada beteiligt. Unter den folgenden Herrschern kam es innerhalb der Mauern des Alcázar zu vielen Um- und Neubauten. Die Baumaßnahmen und Wiederherstellungen des 19. Jh. lassen einiges zu wünschen übrig – ebenso die »puristischen« Verschönerungen vor der Weltausstellung 1992.

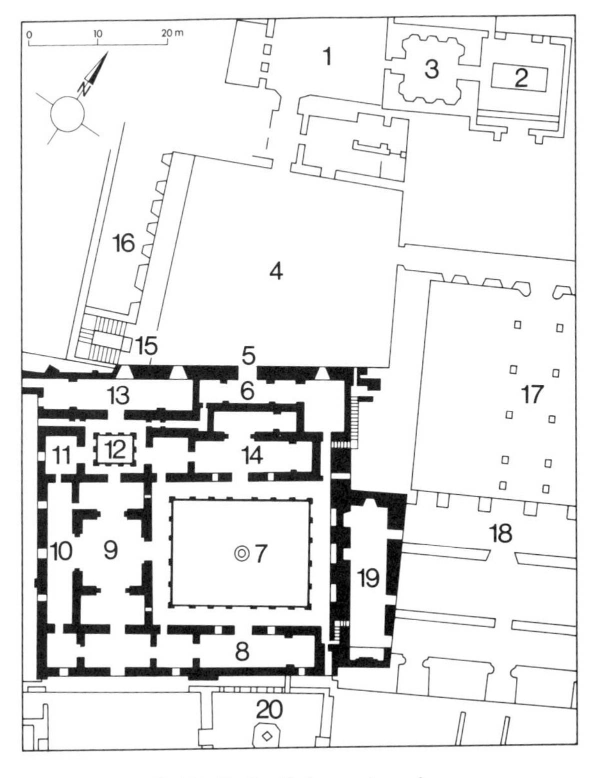

Sevilla. Reales Alcázares. Lageplan

Die zinnenbewehrten **Mauern**, die den Alcázar umschließen, stammen zwar noch zum großen Teil aus der 2. Hälfte des 12. Jh., sind jedoch erheblich restauriert. Man betritt den Komplex von der Plaza del Triunfo aus durch die **Puerta del León**, so genannt nach der modernen Keramik mit heraldischem Löwen über dem Portal, und gelangt in den Patio de la Montería, den Jagdhof, in dem sich die Jagdgesellschaften der Könige zu versammeln pflegten. In maurischer Zeit war hier der Mechuar, die öffentlich zugängliche Zone vor den privaten Palastteilen, wo Recht gesprochen wurde. Links befindet sich der (nur mit Erlaubnis zugängliche) rechteckige Patio del Yeso (Stuckhof) aus der Almohadenzeit. Die **Arkadengalerie** einer seiner Längsseiten, mit dem von einem Alfiz gerahmten hohen, spitzbogig zulaufenden Zackenbogen in der Mitte, dessen Zwickel Blendbogengeflecht schmückt, ist alter Bestand. Die *Kapitelle* ihrer jeweils 3 kleineren Zackenbogen an den Seiten stammen sogar noch aus dem 10. Jh. Gut erhalten ist auch die von Alfons XI. erbaute Sala de la Justicia, der Gerichtssaal, mit je 3 Arkaden an den Seiten, Stuckdekor des Typus Granada und den Wappen von Kastilien und León.

Am Ende des »Jagdhofs« führen 3 Arkadenbogen in den Patio del León, den Löwenhof. Er wird an den Längsseiten von **Bauten des 16. und 17. Jh.**, an seiner Stirnseite
● vom **Palast Peters I.** begrenzt. Die 2stöckige Fassade des 1364 begonnenen Palasts mit ihren offenen Arkaden beherrscht ein mudejar in rechteckigen Wandfeldern ornamentierter Mittelrisalit mit vorkragendem Sonnendach (die oberen Arkaden der Seitenflügel stammen aus dem 16. Jh.).

Zu beiden Seiten des Portals sind gezackte Bogen auf eingestellten Säulen der Mauer vorgeblendet; das Rautengeflecht aus sich überkreuzenden Bogen darüber erinnert an die Dekorationsformen der Giralda, es wurde von Handwerkern aus Sevilla gearbeitet. Zum ornamentalen Reichtum der folgenden Felder gehören Arkadenfriese, Stalaktitendekor (mit den kastilischen Wappen) und über dem Fenstergeschoß ein weiß-blauer, gerahmter Keramikfries, in dem kufische Schriftzeichen viermal (von links nach rechts und rechts nach links) »Es gibt keinen Sieger außer Allah« wiederholen. Den Rahmen füllt eine got. Inschrift: »Der sehr hohe und sehr edle und sehr mächtige und sehr eroberungsglückliche Don Pedro, von Gottes Gnaden König von Kastilien und León, befahl die Errichtung dieser Alcázares und dieser Paläste und dieser Portale, die 1402 ausgeführt wurde« (1464; die Jahreszahl 1402 ist durch die islamische Zeitrechnung bedingt). Keramikfries und Inschrift gehen sicherlich auf Werkleute aus Granada zurück, während das Sonnendach aus Lärchenholz mit seinem Stalaktitenfries Toledaner Künstlern zuzuordnen ist.

Der Palast ist in 2 Bereiche gegliedert, den offiziellen um den »Patio de las Doncellas« und den privaten um den »Patio de las Muñecas«. – Das *Portal* der Hauptfassade führt zunächst in das »Vestíbulo«, einen gangartigen Vorraum, der nichts als das Ergebnis der Restaurierungen 1856/57 ist und keineswegs dem urspr. Palasteingang entspricht; 3 der 4 *Säulenkapitelle* sind westgotische Spolien.

Das Bild des rechteckigen Patio de las Doncellas (Jungfrauenhof) bestimmen an allen 4 Seiten die *Arkaden* und ihre Zackenbogen über Zwillingssäulen aus Marmor.

Über dem rautenförmigen Stuckdekor schließt ein Fries mit den Wappen von Kastilien und León das Untergeschoß zum galerieartigen Obergeschoß hin ab. Der Hof hat im späten 15. und im 16. Jh. wesentliche Veränderungen erfahren; aus dem 14. Jh. noch stammen die Fliesen in der unteren Wandzone, die Artesonado-Decken aus der Zeit der Kath. Könige.

Im 16. Jh. wurden die urspr. Ziegelpfeiler durch Doppelsäulen ersetzt, die Mittelarkade auf jeder Seite erhöht und der größte Teil des Stuckdekors (der im NW 1559 bezeichnet ist) sowie ein renaissancistisches Obergeschoß geschaffen, das, vor 1992 wieder verändert, jetzt den Aspekt der unteren Arkadengänge allzu »geschönt« wiederholt.

Man beginnt die Besichtigung der den Hof umgebenden Räume zweckmäßig auf der südl. (linken) Längsseite mit dem Salón del Techo de Carlos V, so genannt nach der Kassettendecke aus Zedernholz aus der Zeit Kaiser Karls V. – 3 weitere kleine Räume, 1855 schlecht restauriert und ohne besonderes Interesse, führen zum

● Salón de Embajadores (Saal der Gesandten). Der quadratische Saal ist wohl der prachtvollste Innenraum des Mudejar in Spanien. 3 seiner Seiten (von je 9,80 m Länge) öffnen sich in Drillingsarkaden mit Hufeisenbogen über Marmorsäulen.

Die hohen Mosaikfliesen an den unteren Wänden, der verschwenderisch reiche Stuckdekor darüber, mit pflanzlichen und geometrischen Motiven und kufischen Schriftzeichen, erinnern an die *Flächendekoration* in der Alhambra. Die *Kuppel* aus Lärchenholz über mit Muqarnas verkleideten Trompen schuf 1427 Diego Ruiz; ihr geometrisches Geflecht bildet im Zentrum einen 12strahligen Stern. Die Malereien sind Zutaten des 16. Jh., so die Bildnisse der spanischen Könige bis Philipp II. und die Balkone mit ihren schmiedeeisernen Gittern.
Von den sich anschließenden Räumen ist der Salón del Techo de Felipe II, so genannt nach der Kassettendecke aus der Zeit ● Philipps II., bemerkenswert durch den *Stuckdekor der Eingangsarkade* mit Vogeldarstellungen und 2 Pfauen in den Zwickeln, vermutlich von Handwerkern aus Toledo. – Der anschließende Salón del Techo de los Reyes Católicos heißt so nach seiner Artesonado-Decke aus der Zeit der Kath. Könige. Von ihm aus gelangt man zum

Patio de las Muñecas (Puppenhof), dem Mittelpunkt des privaten Palastbereichs. Sein Name wird verschieden interpretiert, vermutlich ist er durch die geringen Ausmaße veranlaßt. 1855/56 wurde er erheblich restauriert, das gesamte Obergeschoß neu erbaut. Seine *Säulenkapitelle* sind z. T. Spolien aus Córdoba und Medina az-Zahra (10. Jh.).
Dahinter befindet sich der 3geteilte Salón del Principe, so genannt nach dem im Alcázar von Sevilla geborenen Infanten Juan (1478–96), dem einzigen Sohn der Kath. Könige. Die 1543 bezeichnete Artesonado-Decke ist von Juan de Simancas; die beiden anderen sind 19. Jh. – Der parallel zum Vestíbulo (Eingangsraum) verlaufende Rechteckraum trägt den phantasievollen Namen Dormitorio de los Reyes Moros (Schlafsaal der maurischen Könige). Urspr. war er nicht vom Haupthof aus zugänglich. Seine *Decke* mit Mudejar- und Renaissance-Elementen ist ohne wesentliche Restaurierungen überkommen. Ein Wandfries zeigt die kufische Inschrift »Ruhm unserem Herrn und Sultan Pedro. Allah helfe ihm und beschütze ihn«.

Zu den **oberen Räumen** führt vom Patio del León aus eine Treppe

Sevilla. Reales Alcázares
Salón de Embajadores. Kuppel

des späten 16. Jh. Im Oratorium der Kath. Könige ein Keramikaltar von 1504. Unter der Maria in seinem Heimsuchungsbild steht die Signatur des Francisco Niculoso Pisano: NICULOSO FRANCISCO ITALIANO MEFECIT. – In den anderen, jeweils von den spanischen Königen anläßlich ihrer Aufenthalte in Sevilla bewohnten Räumen finden sich Ausstattungsgegenstände des 17.–19. Jh., darunter barocke Tapisserien. Die Räume über den Längsseiten des Patio de las Doncellas haben z. T. noch ihre urspr. mudejare Dekoration.

Im Säulengang des W-Flügels am Patio del León (vor der Fassade rechts) öffnet sich ein Portal zu den sog. Cuartos del Almirante (Zimmer des Admirals). Hier gründete Isabella von Kastilien 1503 die »Casa de la Contratación de las Indias«, die Verwaltung für den Handel mit der Neuen Welt. 1496 hatte sie Kolumbus nach der 2. Reise hier empfangen, und die 1519 begonnene Weltumseglung Magellans war hier vorbereitet worden.

Neben den *Tapisserien* des 17./18. Jh. ist die Sala de Audiencias von besonderem Interesse. Das Retabel mit der »Schutzmantelmaria der Seefahrer« und den hll. Jakobus, Sebastian, Telmus und Johannes auf den Seitentafeln malte 1531–36 Alejo Fernández. Marias Mantel umfängt im Hintergrund Eingeborene; unter den Beschützten im Vordergrund sollen rechts Kolumbus und die ihn begleitenden Brüder Pinzón (mit Kopfbedeckung), links im Profil Kaiser Karl V. dargestellt sein. Artesonado-Decke des 18. Jh.

Auf der gegenüberliegenden Seite des Patio del León gelangt man zum Patio del Crucero (so genannt wegen des urspr. kreuzförmigen Grundrisses), auch Patio de María de Padilla genannt, da in diesem Bereich die Favoritin Peters I. gewohnt haben soll. Architektonisch ist dieser gesamte Alcázarbereich von Umbauten aus der 2. Hälfte des 18. Jh. geprägt, bedingt vermutlich durch das Erdbeben von 1755. An der Stirnseite des Patio die Salones de Carlos V (Säle Karls V.), fälschlich als »Palast Karls V.« bezeichnet, denn der Kaiser hat ihn nicht erbaut. In einem der Räume, die urspr. zum Alcázar Alfons' X. (1252–84) gehörten, fand 1526 die Hochzeit Karls V. mit Isabella von Portugal statt. Das Äußere wird von dem nach 1755 von Sebastian van der Borcht vorgebauten Portikus geprägt.

Im Innern, in dem »Salón de Tapices« genannten, barock umgestalteten Raumteil, stellen 12 *Wandteppiche* die Eroberung von Tunis (1535) durch Karl V. dar; sie wurden 1740 in der Kgl. Teppichmanufaktur Madrid gewebt und sind Kopien eines 1554 von Wilhelm Pannemaker in Brüssel vollendeten Tapisserienzyklus, den Maria von Ungarn (1505–58), die Schwester Karls V., in Auftrag gegeben hatte. – Im Salon des Kaisers ist das urspr. got. Rippengewölbe noch teilweise erhalten; die Spitzbogen ruhen auf Konsolen des 16. Jh. Von besonderem Interesse sind die *Wandfliesen* von Cristóbal de Augusta, 1577–79. – In der Kapelle Fliesenverkleidung des 16. und Gemälde des 17./18. Jh.

Die **Gärten** haben im Lauf der Jahrhunderte zahlreiche Umgestaltungen erfahren, v. a. in der Mitte des 19. Jh. – Der **Jardín del Estanque**, so genannt nach seinem Teich, bewahrt z. T. noch seinen Renaissance-Aspekt. Die Brunnenfigur des *Merkur* von Diego de Pesquera wurde 1576 von Bartolomé Morel in Bronze gegossen. An der Stelle der alten **Alcázar-Mauer** und deren Reste einbeziehend steht die sog. **Grotesken-Galerie** aus dem 18. Jh., mit Fresken in den Bogennischen. – Eine Treppe führt zum **Jardín de la Danza** mit der Figur eines tanzenden Satyrs. Rechts liegen die sog. **Bäder der María Padilla**, mit Gewölberesten aus dem späten 13. Jh. und Bauteilen aus dem 16. Jh. – Inmitten der vielfältigen Ausstattung der **Jardínes de Carlos V** fällt der *Löwenbrunnen* (spätes 16. Jh.) mit dem manieristischen **Pavillon** an seiner Rückseite auf, ebenso der 1543 von Juan Hernández erbaute **Pavillon Karls V.**, ein von Säulenarkaden umgebener quadratischer Bau, dessen Fliesen- und Stuckdekor Schmuckelemente des Mudejar und der Renaissance vereint. – Der Rückweg durch den im 1. Drittel des 20. Jh. angelegten Gartenteil führt entlang der vor 1992 um einen gedeckten Gang bereicherten ehem. Almohaden-Mauer zur sog. **Puerta de Marchena** (um 1500). Das Rechteckportal zwischen spätgot. Fialen und sog. Wilden Männern stammt vom ehem. Palast der Herzöge von Arcos in Marchena und wurde im frühen 20. Jh.

hierher versetzt. – Zum Ausgang in den Patio de Banderas (Hof der Fahnen; so benannt nach der einstigen Portalbemalung) führt ein Gang mit dem sog. **Apeadero** (wörtl. Auf- und Absteigeplatz für Berittene) am Ende, ein großer Saal mit weißen Marmorstützen, den Philipp V. um 1730 für den königlichen Karossenpark erbauen ließ.

Das Denkmal **»Triumph Mariens«** (1757) auf der Plaza del Triunfo erinnert an das Erdbeben (von Lissabon) am 1. 11. 1755.

Archivo de Indias/Casa Lonja (Plaza del Triunfo). Der 2geschossige Bau über quadratischem Grundriß mit monumentalem Innenhof wurde im strengen Stil Herreras, des Escorial-Erbauers, 1583–98 von Juan de Minjares und Alonso de Vandelvira errichtet. Das Treppenhaus wurde 1787 umgestaltet.

Aus der Handelsbörse, die im 18. Jh. ihre Bedeutung eingebüßt hatte, machte 1785 Karl III. ein Dokumentationszentrum für die Neue Welt. Das Archiv umfaßt alle diesbezüglichen Dokumente bis zum 19. Jh.

Palacio Arzobispal (Plaza de la Virgen de los Reyes). Am Erzbischöflichen Palais haben sich aus der ersten Bauzeit in der 2. Hälfte des 16. Jh. hauptsächlich die beiden Innenhöfe erhalten. Große Teile entstanden im 17. Jh. Der Architekt Fray Manuel Ramos erbaute in der 2. Hälfte des 17. Jh. das kuppelüberwölbte Treppenhaus. Erst 1703–05 schuf Lorenzo Fernández de Iglesias das barocke Hauptportal.

Hinzuweisen ist auf die *Gemälde* des 17. Jh. im Obergeschoß, darunter von Murillo »Maria übergibt dem hl. Dominikus den Rosenkranz« (um 1640), von Zurbarán die hll. Dominikus, Petrus, Franziskus und Bruno und vermutlich von dem Zurbarán-Schüler Sebastián de Llanos Valdés 12 Apostelbilder.

• II. Barrio de Sta. Cruz

Das malerische Viertel im O der Kathedrale wird vom Alcázar, den Gärten Murillo und Catalina Ribera sowie den Straßen Mateos Gago, Fabiola und Sta. María la Blanca begrenzt. Dieser Bereich entspricht in etwa dem ehem.

Judenviertel. Der heutige Baubestand stammt meist aus dem 17.–19. Jh. Verträumte Plätze und pittoreske Gassen mit weiß getünchten Häusern und kostbaren Innenhöfen laden zu einem Rundgang ein, der mit zum Schönsten gehört, was Sevilla zu bieten hat.

Iglesia de Sta. Cruz (Calle de Mateos Gago)
Die Kirche wurde 1665–1728 erbaut, ihre Fassade erst 1929 vollendet.
Im Chor fällt eine Sitzmadonna von Jerónimo Hernández (†1586) auf, nach 1561, mit farbiger Fassung des 18. Jh.; im nördl. Seitenschiff eine Reihe qualitätvoller Retabel (von W nach O): ein Barockaltar, 1678 von Bernardo Simón de Pineda, mit Skulpturen der Immaculata und der Erzengel Michael und Gabriel; ein klassizist. Altar vom Anfang des 19. Jh.; wieder ein barocker Altar mit Pedro Duque Cornejo zugeschriebenen Skulpturen der hll. Franziskus und Antonius, 2. Viertel 18. Jh.; schließlich ein Altar von Bernardo Simón de Pineda, 1672, mit Bildern von Valdés Leal und, in der Mittelnische, einer Skulptur von Pedro Roldán, »Maria lernt lesen«, 1672.

Hospital de los Venerables Sacerdotes (Plaza Doña Elvira)
An der Stelle des ehem. Komödienhofs Doña Elvira errichteten 1675–97 Juan Domínguez und (ab 1687) Leonardo de Figueroa dieses ehem. Altersheim für Priester.
Das **Altersheim** ist um einen quadratischen Innenhof mit Korbbogenarkaden herum angelegt. – Die *Ausmalung* der 1schiffigen **Kirche** schildert die Pflichten des Priesteramts; sie wurde von Lucas Valdés geschaffen, nur in den Gewölben des Chors und der Sakristei stammt sie noch von seinem berühmteren Vater, Juan de Valdés Leal. Der Hochaltar ist von 1889. Unter den Skulpturen der anderen Altäre sind ein »Hl. Ferdinand« von Pedro Roldán, 1698, und ein »Hl. Stephanus« vermutlich von Juan Martínez Montañés die bedeutendsten Werke. – Ein kleines **Museum** bewahrt Kirchengeräte der Zeit um 1800, ein **»Museum der Karwoche«** Prozessionsfiguren der Passions-Bruderschaften.

Klosterkirche S. José (nördl. der Plaza de Sta. Cruz)
Das 1575 von Theresa von Avila in der heutigen Calle Alfonso XII gegründete Karmelitinnenkloster (Las Teresas) wurde Ende des 16. Jh. hierher verlegt, seine kleine Kirche Anfang des 17. Jh. erbaut.

Der Hochaltar von 1630 bewahrt in der Mittelnische eine »Immaculata« von Juan de Mesa, der nördl. Seitenaltar eine »Verkündigung«, die Francisco de Herrera d. Ä. gemalt hat.

Iglesia de Sta. María la Blanca (Calle de Sta. María la Blanca)
Aus einer Synagoge des 13. Jh. machte man 1391 eine christliche Kirche. Eine barocke Umgestaltung erfolgte im 17. Jh.
Das Portal ist noch 14. Jh. Der Mittelaltar an der N-Wand von 1564, mit dem gleichzeitigen Altarbild der »Kreuzabnahme« von Luis de Vargas, wurde im 18. Jh. umgestaltet. Das »Abendmahl« daneben malte Murillo. In der Capilla Sacramental ein qualitätvoller Altar von 1722.

Iglesia de S. Bartolomé (nördl. von Sta. María la Blanca). In der nach Plänen von José Echamorro 1779 begonnenen, 1806 geweihten Kirche ist das *Gitter* der Capilla Sacramental aus dem letzten Drittel des 16. Jh. ein Anziehungspunkt.

Klosterkirche Madre de Dios (Calle de S. José). Anfang des 16. Jh. erbaut. Die Portalreliefs (Maria, hl. Dominikus und Gottvater) schuf um 1590 Juan de Oviedo y de la Bandera. Im Inneren eine mudejare Artesonado-Decke von 1564. Der barocke Hochaltar, um 1700, enthält noch einige Skulpturen des urspr., 1570–73 von Jerónimo Hernández geschaffenen Altars. Am N-Seitenaltar (1620) eine flämische Tafel »Christi Grablegung«, um 1525.

Iglesia de S. Nicolás de Bari (Calle de Mármoles). 5schiffige Kirche aus der Mitte des 18. Jh. mit barockem Hochaltar (um 1758) und Josef-Skulptur von Francisco Ruiz Gijón (1678), in der 1. südl. Chorkapelle.

An der Plaza de Alfaro liegt u. a. der **Palast der Marqueses de Pickman** aus dem 16./17. Jh. (Nr. 21); in der Calle Sta. Teresa das **Geburtshaus von Murillo** (Nr. 8). – In der Mitte der Plaza de Sta. Cruz steht das schmiedeeiserne **Cruz de la Cerrajería** (Kreuz der Schlosser) von Sebastián Conde (1692); es stammt aus der Calle Sierpes und wurde 1921 hierher versetzt.

III. Die Torre del Oro und Umgebung

● **Torre del Oro** (Goldener Turm, Paseo de Cristóbal Colón)
Angesichts der wachsenden Bedrohung durch das immer stärker werdende Königreich Kastilien erweiterte der Almohaden-Statthalter Abu al-Ulah 1220 die südl. Mauer des Befestigungsrings bis zum Fluß hin. Der Eckturm dieser Erweiterung, die Torre del Oro, ließ

sich durch eine Kette mit einem (nicht erhaltenen) Turm auf dem anderen Ufer verbinden, so daß die Hafeneinfahrt gesperrt werden konnte.

Der »Goldene Turm« hat seinen Namen von der urspr. Verkleidung mit vergoldeten Azulejos. Die beiden unteren, 12- bzw. 6eckigen Turmkörper entsprechen dem Almohaden-Bau, der runde darüber wurde 1760 hinzugefügt. Den Außendekor hat man um 1900 erheblich restauriert. Im 3geschossigen Inneren des unteren Turmkörpers befindet sich ein kleines **Marinemuseum (Museo Naval)**.

Ebenfalls von der 1220 erweiterten Befestigungsmauer stammt die **Torre de la Plata** an der nahen Calle de Santander, heute weißgetüncht und umgeben von anderen Wohnbauten. Dieser 8eckige »Silberturm« war mit dem »Goldenen« durch einen breiten Wehrgang verbunden. An den Almohaden-Bau erinnern noch die Zinnen und Ziegelornamente.

Hospital de la Sta. Caridad (Calle Temprado) ●

Innerhalb des Bereichs der von Alfons d. Weisen 1252 gegründeten Kgl. Schiffswerft befand sich im 16. Jh. die kleine Kapelle St. Georg der »Bruderschaft der hl. Barmherzigkeit«, die sich um die Beerdigung der zum Tode Verurteilten und der im Guadalquivir Ertrunkenen kümmerte. 1645 wurde die Kapelle abgerissen und mit dem Bau der heutigen Kirche nach Plänen von Pedro Sánchez Falconete begonnen. 1662, noch vor Bauvollendung, trat Miguel de Mañara y Vicentelo de Leca y Calona in die Bruderschaft ein und wurde ein Jahr später zum Prior gewählt. Er ermöglichte die Fortsetzung des Baues und gründete 1664 das »Hospiz für Arme und Kranke«, in dessen 3 großen Sälen ein Teil der ehem. Kgl. Schiffswerft einbezogen ist. 1671 schrieb Miguel de Mañara in dem »Diskurs über die Wahrheit« seine Gedanken über Tod, Weltverachtung und Nächstenliebe nieder, deren bildhafte Verdeutlichung innerhalb der Spitalkirche er Murillo, Valdés Leal, Simón de Pineda und Pedro Roldán übertrug. Mañara starb 1679 mit 52 Jahren. Auf seinen Grabstein hat er die Worte setzen lassen: »Hier ruhen die Gebeine und die Reste des schlechtesten Menschen, den die Welt je gesehen«, Worte eines grüblerischen religiösen Perfektionisten, der seine glänzende Stellung in der Sevillaner Gesellschaft aufgegeben hatte. Anlaß hierzu war nicht ein ihm später angedich-

teter abenteuerlicher Lebenswandel, sondern der Tod seiner Ehefrau 1661.

Das **Denkmal** im Garten vor dem Hospital (von Antonio Susillo; 1902 aufgestellt) zeigt Mañara mit einem kranken Kind im Arm auf dem Weg ins Hospiz.

● **Kirche.** Die *Fassade* der 1645–70 in 3 Geschossen erbauten barocken Saalkirche trägt einen vermutlich von Leonardo de Figueroa entworfenen Giebel. Der Keramikschmuck in den beiden oberen Geschossen stellt Glaube, Liebe, Hoffnung und die hll. Georg und Jakobus dar. – Das Innere (Zugang vom Hospiz) zeigt einen tonnengewölbten Rechteckraum mit Kuppel über dem Vorjoch des Presbyteriums.

● Die Ausstattung verdeutlicht Mañaras programmatische Botschaft, daß nur die Nächstenliebe von der ewigen Verdammnis retten könne. Entsprechend der Kapitelfolge des »Diskurses über die Wahrheit« beginnt der *Bilderzyklus* (im 1. Joch von W unter dem erhöhten Mönchschor) mit dem *»Triumph des Todes«* und dem *»Jüngsten Gericht«,* den beiden 1671/72 in krassem Verismus gestalteten Hauptwerken von Valdés Leal. An der N-Wand ● (links): IN ICTU OCULI, in einem Schlag des Augenlids, löscht der Tod die Kerze des Lebens – nutzlos geworden sind die Attribute von Reichtum, Ruhm, Macht und Gelehrsamkeit. An der S-Wand: ● FINIS GLORIAE MUNDI, das Ende des Ruhms dieser Welt. In der Gruft der verwesende, von Insekten und Würmern zerfressene Leichnam eines Bischofs, neben ihm der Leichnam eines Ritters des Calatrava-Ordens (dem auch Mañara angehörte), im Hintergrund das Skelett eines Königs und Totenschädel. Darüber hält die Hand Christi eine Waage; in der Schale mit der Aufschrift NIMAS (nicht mehr) die Symbole der zur Verdammung führenden 7 Todsünden, in der anderen mit der Aufschrift NIMENOS (nicht weniger) Symbole der Nächstenliebe, des Gebets und der Buße. Alle Menschen sind im Tode gleich; die Waagschalen werden sich entsprechend ihrem irdischen Handeln zur Verdammung oder Erlösung neigen. – An den oberen Wänden der beiden folgenden Joche begann urspr. die Murillo übertragene allegorische Darstellung der Taten der Nächstenliebe, die zur Errettung führen. Die je 2 Bilder auf der N- und S-Seite, mit biblischen Szenen, werden Miguel de Luna (18. Jh.) zugeschrieben; sie ersetzen die 1810 während der französischen Besetzung geraubten und heute in verschiedenen Museen aufbewahrten Murillos. – Der insofern unterbrochene Zyklus

Sevilla. Hospital de la Sta. Caridad. Kirche
Juan de Valdés Leal: »In ictu oculi«

setzt sich fort im Kuppeljoch mit 2 Gemälden von Murillo: an der N-Seite *»Moses schlägt Wasser aus dem Fels«*, an der S-Wand *»Die wunderbare Brotvermehrung«*. Beides sind Allegorien der Nächstenliebe gegenüber den Dürstenden und den Hungernden. Das 7. und letzte Werk der Nächstenliebe, die Bestattung der Toten, symbolisiert am Hochaltar die *»Grablegung Christi«*, eine Skulpturengruppe von Pedro Roldán, dem Schöpfer auch der Theologischen Tugenden Glaube, Liebe und Hoffnung im Giebel und der hll. Georg und Rochus an den Seiten dieses 1670–74 von Bernardo Simón de Pineda und Valdés Leal (Malerei und Vergoldung) geschaffenen Altars. Der Zyklus findet seinen Abschluß mit der *»Kreuzerhöhung«* (1684/85) von Valdés Leal über dem erhöhten

Sevilla. Hospital de la Sta. Caridad. Kirche
Bartolomé Esteban Murillo: »Die hl. Elisabeth von Thüringen pflegt Aussätzige«

Mönchschor im W: Nach der Legende brachte Heraklius, Kaiser von Byzanz, im 7. Jh. das von den Persern geraubte Kreuz Christi nach Jerusalem zurück. Durch das Stadttor ließ ihn aber der Wache haltende Engel erst ein, nachdem er Rüstung und kaiserliche Insignien abgelegt und barfuß und im härenen Hemd um Einlaß gebeten hatte – so gehört nur denen das Himmelreich, die irdischen Gütern entsagen, lautet die Sentenz.

Über die 7 Caritas-Werke des Zyklus hinaus verdeutlicht die weitere Ausstattung zum großen Teil Dienste der Nächstenliebe, die den Mitgliedern der Bruderschaft oblagen, so von Murillo »Der hl. Johannes von Gott trägt einen Kranken zum Hospital« (1671/72) an der unteren N-Wand und »Die hl. Elisabeth von Thüringen pflegt Aussätzige« (1672) im S; über dem Retabel »Santo Cristo de la Caridad«, mit dem knienden Schmerzensmann, von Pedro Roldán. Eindrucksvoll die schmiedeeiserne *Kanzel* mit der Statue der Caritas über dem Schalldeckel (Pedro Roldán) und der Bestie am Fuß (Bernardo Simón de Pineda), dem Symbol des besiegten Bösen, auch die urspr. nicht für die Kirche ausgeführte »Verkündigung« von Murillo des Retabels an der N-Wand. – Fresken von Valdés Leal sind die 8 Engel mit Leidenswerkzeugen und die 4 Evangelisten in der Kuppel.

Das **Hospiz** wurde in seiner heutigen Form 1673–82 erbaut, beginnend mit den 3 großen, parallel zur Kirche angeordneten Sälen, die Konstruktionen der ehem. Schiffswerft einbeziehen. (Ein 4. Saal, heute Speisesaal, kam erst 1856 hinzu.) Den ab 1677 vermutlich von Leonardo de Figueroa erbauten Innenhof mit toskanischen Säulenarkaden teilt ein 2geschossiger *Arkadengang* in 2 Quadrate mit jeweils einem Brunnen in der Mitte.

Die Figuren des Glaubens und der Caritas (1682) sind genuesisch. An den Wänden 7 holländische Fliesenbilder biblischen Inhalts aus dem späten 17. Jh. – Im **Museum** sind unter vielem anderem ein (erheblich restauriertes) Porträt Miguel de Mañaras von Valdés Leal, seine Totenmaske und ein »Kruzifixus« von Zurbarán zu sehen. – Im Kapitelsaal (Obergeschoß) ein Gemälde »Miguel Mañara liest die Regel der Caritas-Bruderschaft vor« von Valdés Leal, 1681.

Bei der 1761–1880 erbauten **Plaza de Toros** stammt die **Real Maestranza de Caballería**, die Kgl. Reitschule, aus dem 2. Drittel des 20. Jh. – Das **Teatro de la Maestranza** (Paseo de Cristóbal Colón 22–23) wurde 1991 erbaut.

IV. Der S.-Telmo-Palast und seine Umgebung

Palacio de S. Telmo (Avenida de Roma). Der Palast ist eines der repräsentativsten Gebäude des Sevillaner Barock – ein regelmäßig um einen großen Innenhof angelegter, nach kastilischem Vorbild mit 4 Ecktürmen ausgezeichneter, 2geschossiger Rechteckbau.

1682–1734 als Akademie für Schiffahrtskunde errichtet. Zunächst hatte Antonio Rodríguez die Bauleitung, ihm folgte 1722 Leonardo de Figueroa, dessen Sohn Antonio Matías de Figueroa 1734 das Hauptportal vollendete. Seit 1847 Residenz der Herzöge von Montpensier, gelangte der Palast 1897 durch letztwillige Verfügung der Infantin María Luisa Fernanda, Schwester Isabellas II., in den Besitz der Kirche. Seit 1901 ist er Priesterseminar.

● Der 3geschossige *Portalbau* der Hauptfassade ist gewiß das schönste Beispiel churrigueresken Gestaltungswillens in Andalusien.

In der Fülle seines Ornament- und Architekturwerks bietet er Figuren der mit der Nautik verbundenen Wissenschaften und Künste. Im durchbrochenen Giebelgeschoß steht S. Telmo, Patron der Seefahrer; die hll. Ferdinand und Hermenegild flankieren ihn. – An der N-Fassade 12 Statuen berühmter Sevillaner von Antonio Susillo, 1895. – Die Kapelle im Innenhof hat Leonardo de Figueroa 1722/23 erbaut; ihr barocker Hochaltar birgt die Skulptur »Virgen del Buen Aire« von Juan de Oviedo y de la Bandera um 1600.

Universidad. Antigua Fábrica de Tabacos
(Calle de S. Fernando)

Die einstige Tabakfabrik ist im wesentlichen das Werk des Militärarchitekten Sebastian van der Borcht, 1728–71 erbaut.

Den riesigen 2geschossigen Komplex von 250 × 180 m, heute Universität, umgibt an 3 Seiten der alte Festungsgraben mit Zugbrücke. Das von der Statue der Fama, des Ruhms, bekrönte Hauptportal führt in den ehem. Wohnbereich der Fabrik. Der Fabrikationsbereich enthält langgestreckte tonnengewölbte Pfeilerhallen.

In der Kapelle ein Holzkruzifixus von Juan de Mesa, 1620.

● **Capilla del Seminario** (Plaza de la Puerta de Jerez)

Die 1506 begonnene Seminarkapelle ist der einzige erhaltene Bau der ersten Universität Sevillas und wird nach deren Gründer, Maese Rodrigo de Santaella, auch »Capilla de Maese Rodrigo« genannt.

Im Innern des spätgot.-mudejaren Baus ist ein *Altarretabel* von Alejo Fernández, um 1520, zu sehen; sein Mittelblatt zeigt die Übergabe des ersten Universitätsgebäudes an die Gottesmutter durch Maese Rodrigo, dessen Grabplatte vor dem Altar eingelassen ist.

Sevilla. Palacio de S. Telmo
Portal

V. Der Maria-Luisa-Park

Parque de María Luisa

Das Gelände gehörte zum S.-Telmo-Palast und wurde der Stadt 1893 von Isabellas II. Schwester María Luisa Fernanda, Herzogin von Montpensier, übereignet. Nach ihr ist der Park benannt, einer der schönsten Spaniens. Seine heutige Gestaltung erhielt er wesentlich anläßlich der Ibero-Amerikanischen Ausstellung 1929. Für sie entstanden zwischen 1911 und 1928 die historistischen Bauten der Plaza de España im O und der Plaza de América im S. Architekt war Aníbal González Álvarez Ossorio (1876–1929).

Die gigantische Halbkreisanlage der Plaza de España, 1923–28, veranschaulicht den Begriff des Historismus, des

Rückgriffs auf die Stile der Vergangenheit, als Repräsentationsstil. Die beiden der Giralda nachempfundenen Ecktürme enthalten durchweg manieristische Stilelemente, die Scheitelfassade barocke, im übrigen spricht die Renaissance mit. Das Ganze ist eine in Stein gebaute Reminiszenz an die Weltmacht Spanien im Goldenen Zeitalter.

Zwischen 1911 und 1919 entstanden die 3 historistischen Bauten der Plaza de América: auf der O-Seite der im spätgot. Stil erbaute **Pabellón Real** (Kgl. Pavillon) und im N und S die nach ihren Stilen benannten, der **Pabellón Mudéjar** (→Museo de Artes y Costumbres Populares) und der **Pabellón Renacimiento** (→Museo Arqueológico).

Im Park finden sich **Denkmäler** Sevillaner Geistesfürsten, u. a. für **Serafín** (1871–1938) und **Joaquín** (1873–1944) **Álvarez Quintero**, Autoren von über 200 Theaterstücken im Fin-de-siècle-Stil, und für **Gustavo Adolfo Bécquer** (1836–70), den »letzten romantischen Dichter« Spaniens, von Lorenzo Coullaut Valera aus Marchena.

VI. Plaza de S. Francisco und Umgebung

Die Plaza de S. Francisco heißt nach einem 1268 von Alfons d. Weisen gegründeten Franziskanerkloster und war einst Mittelpunkt von Sevilla und Schauplatz von Festen, Turnieren und Stierkämpfen, aber auch von Autodafés und Hinrichtungen. An ihrer W-Seite erhebt sich das

Ayuntamiento (Rathaus).

Baubeginn war 1527 unter dem entwerfenden Architekten Diego de Riaño (bis 1534). Danach werden als Baumeister Juan Sánchez (1535–40), Hernán Ruiz II. (1560?–69) und bis Bauende 1574 der Neapolitaner Benvenuto Tortello genannt. Um die Mitte des 19. Jh. kam es zu umfangreicher Umgestaltung und Bauerweiterung und zur Restaurierung des alten Teils.

Die plastereske *Hauptfassade* zur Plaza de S. Francisco hin gehört zum alten Bauteil; die Fassade zur Plaza Nueva, im klassizist. Stil, stammt von den Baumaßnahmen des 19. Jh.

Im Unteren Kapitelsaal, der 1533 vollendet wurde, trägt die Decke eine Folge von Reliefs der spanischen Könige bis zu Kaiser Karl V. – Das vor 1540 erbaute Treppenhaus mit figürlich ornamentierter Kuppel führt zum Oberen Kapitelsaal (1570–72), dessen Räume heute das **Stadtarchiv** beherbergen. Sehenswert sind hier die kassettierte Artesonado-Decke und die Zeugnisse der Stadtgeschichte, darunter das Stadtbanner aus der 2. Hälfte des 15. Jh. Unter den *Gemälden des 17. Jh.* eine »Immaculata« und das Porträt »Fray Pedro de Ona, Bischof von Gaeta« von Zurbarán, ferner das Bildnis Karls II. von Juan Carreño de Miranda.

Capilla de S. Onofre (Plaza Nueva). Die Onuphriuskapelle aus dem 17. Jh. gehörte zum ehem. Franziskanerkloster. Hochaltar 1678–82 von Bernardo Simón de Pineda. An der linken Wand S.-Onofre-Altar von Martínez Montañés und Francisco Pacheco, Anfang 17. Jh., die Skulptur des Titelheiligen von Pedro Díaz de la Cueva, 1599.

Capilla de S. José (Calle de Jovellanos, zwischen Calle de Sierpes und Calle de Tetuan). Außenbau, Innengestaltung und Ausstattung der 1699–1766 erbauten Kapelle sind typisch Sevillaner Barock.

Iglesia del Salvador (Plaza del Salvador). Die Erlöserkirche mit ihrer mächtigen laternenbekrönten Vierungskuppel entstand 1674–1712, zuletzt unter der Leitung von Leonardo de Figueroa, an der Stelle der ehem. Hauptmoschee des 9. Jh., von der noch der Hof an der N-Seite zeugt. Schlammablagerungen nach Überschwemmungen des Guadalquivir haben das Bodenniveau um etwa 2 m erhöht, so daß die Säulenkapitelle, z. T. römische und westgotische Spolien, nur wenig über den Boden ragen. Vom Minarett steht noch das Sockelgeschoß des Glockenturms; das Glokkengeschoß entwarf Leonardo de Figueroa.

Im Innern bieten der Hochaltar und die Altarwand zur Capilla Sacramental, von Cayetano de Acosta um 1770, späte Beispiele des Churriguerismus. Im Silberaltar (1753) der Capilla Sacramental eine Holzskulptur, »Christus in der Passion«, um 1619 von Juan Martínez Montañés; eine seiner frühen Arbeiten ist die Christophorus-Skulptur im Altar der Taufkapelle, 1597. – Im 1. S-Seitenschiffjoch von W Kruzifixus (»Cristo del Amor«) von Juan de Mesa, 1620. – Weitere qualitätvolle Ausstattungsstücke befinden sich in der Sakristei, darunter die Gemälde »Haupt Johannis d. T.« und »Haupt Petri« von Sebastián de Llanos Valdés, sign. und dat. 1670.

Der Norden

VII. Die Alte Universität und ihre Umgebung

Iglesia de S. Pedro (Plaza de S. Pedro). Die 3schiffige mudejare Kirche des 14. Jh. wurde 1922–25 erheblich restauriert und umgestaltet. Die Seitenkapellen sind z. T. im 16. und 17. Jh. angebaut worden. – Aus dem 14. Jh. stammen noch der untere Turmkörper, das S-Seitenportal daneben, mit der Giebelfigur des hl. Petrus (1. Viertel des 17. Jh.) und das W-Portal, im Inneren das Kuppelgewölbe der südl. Apsiskapelle mit mudejarer Lazo-Ornamentik.

Von der Ausstattung seien hervorgehoben: die Altartafeln von Pedro de Campaña (um 1540) im 1. N-Seitenschiffjoch von W, die »Freilassung Petri« von Juan de las Roelas (1612) in der S-Seitenkapelle gegenüber, und in der Capilla Sacramental Gemälde von Zurbarán und Lucas Valdés. Der Hochaltar aus der Mitte des 17. Jh. trägt Reliefs mit Szenen aus der Vita Petri.

Klosterkirche Sta. Inés (Calle Doña María Coronel). 3schiffige Rechteckanlage mit polygonaler Apsis, 2. Hälfte 14. Jh. Portal 17. Jh. – Im Inneren ein churrigueresker Hochaltar, 1. Hälfte 18. Jh.

Hospital de la Misericordia (Calle Misericordia). Eine Gründung von 1487. Vom Bau aus der 2. Hälfte des 16. Jh. steht noch der Patio. In der 3schiffigen **Kirche** aus dem frühen 17. Jh. ein barokker Hochaltar von Bernardo Simón de Pineda, 1688.

Antigua Universidad, Alte Universität (Calle Laraña)

In dem ehem. Jesuitenkolleg aus dem 16. Jh. befand sich seit 1771 und z. T. bis 1956 die 1506 vom Maese Rodrigo de Santaella gegründete Universität.

Vom urspr. Bau stammen die beiden Innenhöfe mit Säulenarkaden, das *Treppenhaus* mit Artesonado-Decke (17. Jh.), der Sitzungssaal *(Salón de Actos)* im Obergeschoß sowie die 1565–79 nach (von dem Manieristen Hernán Ruiz II. modifizierten) Plänen des Jesuiten Bartolomé de Bustamante erbaute Kirche **(Iglesia de la Anunciación).**

Über dem Kirchenportal ein manieristisches Madonnenrelief, nach 1573 von Juan Bautista Vázquez d. Ä. geschaffen. Die beiden seitlichen Skulpturen, Erzengel Raphael und hl. Josef, sind 18. Jh.

Im Inneren Tonnengewölbe und eine kassettierte Vierungskuppel; ein erhöhter Coro im W.

Den *Hochaltar* (1606) des Jesuiten Alonso Matías beleben Skulpturen der hll. Jesuiten Franz von Borja und Ignatius von Loyola, 1620 von Martínez Montañés, der auch die Reliefs des Johannes d. T. geweihten S-Seitenretabels schuf. Hingewiesen sei ebenso auf die beiden Renaissance-*Grabmäler*. Sie waren 1520 in Genua in Auftrag gegeben und 1526 im ehem. Kartäuserkloster von Sevilla aufgestellt worden; nach dessen Verkauf gelangten sie 1838 hierher. Auf der N-Seite das Wandgrabmal des Statthalters von Andalusien, Pedro Enríquez de Ribera († 1519), von Antonio Maria Aprile; gegenüber das seiner Ehefrau, Catalina de Ribera, von Pace Gazini. – Die Kirche dient als Panteón de Hombres Ilustres; beigesetzt sind die sterblichen Reste berühmter Sevillaner, u. a. des Dichters Gustavo Adolfo Bécquer († 1870).

Im Salón de Actos Gemälde des 17. Jh. und Bildnisse berühmter Sevillaner.

Iglesia de Sta. Catalina (Plaza Ponce de León). Die 3schiffige mudejare Kirche entstand im 14. Jh. an der Stelle einer Almohaden-Moschee, von der noch das *Minarett* und Teile des Mihrab in der quadratischen Apsiskapelle der Passions-Bruderschaft »Hermandad de la Exaltación« erhalten blieben. Die mudejare *Portalfassade* (14. Jh.) wurde von der ehem. Pfarrkirche Sta. Lucía übertragen. Die churrigueresque Capilla Sacramental am nördl. Seitenschiff ist ein Anbau des frühen 18. Jh. nach Plänen von Leonardo de Figueroa. Das Innere der 1881 schlecht restaurierten Kirche kennzeichnen spitzbogige Pfeilerarkaden und mudejare Artesonado-Decken. Die Apsiskapelle der »Hermandad de la Exaltación« überwölbt eine 16teilige Trompenkuppel.

Hier stehen Passionsskulpturen von Pedro Roldán und seiner Tochter Luisa (La Roldana) aus der 2. Hälfte des 17. Jh. – In der Capilla Sacramental ein churrigueresker Hochaltar (Mitte 18. Jh.) und ein Bild »Petri Reue«, von Pedro de Campaña (16. Jh.).

VIII. Kloster Sta. Isabel und Umgebung

Convento de Sta. Isabel (Plaza de Sta. Isabel). Gegründet 1490 von Isabel de León y Farfán de los Godos. Aus der Erbauungszeit im 2. Jahrzehnt des 16. Jh. ist noch ein **Kreuzgang** erhalten. Die **Kirche** baute Anfang des 17. Jh. Alonso de Vandelvira.

Das Kirchen-N-Portal schmückt ein Giebelrelief »Mariä Heimsuchung« von Andrés de Ocampo aus Jaén. Der Hochaltar ist von Juan de Mesa (1624); 3 seiner Bilder (»Geburt Johannis d. T.«, »Der kleine Johannes«, »Der Gute Hirte«) malte Juan del Castillo (die anderen 18. Jh.). Hingewiesen sei ebenso auf den qualitätvollen Kruzifixus von Juan de Mesa (1622) im 1610 von Juan de Oviedo »el Mozo« entworfenen und von Martínez Montañés gearbeiteten Altar an der S-Wand.

Iglesia de S. Marcos (Plaza de S. Marcos). 3schiffige mudejare Kirche des 14. Jh. mit polygonalem Chorschluß. Ihr noch gut erhaltener mudejarer Turm steht vermutlich an der Stelle eines ehem. Almohaden-Minaretts.

Convento de Sta. Paula (Calle de Sta. Paula)

Die Kirche des 1475 von Ana de Santillán gegründeten Klosters stiftete die Marquesa de Montemayor früh im 16. Jh.

Ein Besuch lohnt sich v. a. wegen des 1504 vollendeten • *Portals* aus 2farbigen Ziegelsteinen mit Stilelementen der Gotik, des Mudejar und der florentinischen Frührenaissance. Seine spitzen Archivolten überfängt ein breiter, von Stäben begrenzter Ornamentbogen.

Die Bildhauerarbeit ist von Pedro Millán, der Keramikschmuck von Francisco Niculoso Pisano. Dargestellt sind im Tympanon das kgl. Wappen zwischen den kastilischen Emblemen Joch und Pfeile, im Bogen zwischen Groteskendekor die hll. Helena, Antonius von Padua und Bonaventura, Petrus und Paulus, Christi Geburt, Rochus und Sebastian, Kosmas und Damian, Rosa von Viterbo, alle in Medaillons, wovon das blaugrundige im Scheitel den Stil von Andrea della Robbia verrät. In den Zwickeln 2 kniende Engel mit dem Christogramm, darunter Engel mit einem geöffneten Buch. Am Dachgesims Leuchter- und Engelskopfdekor, in der Mitte ein Marmorkreuz.

Das Innere der **Kirche**, einen Saalraum, deckt ein Artesonado von Diego López de Arenas, 1623. Am Hochaltar (1730) die Figur der Titelheiligen, um 1600. Der S-Seitenaltar mit hl. Johannes d. T. stammt von Martínez Montañés, 1637/38. Nahebei ist das Grabmal des León Enríquez, eines Bruders der Kirchenstifterin, 16. Jh.; die beiden Grabmäler der Marqueses de Montemayor auf der N-Seite sind Werke minderer Qualität aus dem 16. Jh.

Im **Museum** des Klosters werden Gemälde des 16.–18. Jh. gezeigt.

● **Iglesia de S. Luis** (Calle de S. Luis). Die ehem. Kirche des Jesuitennoviziats ist ein spätbarocker Zentralbau, 1699 bis 1731 vermutlich von Leonardo de Figueroa errichtet. Sie zählt zu den schönsten des Sevillaner Barock.

Die Scheinarchitektur und die Darstellungen der Eucharistie in der monumentalen Kuppel malte vermutlich Lucas Valdés († 1725), die übrige Ausmalung mit Darstellungen aus der Ordensgeschichte der Jesuiten z. T. Domingo Martínez, seit 1743. Zur Pracht des Innenraums tragen ebenso die zahlreichen Altäre im typischen Stil des Sevillaner Barock bei; den Hochaltar schuf Pedro Duque Cornejo, 1730.

Iglesia de Sta. Marina (Calle de S. Luis). Mudejare 3schiffige Kirche von 5 Jochen mit polygonalem Chorschluß, aus der Mitte des 14. Jh. Das W-Portal gehörte zu einem mudejaren Vorgängerbau des frühen 14. Jh.

Die Artesonado-Decken in den Schiffen wurden 1869 durch Brand zerstört. – Der Sevillaner Pedro Mejía, dessen Grabmal sich hier befindet, war Chronist Kaiser Karls V.

Palacio de los Duques de Alba (Calle de las Dueñas; die volkstümliche Bezeichnung »**Palacio de las Dueñas**« bezieht sich auf ein nahes Nonnenkloster). Mit seinem von 2geschossigen Säulenarkaden umgebenen Innenhof und seinen Stilelementen der Spätgotik, des Mudejar und der Renaissance ist dieser Palast typisch für den sevillanischen Palastbau im späten 15. Jh. und in der 1. Hälfte des 16. Jh., dessen hervorragendstes Beispiel die → Casa de Pilatos bildet.

Die Kapelle besitzt eine Artesonado-Decke des 15. Jh.

Iglesia de S. Román (Plaza de S. Román). 3schiffige got.-mudejare Kirche aus der Mitte des 14. Jh., der Turm um 1700.

Im erheblich restaurierten Inneren Wandmalereien »Martyrium des hl. Romanus«, 1961 von Rafael R. Hernández.

IX. Barrio de la Macarena

Zwischen der **Puerta de la Macarena** zum einstigen, nach einem römischen Tor benannten Armenviertel (nach der Legende der Name einer schönen Maurin) und der Puerta de Córdoba erstreckt sich mit 8 Türmen das besterhaltene Teilstück der **Befestigungsmauer**, die in der 1. Hälfte des 12. Jh. von den Almoraviden erbaut und von den Almohaden und später in christlicher Zeit verändert und erweitert wurde. Das Tor hieß in maurischer Zeit Bab al-Makrina und soll in seiner urspr. Anlage schon zur römischen Stadtmauer gehört haben. Seine heutige Gestaltung erhielt es zum größten Teil im frühen 19. Jh.

Iglesia de S. Gil (Plaza de S. Gil, bei der Puerta de la Macarena)

Die Ägidiuskirche entstand im späten 13. Jh.; ihr Langhaus wurde im 14. Jh. umgebaut. Erweiterungen und Restaurierungen erfolgten im 18.–20. Jh.

Der mudejare Turm hat ein barockes Glockengeschoß. Das 3schiffige Langhaus geht nur über 2 Joche.

Im Presbyterium sind geometrisch gemusterte Fliesen aus dem 14. Jh. zu sehen. Im nördl. Seitenschiff ein qualitätvoller Kruzifixus des 17. Jh. Die Gemälde dort und in der SO-Kapelle, mit Szenen aus dem Leben des hl. Hieronymus, sind von Juan de Espinal, um 1770.

S. Gil angefügt wurde 1949 die **Basilica de la Macarena** (Calle Bécquer 1; Architekt: Aurelio Gómez Millán), in der die »Virgen de la Esperanza«, die volkstümlich »Virgen de la Macarena« genannte Stadtpatronin, verehrt wird.

Die Marienskulptur aus dem 3. Viertel des 17. Jh. ist ein qualitätvolles Werk der spätbarocken Sevillaner Bildhauerschule, ohne daß man ihren Meister benennen kann.

Parlamento de Andalucía, im ehem. Hospital de la Sangre oder de las Cinco Llagas (Avenida de S. Juan de Ribera)

Das Spital »zu den 5 Wundmalen« (Christi) entstand 1546–1617 unter der Leitung von Martín de Gaínza, Hernán Ruiz II., Benvenuto Tortello und Asensio de Maeda. 1990–92 restauriert, seither Sitz des Parlaments von Andalusien.

Das ehem. **Spitalgebäude** ist eine 2geschossige Anlage, deren kreuzförmiger Grundriß 4 Innenhöfe ausbildet. In einem der Höfe steht die nach Plänen von Hernán Ruiz II., des bedeutendsten Architekten des Manierismus in Andalusien, errichtete **Kirche** (1558).

Der Hochaltar (1601 von Asensio de Maeda entworfen) birgt eine Madonna um 1560.

Iglesia de Omnium Sanctorum (Calle de la Feria). Die got.-mudejare Allerheiligenkirche von 3 Schiffen zu 5 Jochen und mit polygonalem Chorhaupt wurde um die Mitte des 14. Jh. an der Stelle eines Vorgängerbaus des späten 13. Jh. errichtet, hat in den folgenden Jahrhunderten allerdings viele Änderungen erfahren. Das W-Portal stammt noch von der Kirche des späten 13. Jh., die Seitenportale und das Chorhaupt sind aus dem 14. Jh. Der Turm im NW mit Rautendekor entstand Anfang des 15. Jh. – Die Holzdekken sind modern; im Chorhaupt das alte Rippengewölbe.

Im Presbyterium steht die »Allerheiligenmadonna« von Roque de Balduque, 1554, der im 18. Jh. barocke Heiligenfiguren hinzugefügt wurden. Im N-Seitenschiff ein Altar des späten 17. Jh. mit Kruzifixus »Cristo de la Buena Muerte« von Andrés de Ocampo, 1592. In der Taufkapelle 3 Gemälde von Juan de Espinal mit Darstellungen aus der Vita des hl. Hieronymus, um 1770.

X. Die Alameda de Hércules und ihre Umgebung

Alameda de Hércules

1574 angelegt nach Entwurf von Asensio de Maeda, im 18. Jh. umgestaltet.

Im S stehen 2 Säulen vom ehem. römischen Tempel in der Calle de Mármoles; ihre korinthischen Kapitelle sind Spolien von einem anderen Bau; die Figuren Cäsar und Herkules arbeitete 1574 Diego de Pesquera. Die beiden Säulen im N, mit Steinlöwen und den Wappen Kastilien-León und der Stadt Sevilla, wurden 1764 aufgestellt.

Iglesia de S. Martín (Plaza de S. Martín). In der got. Kirche aus dem 1. Viertel des 15. Jh. trägt der Hochaltar, um 1608, Skulpturen von Francisco de Ocampo und Malereien von Girolamo Lucenti aus Correggio. Am N-Seitenretabel ein Relief, »Grablegung Christi«, aus dem späten 16. Jh.

Iglesia de S. Andrés (Plaza de S. Andrés). Der polygonale Chor dieser 3schiffigen got.-mudejaren Kirche ist noch aus dem 14. Jh., das Schiff, einschließlich der mudejaren S-Kapellen, aus dem späten 15. Jh. Im 18. und 19. Jh. wurde der Bau erheblich restauriert und verändert.
Hochaltar vom Ende des 18. Jh. In der Capilla Sacramental ein spätbarocker, Pedro Roldán zugeschriebener Altar mit der »Rosenkranzmadonna«.

Iglesia de S. Juan de la Palma (Calle de S. Juan de la Palma). 3schiffige Kirche von 5 Jochen, urspr. got.-mudejar und aus dem späten 15. Jh., in den folgenden Jahrhunderten umgebaut. Ausstattung meist 18. Jh.

Convento del Espíritu Santo (Calle de S. Juan de la Palma). Das **Kolleg** wurde 1715 erbaut, die **Kirche** Anfang des 17. Jh., im späten 18. Jh. umgestaltet. Ausstattung meist 18. Jh.

Iglesia de S. Lorenzo (Plaza de S. Lorenzo). Die 5schiffige Kirche ist im wesentlichen das Ergebnis von Umbauten im 18. und 19. Jh. Vom urspr. got.-mudejaren Bau des späten 15. Jh. stammt noch die Portalfassade mit barockem Glokkengeschoß.
Den Hochaltar entwarf Martínez Montañés, seine Skulpturen fertigten gegen Mitte des 17. Jh. Felipe und Francisco Dionisio de Rivas. Auf der S-Seite ein klassizist. Altar, 19. Jh., mit der Alabasterfigur »Virgen del Carmen« aus dem frühen 15. Jh. und den Skulpturen Petrus und Paulus aus dem frühen 17. Jh.

In der benachbarten modernen **Kirche Jesús del Gran Poder**, der Titularkirche der gleichnamigen Passions-Bruderschaft, eine Skulptur »Jesús del Gran Poder« von Juan de Mesa, 1620.

Convento de Sta. Clara (Calle de Sta. Clara)

Das Kloster gründete Ferdinand d. Hl. in seinem Todesjahr 1252. Um 1290 erhielten die Klarissinnen den anliegenden Palast des Infanten Fadrique (s. u.) dazu.

Die **Kirche** wurde im späten 15. Jh. got.-mudejar erbaut, im 17. Jh. barock umgestaltet. Ihr einziges Schiff deckt eine mudejare Artesonado-Decke; die O-Teile sind rippengewölbt.

Von den Wandfliesen des 17. Jh. sind in der Apsis einige 1575 bezeichnet. Die Altäre, 1621–30, entwarf Martínez Montañés; ausgeführt wurden sie von seiner Werkstatt. Das Relief am Johannes-d.-T.-Altar an der S-Wand ist ein Werk des Francisco de Ocampo. Das Tafelgemälde »Hl. Rochus« von 1555 wird Hernando de Esturmio zugeschrieben.

Torre de Don Fadrique (Convento de Sta. Clara)

Der Infant Don Fadrique, ein Sohn Ferdinands d. Hl., hatte sich 1252 hier im N des alten Sevilla einen Palast errichten lassen, um unabhängig vom Alcázar zu sein. Sein Bruder Alfons X. d. Weise, zu dem Don Fadrique in erbitterter Opposition stand, veranlaßte seine Hinrichtung und die Konfiszierung seines Besitzes, der so an die Klarissinnen nebenan fiel.

Von diesem Palast ist allein der Turm erhalten, der von Anfang an frei stand und Verteidigungscharakter hatte. Er ist heute von Gartenanlagen umgeben, zu denen im Vorhof des Klosters ein kleines got. Portal aus dem frühen 16. Jh. führt, das von der ersten Universität stammt. Der Turm hat quadratischen Grundriß und wird von einer zinnenbewehrten Brüstung bekrönt; im mittleren der 3 Geschosse sind die Fensteröffnungen spätromanisch, im oberen gotisch. Auch das Eingangsportal ist spätromanisch. Die beiden unteren Geschosse haben Rippen-, das obere ein 8eckiges Kuppelgewölbe. Der Bau ist das früheste Zeugnis kastilischer Architektur in Sevilla.

Convento de S. Clemente (Calle del Torneo). Hier befand sich im 11. Jh. ein Abbadiden-Palast. Vom **Kloster** des späten 13. Jh., einer Gründung Alfons' d. Weisen, zeugt lediglich noch die Anlage der Vor- und Innenhöfe. Die 1schiffige **Kirche** hat 1632 Juan de Segarra entworfen.

Zur Ausstattung gehören eine mudejare Artesonado-Decke aus der Mitte des 16. Jh., Wandsockelfliesen von 1558 und Wandmalereien (Heiligenfiguren) aus der Mitte des 18. Jh. Die Capilla Mayor hat eine kassettierte Kuppel und einen Hochaltar von Felipe de Rivas (1639–47), dessen Fassung z. T. von Valdés Leal stammt. An der N-Wand ist das Grabmal der Maria von Portugal († 1357), Ehefrau Alfons' XI. und Mutter Peters I. d. Grausamen, angebracht. Unter der übrigen reichen Ausstattung zeichnet sich der S-Seitenaltar (1610) von Francisco de Ocampo mit der Skulptur des Johannes d. T. von Gaspar Núñez Delgado und Altarbildern von Francisco Pacheco aus.

Convento de la Asunción (Nähe Calle Guadalete). Vom Santiago-Orden 1405 gegründet und im 15. Jh. erbautes, im 19. Jh. umgestaltetes Kloster. In der Capilla Mayor der 3schiffigen mudejaren **Kirche** stecken noch Reste der ehem. Anlage.

Der Osten

XI. Barrio de S. Bernardo

Iglesia de S. Bernardo (Calle Almonacid). 1780–85 erbaute 3schiffige Rechteckanlage mit Tonnengewölben im Mittelschiff und laternenbekrönter Vierungskuppel.

Ausstattung des 18. und 19. Jh.

Iglesia de S. Benito (Calle de Luis Montoto). Die 3schiffige barocke Kirche wurde im frühen 17. Jh. nach Plänen von Juan de Oviedo y de la Bandera erbaut.

Von besonderem Interesse ist die »*Virgen de Valvanera*«, um 1600, im Hochaltar.

Acueducto de los Caños de Carmona (Calle de Luis Montoto). Reste des römischen und von den Almohaden wieder instand gesetzten Aquädukts.

XII. Die Casa de Pilatos und ihre Umgebung

● **Casa de Pilatos** (Plaza de Pilatos)

Der um einen großen Innenhof gebaute Palast war im Besitz der Herzöge von Alcalá und danach derer von Medinaceli. In den letzten Jahren des 15. Jh. hatten Pedro Enríquez, Statthalter von Anda-

lusien, und seine Ehefrau Catalina de Ribera den Bau zwar begonnen, jedoch geht er hauptsächlich auf beider Sohn Fadrique Enríquez de Ribera, 1. Marqués de Tarifa, zurück. Dieser hatte 1519–21 eine Reise nach Jerusalem unternommen und sich auf dem Rückweg in Italien aufgehalten, von wo er Bau- und Dekorzeichnungen mitbrachte. 1533 trafen in Sevilla per Schiff das Portal, der Brunnen und die Marmorsäulen des Haupthofs aus Genua ein, gearbeitet von Pace Gazini und Antonio Maria Aprile.

Die volkstümliche Bezeichnung »Haus des Pilatus« geht vermutlich darauf zurück, daß hier die 1. Station des Kreuzwegs war, der am **Cruz del Campo** *(1482 errichtet; am O-Ende der Calle de Luis Montoto) endete.*

Die Außenfassade, deren Dachgesims got. Stilelemente zeigt, öffnet sich in dem Marmorportal aus Genua zum Apeadero, dem Hof des ehem. Marstalls. Dahinter liegt der von 2geschossigen Arkaden eingefaßte Haupthof, dessen architektonische Renaissance-Struktur in harmonischem Einklang mit der reichen und vielfältigen Dekoration aus mudejaren und insbesondere plateresken Stilelementen steht. Die spätgot. Maßwerkbrüstung im Obergeschoß stammt vermutlich aus dem ehem. Palast der Enríquez in Bornos (Prov. Cádiz).

Die Mitte des Patio Principal nimmt der genuesische Brunnen mit dem zweigesichtigen Januskopf ein; in den Hofecken stehen römische Statuen: Ceres und eine Muse sowie 2 Athena-Standbilder (die ohne Schild im Typus der von Phidias geschaffenen Athena Lemnia). Die Wände sind bedeckt mit Fliesen (1535–38) und mudejar-plateresker Stuckverkleidung; in den Ovalnischen stehen Renaissance-Büsten von römischen Kaisern, Cicero und Karl V. – An der O-Seite des Hofes liegt der »Salón del Pretorio«, dessen kassettierte Artesonado-Decke, Türen, Fliesen- und Stuckverkleidung den Höhepunkt mudejarer Dekorationskunst um 1536 darstellen. Prachtvoll auch die Artesonado-Decke (1538) und die plateresken Fenstergitter des Pavillons in dem Kleinen Garten. An die »Sala del Descanso de los Jueces«, den Raum, »in dem die Richter ausruhten«, an der N-Seite – er enthält Figuren der Witwe des Hernán Cortés und ihrer Tochter, der 2. Herzogin von Alcalá, beim Gebet (1575) –, schließt die Kapelle aus den letzten Jahren des 15. Jh., mit spätgot. Rippengewölbe und mudejarem Fliesen- und Stuckdekor, an. Ebenso bemerkenswert

Sevilla. Casa de Pilatos. Hof

sind die Artesonado-Decke und die schmiedeeisernen Gitter der »Sala de la Fuente« auf der W-Seite. Im Großen Garten lagern z.T. römische Säulenfragmente und Skulpturen aus Itálica.
Im SW führt die prächtige Treppenanlage, vorbei an ihren mit Cuenca-Fliesen verkleideten Wänden und unter einer Artesonado-Kuppel auf muqarnas-ornamentierten Trompen, zum Obergeschoß, das im 20. Jh. wesentlich restauriert wurde. Fragmentarisch erhalten sind *Wandfresken* mit der Darstellung von Personen der römischen Antike und der 4 Jahreszeiten, 1537–39. – Sehenswert ist auch die *Sammlung von Gemälden* und anderen Kunstgegenständen in den Privaträumen der Herzöge von Medinaceli und Alcalá, darunter das kleine Zink-Gemälde »Maultiere ziehen den Stier fort« von Goya, 1793, und das Porträt des Marqués de Camarasa von Agustín Esteve, Anfang 19. Jh.

Iglesia de S. Esteban (Calle de S. Esteban). Die Stephanskirche, eine später veränderte, 1991/92 restaurierte got. Pfeilerbasilika, verdrängte um 1400 eine Moschee, wie so oft. Ihr Haupteingang, ein Stufenportal, enthält mudejare Ornamente. Über dem S-Seitenportal steht ein »Hl. Stephan«, 1618 bez. Alle 3 Schiffe tragen mudejare Artesonado-Dekken, nur die Apsis ein Rippengewölbe.

Das Retabel in der Apsis stammt vom ehem. Hochaltar des Luis de Figueroa (1629); die Bilder sind von Zurbarán, außer den beiden in der Mitte, »Martyrium des hl. Stephan« und »Anbetung der Hirten«, die seinen Schülern Miguel und Francisco Polanco zugeschrieben werden. Die Altarmensa mit mudejar-fliesenverkleidetem Antependium (14. Jh.) ist separat aufgestellt. – In der 1677 barock ausgestalteten Capilla Sacramental wird die Madonnenskulptur der Passions-Bruderschaft »Nuestra Señora de la Luz« aus dem späten 18. Jh. (gegen 1900 erheblich restauriert) aufbewahrt.

Convento de Sta. María de Jesús (Calle de Águilas)

Die Klostergründung von 1520 veranlaßten die Grafen de Gelves, Jorge Alberto de Portugal und Felipa de Melo. Im späten 16. Jh. kam es zum Bau der – Ende des 17. Jh. und im 19. Jh. umgestalteten – Kirche.

Die mudejare oktogonale Kuppel der Saalkirche und die Wandsockelfliesen in der Capilla Mayor sind 1589 datiert. Die Skulpturen am Hochaltar sind bis auf die Madonna in der Mittelnische Werke von Pedro Roldán, Ende 17. Jh.

Convento de S. Leandro (Plaza de S. Leandro, neben der Casa de Pilatos). Der kurz nach der Reconquista (1248) gegründete Konvent baute die heutige **Kirche** im späten 16./frühen 17. Jh. als Saal mit Tonnengewölbe und Kuppel über der Capilla Mayor.

Am Hochaltar (1745–48) sind Reliefs (u. a. Taufe Christi, Geißelung) von einem Vorgängeraltar (1583) wiederverwendet. An der N- und an der S-Wand steht je ein Altar von Juan Martínez Montañés und seiner Werkstatt. Ihre beiden Reliefs mit Johannes d. T. (1621) bzw. mit Johannes Ev. auf Patmos (1632) sind eigenhändige Werke von Montañés.

Iglesia de S. Ildefonso (Calle de Águilas, gegenüber dem Convento de S. Leandro). Die spätbarock-klassizist. Kirche mit ihrer eindrucksvollen 2-Turm-Fassade entstand 1796–1841; die Architekten waren Julián Barcenillas und José Echamorro.

Im nördl. Seitenschiff bewahrt ein klassizist. Altar der »Hermandad de los Sastres« (Bruderschaft der Schneider) eine Madonnenskulptur des frühen 16. Jh. und Figuren der hll. Ferdinand und Ildephonsus von Pedro Roldán, 1674. Das Dreifaltigkeitsrelief des klassizist. Retabels in der Taufkapelle fertigte 1609 Martínez Montañés.

Iglesia de S. Isidoro (Calle de S. Isidoro). Um die Mitte des 14. Jh. errichtet, war der Bau ursprünglich mudejar, doch hat man ihn im frühen 17. und im 18. Jh. barock umgestaltet. Nur das S-Seitenportal ist noch 14. Jh. Am barocken Turm Fliesen aus dem 18. Jh.

Das Hochaltarbild »Himmelfahrt des hl. Isidor« malte 1613 Juan de las Roelas. In der Capilla Sacramental, die ein gutes Gitter aus dem späteren 16. Jh. schließt, fallen ein Kruzifixus um 1400 (»Cristo de los Maestres« oder auch »de la Sangre«) und der prächtige Sevillaner Barockaltar, um 1740, auf. Von der weiteren reichen Ausstattung seien das Tafelbild »Die Eremiten Paulus und Antonius« von Pedro de Campaña, um 1560, und das Grabmal des Bischofs Gonzalo de Herrera y Olivares († 1579) genannt.

Iglesia de S. Alberto (nahe der Iglesia de S. Isidoro). Saalkirche des späten 16./frühen 17. Jh., im 18. und 19. Jh. umgebaut.

Klassizist. Hochaltar mit Kruzifixus-Kopie des späten 18. Jh., nach einem Original von Martínez Montañés.

Der Westen

XIII. Die Plaza de la Magdalena und Umgebung

● **Iglesia de Sta. María Magdalena** (Calle de S. Pablo)

Die Kirche gehörte zum Dominikanerkloster S. Pablo el Real, das auf eine Gründung Ferdinands d. Hl. zurückgeht. Leonardo de Figueroa errichtete sie 1691–1709 unter wesentlicher Beibehaltung des mittelalterl. Grundrisses zweier Vorgängerbauten des späteren 13. und des mittleren 14. Jh. (Der Glockenstuhl der W-Fassade wurde erst im 20. Jh. vollendet.)

Sta. María Magdalena ist gewiß die schönste Barockkirche Sevillas. Sie hat ein 3schiffiges Langhaus mit Kapellen an der S-Seite, ausfluchtendes Querhaus mit je 2 östl. Rechteckkapellen an den Querarmen und polygonalen Chorschluß. Im Innern liegen Tonnengewölbe mit Stichkappen über Mittelschiff und Querarmen, Kreuzgratgewölbe über den Seitenschiffen, eine Pendentifkuppel über der Vierung.

Die malerische und skulpturale Dekoration der Kirche war 1724 abgeschlossen. Die Malerei ist im wesentlichen das Werk von Lucas Valdés und seiner Werkstatt. Aus der Vielfalt der Themen seien der »Einzug Ferdinands d. Hl. in Sevilla« und ein »Autodafé« im Querhaus genannt. Die Nischenskulpturen der Evangelisten und Kirchenväter, im Querhaus und im Kuppeltambour, werden der Werkstatt Pedro Roldáns zugeschrieben; die farbigen Holzreliefs an den Pendentifs, Szenen aus dem Alten Testament, schuf er noch selbst, kurz vor seinem Tod (1698).
Inmitten der reichen Ausstattung beachte man den Hochaltar aus dem frühen 18. Jh. (die Magdalenen-Figur in der unteren Mittelnische ist ein Werk von Felipe Malo de Molina, 1704), in den nördl. Querarmkapellen an Altären des 18. Jh. die Skulpturen »Maria Beschützerin«, 16. Jh., und »Virgen de las Fiebras«, um 1565 von Juan Bautista Vázquez d. Ä., sowie die »Virgen de la Antigua«, 1651 von Pedro Roldán. Im nördl. Seitenschiff ein ausdrucksvoller Kruzifixus, der »Cristo del Gonfalón«, aus dem 2. Drittel des 16. Jh. In der 1. südl. Querarmkapelle findet sich ein Kruzifixus von Francisco de Ocampo (1612), im südl. Seitenschiff an einem Altar des 18. Jh. eine »Verkündigung« von Juan de Mesa, 1619. Die Capilla Sacramental schließt ein 1588 bez. Gitter; hier ein klassizist. Altar mit Skulpturen der Erzengel Michael und Raphael vom Ende des 17. Jh. sowie mit Zurbaráns Gemälden »Die wunderbare Heilung des Reinhold von Orléans« und »Hl. Dominikus«.

Die »Capilla de la Hermandad de la Quinta Angustia«, eine Rechteckanlage von 3 kuppelgewölbten Jochen (entsprechend den 3 ersten Seitenschiffjochen von W) stammt noch aus dem frühen 15. Jh.

Die hier aufbewahrten Prozessionsfiguren der Bruderschaft sind von Pedro Nieto (1633), der Christus wird Pedro Roldán zugeschrieben, die Maria ist modern. Den spätmanieristisch-graziösen »Christus der Auferstehung« hier fertigte 1582 Jerónimo Hernández.

Iglesia de S. Buenaventura (Calle de Carlos Cañal)
Kirche des ehem. Franziskanerkollegs aus dem frühen 17. Jh., 1820 umgestaltet mit Abbruch des nördl. Seitenschiffs.

Im Inneren zeigen Fresken von Francisco de Herrera d. Ä. Szenen aus dem Leben des Titelheiligen.

Iglesia del Sto. Angel (Calle de Rioja). Die 3schiffige Kirche aus dem 1. Drittel des 17. Jh. hat über der Vierung ein schönes Kuppelgewölbe.

Klassizist. Hochaltar, Mitte 19. Jh. Die Sitzmadonna »Virgen del Carmen« ist eine gute Arbeit aus der Mitte des 18. Jh.

XIV. Die Plaza del Museo und ihre Umgebung

Antiguo Convento de la Merced Calzada
(Plaza del Museo)

Seit 1839 ist das Gebäude des ehem. Klosters der Beschuhten Barmherzigen Brüder **Museo Provincial de Bellas Artes.** *1602 hatte es – an der Stelle eines mittelalterl. Vorgängerbaus – Juan de Oviedo y de la Bandera begonnen; die Kirche entstand 1603–12.*

Das *Portal der Fassade* (an der Plaza del Museo) wurde bei der Umwidmung des Klosters von der N-Seite hierher versetzt; es stammt aus dem frühen 18. Jh. Die 3 Innenhöfe waren Kreuzgänge; eine Treppenanlage mit manieristischer Pendentifkuppel verbindet sie.

Der **»Kleine Kreuzgang«** (auch Claustro de los bojes [der Buchsbäume] genannt) bewahrt seinen alten Aspekt; im **»Großen Kreuzgang«** (Claustro central) hat Leonardo de Figueroa 1724 das Obergeschoß umgestaltet. (Innenarchitektur und -dekoration → Museo Provincial de Bellas Artes.)

Iglesia de S. Vicente (Calle de S. Vicente). Got.-mudejare 3schiffige Kirche aus dem 14. und 15. Jh., im 18. Jh. erweitert, im 19. Jh. umgebaut. Das W-Portal stammt noch vom urspr. Bau, das S-Seitenportal von 1559.

Hochaltar um 1700 von Cristóbal de Guadix (im Giebel Kruzifixus aus der Mitte des 16. Jh.). S-Seitenaltar mit Skulptur des hl. Michael, 1658 von Pedro Roldán.

Convento de S. Antonio de Padua (Calle de S. Vicente). Die **Kirche** des 1600 gegr. Franziskanerklosters wurde im 1. Drittel des 17. Jh. erbaut. Im Hochaltar (frühes 18. Jh.) die Skulptur »Hl. Antonius von Padua« von Felipe de Rivas, 1642. Der S-Seitenaltar birgt eine qualitätvolle Anna selbdritt aus dem späten 16. Jh.

Iglesia de S. Hermenegildo (Calle Jesús del Gran Poder). Die um 1618 erbaute Kirche gehörte zum 1580 gegründeten ehem. Jesuitenkolleg. Im Inneren ist beachtliche Stuckdekoration.

Convento de Sta. Rosalia (Plaza de la Gavidia)
Von der im 1. Viertel des 18. Jh. erbauten Kirche des 1700 gegründeten Klosters stammt nur noch das Portal; die heutige Kirche wurde nach einem Brand (1762) von Antonio Matías de Figueroa errichtet.

Die churrigueresken Altäre fertigte Cayetano de Acosta 1761–63. Im Presbyterium interessante Gewölbemalereien, Gottvater von Engeln umgeben mit den hll. Laurentius und Stephan, vermutlich von Juan de Espinal, um 1763.

XV. Barrio de Triana

Die ehem. Vorstadt auf der rechten Seite des Guadalquivir ist angeblich nach dem römischen Kaiser Trajan benannt, leitet ihren Namen jedoch vermutlich von »Trans amnera« (weiter vom Ufer entfernt) ab. Nach der Legende stammten die hll. Justina und Rufina von hier. Das Viertel ist berühmt für seine Keramikwerkstätten.

Iglesia de Sta. Ana (Calle de la Pureza) •
Die Kirche wurde im letzten Viertel des 13. Jh. als got. Ziegelsteinanlage vermutlich von Baumeistern aus Burgos errichtet. Alfons d. Weise hatte sie anläßlich seiner wundersamen Heilung von einem Augenleiden gestiftet. Der Baubeginn erfolgte zwischen 1276 und 1280. In der Mitte des 14. Jh. wurde die Kirche von Peter d. Grausamen teilweise neu erbaut, im 15. und 16. Jh. erweitert, dann umgestaltet nach erheblichen Beschädigungen durch das Erdbeben von 1755 (Außenfassaden 1756–80), schließlich im 20. Jh. erheblich restauriert.

Aus dem 15. Jh. stammt noch das untere Turmgeschoß. Der mittelalterl. Grundriß, 3 Schiffe mit polygonalen Apsiden, ist unverändert, der got. Innenraum blieb sichtbar erhalten in der basilikalen Struktur, Spitzbogenarkaden und Rippengewölben.

Am Hochaltar Mitte des 16. Jh. Retabelbilder von Pedro de Campaña, in der Mittelnische Figuren der hl. Anna und der Madonna aus dem 14. Jh. (im 18. Jh. behandelt). In der nördl. Apsiskapelle ein 1590 dat. Gemälde »Christus der Auferstehung« von Alonso Vázquez, in der südlichen 2 Tafelbilder, »Anbetung der Hll. 3 Könige« und »Hll. Justina und Rufina«, vom Anfang des 16. Jh. In den Kapellen zahlreiche Altäre des 16. Jh. und Fliesen des 16./17. Jh.
Von der reichen Ausstattung seien außerdem der Keramik-Grabstein des Iñigo López, von »Niculoso Francisco Italiano« (Niculoso Pisano), 1503, im südl. Seitenschiff und das Tafelbild des Trascoro, »Madonna mit der Rose«, von Alejo Fernández (1. Drittel des 16. Jh.) hervorgehoben.

Convento de las Mínimas (Calle Pages del Corro). Das **Kloster** der Paulanerinnen, eines 1454 von Franz von Paula gestifteten Ordens, ist um 1760 erbaut. – In der **Kirche** ein Rokoko-Hochaltar von 1760.

Iglesia de S. Jacinto (Calle de S. Jacinto). 3schiffige Rechteckanlage von 1740–74, mit Querhaus und runder Sakristei im O. Interessant die Pendentifkuppel über der Vierung und die stuckdekorierte Capilla Sacramental im südl. Seitenschiff.

Capilla del Patrocinio (Calle de Castilla)
Die Kapelle ist Sitz der Passionsbruderschaft »Santísimo Cristo de la Expiración y Nuestra Señora del Patrocinio«.
An den barocken Bau des 18. Jh. hat man eine moderne Kirche
● angefügt, deren *»Sterbender Christus«,* 1682 von Francisco Antonio Gijón geschaffen, der wohl expressivste Kruzifixus des Sevillaner Barock ist.

Cartuja de Sta. María de las Cuevas (nördl. von Triana, in Flußnähe, auf dem Gelände der Weltausstellung 1992)
Das 1400 gegründete Kartäuserkloster wurde im Spanischen Unabhängigkeitskrieg von napoleonischen Truppen teilweise zerstört. 1838–1982 diente es als Keramikfabrik. Anläßlich der Weltausstellung 1992 wurde die Klosteranlage umfassend restauriert, das Refektorium zum »Pabellón Real« umgestaltet.

Der **Klosterbau** des 15. und 16. Jh. wurde im 18. Jh. wesentlich erweitert. Vom alten Bau sind noch ein rechteckiger Kreuzgang, die Kirche und 2 Kapellen erhalten, außerdem mehrere Hallen mit Spitzbogenarkaden und das, allerdings aus dem frühen 17. Jh. stammende, Hauptportal.

Dem **Kreuzgang** geben alfizüberhöhte gestelzte Rundbogenarkaden auf Marmorsäulen sowie Wandsockelfliesen, teils bemalt, teils in Cuenca- und Cuerdasecatechnik, sein Gepräge.

Die rippengewölbte 1schiffige **Kirche** wurde in der Mitte des 16. Jh. an der S-Seite erweitert. Die Fassade schmükken Keramikfliesen des 16. Jh.; ihr got.-mudejares Portalgeschoß ist noch 15. Jh. Bemalte Keramik- und Cuenca-Fliesen zeigt auch die S-Kapelle unter einem aufwendigen Sterngewölbe.

Im **Refektorium** eine mudejare Artesonado-Decke (17. Jh.), wieder bemalte Fliesen und eine Kanzel mit spätgot. Stuckdekor.

Gegenüber der Kirche steht die **Capilla de la Magdalena** mit einer Kuppel aus dem frühen 17. Jh., gegenüber dem Refektorium die **ehem. Capilla del Capítulo**, in der sich die Grabmäler der Ribera befanden (heute in der Kirche der Alten Universität).

Von der Erweiterung des 18. Jh. zeugen noch das 1759 bez. *Portal* (zum Guadalquivir hin) und eine kleine **Kirche** mit Tonnengewölben und Kuppel.

Beste Stücke ihrer Ausstattung sind die manieristische Kalvarienberggruppe (Kruzifixus, Maria, Johannes Ev.) des Berruguete-Schülers Isidro de Villoldo, 2. Hälfte 16. Jh. (stammt aus der ehem. Hauptkirche) und eine italienische Alabastermadonna des späten 15. Jh.

Antiguo Convento de los Remedios, Hispano-Kubanisches Institut (südl. der Plaza de Cuba). Zu dem 1573 gegründeten ehem. Karmelitinnenkloster gehört eine einfache **Kirche** aus der 2. Hälfte des 17. Jh.

Museen

● **Museo Arqueológico Provincial** (Plaza de América; im »Pabellón Renacimiento«; zum Gebäude S. 350)

Sitz des Archäologischen Museums war 1875–1942 das ehem. Kloster der Beschuhten Barmherzigen Brüder (heute ist dort das Museo de Bellas Artes), seither ist es der Renaissance-Pavillon der Ibero-Amerikanischen Ausstellung. Substantiell und räumlich wesentlich erweitert, zählt die Sammlung zu den bedeutendsten Spaniens. Sie reicht von der Prähistorie bis zum frühen 15. Jh. Einen ihrer Schwerpunkte bildet, dank den Funden in der nahen Römerstadt Itálica, die römische Epoche, einen anderen der »Schatz von Carambolo« aus dem 8./7. vorchr. Jh.

Das Museum umfaßt insgesamt 27 Säle. In chronologischer Folge werden im *Untergeschoß* Funde der Vor- und Frühgeschichte, der phönizischen, griechischen und punischen Siedlungsepoche sowie der spezifisch iberischen Kultur gezeigt, im *Obergeschoß* Gegenstände der römischen, westgotischen, maurischen, mudejaren und christlich-mittelalterlichen Kunst. Die weitaus überwiegende Mehrzahl der Exponate stammt aus der Provinz Sevilla.

Untergeschoß (Säle I–XI)

Saal I. *Steinzeitliche Funde* bis zum Ende des Neolithikums (etwa bis 2000 v. Chr.), Äxte, Faustkeile, Schaben, Stichel, Pfeile u. a., vorwiegend aus dem Flußgebiet bei Camas (Prov. Sevilla) und aus der Gegend von Carmona (Prov. Sevilla).

Saal II. Funde aus der *Übergangszeit* vom Neolithikum zur Bronzezeit, darunter ein Kamm (Knochen) aus dem Dolmen de Hidalgo in Sanlúcar de Barrameda (Prov. Cádiz) und Idole, u. a. aus Itálica.

Saal III. Weitere Funde aus der *Übergangszeit,* darunter Pfeilspitzen aus Bergkristall.

Saal IV. Funde aus der *Bronze- und frühen Eisenzeit,* Grabstelen mit schematischer Kriegerdarstellung aus Carmona und Ecija (Prov. Sevilla).

Saal V. *Keramik,* u. a. aus den Grabungsfunden von der Anhöhe »El Carambolo« bei Camas (Prov. Sevilla), 8./7. Jh. v. Chr.

● Saal VI. Der 1958 gefundene *»Goldschatz von Carambolo«* besteht aus 16 Gürtel- oder Kopfschmuckplatten, 2 Pektoralen (Brustschließen), 2 breiten Armreifen und einer Kette mit Gehänge. Vermutlich gehörte das phönizisch anmutende Geschmeide aus massivem Gold einem hochgestellten Priester. Es wird in das

8./7. Jh. v. Chr. datiert und soll aus einer einheimischen Werkstatt im phönizischen Siedlungsgebiet Andalusiens stammen, wurde jedoch vermutlich aus dem östlichen Mittelmeerraum importiert, so wie die Bronzefigur der phönizischen *Göttin Astarte* aus dem 8. Jh. v. Chr. mit phönizischer Plintheninschrift, in der Vitrine gegenüber.
Saal VII. *Importstücke* phönizischer und punischer Produktion, u. a. der *»Goldschatz von Evora«,* bei Sanlúcar de Barrameda (Prov. Cádiz) ebenfalls 1958 entdeckt, aus dem 8.–6. Jh. v. Chr.
Saal VIII. Grabungsobjekte aus der *phönizischen Siedlung »Cerro Salomón«* in Río Tinto (Prov. Huelva) sowie aus den Provinzen Sevilla, Málaga und Cádiz, 8.–6. Jh. v. Chr. Die sog. *Bronce Carriazo* (um 600 v. Chr.) gehörte vermutlich zum figürlichen Schmuck (Henkel?) einer Situla, eines Bronzeeimers von konischer Form, und stellt die ursprünglich ägyptische Göttin der Fruchtbarkeit, der Liebe und des Todes *Hathor* dar, die Göttin Astarte der Phönizier.
Saal IX. Siedlungsfunde *phönizischer, griechischer und punischer Provenienz,* 7.–3. Jh. v. Chr., besonders Keramik.
Saal X. *Iberische Kunst* aus vorrömischer und frührömischer Zeit, 3. und 2. Jh. v. Chr. Die Keramik verrät noch punischen Einfluß.
Saal XI. *Iberische Skulptur,* u. a. die Löwen von Estepa (Prov. Sevilla) und Bornos (Prov. Cádiz) mit orientalischen Stileinflüssen.

Hauptgeschoß

Saal XII. *Römische Kunst* aus Funden in der ehem. Baetica, außer Itálica. Unter den zahlreichen *Kleinbronzen* aus Ecija und Sevilla fällt eine Mars-Statuette aus dem frühen 4. Jh. durch ihre Qualität auf.
Saal XIII. Beginn der Fundsammlung aus der Römerstadt *Itálica.* Ein Bodenmosaik in Opus sectile zeigt stilisierte Blüten; es kommt aus der »Casa de la Exedra«, 3. Jh. Das *»Bacchus-Mosaik«* in Opus tesselatum, an der Wand, stammt aus Ecija, 3. Jh.
Saal XIV. Skulpturen aus *Itálica,* u. a. ein *Merkur,* römische Kopie des 2. Jh. nach dem Hermes mit dem Dionysosknaben, einem Werk des Praxiteles (er stand vermutlich im Theatergiebel); ein *Diana*-Torso, auch eine römische Kopie des 2. Jh. nach einem griechischen Vorbild des 4. Jh. v. Chr. (aus den Thermen »Los Palacios«). Ein Fußbodenmosaik aus kleinen würfelförmigen Steinen (Opus tesselatum) von verschiedener Farbe aus der »Casa de Hylas« zeigt Herakles, der das Schiff verlassen hatte, um sich im Wald eine Keule zu holen, und Hylas, der beim Wasserholen von

den Nymphen der Quelle in die Flut herabgezogen wird. (Hylas war der Geliebte des Herakles, der ihn auf dem Argonautenzug mit sich nahm. Bei Kios im Lande der Myser verließ Hylas das Schiff, um Wasser zu schöpfen; seine Schönheit erregte das Verlangen der Quellnymphen, die ihn in die Fluten zogen. Herakles suchte und rief ihn vergeblich, während die Argonauten weitersegelten.)

In den Sälen XV–XIX weitere Funde aus *Itálica,* so in Saal XV das Kopffragment einer Marmorstatue *Alexanders d. Gr.,* römische Kopie des 2. Jh. n. Chr. – Von den römischen Kopien, meist des 2. Jh., verdienen außerdem die sog. *Venus von Itálica* (Saal XVII) und eine *Diana* (Saal XIX) Beachtung.

Saal XX. Römische Statuen und Porträtbüsten der Kaiserzeit aus *Itálica.* In den Scheiteln des ovalen Saals eine Statue des vergöttlichten *Trajan* und eine Porträtbüste *Hadrians,* aus dem 2. Jh.; beide Kaiser stammen aus Itálica. – Unter den Bildnissen des 1. Jh. zeichnen sich die Köpfe von *Augustus* und dessen Schwester *Octavia* aus, ferner der *Kolossalkopf des Augustus* und der Bildniskopf *Neros* (?), aus dem 2. Jh. das Porträt der *Sabina,* der Gemahlin Hadrians, und der Kopf des *Marc Aurel.* Interessant auch die fragmentarische *Marmorstatue des Marc Aurel* (?), die zu einem Christus-Bildnis umgearbeitet wurde. – Das *»Mosaik der Jahreszeiten«,* in Opus tesselatum, zeigt Bacchus (Dionysos) mit Mänaden, Satyrn und Tieren im Gefolge, 3. Jh.

Säle XXI und XXII. *Römische Inschriften* (Grabsteine, Grenzsteine, Votivgaben u. a.). Römische Keramik. »Tritonen-Mosaik« aus Itálica. – In Saal XXII Wechselausstellungen.

Saal XXIII. Grabungsfunde aus der 206 v. Chr. erstmals und 171 v. Chr. »colonia civium Latinorum et libertinorum« genannten römischen Stadt *Carteia* (bei Algeciras, Prov. Cádiz). Reste eines monumentalen Tempels aus republikanischer Zeit.

Säle XXIV und XXV. Funde aus den Grabungen (1956) des Deutschen Archäologischen Instituts Madrid in *Mulva,* im Bereich der heutigen Ortschaften Villanueva del Río und Villanueva de las Minas (Prov. Sevilla). Dort befand sich das römische *Municipium Muniguensis (Munigua).* Unter den Skulpturen ein *»Hispania«* genannter Kopf einer Göttin, aus dem 2. Jh. – In Vitrinen qualitätvolle Schmuckstücke, Gläser, Kleinbronzen und Keramik u. a. Hingewiesen sei auch auf 2 *Inschrifttafeln* aus Bronze (in der einen sichert Kaiser Titus der Stadt i. J. 79 einen Schuldenerlaß) sowie auf das eiserne *Fenstergitter* vermutlich eines Tempels.

Saal XXVI. *Frühchristliche und mittelalterliche Kunst.* Sarkophag, 4. Jh., mit der Darstellung der Verstorbenen. Westgotische Reliefziegel, Taufbecken und Kapitelle des 6./7. Jh. Reproduktion des Schatzfundes von Torredonjimeno (Prov. Jaén), 7. Jh.; die Originale sind im Archäologischen Museum Barcelona. *Maurische Kapitelle,* 9.–11. Jh., Lampen, Dekorationselemente aus Medina az-Zahra (Prov. Córdoba), 10. Jh.
Saal XXVII. Künstlerische Dokumente des *Mudejar,* 14./15. Jh., sowie einige gotische, darunter 2 englische Alabaster-Reliefs (frühes 15. Jh.) und eine 1333 dat. Ritzgrabplatte aus Bronze.

Museo de Arte Contemporáneo (Calle de Sto. Tomás 5)
Das Museum für Zeitgenössische Kunst wurde 1970 gegründet. Die Sammlungsbestände befinden sich seit 1972 in der **ehem. Cilla del Cabildo,** *dem ab 1770 vermutlich nach Plänen von Pedro de Silva erbauten Speicher des Domkapitels.*
Die ausgestellten Objekte stammen in ihrer überwiegenden Mehrheit aus dem Gründungsjahrzehnt und später. Aus der 1. Hälfte des 20. Jh. Gemälde von *Julio Romero de Torres* (vgl. Córdoba, Museo Julio Romero de Torres), unter den Expressionisten *Francisco Mateos* (1894–1976), unter den Abstrakten *Antoni Tàpies* (* 1923), *José Guerrero* (* 1914) und *Manuel Viola* (* 1919). – Skulpturen unter vielen anderen von *Eduardo Chillida* (* 1924) und *Gustavo Torner* (* 1925).

Museo de Artes y Costumbres Populares (Plaza de América; im »Pabellón Mudéjar«; zum Gebäude S. 350)
Das 1972 gegründete Volkskundliche Museum unterrichtet didaktisch hervorragend über die soziologischen und historischen Gegebenheiten der Region Sevilla und darüber hinaus Andalusiens.
Hauptgeschoß. Saal I. Höfische Trachten des 19. Jh., eine Sänfte des 18. Jh., Schmuck. Saal II. Andalusische Volkstrachten. Saal III. Musikinstrumente, ein Chorbuch von 1739. Saal IV. Gegenstände des bäuerlichen Lebens. Saal V. Goldschmiedekunst des 17.–20. Jh. Saal VI. Textilkunst und Stickerei vom 16. bis 20. Jh., u. a. ein Wandteppich (1730) der Teppichmanufaktur von Sevilla nach Murillos Bild »Gassenjungen mit Weintrauben«. Saal VII. Ländliche und städtische Zimmereinrichtungen, 19. Jh. Moderne Keramik aus der 1838 in der ehem. Kartause von Sevilla gegründeten Keramikfabrik, seit 1982 in einem Neubau (Carretera de Mérida [N 630] bei km 468).
Im **Untergeschoß** Utensilien des Handwerks, Keramik des 14. bis 19 Jh., meist Fliesen, in den verschiedenen Techniken.

● **Museo Provincial de Bellas Artes** (Plaza del Museo 9; im ehem. Kloster der Beschuhten Barmherzigen Brüder; zum Gebäude S. 366)

Seit 1839 in dem barocken Klosterbau. Der Kernbestand kam nach der Säkularisierung von 1835 aus vormals klösterlichem Besitz der Region Sevilla. In der Folgezeit ließen Schenkungen und ständige Leihgaben das Museum zu einem der bedeutendsten Spaniens nach dem Prado werden, wenn auch ohne dessen Glanz internationaler Malerei.

Die Sammlung umfaßt insbesondere Gemälde des 15.–20. Jh. und Skulpturen des 13.–20. Jh. Den Schwerpunkt bildet die Sevillaner Barockmalerei, die sog. *Sevillaner Malerschule* mit ihren Wegbereitern Francisco *Pacheco* (1564–1654) und Juan de las *Roelas* (1558/1560–1625) und den als Künstlerpersönlichkeiten so unterschiedlichen Hauptmeistern Bartolomé Esteban *Murillo* (*1617 und getauft 1. 1. 1618 in Sevilla, †ebd. 1682), Francisco de *Zurbarán* (1598–1664) und Juan de *Valdés Leal* (1622–90) und deren Nachfolge im späten 17. und im 18. Jh.

Im Eingangs-Vestibül und -Hof *Sevillaner Keramikfliesen,* 16.–18. Jh., u. a. »Madonna mit Dominikanernonnen und -mönchen«, 1577 von Cristóbal de Augusta, dem italienischen Dominikaner Fra Cristoforo A.

Erdgeschoß

Saal I. *Mittelalterliche Kunst.* – Madonnenskulpturen (Holz) aus dem späten 13. Jh.; Kruzifixus, 14. Jh.; *Terracotta-Madonna,* Mitte des 15. Jh. von Lorenzo Mercadante de Bretaña (aus der Bretagne), unter flämischem Einfluß. *»Himmelfahrt Christi«* des katalanischen Malers Bernardo Martorell, um 1440, noch im Stil der Internationalen Gotik (»Weicher Stil«): Die Goldnimben von Maria und den Aposteln wirken altertümlich, Gewanddarstellung und Wolke sienesisch weich. – *»Grablegung Christi«* des valencianischen Malers Gonzalo Pérez, frühes 15. Jh. – In einer Vitrine ein katalanischer *Kruzifixus* des 13. Jh.; *Büstenreliquiar* um 1300.

Saal II. *Spanische Malerei des 15./16. Jh. u. a.* – Das platereske *Eingangsportal* des frühen 16. Jh. stammt aus dem Castillo von Lacalahorra (Prov. Granada). – Terracotta-Skulpturen *»Schmerzensmann«* mit Engeln und kniendem Stifter sowie *»Grablegung«* von Pedro Millán, Anfang 16. Jh. – Tafelbild *»Johannes d. T.«* von Bartolomé Bermejo (vor 1450 Córdoba – nach 1498), dem »heftigsten unter den Primitiven Spaniens«, vermutlich in Flandern ausgebildet. Er wirkte in Aragonien, Valencia und Katalonien. – Den weicheren und flexibleren Stil der andalusischen »Primitivos«,

d. h. der frühen Meister des 15. Jh., zeigt das dem Sevillaner Juan Sánchez de Castro zugeschriebene *»Passions-Triptychon«*. – Die katalanische Schule des 15. Jh. vertritt das Pedro de Espalargués zugeschriebene Retabel *»Christi Himmelfahrt«*, die valencianische ein dem Meister von Almonacid zugeschriebenes Madonnenbild.

Saal III (**ehem. Refektorium**). *Malerei des 16. Jh. u. a.* – Schule von Sevilla: zahlreiche Gemälde anonymer Meister des 16. Jh. – *»Christi Beweinung«*, um 1510 von Cristóbal de Morales. *»Verkündigung«*, 1. Drittel des 16. Jh., von dem vom Niederrhein stammenden »deutschen Maler« Alejo Fernández, der seit 1496 in Córdoba und 1508–45/46 in Sevilla arbeitete; sein von italienischen und flämischen Einflüssen geprägter Stil brachte der Sevillaner Kunst ein neues Raumgefühl. – *»Madonna«* von Luis de Morales (um 1500–86) gen. »der Göttliche«, aus der Extremadura, dessen manieristisch-pathetischer Stil lombardische Ästhetik mit spanischer Mystik verbindet. – *»Kreuzigung«* von Lucas Cranach d. Ä. (1472–1553), dat. 1538. – Unter den Werken der niederländischen Malerei *»Jüngstes Gericht«*, bez. und dat. 1570 von Maerten de Vos (1531–1603). – Skulpturen: *»Hl. Hieronymus«* und *»Virgen de Belén«* (Bethlehem), um 1525 von dem italienischen Bildhauer Pietro Torrigiano für das Hieronymitenkloster von Sevilla; *»Hl. Rochus«*, dem Flamen Roque de Balduque zugeschrieben; *»Kopf Johannis d. T.«*, bez. und dat. 1591 von Gaspar Núñez Delgado.

Saal IV. *Spanische Malerei des 16./17. Jh.* – Francisco Pacheco (1564–1654), dessen Werke in diesem Saal dominieren, hat v. a. durch seine kunsttheoretischen Schriften die Sevillaner Barockmalerei maßgeblich beeinflußt. Zu sehr Theoretiker, blieb er als Maler rückständig dem Manierismus verhaftet. Man hat ihm Temperamentmangel und »peinliche Gewissenhaftigkeit, die sich in der genauen Wiedergabe des Modells nicht genugtun kann« (Valerian von Loga) vorgeworfen, aber gerade dieser Realismus wurde zu einem beherrschenden Stilmerkmal des Sevillaner Barock. Pacheco war der Lehrer und Schwiegervater von Velázquez. – Von Domenikos Theotokopoulos gen. El Greco (1541–1614) Bildnis seines Sohnes *Jorge Manuel Theotocópuli,* der ebenfalls Maler und Architekt war, 1600/05.

Saal V. *Malerei des 16./17. Jh.* – *»Kaselübergabe an den hl. Ildefons«* (1622) und *»Bildnis des Don Cristóbal Suárez de Ribera«* (1620) von Diego Velázquez de Silva (1599 Sevilla – 1660 Madrid). Beide Bilder stammen aus der frühen Jugendzeit des Malers ● ●

in Sevilla; sie sind geprägt von der Hell-Dunkel-Malerei, aber auch schon von dem sein ganzes Schaffen bestimmenden Realismus. Über Pacheco, den Schwiegervater und Lehrer des Malers, sagte Antonio Palomino: »Seine Anleitung war wertvoller als sein Vorbild, aber gerade diese Erziehung nach theoretisierenden Grundsätzen und die abdämpfende Nüchternheit jenes trockenen Pedanten sind dem Genie eine gute Zucht gewesen [. . .].« Modell für die Maria und die anderen weiblichen Figuren der »Kaselübergabe« war Velázquez' Ehefrau Juana Pacheco. – *»Hl. Abendmahl«* (um 1580) und *»Tod des hl. Hermenegild«* (1603/04) von dem Spätmanieristen Alonso Vázquez aus Ronda. – *»Franz von Borja«*, sign. und dat. 1624 von Alonso Cano (1601–67), Maler, Bildhauer und Architekt aus Granada, der 1616–20 in Sevilla bei Pacheco gelernt hat, zusammen mit seinem Freund Velázquez. – *»Immaculata«* von Luis Tristán († 1624), vermutlich schon mit 13 Jahren in Toledo Schüler von El Greco. – Von dem in Italien, seit 1616 in Neapel wirkenden José de Ribera (1591–1652) stammt vermutlich *»Jakobus d. Ä.«;* »Hl. Sebastian« und »Hl. Theresa« werden ihm ohne ausreichende Gründe zugeschrieben. – Unter den Skulpturen andalusischer Barockmeister ein *»Hl. Bruno«* (1634) von Martínez Montañés und *»Der kleine Johannes d. T.«* (1674) von Pedro de Mena.

Säle VI, VII, VIII. *Sevillaner Malerei des 17. Jh.* – Die Wegbereiter der »Sevillaner Malerschule«: Juan del Castillo, Roelas, Herrera d. Ä. – Murillo.

Diese Säle nehmen die **ehem. Klosterkirche** ein, die 1603–12 nach Plänen von Juan de Oviedo y de la Bandera errichtet wurde, mit Tonnengewölben über Langhaus und Querarmen und einer Kuppel über der Vierung; die Ausmalung leistete gegen Mitte des 18. Jh. Domingo Martínez († 29. 12. 1750).

Der Spätmanierist Juan del Castillo (1584–1640) war Murillos Lehrer. Seine Retabelbilder mit Darstellungen aus dem *Leben Jesu* kamen aus dem Sevillaner Kloster Monte Sión. – Juan de las Roelas (1558/60–1625) blieb ebenfalls dem Spätmanierismus verhaftet. Seine Farbpalette weist auf venezianischen (Tintoretto?), aber auch auf flämischen Einfluß hin. Das *»Martyrium des hl. Andreas«* (1610–15) ist sein Hauptwerk. – Francisco de Herrera d. Ä. (um 1576?/um 1590?–1656), der erste Lehrer von Velázquez, hat gewiß den wichtigsten Beitrag zur Entstehung der Sevillaner Malerschule geleistet. Er begann sich vom Spätmanierismus zu lösen, seine Figuren sind, etwa im Vergleich zu Roelas, Menschen »von Fleisch und Blut«: *»Apotheose des hl. Hermenegild«* (1620), *»Vision des hl. Basilius«* (1639).

Bartolomé Esteban Murillo (1617–82), beeinflußt von Raffael, Correggio, Rubens und van Dyck, ohne jemals in Italien oder in den Niederlanden gewesen zu sein, war der bedeutendste Maler des spanischen Barock neben Velázquez. Unbedingt gläubig, ja von »naiver« Frömmigkeit, gestaltete er meist religiöse Themen. Die Modelle sind Menschen seiner Heimatstadt Sevilla, Andalusier mit großen, ausdrucksvollen Augen und melancholischem Lächeln. Die Komposition ist sicher und mit leichter Hand entworfen. Seine frühesten Arbeiten, 1638–40, zeigen noch den spätmanieristischen Stil seines Lehrers Castillo und Roelas'; die Farben sind vergleichsweise noch kalt und hart. In den 40er Jahren macht sich der Einfluß von Ribera und Zurbarán bemerkbar; die anfänglich noch starken Hell-Dunkel-Kontraste beginnen wärmer und weicher zu werden, und in der Folgezeit prägt aufgelockerte und intensivere Farbigkeit seinen Stil, der ab 1660, nach vermutlich 2jährigem Aufenthalt am Madrider Hof und dem Studium der Kgl. Sammlungen, seine Reife erlangte.
Den größten Teil der ausgestellten Arbeiten malte Murillo 1665/66 und 1668 für das ehem. Kapuzinerkloster in Sevilla. Vom Hochaltar (1665/66) stammen *»Johannes d. T.«*, *»Franziskus von Assisi«*, *»Leandro und Buenaventura«*, *»Josef mit Jesuskind«*, *»Justina und Rufina«* (die beiden Schutzheiligen Sevillas mit der Giralda; die Gefäße zu ihren Füßen beziehen sich auf die Herkunft der Märtyrerinnen aus dem schon in römischer Zeit für seine Töpfereien bekannten Triana), *»Antonius von Padua«*, *»Felix von Cantalice«* und die *»Virgen de la Servilleta«* (die so heißt, weil Murillo das Madonnenbildnis auf das Serviettentuch eines Laienbruders des Kapuzinerklosters gemalt haben soll). Von Seitenaltären (1668) stammen u. a. *»Geburt«*, *»Anbetung der Hirten«*, *»Verkündigung«*. *»Der hl. Thomas von Villanova gibt den Armen Almosen«* ist das von Murillo selbst am meisten geschätzte Bild. Die *»Inmaculada niña«* ist eine der schönsten Darstellungen der »Unbefleckten Empfängnis«, die Murillo in mindestens 15 Versionen gestaltet hat; die große *»Immaculata«* malte er für das Franziskanerkloster von Sevilla. – Eine der frühesten Arbeiten seiner reifen Periode nach dem Madrid-Aufenthalt ist die *»Mater Dolorosa«* (um 1660), mit intensiver blauer und roter Farbgebung, Darstellung in Harmonie und Schönheit des Schmerzes einer Mutter, die voll Ergebung in den Willen Gottes um ihren Sohn trauert.
Saal VIII bis. *Zurbarán.* – Francisco de Zurbarán (1598–1664) kam 16jährig aus der Extremadura nach Sevilla und wurde in der Werkstatt von Pedro Díaz de Villanueva ausgebildet. Seine Auf-

traggeber waren religiöse Orden; dem entsprechen die Inhalte seiner Kunst: Mystik, Kontemplation, Askese. Pathos und Dramatik halten sich in Grenzen. Die Komposition ist streng und einfach; Figuren und Gegenstände sind von scharfer Plastizität bei oft grellen Hell-Dunkel-Gegensätzen. In der Spätzeit, unter dem Einfluß Murillos, wurden die farbigen Übergänge weicher.
Hauptwerk ist die 1631 dat. *»Apotheose des hl. Thomas von Aquin«* aus der Kirche des ehem. Dominikanerkollegs von Sevilla. In der irdischen Zone eine Episode aus der Gründungsgeschichte des Kollegs, mit Kaiser Karl V., Erzbischof Deza und Dominikanermönchen; in der himmlischen der hl. Thomas zwischen den 4 Kirchenvätern, darüber Jesus und Maria, die hll. Paulus und Dominikus. – Zaghafter in Komposition und Farbenbrillanz sind 3 frühere Gemälde aus der ehem. Kartause de las Cuevas, vermutlich um 1625: *»Virgen de las Cuevas«*, eine Schutzmantelmaria mit Kartäusermönchen, *»Das Wunder des hl. Hugo«* (der hl. Bischof von Grenoble deckt eine Verletzung des Fastengelübdes auf) und *»Der hl. Bruno und Papst Urban II.«*. – An die Farbenpalette Roelas' erinnern die 1626 für das Sevillaner Dominikanerkloster S. Pablo gemalten 3 Bilder der hll. Kirchenväter *Gregorius, Hieronymus* und *Ambrosius*. Die farbig raffiniert abgestufte Stofflichkeit der kostbaren Gewandung und deren ornamentale Details schildert Zurbarán mit derselben nüchternen Gewissenhaftigkeit wie die Physiognomien seiner in ruhiger Zuständlichkeit isolierten Figuren. – Unter den weiteren Zurbarán-Gemälden herausragend *»S. Luis Beltrán«* und *»Beato Enrique Susón«* (der seliggesprochene deutsche Mystiker Heinrich Seuse [Suso]), beide um 1640. Um diese Zeit begann Zurbarán dem Einfluß Murillos zu erliegen, der Höhepunkt seiner eigenwilligen Kunst war überschritten. – Skulpturen: *»Johannes d. T.«* und *»Virgen de las Cuevas«* 1623 von dem Montañés-Schüler Juan de Mesa (1583–1627), der mit seinem Hang zur Dramatisierung Montañés selbst stark beeinflußt hat.

● Im **Obergeschoß** ist Saal IX Juan de Valdés Leal (1622–90) gewidmet, Maler, Bildhauer und Architekt, neben Murillo und Zurbarán der bedeutendste Maler des Sevillaner Barock. Der gelassenen Verinnerlichung Zurbaráns und der harmonischen Sanftheit Murillos steht seine heftige und ungestüme Expressivität schroff gegenüber. Ausgebildet in Córdoba von Antonio del Castillo und nachhaltig beeinflußt von Herrera d. Ä., malte er 1653 eine Reihe großformatiger und vielfiguriger Bilder für das Klarissinnenkloster von Carmona (Prov. Sevilla), deren bedeutendste die beiden hier ausgestellten sind. Die farbig brillante *»Sarazenenschlacht vor den Mauern von Assisi«* ist wohl die dramatisch kraftvollste Darstellung der Sevillaner Barockmalerei. Düster morbid dagegen *»Die hl. Klara zeigt die Monstranz«*, eine Episode von 1240: Als die Assisi belagernden Sarazenen die Klostermauer von S. Damiano schon erstiegen hatten, wies ihnen die hl. Klara das Sakrament entgegen und schlug sie so in die Flucht. – 1657 entstanden die Bilder für das Hieronymitenkloster von Sevilla, unter denen die *»Versuchung des hl. Hieronymus«* und die *»Geißelung des hl. Hieronymus«* durch ihre expressive Gestaltung herausragen, ebenso die *»Vision des Padre Cabañuelas«*. Weniger überzeugend und z. T. Werkstattarbeiten sind die Darstellungen aus dem *Leben des hl. Ignatius von Loyola* (1674–76) aus dem Jesuitenkolleg von Sevilla. – Der Gegensatz zu Murillo zeigt sich am besten in der Interpretation der Marienthematik, derer sich Valdés Leal v. a. in seiner letzten Schaffensperiode, 1669–90, angenommen hat: Die Maria der »Unbefleckten Empfängnis« aus dem Augustinerkloster von Sevilla bleibt irdisch gebunden, die Engel lassen in Komposition und Gestaltung Harmonie und Schönheit vermissen, sie sind z. T. ausgesprochen häßlich und deformiert.

In den anderen Räumen im Obergeschoß werden die *Nachfolger der Sevillaner Malerschule* des späten 17. und früheren 18. Jh. sowie die *Sevillaner Malerei bis zum 20. Jh.* gezeigt. – Unter den Nachfolgern von Valdés Leal war dessen Sohn Lucas Valdés (1661–1725) einer der fähigsten; seine vielfigurigen Kompositionen und Vanitas-Bilder bleiben dennoch epigonenhaft, weit entfernt von der radikalen Expressivität des Vaters. Ebenso Matías de Arteaga († 1703) und Domingo Martínez († 1750). Die Schule und Nachfolge Murillos, der schon zu Lebzeiten zahlreiche Nachahmer fand, ist insbesondere vertreten durch Esteban Márquez († 1720) und Bernardo Germán Llorente († 1759). Die Sevillaner Malerei hatte im 18. Jh. keine genialen Meister mehr, und so stammen hier im Hause die herausragenden Arbeiten dieses Jahrhunderts von Francisco de Goya y Lucientes (1746–1828) und Luis Eugenio Meléndez (1716–80), dessen *»Bodegón«* in der Tradition der Stilleben Zurbaráns steht. Goyas Porträt des Kanonikers *»Don José Duaso y Latre«* gehört zeitlich schon dem 19. Jh. an; es entstand 1824 kurz vor seiner Abreise nach Frankreich, als er durch Ferdinand VII. verfolgt wurde und der Kanoniker ihn in seinem Haus aufgenommen hatte.

Die Sevillaner Malerei der Romantik, in der 1. Hälfte des 19. Jh., ist insbesondere durch Antonio María Esquivel (1806–57) und José Gutiérrez de la Vega (1791–1865) vertreten; beide sind der Sevillaner Malerschule, v. a. Murillo, verpflichtet. Ebenso greift Valeriano Domínguez Bécquer (1834–70) auf frühere spanische Maler, Murillo, Velázquez und Goya, zurück. – Die großformatige Historienmalerei in der 2. Hälfte des 19. Jh. ist am besten durch Eduardo Cano de la Peña (1823–97) belegt, die Genremalerei durch José Jiménez Aranda (1837–1903). – Am Anfang des 20. Jh. beginnt der französische Impressionismus Einfluß auf die Sevillaner Malerei zu nehmen. Typisch für diesen Zeitabschnitt sind die Arbeiten von Gonzalo Bilbao y Martínez (1860–1938), dessen *»Zigarrenarbeiterinnen«* (1915) barocker Kompositionstradition verhaftet bleiben.

Casa-Museo de la Condesa de Lebrija (Calle de la Cuna 8)
Der ehem. Palast der Grafen von Lebrija, urspr. aus dem 17. Jh., wurde im späten 19. und frühen 20. Jh. von Doña Regla Manjón y Mergelina, Gräfin von Lebrija, mit historischen Dekorationselementen umgestaltet.

Die Keramikfliesen sind von 1610/11 und aus dem 18. Jh. Den wertvollsten Bestand bilden die *Bodenmosaiken aus Itálica;* herausragende Werke aus dem 2. Jh. sind darunter das *»Krater-Mosaik«* und das *»Ganymed-Mosaik«* (das Segment »SALVE« ist moderne Ergänzung) sowie das *»Mosaik des Pan«* im Haupt-Patio. Die Figur des Pan ist umgeben von mythologischen Szenen (Leda und der Schwan, Europa und der Stier, Arkas und die Bärin usw.); in den Eckmedaillons die Jahreszeiten.
In Vitrinen römische Geräte aus Bronze, Keramik, Glas u. a., Münzen, maurische Kapitelle, Lampen u. v. a. – Römische Skulpturen aus Itálica.

Casa-Museo Murillo (Calle Sta. Teresa 8). Im Geburtshaus Murillos werden Erinnerungen an den Hauptmeister der Sevillaner Malerschule des 17. Jh. gezeigt.

Umgebung

Santiponce (C 3)

Der Ort (etwa 9 km nordwestl. von Sevilla) ist auf einem Teil der alten Römerstadt Itálica *gebaut. Urspr. befand er sich am Flußufer, bis Anfang des 17. Jh. eine Überschwemmung die Bewohner zu einer Neuerbauung auf der Anhöhe von Itálica veranlaßte.*

Kloster S. Isidro del Campo

Die 1301 von Alonso Pérez de Guzmán (Guzmán d. Gute) gegründete Zisterzienserabtei war 1431–1835 Kloster der Hieronymiten, danach Gefängnis und Anfang des 20. Jh. vorübergehend wieder Kloster. Jetzt ist es teilweise gewerblich genutzter Privatbesitz.

Die Anlage umfaßt die Kirche, 2 Innenhöfe sowie Nebengebäude. Ein 3. großer Innenhof gehört zu dem angrenzenden Fabrikationsbetrieb.

Die zinnenbewehrte, festungsartige **Kirche** besteht aus 2 Schiffen mit jeweils eigener Apsis, die urspr. selbständige Bauten waren und später verbunden wurden. Der ältere, breitere Bau gehört zur Gründung Guzmáns d. Guten († 1309); den schmaleren Bau ließ sein Sohn, Juan Pérez de Guzmán, nach 1309 errichten.

Den *Hochaltar* der älteren Kirche schuf 1609–13 Juan Martínez Montañés, vermutlich unter Mitarbeit von Juan de Mesa, Andrés de Ocampo und Andrés de Oviedo. In der Mittelnische der hl. Hieronymus, darüber der Namenspatron des Klosters. In den anderen Nischen Reliefs mit den Hll. 3 Königen, mit Geburt, Auferstehung und Himmelfahrt Christi sowie den Statuen der hll. Johannes d. T. und Johannes Ev., der Himmelfahrt Mariä und, an den Seiten, den Tugenden. Zu beiden Seiten des Altars die *Grabstätten* mit den Figuren der im Gebet knienden Gründer, Alonso Pérez de Guzmán und seiner Frau Mará Alonso Coronel. – Von Juan Martínez Montañés (um 1610) auch Madonna, hl. Joachim und hl. Anna an einem *Rokoko-Altar* aus der 2. Hälfte des 18. Jh.
An der jüngeren Kirche stammt das Ziegelstein-*Portal* aus dem späten 15. Jh. und ist (in einer Archivolte) »Diego Quixada y su hermano« bezeichnet. Ihr *Hochaltar* gehört dem 18. Jh. an; sein lebensgroßer *Kruzifixus* ist aus der 2. Hälfte des 16. Jh. Im Chor befinden sich *Grabmäler* mit den Liegefiguren der Gründer der jüngeren Kirche, Juan Pérez de Guzmán und seiner Frau Urraca Osorio, aus der Mitte des 14. Jh. Auf der N-Seite 4 neugot. Grabmäler der Gründerfamilie.
Die Gewölbe der Sakristei, neben der älteren Kirche, tragen *Freskomalereien* (Passionsszenen) des 16. Jh. Fresken des frühen 17. Jh. sind im Kapitelsaal (Tugenden, hll. Hieronymus und Isidor) und in der sog. Privatkapelle (Marienembleme), für deren Altar Juan Martínez Montañés 1591 den Auftrag erhalten hatte.

Santiponce. S. Isidro del Campo. Hochaltar
Juan Martínez Montañés: Hl. Hieronymus

Zum Kloster gehören 2 mudejare Kreuzgänge: der große **»Claustro de los Muertos«** (der Toten) und der kleinere **»Claustro de los Evangelistas«** mit noch 3 mudejaren Seiten.

Besondere Beachtung verdienen dort die *Wandmalereien* aus der Zeit zwischen 1431 und 1436, mit dem hl. Hieronymus und anderen Ordensheiligen.

Von dem außerhalb des Klosters gelegenen, heute zur Fabrik gehörenden **ehem. 3. Kreuzgang** sind noch 3 Seiten erhalten, 2 aus dem frühen 16. Jh. und eine barocke 3. aus dem 18. Jh. – Zur Fabrik gehört heute auch der mit Azulejos ornamentierte Ziegelstein-*Turm* aus dem späten 17. Jh. sowie eine 1792 bezeichnete *Fassadenmauer.*

Itálica (C 3) ●

205 v. Chr., im 2. Punischen Krieg, gründete Scipio Africanus d. Ä. anläßlich der Schlacht von Ilipa (Alcalá del Río) eine »Lazarettstadt« für die römischen Soldaten. Diese erste römische Ansiedlung Hispaniens, zunächst nur Vicus civium Romanorum, wurde unter Augustus Municipium und unter Hadrian Colonia – als letzte der römischen Städte Hispaniens. Trajan (98–117) und Hadrian (117–138) wurden 53 bzw. 76 in Itálica geboren. Beiden, insbesondere Hadrian, verdankte die Stadt viel.

Nach dem 4. Jh. ging die seit Hadrian andauernde hohe Blütezeit rasch zu Ende. Unter den Westgoten hieß die einstige Römerstadt Telica. *583 ließ Leowigild, während der Auseinandersetzung mit seinem Sohn Hermenegild, die verfallenden Mauern wiederherstellen. 693 nahm zum letzten Mal ein Bischof von Itálica an einem der Konzile in Toledo teil. In maurischer Zeit wurde die Stadt, die nunmehr* Talikah *hieß, aufgegeben.*

Itálica wurde zum Steinbruch und zum Beutefeld für (Kunst-) Schatzgräber, darunter Napoleons Marschall Soult ebenso wie Wellington, Spaniens Verbündeter. Ausgrabungen mit wissenschaftlicher Zielsetzung hatten bereits um die Mitte des 18. Jh. begonnen. Aber erst das spanische Grabungsgesetz von 1912 schuf die Voraussetzungen für systematische Ausgrabungen, die lediglich während des Bürgerkriegs 1936–39 unterbrochen waren und seither denkmalpflegerisch musterhaft fortgesetzt werden. Anläßlich der Weltausstellung 1992 wurden umfangreiche Restaurierungsarbeiten (u. a. Amphitheater, Mosaiken) durchgeführt.

Die Stadt vor Hadrian

Eine iberische Ansiedlung vor der Gründung Scipios kann nur vermutet werden. Aus republikanischer Zeit ist, nach dem jetzigen Stand der Ausgrabungen, nichts überkommen. Itálica war jedoch im 1. vorchr. Jh. eine der wichtigsten Städte der Baetica Ulterior.

● Die Stadt Hadrians

Das bisher freigelegte Ruinenfeld geht auf das 2. Jh. n. Chr. und später zurück. Die Datierung der Ruinen des Theaters im N des Ortsgebiets von Santiponce in das 1. Jh. z. Z. des Kaisers Tiberius (14–37) ist rein hypothetisch. Die von Hadrian erbaute »Neue Stadt« (Nova Urbs) hatte intra muros eine Ausdehnung von ca. 30 ha; sie war kleiner als Tarraco (Tarragona, 40 ha) und Corduba (Córdoba, 75 ha), etwa so groß wie Emerita Augusta (Mérida) und wesentlich größer als Barcino (Barcelona, 12 ha). Ihre Einwohnerzahl lag auch während der Blütezeit nicht über 10000.

Straßen

Itálica ist, wie die meisten Römerstädte, nach einem regelmäßigen geometrischen Plan angelegt. Die sich kreuzenden horizontalen und vertikalen Straßen bilden große Rechtecke mit in der Regel 2 Gebäudekomplexen. Als Pflasterung dienten große polygonale Steinplatten; von dieser ist ein großer Teil erhalten. Zu beiden Seiten der Straßen verliefen überdeckte, 4 m breite Fußgängerwege. Die zum Amphitheater führende Hauptstraße der ausgegrabenen Stadt war insgesamt 16 m breit, 8 m für die Straße und je 4 m für die Fußgängerwege. Die Nebenstraßen waren 14 m breit. Diese außergewöhnliche Breite macht der Vergleich mit anderen Römerstädten deutlich: Die Hauptstraßen von Pompei sind bis zu 10 m, die Nebenstraßen 5–8 m, die Hauptstraßen von Ostia 10–15 m breit.

Häuser

Die Häuser waren geräumig und komfortabel und jedes nur von einer Familie bewohnt. Insofern gleicht Itálica Pompei. Andererseits lassen sich die Häuser Itálicas mit denen anderer römischer Städte insofern nicht vergleichen, als letztere im Laufe der Zeit ständig umgebaut und mit

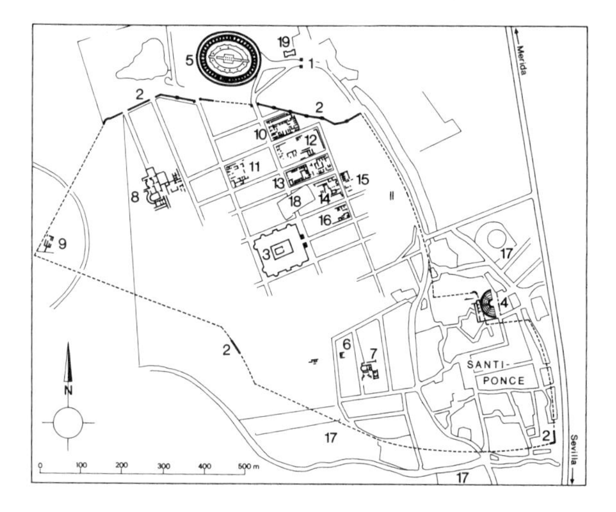

1 Eingang zum Ausgrabungsbezirk
2 Reste der Stadtmauer
3 Forum
4 Theater
5 Amphitheater
6 Tempel
7 Los Palacios, Thermen
8 Baños de la Reina Mora, Thermen
9 Castellum Aquae (Wasserspeicher)
10 Casa de la Exedra
11 Casa del Planetario
12 Casa del Mosaico de Neptuno
13 Casa de los Pájaros
14 Casa de Hylas
15 Casa del Emparrado
16 Casa de la Cañada Honda
17 Nekropole, Grabstätten
18 Ehem. Friedhof von Santiponce
19 Verwaltung

Itálica. Lageplan

Anbauten versehen wurden, während die Häuser hier »endgültig« erbaut waren. Mehrgeschossige Mietshäuser wie in Rom und Ostia gab es nicht. In der Regel waren die über Rechteckgrundriß errichteten Häuser 1geschossig. Da sie von den Straßen und deren überdeckten Fußgängerwegen umgeben waren, konnten sie nicht erweitert werden. Auf jedem der durch die Längs- und Querstraßen gebilde-

ten Rechtecke standen 2 durch doppelte Außenmauern getrennte Hausanlagen.
Die Räume verteilten sich um die (in der Regel) 2 Säulenhöfe (Atrium und Peristyl). Bei einigen Häusern war der Raum zwischen Eingang und Straße für Läden genutzt.

Das bekannteste Haus ist die **»Casa de los Pájaros«** (pájaro = Vogel), so genannt nach den Vogeldarstellungen eines seiner Mosaiken. Der doppelte *Eingang* befand sich an der Hauptstraße zum Amphitheater; einer führte in das Haus und der andere in einen Raum mit noch vorhandenem Backofen, der entweder zum Haus gehörte oder aber, was wahrscheinlicher ist, an eine Bäckerei vermietet war. Die konkave Mauer hinter dem Haupteingang sollte vor neugierigen Blicken in den Innenhof und vermutlich auch vor Durchzug schützen. Das sich anschließende ursprünglich überdeckte Vestibulum war vermutlich das urspr. Atrium; es führte zu dem 18,30 m breiten und 22,40 m langen Peristyl, in dessen Mitte, unter einer Gartenanlage, sich ein unterirdisches Wasserreservoir befand. Der untere Brunnen hat rechteckigen und der obere kreisförmigen Grundriß. Von den ehemals 12 Marmorsäulen des überdeckten, 3,50 m breiten Umgangs ist lediglich eine Basis erhalten. Gegenüber den Längsseiten des Peristyls öffneten sich die Wohnräume, davon einer mit dem erhaltenen *Vogel-Mosaik.* Gegenüber der oberen Breitseite des Peristyls befanden sich weitere Räume, von deren *Mosaiken* noch 6 erhalten sind, darunter ein großes mit dem *Bacchus-Bildnis* in der Mitte; die anderen zeigen geometrische und Vogel-Motive. In diesem Bereich, in der Achse des Peristyls, war der große Festraum mit den Liegestätten (Klinen) für die Gelage; sie waren meist in U-Form aufgestellt; daher heißt ein solcher Raum Triclinium. Zu seiten des Tricliniums öffneten sich 2 ungedeckte Höfe: rechts mit einer Piscina, links mit einem kleinen Säulenbau. Zwischen diesem und dem Peristyl befand sich das halbrunde *Lararium* zur Verehrung der römischen Schutzgeister des Hauses, der Laren; sein Bodenmosaik zeigt Lotosblüten und stilisierte Palmetten. Im rückwärtigen Bereich der Hausanlage öffneten sich weitere Räume. Die Wirtschafts- und die Vorratsräume befanden sich rechts und links des Eingangs; das Obergeschoß über der Eingangsseite diente vermutlich als Scheune bzw. als Schuppen für landwirtschaftliche Geräte.

Die »**Casa de Hylas**« war eines der größten und geräumigsten Häuser mit mehreren Atrien und Peristylien sowie Wohnräumen mit *Mosaikböden.* Erhalten sind ein Mosaik der Jahreszeiten, ein Brunnen mit Fischfiguren sowie das Hylas-Mosaik, von dem das Haus seinen Namen hat (heute im Archäologischen Museum von Sevilla, Saal XIV).

Das Haus gegenüber der »Casa de Hylas« war vermutlich ein **Gasthaus.** Erhalten sind 6 Ziegelstein-Säulen eines der Innenhöfe.

Die »**Casa de la Exedra**« im NW des Ausgrabungsgeländes, nahe dem Amphitheater, bildet mit der ehem. Stadtmauer und der Hauptstraße ein Dreieck. Das Haus hat seinen Namen von der apsisartigen Ausbuchtung des langgestreckten offenen Innenhofs auf der N-Seite. Es wird im N, S und W von je einer Straße begrenzt. Die Hauptseite und der Eingang lagen an der Straße zum Amphitheater. In der Achse des Eingangs und des Vestibulums erstreckte sich in der Mitte des Hauses ein säulenumstandener überdeckter Innenhof, auf dessen S-Seite (rechts) 2 Eingänge zu dem quadratischen Triclinium führten, an dessen O-Seite (oben) sich ein queroblonger Raum mit noch z. T. erhaltenem *Fußbodenmosaik* in Opus sectile erstreckte. Die Funktion der anderen Räume ist nicht mehr sicher zu bestimmen; vermutlich diente ein Raum östlich (unterhalb) des Tricliniums mit dem *Fußbodenfragment einer Kampfszene,* als Latrine. Die Arkaden des ehemals 2geschossigen überdeckten Innenhofs ruhten auf kreuzförmigen Pfeilern, eine Neuerung, die nicht vor dem Ende des 3. Jh. n. Chr. in der römischen Architektur feststellbar ist. Von besonderem Interesse auch ist das »barock« geschwungene *Brunnenbecken* in der Mitte des Innenhofs.

Auf der N-Seite des Hauses (oben) befand sich ein etwas tiefer gelegener, ca. 40 m langer, in einer Exedra ausbuchtender offener Innenhof, vielleicht das Gymnasium, dem zur Straße hin ein nochmals tiefer gelegener Kryptoportikus vorgelagert war. Zu diesem führten 2 Ziegelstein-Treppen, die eine im O bei der Exedra und die andere im S.

Alle diese Gebäude dürften – wie die »Casa de la Exedra« – nicht vor der 2. Hälfte des 3. Jh. entstanden sein; für diese Eingrenzung sprechen auch die Fundstücke (Münzen, Amphoren u. a.).

Öffentliche Bauten

Thermen. Die beiden Thermenkomplexe der von Kaiser Hadrian gegründeten »Neuen Stadt«, die sog. »Baños de la Reina Mora« im W und »Los Palacios« im O, hatten etwa die gleichen Ausmaße. – Der Grundriß des Komplexes **»Reina Mora«** zeigt ein 21,20 m langes Schwimmbecken, das im oberen Teil halbkreisförmig abschloß. An dieses grenzten mehrere unter der Erde gelegene Räume, die auf der N-Seite noch z. T. erhalten sind. – Einige Ziegelsteine der noch bestehenden Mauern von **»Los Palacios«,** die ein 15 m langes Schwimmbecken hatten, sind mit den Buchstaben GIP geprägt, wobei I vermutlich für »Italica« steht.

Theater. Mit der »Neuen Stadt« ließ Hadrian außerhalb der Mauern ein Theater errichten, dessen Reste sich im Ortsgebiet von Santiponce befinden (zur Datierung vgl. S. 384). Die dort stehenden Häuser erschweren eine systematische Ausgrabung.

Einige Skulpturen dieses nach der schriftlichen Überlieferung prachtvoll ausgestatteten Theaters sind heute im Archäologischen Museum von Sevilla, darunter eine sehr gut erhaltene Diana-Statue.

● **Amphitheater.** Das zur Zeit Hadrians (117–138) außerhalb der »Neuen Stadt« errichtete Amphitheater, eine ovale Anlage von 160 m größter Länge und 137 m größter Breite, war nach dem Kolosseum in Rom (188 m lang, 156 m breit) und dem Amphitheater von Capua eines der größten der römischen Kaiserzeit. Arles (136 zu 107 m) und Nîmes (133

Itálica. Amphitheater

zu 101 m) waren bedeutend kleiner. Es faßte rund 25000 Zuschauer. Die Einwohnerzahl Itálicas hat 10000 niemals überschritten, so daß die Kapazität des Amphitheaters einer vermutlich relativ dicht besiedelten Umgebung Rechnung trug.

Trotz ihrer ausgiebigen Nutzung als Steinbruch ist die Anlage in einem Zustand überkommen, der eine vollständige Rekonstruktion möglich macht. Sowohl die Zuschauerränge (urspr. waren es 3) wie auch die gedeckten Gänge und Zugänge sind zum großen Teil erhalten. Der kreuzförmige, nahezu unversehrte Stollen unter der Arena war urspr. mit einem Bretterboden abgedeckt und umfaßte die »Diensträume«, wie sie noch heute in einem Theater oder Festspielhaus üblich sind. Theatermaschinen und Requisiten z. B. hatten hier ihren Platz. Urspr. war das Oval in seiner Gesamtheit von einem Außenbau umgeben. Die untersten Sitzreihen waren Ehrenplätze bestimmter Personen; einige hatten ihre noch heute erhaltene namentliche Kennzeichnung.

Eine Bronzetafel aus Itálica im Archäologischen Nationalmuseum in Madrid bezieht sich auf die während der Regierungszeit Marc Aurels und dessen Sohnes Commodus (177–180) verfügte Herabsetzung und Beschränkung des Preises für Gladiatoren.

Stadtmauer, Römerstraße, Aquädukt, Abwassersystem

Von den **Befestigungsmauern** der »Neuen Stadt« Hadrians ist insbesondere nahe dem Amphitheater noch ein Teilstück mit den Fragmenten des Haupteingangstors und zweier Türme überkommen. – Itálica lag an der großen **Straße**, die von Gades (Cádiz) und Sanlúcar über Hispalis (Sevilla) nach Emerita Augusta (Mérida) führte. Von ihr ist gegenüber der »Casa de la Exedra« noch ein gut erhaltenes, ca. 20 m langes Teilstück zu sehen. Meilensteine dieser Römerstraße befinden sich im Archäologischen Museum von Sevilla. – Das Wasser für die Versorgung der Einwohner und für die beiden großen Thermen wurde aus einem 40 km westlich von Itálica gelegenen Quellgebiet bis zu den »Baños de la Reina Mora«, im W der Stadt, geleitet. Teile des **Aquädukts** sind erhalten. – Die Stadt besaß ein nahezu perfektes, unter den Straßen angelegtes **Abwassersystem.** Der heute sichtbare Hauptkanal hat eine Höhe von über 1,70 m, konnte also gut begangen werden.

Nekropole

1903 unternommene Grabungen im N des Ortsgebiets von Santiponce führten zur Freilegung der Reste einer Nekropole, deren Fundstücke sich heute im Archäologischen Museum von Sevilla befinden. Dort sind auch die meisten qualitätvollen Fundstücke des gesamten Ausgrabungsgebiets zu sehen.

TARIFA (Cádiz D 6)

Die südlichste Stadt des europäischen Festlands, an der engsten Stelle der Straße von Gibraltar, wurde von den Mauren gegründet. Sie heißt nach dem Berber Tarif, dem Anführer eines etwa 400 Mann starken »Spähtrupps«, der im Juli 710, acht Monate vor der

Landung des maurischen Expeditionsheers auf Gibraltar, hier an Land gegangen und mit reicher Beute nach Afrika zurückgekehrt war. In der Geschichte der Reconquista wurde die 1292 von Sancho IV. eroberte Stadt berühmt durch Alonso Pérez de Guzmán aus der altkastilischen Familie des hl. Dominikus: 1294, während einer Belagerung durch die Mauren von Granada, zog er es vor, seinen Sohn zu opfern, statt die Festung zu übergeben. Sancho IV. verlieh ihm den erblichen Beinamen »el Bueno« (»der Gute«, i. S. von standhaft, stark).

Von dem 960 unter Abd ar-Rahman III. vollendeten und im 12./13. Jh. umgebauten (modern restaurierten) **Alcázar** sind noch Mauerteile und der historische oktogonale Turm **Torre de Guzmán el Bueno** erhalten. – Das Stadtbild mit z. T. noch aus der Zeit vor der Rückeroberung stammenden **Mauern** und **Toren** und **historistischen Bauten** im mudejaren Stil ist auch heute noch maurisch geprägt.

Innerhalb der maurischen Alcazaba wurde im 15. Jh. über der ehem. Moschee und unter Verwendung einiger römischer Spoliensäulen die (in den folgenden Jahrhunderten umgestaltete) **Iglesia de Sta. María** erbaut. – Im Innern der **Iglesia de S. Mateo**, aus dem 16. Jh. (mit frühbarocker Fassade), eine westgot. Grabplatte von 674.

Die mit dem Festland durch einen Damm verbundene **Isla de las Palomas,** mit einem **Leuchtturm** des 19. Jh., ist der südlichste Punkt des europäischen Festlands.

Umgebung

22 km nordwestlich von Tarifa liegen unmittelbar am Meer, in der kleinen Bucht (Ensenada) von Bolonia, die **Ruinen** von **Belo** bzw. **Bella** oder **Bolonia**, einer in der Mitte des 1. Jh. n. Chr. gegründeten römischen Stadt **(Bellone Claudia).** Ein Teil der **Stadtmauer** mit einem Tor, aus dem 1. Jh., ist noch gut erhalten. Aus dem 1.–4. Jh. stammen die Ruinen des Jupiter, Juno und Minerva geweihten **Tempels**, eines Pseudoperipteros mit 3 getrennten Cellae, und des **Theaters** sowie die Reste von **Häusern**, **Brunnen**, einem **Aquädukt**, dem **Forum**, von **Thermen** und **Straßen.**

TRIGUEROS (Huelva B 3)

Nahebei, in der Gemarkung »La Lobita«, die **Cueva de Zancarrón de Soto**, ein von O nach W orientierter Dolmen vom Typus der Cueva de Menga (s. Antequera, Prov. Málaga), mit künstlichem Hügel. Das Ganggrab aus dem Ende der Jungsteinzeit ist 20,90 m lang; der urspr. Eingang befand sich 4 m vom jetzigen entfernt. In der Grabkammer ein »Steintisch« (für Opfergaben). Von besonderem Interesse sind die *jungsteinzeitlichen Ritzzeichnungen,* eine an der Decke und die anderen an den Wänden, mit der Darstellung stilisierter menschlicher Figuren, Kreise u. a. Gefunden wurden hier menschliche Skelette, Reste von Keramik, Steinmesser, insgesamt 10 Steinäxte, ein Armband aus Tierknochen.

ÚBEDA (Jaén H 2)

Die Stadt (32000 Einwohner; 757 m ü. M.) wurde vermutlich von den Keltiberern gegründet. Unter den Mauren hatte Úbeda, damals Ubladat al-Arab, *als Festung eine hervorragende Bedeutung. Nach der Schlacht von Las Navas de Tolosa (1212) von Alfons VIII. vorübergehend befreit, wurde Úbeda 1234 von Ferdinand III. endgültig zurückerobert. Ihre höchste Blütezeit erreichte die Stadt im 16. Jh.*

---

1 Sacra Capilla del Salvador
2 Carmelitas Descalzas
3 Sta. Clara
4 Sto. Domingo
5 S. Isidoro
6 S. Juan de la Cruz
7 S. Lorenzo
8 Sta. María de los Reales Alcázares
9 S. Nicolás
10 S. Pablo
11 S. Pedro
12 Santísima Trinidad
13 Antiguo Pósito
14 Ayuntamiento Viejo
15 Carcel del Obispo
16 Casa Obispo Canastero
17 Casa de los Carvajales
18 Casa Don Luis de la Cueva
19 Casa de los Manueles
20 Casa Mudéjar, Archäol. Museum
21 Casa de los Salvajes
22 Casa de las Torres
23 Hospital de los Honrados Viejos del Salvador
24 Hospital de Santiago
25 Pal. de los Bussianos
26 Pal. de las Cadenas, Ayuntamiento
27 Pal. in der Calle Montiel
28 Pal. Don Francisco de los Cobos
29 Pal. Conde de Guadiana
30 Pal. Marqués de Mancera
31 Pal. de los Ortegas, Parador del Condestable Dávalos
32 Pal. de la Rambla
33 Pal. Vela de los Cobos
34 Puerta del Losal
35 Puerta de Granada und Mauerrest
36 Torbau in der Calle Gradas
37 Torre del Reloj

Úbeda ist eines der schönsten und besterhaltenen Zeugnisse der andalusischen Renaissance und wurde 1975, anläßlich des Internationalen Jahres der Denkmalpflege, vom Europarat zur »Musterstadt« erklärt.

Um das Auffinden der Denkmäler und den Rundgang durch diese wahre »Museumsstadt« zu erleichtern, ist die Beschreibung der einzelnen Objekte nach Straßen und Plätzen geordnet.

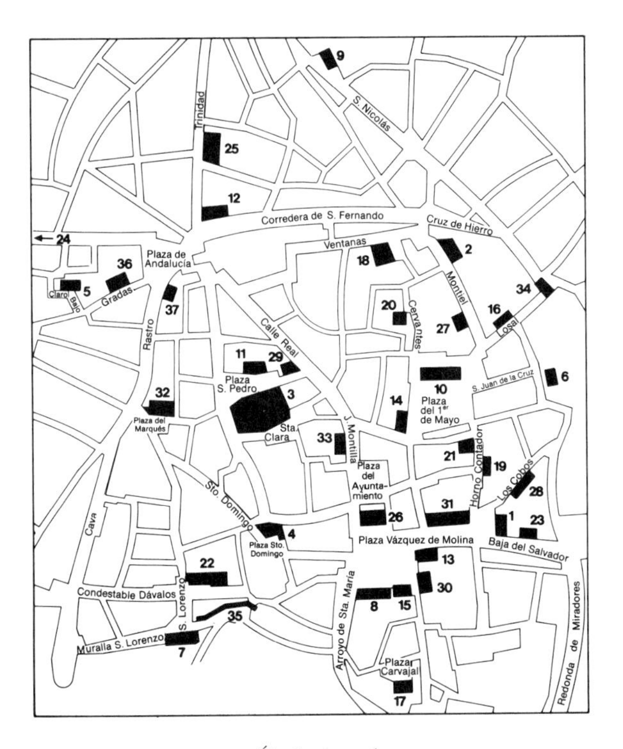

Úbeda. Lageplan

Plaza de Vázquez de Molina:

● **Sacra Capilla del Salvador**

Die Erlöserkapelle wurde von Francisco de los Cobos y Molina, Statthalter von Cazorla und Staatssekretär Kaiser Karls V. sowie König Philipps II., gestiftet, 1536 von Diego de Siloe in Renaissanceformen geplant und von Andrés de Vandelvira und Alfonso Ruiz erbaut. Bei der Weihe, 1559, war die Kirche noch nicht ganz fertiggestellt.

Vereinfacht und nicht nach der Originalplanung zu Ende geführt zeigt sich die prachtvoll dekorierte *W-Fassade*. Originell die Bekrönung der runden halbhohen Ecktürme. In den Nischen des 2. Geschosses, zu seiten eines Reliefs mit der Verklärung Christi, stehen die hll. Paulus und Andreas. Im O sind die mächtige Kuppel ohne Laterne und der minarettartige Turm auf der S-Seite bemerkenswert. Das Innere ist nicht, wie die Strebepfeiler der W-Front annehmen lassen, 3-, sondern 1schiffig, mit Seitenkapellen.

Qualitätvoll das Chorgitter aus der Mitte des 16. Jh. vor der Capilla Mayor. Alonso Berruguete schuf um die Mitte des 16. Jh. das vergoldete Holzretabel (Verklärung Christi) auf dem Hauptaltar. Die *Sakristei* mit ihrem Karyatidenschmuck zählt zu den besten Arbeiten von Andrés de Vandelvira.

In der Krypta unter der Capilla Mayor befindet sich das Grab des Stifters.

Kirche Sta. María de los Reales Alcázares

In maurischer Zeit stand hier eine Moschee, an deren Stelle nach der christlichen Rückeroberung (1234) eine nicht mehr erhaltene christliche Kirche errichtet wurde, die sich innerhalb der Festungsmauern befand und mit der Stadt lediglich durch eine (im heutigen Kreuzgang noch erhaltene) Pforte verbunden war.

Der jetzige Bau wurde um 1500 errichtet und erfuhr in den folgenden Jahrhunderten mehrfach wesentliche Veränderungen. Im Innern verdienen die Kapellen La Yedra, S. Antonio und Nuestra Señora de Guadalupe, aus der 1. Hälfte des 16. Jh., besondere Beachtung.

Das schmiedeeiserne *Gitter* zeigt die Wurzel Jesse und die Joachimslegende; der im 16. Jh. tätige Meister Bartolomé aus Jaén hat es geschaffen.

Úbeda. Sacra Capilla del Salvador
Links: Ehem. Palacio de los Ortegas

Carcél del Obispo. Der »Kerker des Bischofs« ist ein im 16. Jh. erbautes ehem. Kloster.

Palacio del Marqués de Mancera. Der um 1600 erbaute Palast beherbergt heute Ordensschwestern. An der Fassade die bischöflichen Wappen und das der Doña María de Salazar Enríquez de Navarra y Molina, Ehefrau des Pedro de Toledo, Marqués de Mancera und Vizekönig von Peru.

Palacio de los Ortegas (Parador)

Der Palast wurde nach der Mitte des 16. Jh. für den ersten Pfarrer der benachbarten Erlöserkapelle, Fernando Ortega Salido, erbaut. Seit 1929 befindet sich hier der Parador nacional »Condestable Dávalos«. Der Condestable (Kronfeldherr) Fernando Dávalos, ein Günstling König Johanns II. (1406–1454), stammte aus Úbeda.

Die strenge Spätrenaissance-Fassade mit Dreiecksgiebeln im unteren und Segmentgiebeln im oberen Geschoß wird von Balkonen und Fenstergittern sowie dem Wappen der Familie Ortega über dem Portal etwas aufgelockert. Beachtenswerter Innenhof mit 2geschossigen Korbbogenarkaden auf schlanken Säulen.

Palacio de las Cadenas (Ayuntamiento; Plaza del Ayuntamiento)

Der Palast wurde in den 50er Jahren des 16. Jh. auf Veranlassung von Juan Vázquez de Molina, Staatssekretär Philipps II., nach Plänen von Andrés de Vandelvira erbaut. Seinen Namen verdankt er einem Vorhof, den urspr. mit Ketten (cadenas) verbundene Pfeiler begrenzten. Seit 1566 diente der Bau als Dominikanerinnenkloster, seit 1873 ist er Rathaus.

Die fast schmucklose Fassade von ausgewogenen Proportionen und deutlicher Funktionstrennung in Sockel-, Haupt- und Attikageschoß gliedern unten korinthische und darüber ionische Pilaster, oben Karyatiden (statt der »schulmäßigen« dorischen Pilaster). Einen besonderen Akzent setzen dort im 3. Geschoß auch die elliptischen Ochsenaugen.

Antiguo Pósito. Der ehem. Kornspeicher, gegenüber dem Parador, stammt aus d. J. 1570. Er wurde 1785 umgebaut.

Hospital de los Honrados Viejos del Salvador. Das »Spital der Ehrbaren Alten des Erlösers« wurde 1392 gegründet; der Bau stammt aus dem späten 16. Jh.

Calle de los Cobos: **Palacio de Don Francisco de los Cobos.** Der Palast aus dem 2. Drittel des 16. Jh. war die ehem. Residenz des gleichnamigen Staatssekretärs Kaiser Karls V.

Calle H. Contador: Die **Casa de los Manueles** besitzt ein beachtenswertes Portal aus dem frühen 17. Jh. – Die **Casa de los Salvajes**, aus dem frühen 16. Jh., verdankt ihren Namen den 2 »Wilden Männern«, die über dem Portal das Wappen des Bischofs von Jaén, Alonso Suárez de la Fuente del Sauce (1500–20), halten. Die »Wilden Männer«, Gestalten der Volkssage, waren in der spanischen Bauskulptur des frühen 16. Jh. ebenso beliebt wie in Mitteleuropa. Das Haus diente dem Kammerherrn des Bischofs, Francisco de Vago, als Wohnsitz.

Úbeda. Palacio de las Cadenas (Ayuntamiento)

Plaza del 1er de Mayo – Mercado: **Ayuntamiento Viejo.** Das Alte Rathaus wurde im frühen 16. Jh. errichtet, 1680 umgebaut.

Paseo del Mercado; **Iglesia de S. Pablo.** Die 3schiffige Kirche von 5 Jochen mit ausfluchtendem Querhaus und polygonaler Apsis wurde im 14. Jh. an der Stelle eines spätroman.-frühgot. Vorgängerbaus des 13. Jh. errichtet. Der Außenbau erfuhr in den folgenden Jahrhunderten viele Veränderungen: Aus dem 14. Jh. stammen noch W-Portal und Apsis, das N-Portal aus dem 15. Jh., das S-Portal ist 1511 bezeichnet, der platereske Turm 1537. Im Inneren verdient die platereske Grabkapelle des Bischöfl. Kammerherrn Francisco de Vago, neben dem N-Portal, besondere Beachtung; ihr Gitter schuf Juan Alvárez de Molina.

Calle S. Juan de la Cruz: **Oratorio de S. Juan de la Cruz.** Die Kapelle des hl. Johannes vom Kreuz wurde 1627–31 an der Stelle seiner Sterbezelle († 1591) errichtet. Der spanische Mystiker, 1542 in Ávila geboren, war 1563 in den Karmeliterorden eingetreten, den er zusammen mit der hl. Theresa von Ávila reformiert hat.

Calle del Losal: **Casa del Obispo Canastero.** Das Haus des »Korbflechter-Bischofs«, so genannt nach einem Relief über dem Portal, wurde im 18. Jh. erbaut. – **Puerta del Losal,** auch **Puerta del Rosal** oder **de Sabiote** genannt. Der mudejare Torbogen stammt aus dem 14. Jh.

Calle Montiel: **Convento de las Carmelitas Descalzas.** Kloster der Unbeschuhten Karmeliterinnen, 1665 erbaut. – Der **Palast** 1510–15.

Calle Ventanas: **Casa de Don Luis de la Cueva.** Fassade 17. Jh., Innenhof 15. Jh.

Das Haus gehörte den Nachkommen des durch die Schlacht am Río Salado (Prov. Cádiz; 1340) berühmten französischen Ritters Hugo Beltran, Vorfahren des Ritters Beltrán de la Cueva, des Liebhabers der Königin (Johanna von Portugal, 2. Ehefrau Heinrichs IV.), nach dem Johanna, die Tochter Heinrichs IV. von Kastilien, »d. Unvermögenden« (1454–74), »La Beltraneja« genannt wurde. Die Zweifel an der Legitimität Johannas benutzte der Adel als Vorwand zu einem Aufstand, der schließlich, 1474, die Schwester Heinrichs IV., Isabella, auf den kastilischen Thron führte (Isabella I.).

Calle S. Nicolás: **Iglesia S. Nicolás.** Die 3schiffige Kirche wurde im 15. Jh. erbaut. S-Portal 1509. Das 1566 bezeichnete W-Portal schuf Andrés de Vandelvira.

Im Chor befinden sich (durch den Hauptaltar verdeckte) Reste der Apsisbemalung des 15. Jh. Im N-Schiff die Kapelle des Dechanten Ortega, Ehrenkaplan Kaiser Karls V., mit 1537 bezeichnetem platereskem Portal; das Gitter wurde 1509 von Juan Alvárez de Molina geschmiedet.

Calle de la Trinidad: **Palacio de Los Bussianos.** Renaissance-Palast des späten 16. Jh. – **Iglesia de la Santísima Trinidad.** Kirche 1727, Kreuzgang 1703.

Plaza de Andalucía: **Torre del Reloj.** Der Uhrenturm wurde im frühen 16. Jh. auf der Stadtmauer des 13. Jh. erbaut.

Calle del Obispo Cobos: **Hospital de Santiago**
Das Spital des hl. Jakob wurde 1562 vom Bischof von Jaén, Diego de los Cobos, für syphilitische Kranke gegründet und 1562–75 nach Plänen von Andrés de Vandelvira erbaut.

In der 1schiffigen **Kirche** befindet sich ein qualitätvolles Retabel des späten 16. Jh.

Claro Bajo: **Iglesia de S. Isidoro.** Die Kirche mit ihren bemerkenswerten spätgot. Portalen stammt aus dem frühen 16. Jh.; ihr Innenraum wurde im 17. Jh. gestaltet.

Calle Gradas: Der platereske **Torbau** wurde 1510 errichtet.

Plaza del Marqués: Der Innenhof des **Palacio de la Rambla** (Mitte 16. Jh.) wird Andrés de Vandelvira zugeschrieben.

Calle del Condestable Dávalos: **Casa de las Torres.** Die 4-Flügel-Anlage, um 1530–40, wird »Haus der Türme« nach den beiden mächtigen Fassadentürmen genannt. Bauherr war Andrés Dávalos, Ritter des Jakobsordens und Stadtverwalter von Úbeda.

Calle de S. Lorenzo: **Iglesia de S. Lorenzo.** Urspr. eine der ältesten Kirchen (13. Jh.) Úbedas, im 16. Jh. umgebaut. Das Portal ist 1566, der Chor 1501 datiert. – Die **Puerta de Granada** bildete einen Teil der Stadtmauer des späten 13. Jh.

Plaza de Sto. Domingo: **Iglesia de Sto. Domingo.** Das S-Portal der Kirche ist 1522, der Turm 1702 datiert. Im Inneren beachtenswerte platereske Kapellen (1. Hälfte 16. Jh.) sowie platereskes Täfelwerk im Mittelschiff und in der Sakristei.

Calle de Sta. Clara: **Real Monasterio de Sta. Clara.** Gegründet 1290. Hinter der Fassade von 1779 verbergen sich die urspr. mudejare Fassade des 14. Jh. und der spätroman. **Kreuzgang.** (Besichtigung nur mit Erlaubnis des Bischöfl. Ordinariats.)

Plaza de S. Pedro: **Iglesia de S. Pedro.** Aus der Erbauungszeit im 13. Jh. sind noch einige Reste, so am Turm der Kirche, erhalten. Das Portal 17. Jh. – Der nahe **Palacio del Conde de Guadiana**, mit bemerkenswertem 4geschossigem Turm, wurde 1612 begonnen; Bauherr war Antonio Ortega de Porcel.

Calle de Juan Montilla: Der **Palacio de Vela de los Cobos** wurde Mitte des 16. Jh. von Jorge Leal, nach Plänen von Andrés de Vandelvira, erbaut.

Calle de Cervantes: **Casa Mudéjar.** Das »Mudejare Haus« stammt aus dem 14. Jh. Es beherbergt das **Archäologische Museum** mit frühgeschichtlichen und mittelalterlichen Funden aus der Umgebung.

Plaza de Carvajal: **Casa de los Carvajales.** Im späten 15. Jh. erbautes Adelshaus.

Umgebung

Torreperogil (H 2)

Der Ort (etwa 10 km östl. von Úbeda) verdankt seinen Namen den beiden erhaltenen Türmen der **Burg** von Pero Gil aus dem 13. Jh. – Die **Pfarrkirche** wurde im frühen 16. Jh. erbaut.

Sabiote (H 2)

Ca. 9 km nordöstl. von Úbeda. – Die ursprünglich römische und später maurische **Burg** wurde von Andrés de Vandelvira, im Auftrag von Francisco de los Cobos (s. Úbeda, S. 396), um die Mitte des 16. Jh. in einen Renaissance-Palast umgestaltet.

An der **Kirche S. Pedro** ist insbesondere das platereske *Portal* aus dem frühen 16. Jh. bemerkenswert. Sehenswert sind ebenso der *Kreuzgang* des 16. Jh. des **Klosters der Carmelitas Descalzas** (Unbeschuhte Karmeliterinnen) und die zahlreichen **Adelshäuser** des 16. Jh.

UMBRETE (Sevilla C 3)

Der westl. von Sevilla nahe der Autobahn Sevilla – Huelva (N-Seite) gelegene Ort ist maurischen Ursprungs. Nach der Reconquista dem Domkapitel von Sevilla zugehörig, nahm Umbrete einen raschen Aufstieg, dessen Höhepunkt im 18. Jh. war.

Iglesia de Nuestra Señora de Consolación

1725–33 von dem Sevillaner Baumeister Diego Antonio Díaz errichtet.

Die Kirche ist eine 1schiffige tonnengewölbte Querhausanlage von 3 Jochen mit Seitenkapellen. Die Verwendung von Ziegelstein für den Außenbau ist charakteristisch für Díaz und hat Schule gemacht, wie überhaupt der in allen Teilen sehr ausgewogene Bau zahlreiche andere Meister beeinflußt hat und am Anfang einer ganzen Reihe barocker Kirchen in Westandalusien steht. Die 2geschossige, von einem Segmentgiebel überhöhte *Fassade* ist – gemessen an der ornamentalen Zurückhaltung im Stil von Díaz – außergewöhnlich reich gestaltet.

Barocker Hochaltar von 1733. Die beiden Altäre im Querhaus 1734; die Altarbilder »Verkündigung«, »Hl. Barbara« und »Virgen de la Antigua« von dem Barockmaler Domingo Martínez (Nachfolge von Juan de Valdés Leal).

Palacio Arzobispal. Das Gebäude des Erzbischöflichen Palastes aus dem 17. Jh. wurde 1735 von Diego Antonio Díaz umgestaltet und mit der Kirche verbunden.

VALENCINA de la Concepción (Sevilla C 3)

Der westlich von Sevilla gelegene kleine Ort hieß früher Valencina del Alcor *und ist wegen seiner megalithischen Denkmäler bekannt.*

Iglesia de Nuestra Señora de la Estrella. Die Pfarrkirche an der Plaza Mayor ist eine 1schiffige Querhausanlage mit gerade geschlossenem Chorhaupt. Die Capilla del Sagrario im südl. Querarm stammt noch von dem urspr. Bau des 17. Jh., der 1731 und nochmals in der 1. Hälfte des 19. Jh. umgestaltet wurde. – Der Hochaltar klassizistisch, 18. Jh.

Capilla de la Hacienda de Torrijos. In der Kapelle (Privatbesitz) des 18. Jh. interessante *Sammlung silberner Lampen* aus dem 17. und 18. Jh.

Megalithische Denkmäler ●

Die 3 südöstl. vom Ortskern, auf halbem Wege zwischen Valencina de la Concepción und Castilleja de Guzmán, gelegenen bronzezeitlichen Denkmäler gehören der 2. Hälfte des 2. vorchr. Jt. an und sind in ihrer Bedeutung dem megalithischen Komplex von Antequera vergleichbar.

Cueva de Matarrubilla. Der heute unter der Erde gelegene, urspr. von einem Tumulus überhöhte Dolmen besteht aus einem Gang und der fast kreisförmigen Grabkammer; in dieser liegt ein 0,50 m hoher, 1,71 m langer und 1,20 m breiter Stein aus ungeglättetem Marmor als Opfertisch. Bei der Entdeckung, 1917, war die Grabkammer ausgeraubt; gefunden wurden lediglich einige menschliche Skelettreste, Keramikscherben und ein Armbandfragment (Elfenbein).

Cueva de la Pastora. Das 1860 entdeckte Ganggrab hat eine fast kreisförmige Grabkammer; der Gang ist 28 m lang. Die gefundenen Grabbeigaben (Pfeilspitzen aus Kupfer und Bronze, u. a.) befinden sich im Archäologischen Museum von Sevilla.

Dolmen de Ontiveros. Der 1948 entdeckte Dolmen, in dem zahlreiche Pfeilspitzen aus kristallinem Felsgestein gefunden wurden, ist noch nicht vollkommen freigelegt. – Zwischen Gang und Grabkammer ein halbkreisförmiger Vorplatz.

VÉLEZ-Blanco (Almería K 3)

Die **Burg** (Castillo), ein Polygon mit rechteckigen Türmen und alles überragendem Bergfried (Torre del Homenaje), ließ 1506–15 Pedro Fajardo, Marqués de los Vélez und Statthalter des Gebiets des früheren Königreichs von Murcia, erbauen.

Der in Marmor errichtete 4seitige und 2geschossige Innenhof, mit 2 Arkadenseiten und 2 plateresken Fensterseiten, die Marmortreppe sowie weitere dekorative Elemente wurden 1903 an den Amerikaner G. Blumenthal verkauft und gelangten, wie manche andere spanische Architekturen oder Bauteile, in das New Yorker Metropolitan Museum of Art.

1,5 km vom Ort entfernt, im Gebiet des 1700 m hohen Berges Maimón Grande, befinden sich mehrere prähistorische Höhlen. Die bedeutendste ist die **Cueva de los Letreros.** Die hier entdeckten einfarbig-roten Felszeichnungen, mit Darstellungen von Menschen und Tieren, Sonnen und Symbolen, gehören der Mittelsteinzeit und der frühen Jungsteinzeit an (ca.

Vélez-Blanco. Burg

8000–3000 v. Chr.). – Die nahe **Cueva de Ambrosio** war in der Jungsteinzeit und der Bronzezeit bewohnt und wurde noch im 20. Jh. als Lagerraum benutzt.

VÉLEZ-Málaga (Málaga F 5)

Auf dem Areal des in römischer und besonders in maurischer Zeit bedeutenden Ortes wurden Siedlungsspuren aus dem 1. vorchr. Jt. gefunden, so Mauerreste einer phönizischen Siedlung des 8.–6. Jh. v. Chr. und eine Nekropole des 6.–4. Jh. v. Chr.
Die maurische Moschee stand an der Stelle der heutigen Pfarrkirche Sta. María. Der maurische Alcázar war 1812 noch leidlich erhalten und wurde von den französischen Truppen als Festung benutzt. Danach diente er als Steinbruch; seit 1967 wurde er teilweise wiederhergestellt.

Iglesia de Sta. María. Die mudejare 3schiffige Kirche von 4 Jochen mit quadratischer Apsis stammt aus dem Anfang des 16. Jh.

Der Hochaltar des 16. Jh. wurde im 17. und im 18. Jh. verändert; aus dem 16. Jh. noch stammen seine Reliefs Visitatio, Geburt Johannis d. T., Geburt Christi und Darstellung im Tempel.

Iglesia de S. Juan. Die in der Mitte des 19. Jh. klassizistisch umgestaltete 3schiffige Kirche von 5 Jochen mit Querhaus und geradem Chorschluß stammt aus der Mitte des 16. Jh. Aus dieser Zeit blieb der größte Teil des quadratischen Turms mit oktogonalem Glockengeschoß und Pyramidendach.

Im nördl. Seitenschiff ein bemerkenswerter kastilischer Holz-*Kruzifixus,* wie der Taufstein im südl. Seitenschiff aus dem 16. Jh.

Convento de las Carmelitas Descalzas. Die Klosterkirche der Unbeschuhten Karmeliterinnen aus dem 3. Jahrzehnt des 18. Jh. bewahrte ihre originale Ausstattung des 18. Jh. zum größten Teil.

Convento de las Claras. Spätbarocke **Klosterkirche** mit Rokoko-Ornamentik, um 1770. Ansehnlicher spätmudejarer **Kreuzgang** aus dem 17. Jh. (die Azulejos 18. Jh.).

Convento de S. Francisco. Die um 1500 erbaute **Klosterkirche** wurde in den folgenden Jahrhunderten umgestaltet. Aus der Erbauungszeit stammt noch der mudejare **Kreuzgang.**

Hospital de S. Marcos. Das auch »S. Juan de Dios« (Johannes von Gott) genannte Hospital haben 1487 die Kath. Könige gegründet. Bemerkenswert der spätmudejare **Kreuzgang** mit alfizgerahmten Rundbogenarkaden auf Rundpfeilern.

Ermita de la Virgen de la Cabeza. Die kleine Friedhofskapelle aus dem frühen 18. Jh. wurde im 19. Jh. umgestaltet. Die Ausstattung des Inneren erfolgte im 18. und 19. Jh.

Ermita de Nuestra Señora de los Remedios. Die im 17. Jh. erbaute Kapelle wurde insbesondere im 19. Jh. wesentlich umgestaltet. Im Inneren ist der Rokoko-Camarín von 1790 sehenswert.

Durch die **Puerta Real** (Königliches Tor) zogen die Kath. Könige nach der Rückeroberung ein. Die **Capilla de la**

Virgen de los Desamparados daneben wurde 1789 wiedererbaut. Die von hier aus zur Pfarrkirche Sta. María führende Calle Real, in maurischer Zeit Hauptachse der Stadtanlage, hat, wie damals, nur niedrige Häuser.

Der nahe Marmorbrunnen **Fuente de Fernando VI** ist 1758 bezeichnet; die **Fuente de la Plaza de la Gloria** stammt aus dem 16. Jh.

Das **Ayuntamiento** nimmt den ehem. Palast der Marqueses de Beniel, aus dem späten 16. Jh., ein. – Unter den sehenswerten alten Häusern sind besonders zu erwähnen: die sog. **Casa de Cervantes** in der Calle S. Francisco, aus dem 16. Jh., und die nahe **Casa del Mercader** aus dem 17. Jh. sowie ein durch kunstvolle schmiedeeiserne Gitter und Wasserspeier hervorragendes **Haus** des späten 18. Jh. in der Calle José Téllez Macías.

FACHWORT-ERLÄUTERUNGEN

Abakus. Deckplatte eines Kapitells.

Abbadiden. Arabische Dynastie in Sevilla 1023–1091, begründet von Mohammed ibn Abbad (1023–1042).

Abbasiden. Kalifendynastie 750–1258, Nachkommen von Abbas, einem Onkel des Propheten Mohammed. Verlegten die Kalifenresidenz 763 von Damaskus nach Bagdad. Schon unter Harun ar-Raschid (786–809) zeigten sich Spuren des Verfalls, der die A.-Kalifen seit der Mitte des 9. Jh. ihre weltliche Macht immer mehr verlieren und ihnen lediglich als Oberhäuptern der Religion einigen Einfluß ließ.

Abd ar-Rahman (arab. = Knecht des barmherzigen [Gottes]). Name mehrerer Omayyaden-Herrscher von Córdoba.

Accoudoir → Chorgestühl.

Adorant, Orant, Adorantenfigur. In (an)betender, kniender Haltung dargestellte Figur in Skulptur und Malerei.

A. H. (Abk. für) Anno Hegirae → Hedschra.

Ajimez. Zwillingsfenster mit eingestellter Säule.

à jour. Durchbrochen, mit Öffnungen.

Akroter (griech. = äußerste Spitze). Von der Antike übernommenes Zierglied auf der Spitze oder an den Ecken eines Giebels.

Alcazaba (arab. al-kasbah). Befestigter Bereich, Zitadelle.

Alcázar (arab. al-kasr = Burg). Befestigte maurische Herrscherresidenz, meist übernommen und ausgebaut von den christlichen Königen.

Alfarje. Offene Holzdecke mit flechtwerkartiger Ornamentik, fast immer trogförmig und mit Zugbalken.

Alfiz. Rechteckige Reliefrahmung von Bogen.

Alhambra-Stil → Nasriden-Kunst.

Alhambravase → Lüsterfayence.

Aljibe. Zisterne.

Alkoven (arab. al-qubba = Gewölbe, gewölbter Raum). Nebenraum, nischenartiger Raum.

Alminar → Minarett.

Almohaden (arab. al-Muwahhidun = Bekenner der Einheit Gottes, »Unitarier«). Dynastie berberischer Herkunft, hervorgegangen aus der religiösen Bewegung des asketischen Gelehrten Mohammed ibn Tunart. Herrschten in Marokko 1147–1269, in Spanien 1147–1224 (Machtverfall seit der Schlacht von Las Navas de Tolosa, 1212).

Almoraviden (arab. al-Murabitun = Männer des Ribat). Dynastie berberischer Herkunft (1061–1147), hervorgegangen aus einem zur Islamisierung der Berber gegründeten Missionsorden. Eroberten Marokko (1062 Gründung der Hauptstadt Marrakesch) und ab 1086 Spanien; 1147 von den Almohaden gestürzt.

Ambo. Niedriges, kanzelartiges, um mehrere Stufen erhöhtes Lesepult an oder vor den Chorschranken. Aus dem A. entwickelt sich die Kanzel.

Anna selbdritt. Darstellung der hl. Anna mit ihrer Tochter Maria und dem Jesusknaben; früheste Beispiele im 14. Jh., häufig im 15. und 16. Jh.

Anno Hegirae → Hedschra.

Antependium (lat. antependere = davorhängen). Bekleidung der Altarvorderseite, aus gesticktem Stoff, als Treibarbeit, auch gemalt, geschnitzt oder als Einlegearbeit. In Spanien vielfach aus → Azulejos und auch aus Leder (Cordobanes).

Apsis (griech. = Bogenrundung). Die das Ende des Chores oder der Seitenschiffe bildende Altarnische über urspr. halbrundem, später auch polygonalem oder rechteckigem Grundriß.

Aquamanile (lat. aqua = Wasser; manus = Hand). Meist metallenes Gießgefäß, aus dem bei liturgischen Handlungen das Wasser auf die Hände des Priesters gegossen wird.

Arabeske (it. arabesco, rabesco). Wohl aus der Kunst des Islam stammendes Ornament aus feingliedrigem Blatt- und Rankenwerk, den jeweiligen pflanzlichen Vorbildern sehr nahekommend. (Vgl. Maureske.)

Architrav. Der waagerechte Steinbalken über Säulen, Pfeilern oder Pilastern in der antiken und der von ihr abhängigen Architektur.

Archivolte. Rahmenleiste an der Stirnseite eines Bogens oder die (meist plastische) Innengliederung einer Bogenlaibung.

Arianismus. Lehre des Arius von Alexandria (4. Jh.), wonach Christus mit Gott nicht wesenseins, sondern nur wesensähnlich sei (»Gott ähnlich, aber nicht Gott gleich«). Die Westgoten traten 589 (3. Konzil in Toledo) vom arianischen zum katholischen Glauben über.

Arkade (lat. arcus = Bogen). Bogenstellung, d. h. ein Bogen über Säulen oder Pfeilern. Das Wort A. bezeichnet auch die fortlaufende Reihe solcher Bogenstellungen.

Arkosolgrab, Arkosolie. Durch einen Bogen überwölbtes, in die Wand eingelassenes Grab.

Artesonado. Der Begriff wird häufig auf jede offene Holzdecke angewendet; er bezeichnet jedoch die – im Unterschied zur → Alfarje – plane, aus Kassetten (= Artesónes) mit dekorativen Motiven gebildete Decke.

Ataurique (arab. tauriq, Derivat von varaq = Blätter). Vegetabilische Stuckdekoration der maurischen und mudejaren Kunst (stilisierte Blätter, Blumen, Blüten, Ranken).

Atlant. Nach dem Riesen Atlas der griechischen Sage, der das Himmelsgewölbe trägt, menschlich (männlich) gebildeter, scheinbarer oder wirklicher Träger eines Architekturteils. Weibliche Entsprechung ist die → Karyatide.

Atrium. 1. Hauptraum des römischen Wohnhauses, an den sich rings Kammern anschlossen. In älterer Zeit enthielt er den Herd und war Wohnraum, in jüngerer wurde er zum eigentlichen, mit Säulen ausgestatteten Repräsentationsraum. – 2. Der auch *Paradies* genannte Vorhof (mit Brunnen in der Mitte) altchristlicher und frühmittelalterlicher Basiliken. – 3. Umgrenzter Vorhof eines Gebäudes.

Attika. Mehr oder minder reich gegliederte brüstungsartige Aufmauerung über dem Hauptgesims eines Bauwerks.

Azulejo (von arab. az-zuleycha = glasiertes [farbiges] Steingut; span. azul = blau). Farbige glasierte Fliese (Kachel) aus gebranntem Ton, im 14. Jh. von den Mauren (Nasriden) in Spanien eingeführt; als *»Cuerdaseca«* mit grauen, dunklen Konturen, als *»Cuenca«* mit (Ton-) Stegen zur Begrenzung der Ornamentfelder.

Baluster. Niedriges profiliertes, oft auch ausgeschwungenes Säulchen oder Vierkantpfosten aus Holz oder Stein als Träger eines Geländers oder Handlaufes und mit diesem zusammen als *Balustrade* bezeichnet.

Baptisterium. Taufkirche.

Barbakane. Mit Schießscharten und Wehrgängen versehenes Außenwerk mittelalterlicher Burg- und Stadttore.

Basilika (griech. = Königshalle). Die römische B. ist – als Gerichts-, Markthalle – ein Langbau, meist mit einer apsidialen »Tribuna«. – Als langgestreckte, komplexe Anlage ist die B. seit frühchristlicher Zeit der Haupttypus der Kirche. Bestehend aus dem *Langhaus,* das vorwiegend 3 *Schiffe* umfaßt, wovon das mittlere im höherragenden Teil (Obergaden) eigene Fenster besitzt, und dem *Chor* mit *Apsis.* Senkrecht zu Langhaus und Chor kann zwischen beiden das schiffähnliche *Querhaus* liegen; der Raumteil, an dem sich Langhaus und Querhaus durchdringen, heißt *Vierung.*

Basis. Der ausladende, meist profilierte Fuß einer Säule oder eines Pfeilers, um den Druck der Stütze auf eine größere Grundfläche zu verteilen.

Berber. Name europider Stämme in Nordwestafrika, der ältesten dort lebenden Bevölkerungsschicht. Der Name B. geht vermutlich auf griech. barbaroi = Laller, Stammler, unverständlich Redende zurück, woraus lat. barbari wurde. Als »Barbaren« bezeichneten Griechen und Römer alle Nichtgriechen bzw. Nichtrömer.

Betsaal → Moschee.

Bifore. 2bogiges Fenster. Entsprechend sind *Mono-* bzw. *Triforen* 1- bzw. 3bogige Fenster usw.

Blende. Das einem Baukörper eingefügte, der Dekoration und Gliederung dienende »blinde« architektonische Motiv, das nicht räumlich vorhanden ist, z. B. ein Blendfenster oder eine Blendarkade.

Bodegón (span. = Garküche). Bezeichnet in der Malerei den Genrebild-Typus des Küchenstückes mit stillebenhaftem Charakter.

Bogen. Die gedrückte oder elliptische Form des Rundb.s heißt *Korbb.* Der *Segmentb.* (auch *Flach-* oder *Stichb.* genannt) entsteht aus dem flachen Segment eines Kreises, dessen Durchmesser größer ist als die

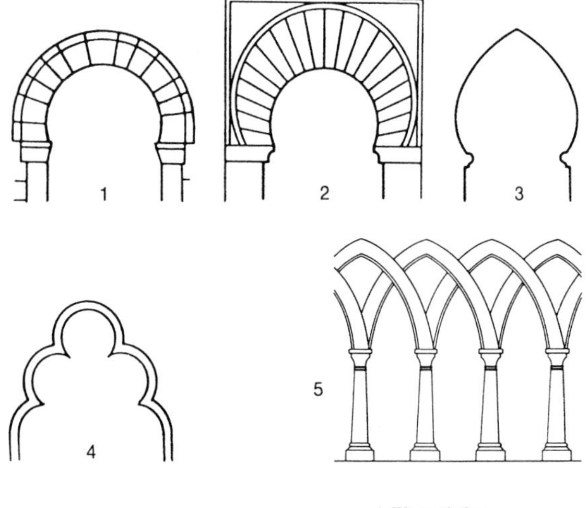

1 Westgotischer Hufeisenbogen
2 Rundbogiger maurischer Hufeisenbogen
3 Spitzbogiger maurischer Hufeisenbogen
4 Gestelzter Vielpaßbogen
5 Durchflochtene Spitzbogen
6 Sich durchkreuzende Vielpaßbogen (gelappte Bogen oder auch Fächerbogen)
7 Mixtilineo

Bogenformen in Spanien

Weite der zu überspannenden Öffnung. Der *Kleeblattb.* zeigt durch Zusammenfügen eines mittleren Dreiviertel- und zweier Halbkreise die Form eines regelmäßigen Kleeblattes. Die besondere Form des Spitzb.s mit engen steilen Schenkeln wird *Lanzettb.* genannt. Beim *Eselsrücken,* besonders bei dem weich schwingenden *Kielb.*, sind die B.schenkel S-förmig. Beim *Vorhangb.* liegen die Mittelpunkte der kreissegmentförmigen Schenkel oder ihrer einzelnen Abschnitte außerhalb des B.s; sie wirken daher wie hängende Drapierungen. – Fast ausschließlich auf Spanien beschränkte, aus der maurischen Architektur kommende B.-formen sind: 1. der *Hufeisenb.*; er stellt ein Kreissegment dar, das unterhalb des vorzustellenden Kreismittelpunktes auf den Trägern aufsitzt und dadurch wie ein eingezogener Rundbogen wirkt; durch die Fügung der Keilsteine unterscheidet sich der westgotische Hufeisenb. von dem maurischen; der spitzbogige Hufeisenb. ist eine Sonderform der almohadischen Baukunst; 2. der *Zacken-* oder *Vielpaßb.* in gestelzter Form staffelt sich aus verschiedenen Kreissegmenten bis zum Scheitel hoch; 3. *durchflochtene Spitzb.*; 4. *sich durchkreuzende, übereinandergestaffelte Vielpaßb.*; 5. der aus sich durchkreuzenden Linien zum Ornament werdende B. *(Mixtilineo)*.

Bosse. Im Wand- oder Mauergefüge der sichtbare Teil eines Steinquaders, der sich noch in rohem, unbearbeitetem Zustand befindet.

Bündelpfeiler. In der gotischen Baukunst ein Kernpfeiler mit ringsherum gruppierten kleinen und großen Dreiviertelsäulen, sog. jungen und alten Diensten. In der Hochgotik wird diese Gruppierung so verdichtet, daß der Kernpfeiler unsichtbar wird.

Camarín. Die Kapelle mit der Kleiderkammer für die Madonnen- und Heiligenstatuen; sie liegt gewöhnlich hinter dem Altar.

Capilla Mayor. Hauptkapelle, Hochaltarraum.

Cartuja. Kartause, Kartäuserkloster.

Casa. Haus. – *C. consistorial* = Rathaus.

Castillo. Burg, Schloß.

Cella. Kernraum des antiken Tempels, Wohnraum der Gottheit, oft mit Götterbild ausgestattet.

Chor. Das griech. Wort bezeichnet einen Platz für Reigen und Gesang, dann, übertragen, Reigen und Gesang selbst. Der Ch. des christlichen Kirchengebäudes ist, genaugenommen, der für den Sänger-Chor bestimmte Raum, seit dem 15. Jh. der Hauptaltarraum einschließlich seiner Annexe. – Im Gegensatz dazu bezeichnet in Spanien *Coro* immer den Versammlungsraum für den Klerus innerhalb der Kirche. Er bildet einen abgegrenzten Bezirk meist im Mittelschiff dem Hauptaltar gegenüber oder, wie z. B. bei Hieronymitenbauten, erhöht im Westen *(Coro alto)*. In der Regel ist er zu den Schiffen durch hohe, architektonisch gestaltete Schranken, zum Hauptaltar durch ein Gitter abgeschlossen. Er faßt das Chorgestühl (*Sillería*) ein, das im Norden und Süden zumeist von großen Orgelprospekten überhöht wird. Die Ansichtsseiten zu den Schiffen hin bilden den *Trascoro* (Außenchor), an dessen Stirnwand im allgemeinen ein Gemeindealtar steht, der Trascoro-Altar.

Chorgestühl (span. sillería; →Chor). Das Ch. besteht aus einer unteren und einer oberen Sitzreihe, hinter der sich die Rückwand, das *Dorsale,* erhebt. Die einzelnen Sitze, die *Stallen,* haben Armlehnen, die *Accoudoirs,* und Klappsitze, deren vorderer Rand zu einer Gesäßstütze (beim Stehen), der *Miserikordie,* verbreitert ist. Den Abschluß des ganzen Komplexes bilden hohe Seitenwände, die *Wangen.*

Christogramm, Christusmonogramm. Symbol für den Namen Christus, zusammengefügt aus den griechischen Anfangsbuchstaben X (Chi) und P (Rho).

Chronogramm. Eine Inschrift, bei der die Addition der darin vorkommenden Zahlzeichen das Datum ergibt. Da z. B. im Lateinischen I = 1, V = 5, X = 10, L = 50, C = 100, D = 500 und M = 1000 bedeuten, läßt sich durch Hervorhebung solcher Zahlen-Buchstaben auf ein bestimmtes Datum verweisen.

Churriguerismus. Spanischer Architekturstil des Hochbarock, den überwuchernde Dekoration kennzeichnet. Er entstand in Kastilien; geprägt haben ihn die Brüder Churriguera (José Benito 1665–1725; Joaquín 1674–1724; Alberto 1676–1750?).

Ciborium →Ziborium.

Cimborrio. Kuppel und Kuppelgewölbe, meist der Vierung.

Claustro →Kreuzgang.

Colegiata. Kollegiatskirche, Stiftskirche.

Confessio. Das unter dem Hochaltar einer Kirche angelegte Grab eines Märtyrers, des Kirchengründers oder Titelheiligen. Seit dem 8. Jh. meist von einem halbkreisförmigen Gang umzogen, der eine direkte Verehrung ermöglichte. Die C. ist die Vorform der mittelalterlichen Krypta.

Coro →Chor.

Corps de logis. Mittelbau einer barocken Schloßanlage, in größeren Dimensionen und oft mit reicherer Fassadenzier als die übrigen Trakte, für Repräsentationsräume und das Treppenhaus vorgesehen.

Corpus (lat. = Leib). Der Körper des Gekreuzigten. In der Architektur der eigentliche Hauptbaukörper ohne Zu- und Nebenbauten; ähnlich am Altaraufbau das Kerngehäuse.

Costumbrismo. Genremalerei; spanische Sittenmalerei im späten 18. und im 19. Jh.

Cour d'honneur. Der von 3 Flügeln eines Schlosses gebildete Ehrenhof.

Cuenca, Cuerdaseca →Azulejo.

Custodia. Hostienbehälter. – In Spanien speziell ein Prozessionstabernakel für die Monstranz. Diese fast ausnahmslos mehrgeschossigen, bis zu 3 m hohen Ziergehäuse aus Edelmetall, die im 16. Jh. zu höchster Blüte entwickelt wurden, stellen den bedeutendsten Beitrag des Landes zur europäischen Goldschmiedekunst dar.

Dach. Die wichtigsten D.formen sind: *Satteld.*, bestehend aus 2 schrägen, gegeneinander geneigten und im First zusammenstoßenden D.flächen, die an ihren Enden durch Giebel begrenzt werden. Sind bei rechteckigen Gebäuden auch die Giebelseiten mit schrägen D.flächen versehen, so ist ein *Walmd.* gegeben; die D.flächen der Schmalseiten anstelle der Giebel heißen Walme; die Traufkante umzieht das ganze Gebäude. Bei gleicher Ausführung über quadratischem Grundriß treffen alle 4 D.flächen in einem Punkt zusammen; es entsteht das *Zeltd.*, das bei steilem Neigungswinkel der D.flächen als Turmd. (Helm) beliebt ist. Wird der Walm bei Dächern über rechteckigem Grundriß nicht bis zur Traufkante herabgeführt, so daß noch ein Giebelrest erhalten bleibt, entsteht das *Krüppelwalmd.* Beim *Mansardd.* werden die D.flächen gebrochen, um eine günstigere Ausnützung des D.raums für Wohnzwecke zu erreichen. Diese seit dem ausgehenden 17. Jh. bekannte D.form leitet ihren Namen von dem französischen Baumeister François Mansart (1598–1666) ab.

Dachreiter. Dem Dachfirst meist über der Vierung aufsitzendes Türmchen zur Aufnahme einer Glocke, von den Zisterziensern und Bettelorden anstelle eines aufwendigen Turmes verwendet, seit dem späteren Mittelalter auch bei profanen Bauten gebräuchlich.

Desornamentadostil → Herrera-Stil.

Dienst. Einer Wand oder Pfeilern vorgelegter Rundstab zur Aufnahme der Rippen, Gurte und Schildbögen des in der Gotik üblichen Kreuzrippengewölbes. Die stärkeren D.e bezeichnet man als die *alten*, die dünneren als die *jungen*.

Diptychon (griech. = doppelt zusammengefaltet). Bezeichnung für ein 2flügeliges Altarbild ohne feststehendes Mittelteil in der mittelalterlichen Kunst.

Diwan (pers.). Offizieller Bereich des maurischen Palasts, in dem sich der Herrscher mit seinen Ministern beriet, festlichen Empfängen fremder Missionen beiwohnte und andere feierliche Staatshandlungen vornahm. (In der Alhambra von Granada der sog. Myrtenhof mit dem sog. Saal der Gesandten, dem Thronsaal.)

Dolmen (kelt. tolmen = Steintisch). Megalithischer Grabbau, der aus mehreren unbehauenen, in Form eines Vierecks oder Polygons aufgestellten Felssteinen und einem Deckstein besteht. Die europäischen Dolmen gehören der Jungsteinzeit und frühen Bronzezeit (4.–frühes 2. Jt.) an.

Donjon. Bergfried oder wehrhafter Wohnturm einer Burg.
dorisch → Säulenordnungen.
Dormitorium. Gemeinsamer klösterlicher Schlafraum.
Dorsale → Chorgestühl.
Dreipaß → Paß.
Ehrenhof → Cour d'honneur.
Emir (arab. amir = Befehlshaber). Fürst, Herrscher über ein *Emirat* (islamisches Fürstentum).
Empore. Eine Galerie auf Freistützen oder Obergeschoß der Seitenschiffe, des Chorumgangs, der Vorhalle.
Epistelseite. Die rechte, bei geosteten Kirchen die südliche Seite, auf der während der Messe die Episteln, Auszüge aus den Apostelbriefen des Neuen Testaments, verlesen werden. Das Gegenstück ist die *Evangelienseite.*
Epitaph. Gedächtnismal für einen Verstorbenen mit Inschrift und meist bildlicher Darstellung an Wand oder Pfeiler.
Eselsrücken → Bogen.
Evangelienseite → Epistelseite.
Exedra. Gebäude oder Raum von halbkreisförmigem Grundriß. Im Kirchenbau: Apsis, Kuppelkonche.
Exvoto (lat. = auf Grund eines Gelübdes). Weihgeschenk.
Fajalauza → Loza.
Fassung. Die in der Regel auf eine Grundierung aufgetragene Bemalung von Skulpturen aus Holz oder auch Stein. Dem *»Faßmaler«* oblag es, ein Holzbildwerk farbig zu »fassen«, d. h. zu bemalen oder zu vergolden.
Fayence (frz. nach Faenza, einem der ersten italienischen Herstellungsorte). Tonwaren, deren einmal vorgebrannter, meist farbiger Scherben mit einer undurchsichtigen, meist weißen und mit Scharffeuerfarben bemalten Zinnglasur überschmolzen ist. Der it. Name für das gleiche Erzeugnis lautet *Majolika* nach der spanischen Insel Mallorca, über die der Handel mit spanischen F.n nach Italien vermittelt wurde.
Feston (frz. aus lat. festum = Fest, festlich). Ornamentgirlande aus Blumen, Blättern und Früchten (Antike, Renaissance bis Klassizismus). Auch *Fruchtgehänge* genannt.
Fiale. Spitzes, türmchenartiges Zierglied der gotischen Baukunst, oft als Bekrönung von Strebepfeilern.
Figurinen, Staffagefiguren. Menschen- oder Tierfiguren, die ein Landschafts- oder ein Architekturbild beleben, auch die Tiefenabstände verdeutlichen. Im Barock wurde es üblich, die F. von einem Spezialisten, dem *Figurinenmaler*, in das Bild hineinmalen zu lassen.
Fischblase. 1. *Schneuß,* ein in der keltischen Kunst sehr beliebtes Ornamentmotiv. – 2. Fischblasenförmiges Ornament, das im spätgot.

Maßwerk häufig vorkommt, daher auch die veraltete Bezeichnung *Fischblasenstil* (→Flamboyant).

Flamboyant (frz. = flammend, [flammen]züngelnd). An »züngelnde Flammen« erinnerndes Ornamentmotiv, das die französische Spätgotik beherrscht. In der kunsthistorischen Terminologie hat die Bezeichnung »F.(stil)« den Begriff »Fischblasenstil« verdrängt (→Fischblase).

Flechtband. Ornamentales Ziermotiv, in Vorderasien seit dem 3. Jt., in Europa seit etwa 1000 v. Chr. verwendet. In römischer Zeit war das F. als Randmuster von Boden- und Wandmosaiken sehr beliebt. Die eigentliche Hochblüte der F.verzierung fällt in das frühe Mittelalter (Baukunst, ornamentale Kleinkunst, Buchmalerei).

Fresko (it. al fresco = frisch). Auf den feuchten Putz aufgetragenes Gemälde, das durch gleichzeitiges Abbinden und Eintrocknen von Putz und Erdfarben besonders haltbar ist. Gegenteil: *al secco,* die Malerei auf der trockenen Wand. Eine Mischtechnik wird als *Fresco-Secco-Malerei* bezeichnet; sie ist im frühen und hohen Mittelalter vorherrschend.

Fries. Flächenband zur Gliederung und zum Schmücken von Wänden und Fassaden; leer oder mit Figuren und Ornamenten besetzt.

Fruchtgehänge →Feston.

Funduk (arab., abgeleitet von griech. pandokeion). Herberge, die Kaufleuten mit ihren Tieren Unterkunft bietet und auch als Warenlager dient. (Vgl. Karawanserei.) – Ein Derivat von F. ist das span. Wort fonda = Gasthof.

Gaden, Fenstergaden, Obergaden. Obergeschoß einer architektonischen Wandgliederung, v.a. der überhöhte und durchfensterte Teil des Mittelschiffs in der Basilika.

Galerie. 1. Langgestreckter Raum zur Verbindung mehrerer Räumlichkeiten. – 2. Emporeähnlicher Einbau eines größeren Saals. – 3. Nach einer Seite offener Laufgang an Häusern und Wehrbauten. – 4. Gedeckte Passage.

Gebälk →Säulenordnungen.

Gebundenes System. Die für alle Teile des Grundrisses einer romanischen 3schiffigen Basilika verbindliche Maßeinheit ist durch das Vierungsquadrat festgelegt, das, nach O wiederholt, das Chorquadrat, nach N und S die Querhausarme ergibt. Den Mittelschiffjochen des Langhauses liegt ebenfalls diese Maßeinheit zugrunde. Die Seitenschiffe haben halbe Breite des Mittelschiffes, so daß jedem quadratischen Gewölbe eines Mittelschiffjoches je 2 kleinere Gewölbequadrate von halber Seitenlänge in beiden Seitenschiffen entsprechen.

Gemme. Edelstein oder Halbedelstein mit vertieft eingraviertem Bild für den Abdruck in anderem Material (Wachs oder Ton), seltener auch *Intaglio* (it. intagliare = einschneiden) genannt. Wurde als Siegel verwendet. (Vgl. →Kamee.)

Gesims. Waagerecht aus der Mauer vortretender Streifen zur Horizontalgliederung. Die einzelnen Geschosse trennt das *Gurtg.*; das *Haupt-* oder *Kranzg.* schließt die Fassade oben ab (»Abschlußg.«).

Gesprenge, Sprengwerk. Meist hoher Aufbau über spätgotischen Altaraufsätzen, aus zierlichen Architekturgliedern wie Tabernakeln und Fialen errichtet.

Gewände. Die durch schrägen Einschnitt eines Fensters oder Portals in der Mauer entstehenden Schnittflächen, während die bei rechtwinkligem Einschnitt sich ergebenden *Laibung (Leibung)* genannt werden.

Gewölbe. Gerundete Raumüberdeckung. Die grundlegende Wölbform ist das *Tonneng.* Sein Querschnitt kann einen Halbkreis, einen Segmentbogen, Korb- oder Spitzbogen bilden. Wird ein über quadratischem Grundriß erstelltes Tonneng. mit Halbkreisquerschnitt durch 2 Diagonalschnitte in 4 Teile zerlegt, so entstehen 2 Wangenstücke und 2 Kappenstücke. Durch Zusammensetzung von 4 Wangenstükken wird das *Klosterg.* gebildet, bei dem am Zusammenstoß der Wangen kein Grat, sondern eine zurückspringende Kehllinie (Falte) vorhanden ist. Werden bei einem Klosterg. 2 gegenüberliegende Wangen auseinandergezogen, so daß statt des Firstpunkts eine Firstlinie entsteht, spricht man von einem *Muldeng.* Es kann aber auch durch Einfügen einer Wange an beiden Schmalseiten eines Tonneng.s auf Rechteckgrundriß gebildet werden. Wird dagegen der Grundriß eines Klosterg.s nach beiden Seiten verbreitert, so entsteht statt der Firstlinie eine horizontale Fläche, die, *Spiegel* genannt, der nun entstehenden Wölbform den Namen gibt. Tonnenstreifen kleinen Querschnitts, die sich rechtwinklig mit dem Tonneng. durchdringen, führen zur Bildung der sog. *Stichkappentonne,* die dort bevorzugt wird, wo auf die Anbringung hoher Fenster bei tonnengewölbten Räumen nicht verzichtet werden soll. – Durch Zusammensetzen von 4 Kappenstücken entsteht das *Kreuzg.,* das man geometrisch auch aus der rechtwinkligen Durchdringung von 2 Tonneng.n gleichen Querschnittes ableiten kann (*Kreuztonneng.*). Die Durchdringungslinien heißen Grate; daher ist auch die Bezeichnung *Kreuzgratg.* üblich. Wird der Scheitelpunkt in die Höhe gezogen, so verliert das G. den Charakter sich durchkreuzender Tonnen, und die Gratlinien werden zum selbständigen Konstruktionselement (gerader oder Bogenstich). Treten an die Stelle der Grate Rippen, so können die Kappen in einem gesonderten Bauvorgang dünnwandiger ausgeführt werden; es entsteht das *Kreuzrippeng.* Der G.schub wird hier wie beim Kreuzg. auf 4 Stützpunkte abgeleitet. Werden die Rippen nicht mehr durchgehend angeordnet, sondern sternartig verzweigt, so entsteht das in der Spätgotik beliebte *Sterng.* Beim *Fächerg.* streben die Rippen von einer Stütze allseits fächerförmig empor. Beim Stern- und Fächerg. bleibt im Gegensatz zum *Netzg.* aber die Jochfolge gewahrt. Dort überziehen die Rippen netzartig eine aus dem Halbkreis oder Spitzbogenquerschnitt entwickelte tonnenartige Wölbschale. Das *Zelleng.* verzichtet auf Rippen und bringt ein so enges Netz von Graten, daß dazwischen nur kleine, kehlig vertiefte Zellen übrigbleiben. Das Rippennetz kann von seiner Grundlage teilweise gelöst werden und frei schweben; auch eine Verbindung von frei schwebendem Rippennetz und Zelleng.n ist möglich. – Ein besonders reich ausgebildetes *Netz-* oder *Sternblüteng.* entwickelt der Isabellinische Stil: eine variationsreiche Kombination von geradlinig verlaufenden Rippen eines Netz-, Fächer- oder Sterng.s mit kurvenförmigen Rippenfigurationen, so daß der Eindruck von stilisierten Blüten entsteht. – Eine Weiterentwicklung des Kreuzg.s stellt das mit 6 oder meist 8 Rippen unterlegte *Domikalg.* dar, bei dem vorwiegend über quadratischem Jochfeld die einzelnen G.kappen stark ansteigen und gebust sind, daher in der Regel keine geometrisch reine Form mehr darstellen. Optisch entsteht der Eindruck eines kuppelartigen Raumabschlusses. Technisch wurden die Kappen gern in ringförmiger Mauerung gewölbt und die Rippen ohne Verband vorgeblendet.

Gnadenstuhl. Im 12. Jh. aufkommende Darstellung der Hl. Dreifaltigkeit: Gottvater thronend mit Christus am Kreuz (oder dem Leichnam Christi auf dem Schoß) und der Taube des Hl. Geistes.

Grat. Kante an den Schnittflächen der Gewölbewangen (→Gewölbe).

Grisaille. In verschiedenen Abstufungen einer einzigen Farbe (meist grau in grau) gehaltene Malerei.

Groteske (it. grottesco). Ornament aus dünnem Rankenwerk, in das phantastische Menschen- und Tiergestalten, Blumen und Früchte, Trophäen und Architekturelemente eingefügt sind. Gegen Ende des 15. Jh. in unterirdischen Räumen, sog. Grotten, antiker römischer Gebäude wiederentdeckt und künstlerisch neu belebt.

Gurt, Gurtbogen. Der mehr oder weniger stark markierte Bogen, der 2 Gewölbejoche voneinander trennt, rund- oder spitzbogig, allen Stilperioden eigentümlich.

Hallenkirche. Eine mehr-, meist 3schiffige Kirche, deren Gewölbekämpfer in gleicher Höhe liegen. Meist mit einheitlichem Satteldach, bisweilen solches über jedem Schiff. Das Mittelschiff empfängt sein Licht nicht mehr wie bei der Basilika direkt durch einen eigenen Fenstergaden, sondern indirekt von den Fenstern der Seitenschiffe. Liegen die Gewölbescheitel annähernd in einer Ebene, so ist die echte H. gegeben; sind sie im Mittelschiff hinaufgeschoben, ist die Bezeichnung *Staffelkirche* oder *Stufenhalle* üblich.

Hängezwickel (= Pendentif) →Kuppel.

Haram (arab. = geheiligter, unverletzlicher Bezirk). Bethalle einer →Moschee.

Harem (arab. harim). Innerhalb eines maurischen Palasts der private Bereich, der nur den Familienmitgliedern des Herrschers, der weiblichen Dienerschaft und den Eunuchen zugänglich war. (In der Alhambra von Granada der sog. Löwenhof.)

Haustein. In regelmäßige Form zugehauener Naturstein (Bruchstein), als massiver, rechteckiger Block →Quader genannt.

Hedschra, Hidschra, auch *Hagira* oder *Hegira* (arab. hidschrat = Loslösung, Weggehen; Abk. für hidschrat an-nabi = Fortgehen des Propheten). Bezeichnung für den Auszug (die Flucht) Mohammeds von Mekka nach Medina am 20. 6. 622. Sie steht am Anfang der (ebenfalls kurz H. genannten) islamischen Zeitrechnung, deren Beginn der Kalif Omar 17 Jahre später auf den 15. 7. 622 festlegte. Da die Muslime nach Mondjahren (von 354 Tagen) rechnen, entsprechen 33 mohammedanische Jahre annährend exakt 32 christlichen, so daß bei der Zurückführung der Jahre der H. (Abk. A. H. = Anno Hegirae oder d. H. = der Hedschra) auf christliche Zeitrechnung (Abk. A. D. = Anno Domini) der 33. Teil der Jahressumme abzuziehen und 622 hinzuzufügen sind. (Als Beispiel sei die inschriftlich 241 datierte Puerta de S. Esteban der Moschee von Córdoba genannt: *241* [A. H.] – 8 = 233 + 622 = *855* A. D.)

Herrera-Stil. Spanischer Renaissancestil, genannt nach Juan de Herrera (1530–97), als Architekt Philipps II. Erbauer des Escorial, in dem er die italienische Hochrenaissance in eine strenge, entpersönlichte, schmucklos monumentale Sprache übersetzte; daher auch *Desornamentadostil* genannt.

Hispano-flamenco-Stil. Spanisch-flämischer Stil, im engeren Sinn der durch niederländische Einflüsse geprägte Stil der Malerei im 15. und frühen 16. Jh. sowohl spanischer als auch in Spanien heimisch gewordener Künstler aus dem Norden.

Historismus. Wiederverwendung historischer Stile; Stilrichtung der europäischen Kunst (v. a. der Baukunst) in der 2. Hälfte des 19. und im frühen 20. Jh. Lebte in Spanien bis in die 30er Jahre des 20. Jh. fort. Alle historischen Stile waren »verfügbar« und wurden verwendet; in Andalusien erfreute sich das »Neomudejar« ganz besonderer Beliebtheit.

Ikonographie. Zweig der Kunstwissenschaft, der die Bildmotive, deren Sinn, Herkunft und Wandel erforscht.

Illuminieren. Ausmalen, insbesondere das Herstellen von Buchmalereien: illuminierte Handschriften.

Imam (arab. = Vorsteher). Vorbeter in der Moschee, Leiter der Freitagsversammlung.

Immaculata (zu ergänzen: Conceptio), span. *Inmaculada.* Unbefleckte Empfängnis; seit etwa 1500 gebräuchliche Darstellung der Maria, die lichtverklärt und von Engeln umschwebt vom Himmel herabkommt, auf Wolken, der Mondsichel oder der Erdkugel steht.

Inkrustation. Bekleiden von Mauern und Wänden mit Steinplatten (z. B. Marmor), auch Einlegearbeiten in Stein, mit denen ein farbiger Schmuck von Flächen erzielt wird.

Inkunabel (lat. = Wiege). Wiegendruck, frühes, vor 1500 entstandenes Erzeugnis der Buchdruckerkunst.

Intaglio → Gemme.

Intarsia. Einlegearbeit in Holz, Stein, Stuck und anderen Werkstoffen. Verschiedenfarbige und (gegenüber dem Mosaik) verschieden große Partikel werden zu Bild- oder Ornamentfeldern zusammengesetzt. Hohe Vollendung dieser Technik im 16. und 17. Jh.

Intimismo. Spanische Gesellschaftsmalerei des 19. und 20. Jh., die intime Themen des bürgerlichen Milieus idyllisch schildert (Mutter und Kind, häusliches Beisammensein u. ä.).

ionisch → Säulenordnungen.

Isabellinische Gotik → Isabellinischer Stil.

Isabellinischer Stil (span. *»estilo Isabel«*, auch *»estilo Reyes Católicos«* gen.). Stilbegriff für eine spanische Sonderform der Spätgotik, so genannt nach Isabella I. (1451/74–1504). In der 1. Hälfte des 15. Jh. unter dem Einfluß aus dem Norden berufener Künstler in Kastilien vorbereitet und von dort ausgegangen, entfaltete sich der I. St. im letzten Drittel des 15. Jh. und im frühen 16. Jh. In der Baudekoration kennzeichnet ihn die Verbindung des Flamboyant mit mudejarer Schmuckfreudigkeit vor Eindringen der Renaissance (→ Plateresker Stil). Hauptmerkmale in der Architektur: Das konstruktive Gerüst gotischer Architektur verliert durch schwere Horizontalgliederung (häufig breite Inschriftenfriese mit gotischen Lettern in der Nachfolge maurischer Inschriftenbänder) seine eindeutige Höhenbetonung und wird durch wuchernde Flamboyant-Formen umkleidet; die Gewölbe entfalten sich meist als komplizierte, reich ornamentierte Sterngewölbe. Neben den eigentlichen Zentren des I. St.s in Kastilien bilden in Andalusien Sevilla (Kathedrale) und Granada (Capilla Real) die Schwerpunkte.

Isabellinische Zeit. Die romantische Periode des 19. Jh. unter der Regierung von Isabella II. (1833/43–68).

Islam (arab.). Ergebenheit (in Gottes Willen).

Islamische Zeitrechnung → Hedschra.

Iwan → Moschee.

Joch. Der einem Gewölbefeld entsprechende Abschnitt eines mehrere Gewölbefelder enthaltenden und sie längs oder quer reihenden kirchlichen oder profanen Raumes.

Kalif (arab. Xalifa = Nachfolger, Stellvertreter [des Propheten Mohammed]). Titel der Nachfolger Mohammeds als Herrscher des islamischen Reiches, des *Kalifats*.

Kalotte (frz. = Käppchen). Kuppelform, die mittels eines horizontal geführten Schnittes durch eine Kugel oberhalb ihres Großkreises (= Äquator) entsteht. Auch Bezeichnung für eine geviertelte Kugel als Wölbung über einer Apsis auf Halbkreisgrundriß.

Kamee. Edelstein, meist Halbedelstein (Onyx, Sardonyx, Achat) mit erhabener Reliefdarstellung. Die ausschließlich als Schmuckstück oder als Kleinkunstwerk verwendete K. ist zu unterscheiden von der →Gemme mit eingetieftem Bild zur Verwendung als Siegel.

Kandelaber. Kerzenständer, meist gleichbedeutend mit Leuchter. (Vgl. Kronleuchter.)

Kannelure. Senkrechte Hohlkehle an Säulenschäften oder Pilastern.

Kapitell. Das Kopfglied, wörtlich »Köpfchen«, der Stütze (Säule, Pfeiler, Pilaster), gegen das Auflager (Gebälk, Bogen) absetzend und zugleich zwischen Stütze und Auflager vermittelnd. Zu den antiken K.formen →Säulenordnungen. Die wichtigsten späteren K.e sind: *Würfelk.*, entstehend aus der Durchdringung von Kugel und Würfel; es vermittelt ideal zwischen der runden Säule und der kubischen Last. Das *Kelchk.* ist als eine kelchartige Erweiterung der Säule zu begreifen. Beim *Knospenk.* (auch *Knollenk.*) ist der K.kelch von aufsteigenden, an den Ecken knospend eingerollten Blättern umhüllt, beim *Crochetk.* von hakenartig gekrümmten Blättern oder Blüten.

Kapitelsaal. Raum für die täglichen Zusammenkünfte der klösterlichen Gemeinschaft (Konvent), in der Regel hallenartig und an der O-Seite des Kreuzgangs gelegen. Im K. finden außer Lesungen aus der Schrift oder Ordensregel Beratungen über Arbeiten und Vorgänge im Kloster statt.

Kappe, Gewölbekappe. Teilfläche zwischen den Graten und Rippen eines mehrteiligen Gewölbes. Die *Stichk.* schneidet als sphärisches Dreieck seitlich in das Gewölbe ein.

Karawanserei (von pers. karwan = Karawane). Öffentliches Gebäude in Städten und an Handelswegen zur Beherbergung von Reisenden und Kaufleuten mit ihren Saumtieren und Waren. Zur ebenen Erde des um einen offenen Arkadenhof angeordneten, meist regelmäßigen Umfassungsbaus befanden sich die Stallungen und die Lagerräume, in den ein oder zwei Stockwerken darüber entlang Holzbalkonen die Schlafkammern. Die »Casa del Carbón« in Granada ist die besterhaltene K. in Spanien. (Vgl. a. Funduk.)

Kartusche. Ornamental gerahmtes Feld der Flächendekoration des 16.–18. Jh. Obgleich das Feld durch Inschrift oder Malerei gefüllt sein kann, liegt der Nachdruck auf dem Rahmengebilde (aus Rollwerk, Akanthus, Rocaillen o. ä.).

Karyatide. Stützpfeiler in Form einer weiblichen Gewandfigur. (Vgl. Atlant.)

Kassettendecke. Eine flache oder gewölbte Decke mit gleichmäßig oder rhythmisch verteilten, zugleich vertieften Feldern, sog. *Kassetten.*

Kathedra. Der Sitz oder Thron des Bischofs.

Kathedrale. Von der Kathedra abgeleitete und auch nur für Bischofskirchen übliche Bezeichnung.

Kenotaph (griech. = leeres Grab). Grab*denk*mal in Form eines Grabmals (Tumba, Sarkophag), das, meist ohne Zusammenhang mit der Grabstätte des Verstorbenen, nur an diesen erinnern soll.

Kibla → Qibla.

Klausur (lat. claudere = einschließen). Der ausschließlich den Klosterinsassen vorbehaltene Bezirk der Klosteranlage, zu dem Fremden allgemein kein Zutritt gewährt wird.

Kolonnade. Säulengang als selbständiges Bauwerk oder im Anschluß an ein Gebäude.

Kompositkapitell → Säulenordnungen.

Konche (griech. = Muschel). Die Kuppelschale der → Apsis, übertragen die Apsis selbst. – *Dreikonchenchöre* zeigen im Grundriß die Form eines regelmäßigen Kleeblatts.

Konsole. Aus der Mauer hervortretender Tragstein (= *Kragstein*) für Bögen, Gesimse, Figuren usw.

Koran (arab. Kur-an = das »oft zu lesende« Buch). Sammlung der Offenbarungen Allahs, die dem Propheten Mohammed zuteil geworden sind und die dieser in den Jahren von etwa 610 bis 632 n. Chr. (Todesjahr Mohammeds) in arabischer Sprache verfaßt und verkündet hat. Der Koran ist in 114 *Suren* (arab. sura = die »den Menschen überwältigende Erhabenheit«) eingeteilt, die erst nach Mohammeds Tod, im Auftrag von Abu Bekr (Vater von Mohammeds Lieblingsfrau Aischa und später der 1. Kalif), von Mohammeds Schreiber aus der Zeit von Medina, Said ibn Thabit, gesammelt worden sind.

korinthisch → Säulenordnungen.

Krabbe, Kriechblume. Bezeichnung für die auf den Kanten der Turmhelme, Giebel und anderer Teile des gotischen Baues gleichsam emporkriechende Blattzier.

Kragstein → Konsole.

Kreuzblume. Bezeichnung für die kreuzförmig ausladende, aus Blattwerk gebildete Spitze gotischer Türme, Giebel, Wimperge, Fialen.

Kreuzgang. Das Geviert meist überwölbter Gänge, das den Stifts- und Klosterkirchen, in der Regel auf der S-Seite und einen Hof (*Kreuzhof*) umgebend, zugeordnet ist. Schon in karolingischer Zeit bezeugt.

Kronleuchter. Herabhängender Leuchter mit mehreren Lichtquellen, so genannt, weil er ursprünglich die Form einer Krone (Lichtkrone) hatte. (Vgl. Kandelaber.)

Kruzifixus (lat. = der Gekreuzigte). Bezeichnung für »Christus am Kreuz« in Skulptur und Malerei. In der Abkürzung *Kruzifix* ist sie auf die isolierten Kreuze mit dem daran gehefteten Christus übergegangen.

Krypta. Unterkirche, aus der → Confessio erwachsen.

Kryptoportikus. Gedeckter oder unterirdischer Gang; Gruftzugang; Vorratskeller.

Kufi, Kufische Schrift. Bezeichnung für eine der älteren Formen der arabischen Schrift, benannt nach der Stadt Kufa (bei Bagdad). Das K. diente schon im 8. Jh. nur noch als Koran- und Münzschrift und zu Inschriften und wurde seit dem 11. Jh. vielfältig variiert (z. B. das sog. *Flechtk.*, für das mehr oder weniger komplizierte Verknotungen der Zeichenschäfte charakteristisch sind). Grundlage für die weitere Entwicklung der arabischen Schrift ist das jüngere *Naskhi* (Bücher-, Schreibschrift) mit – im Gegensatz zum eckigen K. – rundem und flüssigem Duktus. Wie alle semitischen Schriften laufen K. und Naskhi von rechts nach links.

Kuppel. Halbkugelförmiges oder einer Halbkugel angenähertes Gewölbe. Grundformen sind die Stutzk. und die Pendentif- oder Zwikkelk., die beide meist über quadratischem Grundriß gewölbt sind. Die *Stutzk.* wird durch eine Halbkugel über eingeschriebenem Quadrat gebildet, bei der durch Vertikalschnitte die außerhalb des Quadrats liegenden Kugelsegmente entfernt sind. Bei der *Pendentifk.* bleibt dagegen die Halbkugel unberührt, und der Übergang von ihrem Grundkreis zu den Ecken des hier umschriebenen Quadrats erfolgt durch sphärische Dreiecke, sog. Pendentifs. Durch Einschiebung eines Kreiszylinders, eines sog. Tambours, zwischen Pendentifs und Halbkugel entsteht die seit der Renaissance beliebte *Tambourk.* Der Scheitel jeder K. kann kreisförmig oder polygonal geöffnet sein, so daß der Blick in eine bekrönende Laterne gelenkt wird. – Die *Melonen-* oder *Schirmk.* besteht aus gebusten Einzelseg-

Spanisches Kuppelgewölbe

menten zwischen Rippen. Das Konstruktionsprinzip der aus sich durchkreuzenden Rippen gebildeten K.n und deren Trägerarkaden mit sich kreuzenden Bogen fand erstmals in der Moschee von Córdoba Anwendung und ist in der Baukunst ohne Vorbild. Ein anderes Beispiel der vom übrigen Europa abweichenden, unter islamischem Einfluß entstandenen spanischen K.gewölbe ist die *Stalaktitenk.* (→Muqarnas).

Kußtäfelchen (Pax[tafel], Pacem, Pacificale). Reliquientäfelchen aus Elfenbein, Edelmetall, Holz oder Glas, vorn mit einer Darstellung im Relief, auf der Rückseite mit einem Handgriff, das früher dem Geistlichen, dann auch allen Gläubigen vor der Kommunion zum Friedenskuß dargereicht wurde (seit dem 13. Jh.).

Kustodie →Custodia.

Laibung (Leibung) →Gewände.

Langhaus. Der Kirchenbau in voller Breite vom Eingang bis zum Beginn von Querschiff- bzw. Chorbereich. (Vgl. a. Basilika, Schiff.)

Laterne. Rundes oder polygonales zierliches Türmchen, das mit Fenstern oder Öffnungen versehen ist und auf dem Scheitel einer Kuppel sitzt, einen Dachreiter bekrönt oder, bei Welschen Hauben sowie Zwiebelhelmen, als Zwischenglied erscheint.

Lazo (span. = Schlinge, Schleife). Geometrisches Ornamentmuster aus sich unter-, über- und ineinander verschlingenden Bändern.

Leibung (Laibung) →Gewände.

Lettner, Lectorium. Scheidewand als Chorschranke zwischen Chor und Mittelschiff mit einer Lese- und Sängerbühne.

Lisene. Senkrechter flacher Mauerstreifen ohne Basis und Kapitell.

Loggia. Von Pfeilern oder Säulen getragene, meist überwölbte Bogenhalle, die freistehen oder Gebäuden vorgesetzt sein kann. Dann oft mehrgeschossig als Zugangskorridor für die Räume angelegt.

Lonja (span. = Vorplatz, Vorhof, auch langgestreckte Halle, in der sich im Mittelalter die Kaufleute versammelten). Börse (mlat. bursa, holländ. beurs, vielleicht so genannt nach dem mit 3 steinernen Geldbörsen geschmückten Haus des Kaufmanns van der Beurs in Brügge), seit dem Aufkommen der ersten Handelsbörsen im 2. Drittel des 16. Jh. (Brügge, Antwerpen, Lyon).

Loza (span.). Gebrannte und glasierte Töpferware. Die *L. dorada* heißt so nach dem goldenen Dekor auf weißer Glasur. Die *Fajalauza* (arab.-span.) hat blauen Dekor auf weißer Glasur.

Lünette. Halbkreisförmig oder von einem Kreissegmentbogen begrenztes Feld über Türen und Fenstern, oft mit Malerei oder Reliefschmuck ausgefüllt oder als Fenster durchbrochen.

Lüster. Metallisch glänzender Überzug (Glasur) auf Glas, Fayence, Porzellan.

Lüsterfayence. Fayence mit metallisch glänzendem Überzug (→Lüster), bedeutender Exportartikel der zum maurischen Königreich Granada gehörenden Stadt Málaga im 14. Jh. Besondere Berühmtheit erlangten die sog. *Alhambravasen,* monumentale Amphoren (mit breiten, flügelartigen Henkeln) mit grünlich-gelbem Lüster und blauer Bemalung unter weißer Glasur.

Mäander. Ornamentband mit labyrinthartig geführten, rechtwinklig abgeknickten Linien. Nach dem in zahlreichen Windungen fließenden Fluß Maiandros (Menderes) in Kleinasien benannt. – Neben dieser geometrischen Form gibt es den Mäander als Band mit spiralförmigen Wellen, *»Laufender Hund«* genannt.

Maghreb (arab. = Westen). Der Westteil der arabisch-islamischen Welt (Tunesien, Algerien, Marokko), zu dem von 711 bis zur Reconquista auch Spanien gehörte.

Majolika → Fayence.

Mandorla. Heiligenschein in Mandelform, nur bei Christus- und Mariendarstellungen üblich, der – anders als der nur das Haupt umgebende *Nimbus* – die ganze Figur umstrahlt.

Manierismus (von it. maniera). Künstlerische Strömung zwischen Renaissance und Barock, etwa 1530–1600, welche die »klassische« Form einer natürlichen Gesetzlichkeit hinter der betonten Künstlichkeit zurückstellt. Darüber hinaus wird der Begriff M. auch in überzeitlichem Sinn gebraucht.

Manuelinischer, auch *Emanuel-Stil.* Portugiesische Sonderform der Spätgotik, hauptsächlich gekennzeichnet durch die überreiche, oft phantastisch wuchernde Dekoration der Wände, Pfeiler und Portale. Der M. St. hat sich z. Z. der Regierung Emanuels d. Gr. (1495–1521) parallel zum → Isabellinischen Stil entwickelt.

Maqsura (arab.) Ein dem Herrscher oder Statthalter vorbehaltener, abgetrennter Raum in der Nähe des Mihrab, häufig durch ein kunstvolles Gitter abgeschlossen. In der Moschee von Córdoba erstreckt sich die M. als ausgebaute Einheit über 3 Felder vor dem Mihrab. Die M. findet sich nur in den hauptstädtischen Moscheen; sie wurde seit der Omayyadenzeit üblich, vermutlich um den Herrscher vor Anschlägen zu schützen.

Marabut (von arab. marbut = gebunden). Al-marbut wurde der Glaubenskrieger eines → Ribat genannt (Mz.: al-murabitun; vgl. Almoraviden). Bei den Berbern wurde M. zur Bezeichnung für einen verehrungswürdigen Gottesdiener *und* dessen Grabstätte.

Maschikuli → Pechnasenkranz.

Maskaron. Maske als Teil einer Dekoration.

Maßwerk. Zirkelkonstruktion kennzeichnet das aus Kreisen und Kreissegmenten gewonnene M., das ein rein geometrisches Ornament der Gotik ist. Anlaß zu seiner Erfindung und Entwicklung bot die Einstellung kleinerer Fensterbogen in einen übergreifenden großen, dessen Restfläche gefüllt werden sollte. Die Spätgotik führt zu Wirrungen und Wucherungen, zu asymmetrischen Formen wie der im 15. Jh. beliebten Fischblase.

Mauren. Die Berber der Atlasgegenden wurden von den Römern »Mauri« (zurückgehend auf spätgriech. mauroi = Schwarze, oder auf phön. mauharin = Westliche) und ihr Land Mauretanien (Provinzen Mauretania Tingitana und M. Caesariensis) genannt. Nach der Eroberung Nordwestafrikas durch die Araber ging der Name M. auf die aus Berbern und Arabern gemischte Bevölkerung der Städte im Atlasgebiet über und wurde nach der Invasion 711 von den Spaniern unterschiedslos auf Araber und Berber (»los moros«) übertragen.

Maureske. Auf der Grundlage hellenistischer Pflanzenornamentik in der islamischen (maurischen) Kunst entwickeltes, reines Flächenornament aus schematischen Linien mit streng stilisierten Blättern und Blüten. (Vgl. dagegen Arabeske.)

Mausoleum. Architektonisches Grabmal, so genannt nach dem Grabbau, der für König Mausolos von Karien († 352 v. Chr.) in Halikarnass errichtet wurde.

Mechuar (arab. maschwar = [Königlicher] Gerichtshof). Audienz- und Gerichtssaal eines maurischen Herrscherpalasts.

Medina (arab. madinat). Stadt.

Medrese (von arab. ders = Unterricht). Koranschule einer Moschee.

Mensa. Tischplatte eines Altars.

Meriniden. Marokkanische Berberdynastie (1269–1420), hervorgegangen aus dem Stamm der Beni Merin, die vor dem 13. Jh. als Kamelzüchternomaden im Osten des Mittleren Atlas lebten. Die M. verdrängten 1269 die Almohaden aus Marokko.

Metope → Triglyphe.

Mezquita (span.). Moschee.

Mezzanin (it. mezzo = halb). Halbgeschoß oder niedriges Zwischengeschoß. Die geringere Höhe kommt außen durch kleinere Fensteröffnungen zum Ausdruck.

Mihrab. Konkave und meist reich geschmückte Nische in der Qiblawand einer Moschee. (Zur Entstehung und Deutung des M. vgl. Córdoba, Moschee.)

Mimbar, Minbar (arab. = Kanzel, erhöhter Ort). Moscheekanzel neben dem Mihrab für das Freitagsgebet und die Freitagspredigt des Imam.

Minarett, span. *Alminar* (arab.-türk.-frz.; von arab. manar = Ort, wo das Feuer brennt, Leuchtturm). Turm einer Moschee, von dessen Plattform der Muezzin die Gläubigen fünfmal täglich zum Gebet ruft. (Zur Bauweise und Form arabischer M.e vgl. die »Giralda« von Sevilla.)

Mirador. 1. Aussichtspunkt. – 2. Überdachter Turmaufbau, offen oder verglast, meist über den Ecken eines Gebäudes.

Miserikordie → Chorgestühl.

Mixtilineo → Bogen.

Monstranz, auch *Ostensorium,* span. = *Custodia* (s. d.). Schaugefäß aus Edelmetall und Glas oder Kristall, in dem die geweihte Hostie gezeigt wird. – Ostensorien können auch Reliquien enthalten.

Monumento Nacional. Kunstdenkmal unter staatlichem Schutz.

Morisken. Nach den 1501 niedergeschlagenen Revolten der Mauren Granadas zwangsgetaufte Mauren und deren Nachkommen. Die M. wurden 1608–11 aus Spanien vertrieben.

Moschee (arab. masdschid = Ort, wo man sich vor Gott niederwirft). Der älteste Typus, die *Stützenm.,* ist eine rein arabische Schöpfung. Ende des 11. Jh. bildet sich unter der Seldschukenherrschaft in Persien ein weiterer Typus, die *4-Iwan-Hofm.* (Iwan = 3seitig umwandeter Raum, dessen 4. Seite als ein riesiges Portal gestaltet ist). Ende des 14. Jh., mit Gründung des osmanischen Staats, tritt die *Kuppelm.* in Erscheinung.

Vorbild für die in Spanien und darüber hinaus im gesamten Maghreb gebräuchliche arabische Stützenm. war vermutlich Mohammeds Privathaus in Medina, dessen großer Hof im S und im N von Reihen strohbedeckter Palmenstämme als Sonnenschutz begrenzt war. Die noch von Mohammed (gest. 632) gegründete, ursprünglich als *Lagerm.* (provisorische M. bei Feldzügen) noch aus Schilfrohr erstellte M. von Kufa nahm einen großen Rechteckplatz ein, dessen 4 Seiten durch je einen Pfeilschuß abgesteckt wurden, beginnend mit der Richtung der Qibla (nach Mekka). An die Stelle der parallelen Reihen von Palmenstämmen und Decken aus Palmenzweigen der frühen M.räume traten im weiteren Verlauf des 7. Jh. antike Marmorsäulen und geschnitzte Teakholzdecken. Die syrischen Omayyaden (Kalifat von Damaskus 661–750) führten im M.bau den *Transepttyp* (erhöhtes breiteres Mittelschiff nach dem Vorbild frühchristlicher Basiliken), Mihrab, Maqsura, Minarett, Hufeisenbogen und Mosaikwerk ein.

Im 8. Jh. ist der Typus der arabischen Stützenm. voll ausgebildet (früheste Beispiele Damaskus 706–714/715 und Córdoba): Die über einem großen ummauerten Rechteck erbaute M. besteht aus einem offenen und einem überdachten Teil, dem *Moscheehof* (sahn) mit dem Brunnen für die rituellen Waschungen und der *Bethalle* (haram). Die gesamte M. ist auf die Qibla ausgerichtet; in der Qiblawand befindet sich der Mihrab (nicht dieser, sondern die Qiblawand gibt die Gebetsrichtung an). Das Minarett steht entweder im Mauerverband oder in der Nähe der M. Nicht typisch geworden für die arabische M. sind die Maqsura (Kairuan, Córdoba) und das Schatzhaus der frühislamischen Gemeinde (bait al-mal), ein gewölbter Bau im Hof (erhalten in Damaskus).

Mozaraber (von arab. mustarib = Fast-Araber). Unter maurischer Herrschaft lebende Christen (aus Andalusien von den Almohaden vertrieben).

Mozarabischer Stil. Bezeichnung der mit maurischen Stilelementen (z. B. Hufeisenbogen) durchsetzten Werke christlicher Künstler, die unter maurischer Herrschaft lebten oder auch in den wiedereroberten Gebieten des Nordens in dieser Tradition weiterarbeiteten.

Mudejaren (von arab. mudayyan = zum Bleiben ermächtigt). Seit dem 13. Jh. gebrauchte Bezeichnung für die unter christlicher Herrschaft lebenden Mauren; nach der Zwangstaufe (seit 1501) wurden diese →Morisken genannt.

Mudejar-Stil. Im 19. Jh. eingeführter Stilbegriff für die Bau- und Dekorationskunst der Mudejaren. Setzt die künstlerischen Traditionen der maurischen Kunst bis in das 16. Jh. fort: Ziegelsteinbau, Stalaktitengewölbe, Stuckornament (→Yesería), Keramikfliesen (→Azulejo), ornamentalisierte Einfügung von Schrift in den Wanddekor, Auskleidung von Dachstühlen durch Holzdecken mit Ornamentmustern (→Alfarje bzw. →Artesonado).

Muezzin. Im Islam der Rufer zum Gebet. Der erste M. war der Gebetsausrufer Mohammeds, Bilal, der Sohn einer abessinischen Sklavin.

Muqarnas (arab.; span. mocárabes). Prismatische, dreidimensionale Schmuckelemente verschiedenster Volumen aus Stuck, die beliebig kombiniert werden konnten, häufig auch als *Stalaktiten* oder (Bienen-)*Waben* bezeichnet. Dienten zur Dekoration von Kapitellen, Bogen, Nischen, Gewölben (sog. Stalaktitenkuppeln) und Fassaden. Der M.dekor war seit dem 11. Jh. in allen islamischen Ländern beliebt und verbreitet; eine reiche Fülle von Anwendungsbeispielen bietet die Alhambra von Granada.

Narthex. Quergelagerte, schmale Vorhalle einer Kirche.

Naskhi →Kufi.

Nasriden (arab. an-Nasriyyun). Arabische Dynastie von Granada 1238–1492, begründet von Mohammed ibn Jusuf ibn *Nasr* ibn al-Ahmar (als König von Granada Mohammed I.).

Nasriden-Kunst (span. *arte nazarí*), auch *Alhambra-Stil* genannt. Bezeichnung für die letzte Stilstufe der maurischen Kunst in Spanien, welche die früheren Entwicklungen der maurischen Kunst zusammenfaßt, sie verfeinert und bis an die Grenze zur Dekadenz vervollkommnet, ohne selbst Neues hinzuzufügen.

Nekropole (griech. = Totenstadt). Vor den Stadtmauern angelegter Gräberbezirk, Friedhof.

Nimbus. Heiligenschein um das Haupt. (Vgl. Mandorla.)

Obelisk. Freistehender, nach oben sich verjüngender und in einer Pyramide auslaufender Pfeiler über quadratischer Grundfläche.

Oculus, Okulus (lat. = Auge). Rundfenster, auch *Ochsenauge* genannt.

Odaliske (türk. odalik = Zimmermädchen, Sklavin der Haremsdamen). Weiße Sklavin (meist Kaukasierin) in einem türkischen Harem (kam als Konkubine des Sultans nach der Geburt eines Kindes frei).

Omayyaden. Arabische Kalifendynastie 661–750 in Damaskus, begründet von Muawija I., benannt nach dessen Urgroßvater Omayya. Der blutigen Ausrottung durch die Abbasiden (750 angebliches Versöhnungsmahl in Damaskus, das mit der Massakrierung der O. endete) entging ein Enkel des Kalifen Hischam, Abd ar-Rahman (731–788), der 756 als Abd ar-Rahman I. das O.-Reich von Córdoba begründet hat.

Opus alexandrinum, auch *Opus sectile.* 2farbiges, geometrisch angeordnetes Boden- oder Wandmosaik (vermutlich nach Alexandria benannt).

Opus tesselatum. Boden- oder Wandmosaik aus kleinen würfelförmigen Steinen von verschiedener Farbe.

Orant →Adorant.

Oratorium. In frühchristlicher Zeit Bezeichnung für alle Sakralbauten, später für Kapellen und private Gotteshäuser.

Ordnungen →Säulenordnungen.

Ostensorium →Monstranz.

Pacem, Pacificale →Kußtäfelchen.

Palast. Das Wort geht auf (lat.) palatium zurück und bezeichnet i. e. S. einen schloßartigen Gebäudekomplex, die Residenz eines Herrschers. Der *maurische P.* war in der Regel in 3 Bereiche gegliedert: →Mechuar, →Diwan und →Harem. (Vgl. die Alhambra von Granada.)

Palmette. Ornamentform, bei der um eine betonte Mittelsenkrechte fächerförmig sich auseinanderlegende Blätter flächig geordnet sind. Am weitesten in der Antike verbreitet.

Paradies →Atrium.

Parament. Kirchliches Bekleidungsstück.

Parroquia. Pfarrkirche, Gemeindekirche.

Paso. Prozessionsfiguren oder -gruppen, meist in Lebensgröße.

Paß. Das Wort P. ist gleichbedeutend mit Zirkel. Die aus Dreiviertelkreisen zusammengefügte Maßwerkfigur wird daher P. genannt. Nach Anzahl der Kreisstücke unterscheidet man den *Dreip.,* bei dem die Mittelpunkte der Kreisteile die Spitzen eines gleichseitigen Dreiecks bilden, den *Vierp.,* bei dem diese Mittelpunkte die Ecken eines Quadrats bestimmen, den *Fünfp.* usw.

Patio. Geschlossener Innenhof eines Gebäudes, meist mit Umgängen.

Pax(tafel) →Kußtäfelchen.

Pechnasenkranz, Maschikuli, Wurfschachtgalerie. Gußlöcher für heißes Pech, Öl, Wasser, auch zum Herabwerfen von Gegenständen in der von Konsolen getragenen Steinbrüstung mittelalterlicher Burgen und Wehrbauten.

Pendentif, Pendentifkuppel → Kuppel.

Pendilie. (Schmuck-)Gehänge aus Golddraht und durchbohrten oder gefaßten (Halb-)Edelsteinen.

Peripteros. Griechische Tempelform mit rings umlaufender Säulenhalle.

Peristyl. Säulengang, besonders der von Säulengängen umgebene Innenhof des griechischen und römischen Wohnhauses.

Pfeiler. Architektonisches Stützglied aus Mauerwerk und meist rechteckig. Je nach Lage und Einordnung werden unterschieden der freistehende Pf. oder der Wand- oder Halbpf. (→ Pilaster).

Piedestal. Fußgestell, Sockel für Statue oder Säule.

Pietà, Vesperbild. Darstellung Mariae mit dem Leichnam Christi auf dem Schoß.

Pilaster. Flacher Wandpfeiler (an Außen- oder Innenwand) mit Basis und Kapitell.

Piscina. 1. Taufbecken im → Baptisterium. – 2. Vertiefung zum Ablauf des für die liturgische Waschung der Hände und Gefäße benutzten Wassers, in der Südwand des Chors neben dem Altar, meist in Form einer architektonisch verzierten Nische.

Plateresker Stil (span. platero = Silber-, Goldschmied). Stilbezeichnung für die spanische Bau- und Dekorationskunst im 1. und 2. Drittel des 16. Jh. Hauptmerkmal ist die flächenüberziehende, an Edelmetallarbeiten erinnernde Ornamentierung mit spätgotischen, mudejaren und frührenaissancistischen Stilelementen lombardischer und toskanischer Prägung. Im frühen 16. Jh. unterscheidet sich der Pl. St. von dem ihm strukturell verwandten → Isabellinischen Stil v. a. durch die Aufnahme renaissancistischer Dekorationselemente (Ranken, Putti, Sphingen usw.). In der sog. Zweiten Phase des Pl. St.s, im 2. Drittel des 16. Jh., dringen Konzepte der venezianischen Frührenaissance ein: Große, freie (Wand-)Flächen gewinnen wieder an Bedeutung und kontrastieren harmonisch mit den ornamentierten Teilen.

Plinthe (griech. = Ziegel). Bezeichnung für die Fußplatte einer Säule, eines Pfeilers, einer Skulptur.

Podiumtempel. Auf die etruskische Baukunst zurückgehender römischer Tempel auf hohem Podium.

Portikus. Von Säulen oder Pfeilern getragener Vorbau eines Gebäudes an der mit dem Haupteingang versehenen Fassade.

Predella. Untersatz oder Fußstück eines gotischen oder Renaissance-Altarschreines oder -Altarbildes.

Presbyterium. Dem Klerus vorbehaltener Raum der Kirche, in der Regel beim Altar oder um ihn herum.

Principe-Felipe-Stil. In der spanischen Kunstterminologie (*Estilo P. F.*) verwendete Stilbezeichnung zur Differenzierung einer figurenreichen Sonderform innerhalb des →Plateresken Stils, in den 40er Jahren des 16. Jh., z. Z. des damaligen Kronprinzen und späteren Königs Philipp II.

Pseudobasilika. Basilikaler Kirchenraum, der in der Hochwand des Mittelschiffs keine Fenster hat und das Licht, gleich der Hallenkirche, allein aus den Fenstern der Seitenschiffwände erhält.

Pseudoperipteros. Abwandlung des griechischen Peripteros in der römischen Baukunst: Nur die Vorhalle hat Vollsäulen, die das Gebälk wirklich tragen, alle anderen sind der →Cella nur vorgeblendete Halbsäulen.

Putto, Putti (it. = Knäblein). Nackte kleine Knaben, meist mit Flügeln. Letztlich auf die antiken Eroten zurückgehend.

Qibla. Bezeichnung für die Gebetsrichtung nach Mekka (auf die Kaaba, das Heiligtum des Islams), die in der Moschee durch die *Qiblawand (-mauer)* angegeben wird, auf welche die Moschee ausgerichtet ist.

Quader. Regelmäßig behauener Werkstein. Der in der Ansichtsfläche des Mauerwerks nur mit einem Randschlag versehene Steinblock wird *Bossenqu. (Buckelqu.)* und ein derartiges Mauerwerk *Rustika* genannt. Ist die Ansichtsfläche quadratisch und wie ein halbiertes Oktaeder geformt (oder rechteckig, dann mit mittlerer Gratkante), so spricht man vom *Diamantqu.*, bei polsterähnlicher Ansichtsfläche von einem *Polsterqu.*

Querhaus, Querschiff. Rechtwinklig zum Langhaus angelegter Querraum, der das Schiff vom Chor trennt.

Radialkapelle. Chorkapelle, die zusammen mit anderen einen Kapellenkranz um den Chorumgang bildet.

Rastro (span.) Schlachthaus, Fleischmarkt. (El R. in Madrid ist der Trödelmarkt.)

Reconquista (span. = Wiedereroberung). Zurückgewinnung der von den Mauren nach 711 besetzten Gebiete durch die Christen. Wichtigste Daten: siegreiche Schlacht von Covadonga (Prov. Oviedo, Asturien) 718?/722?, Eroberung von Barcelona 801, von León 856, von Zamora 893, von Toledo 1085, von Zaragoza 1118, von Córdoba 1236, von Valencia 1238, von Sevilla 1248, von Granada 1492.

Refektorium. Speisesaal der Mönche, meistens der S-Seite des Kreuzgangs vorgelagert. Als *Laienr.* wird der Speisesaal der Laienmönche vom *Herrenr.* der Priestermönche unterschieden.

Reja. Gitter, Fenstergitter.

Reliquiar, span. Relicario (lat. relinquere = zurücklassen). Behälter zur Aufbewahrung der Überreste (Reliquien) eines Heiligen oder für die seinem Andenken geweihten Gegenstände.

Retabel. Urspr. Tafel (lat. tabula) hinter und über dem Altartisch. Die einfache Bildtafel entwickelt sich im Spätmittelalter zum Schrein mit

Flügeln, in Renaissance und Barock zu hohen, prunkvollen Architekturen. In Spanien bildete sich seit dem 15. Jh. die große *R.wand* heraus, die den Hochaltarraum (Capilla Mayor) oft bis zum Gewölbeansatz architektonisch in verschiedenen Stockwerken und Vertikalbahnen auskleidet, in die der bildliche Schmuck (Malerei und Plastik) eingesetzt ist.

Rippe. Der in einem Bogensegment gekrümmte, gemauerte Stab, der im Querschnitt rechteckig, rund oder spitzbogig, glatt oder profiliert, den Gratlinien des Kreuzgewölbes oder der Fläche des Tonnengewölbes anliegt. (Vgl. Gewölbe.)

Ribat. Klosterähnliche Wehranlage (»Klosterburg«) islamischer, im Kampf gegen Andersgläubige stehender Glaubenskrieger, die sich in der Regel freiwillig und nur auf Zeit verpflichtet hatten. Der Wacht- und Kampfdienst war verbunden mit dem Dienst an Gott (Gebete, geistige Übungen). Die Glaubenskrieger eines R. wurden al-murabitun (vgl. Almoraviden) genannt, in der Einzahl al-marbut. (Vgl. Marabut.)

Risalit (it. risalto = Vorsprung). Ein aus der Hauptfluchtlinie eines Baues in dessen ganzer Höhe hervortretender Gebäudeteil.

Riwaq. Galerie an den Seiten (mit Ausnahme der Qibla-Seite) des Hofes arabischer Moscheen.

Rocaille (frz. = Muschel). Leitform des R.-Ornaments, das vorwiegend zwischen 1725 und 1770 *(Rokoko)* verbreitet war.

Rosette. Rundes Ornament in Blütenform.

Rotunde. Rundbau.

Rundbogenfries. Reihung von glatten oder ornamentierten kleinen Halbrundbogen.

Rustika → Quader.

Saalkirche. 1schiffige Kirche.

Sagrario (span.). Tabernakel, Sakramentshäuschen, auch Kapelle für das → Tabernakel.

Sakramentshäuschen → Tabernakel.

Säule. Architektonisches Stützglied, kreisförmig im Grundriß, mit einer Schwellung im unteren und einer Verjüngung im oberen Teil des Schaftes. Die gedrehte S., auch *Salomonische S.* – genannt nach den angeblich aus dem Salomonischen Tempel stammenden, in Alt-St. Peter in Rom wiederverwendeten antiken gedrehten S.n –, tritt besonders häufig in barocken Altararchitekturen auf.

Säulenordnungen. Die griechische Baukunst kennt 3 verschiedene Säulen- und Gebälksysteme, die für die rhythmische Gliederung ihrer Tempelbauten maßgebend sind und die später in der Architektur vielfach übernommen werden: die dorische, ionische und korinthische Ordnung. – Am Anfang steht die *dorische Ordnung,* deren Säule einen kannelierten Schaft ohne Basis und ein wulstförmiges Kapitell mit quadratischer Deckplatte (Abakus) aufweist. Das Gebälk besteht aus glattem Steinbalken (Architrav), darüber der Fries im Wechsel von 3schlitzigen Platten (Triglyphen) mit meist reliefierten Metopen und abschließend das profilierte Kranzgesims mit der Traufleiste. – Bei der *ionischen Ordnung* weist die Säule eine aus mehreren Einzelgliedern zusammengesetzte Basis und am Schaft durch Stege getrennte Kanneluren auf. Das Kapitell hat als Hauptmerkmal 2 ausladende Schnecken (Voluten). Der Architrav ist in 3 horizontale Streifen unterschnitten und darüber ein durchgehender Relieffries angeordnet. – Die *korinthische Ordnung,* weitgehend der ionischen verwandt, zeigt ein Kapitell, das in 2 Reihen mit gegeneinander versetzten und etwas abstehenden Akanthusblättern besetzt ist; hinter ihnen wachsen Voluten- oder Blattstengel auf und tragen die vorschwingenden Ecken der Deckplatte sowie eine Blüte in der Mitte jeder Seite. Diese 3 S. haben in römischer Zeit verschiedene Umbildungen erfahren. – Beim *Kompositkapitell* legt sich die Doppelschnecke des ionischen Kapitells über den doppelten Blattkranz des korinthischen. – Die dorische Säule wurde durch Hinzufügen einer Basis sowie eines Halsrings und Wegfall der Kanneluren am Schaft zur *toskanischen.*

Scheidbogen. Der ein Joch des Mittelschiffs vom entsprechenden Joch des Seitenschiffs trennende Bogen.

Schiff. Raumbezeichnung, meist im Kirchenbau. Unterschieden werden *Mittel-* oder *Hauptsch.* und die durch Säulen oder Pfeiler abgetrennten *Seiten-* oder *Nebensch.e*, die insgesamt das *Langhaus* bilden. Auch dem Querhaus können Seitensch.e zugeordnet sein. Der 1schiffige Kirchenraum bildet die Saalkirche. (Vgl. a. Basilika.)

Schildbogen. Bei der Durchdringung eines Gewölbes mit einer Mauer (Schildmauer) entstehender Bogen.

Schlußstein. Stein im Scheitel eines Bogens oder Gewölbes, diese abschließend, häufig ornamental ausgebildet.

Sebka. Rautenförmige, gitterartige Flächendekoration der Almohaden; in der mudejaren Kunst beliebt und häufig verwendet.

Secco → Fresko.

Sillería → Chorgestühl.

Spiegel → Gewölbe.

Sohlbank. Die waagerechte untere Begrenzung einer Fensteröffnung, die deren Gewände trägt.

Spolie (lat. spolia = Beute). Wiederverwendetes Werkstück (z. B. Stein, Säule) aus einem älteren Bauwerk.

Sprenggiebel. Flachwinklige oder gerundete architektonische Fensterbekrönung mit unterbrochenem, »gesprengtem« Mittelteil.

Sprengwerk → Gesprenge.

Staffagefiguren → Figurinen.

Staffelkirche → Hallenkirche.

Stalaktiten, Stalaktitengewölbe, Stalaktitenkuppel → Muqarnas.

Stele (griech. = Säule). Pfeiler oder aufgestellte Platte aus Stein in unterschiedlicher Verwendung, z. B. als Grabst., mit Text oder bildlicher Darstellung auf der Frontseite.

Stichkappentonne → Gewölbe.

Strebewerk. Das System von Strebepfeilern und Strebebögen zur Abstützung von Wänden und Gewölben in der Gotik.

Stuck. Masse aus Gips, Kalk und Sand, die in feuchtem Zustand beliebig formbar ist, aber schnell erhärtet. (Vgl. a. Yesería.)

Stufenhalle → Hallenkirche.

Sturz. Der waagerechte Abschluß einer Tür- oder Fensteröffnung.

Stützenwechsel. Der rhythmische Wechsel von Säule und Pfeiler (jambisch) oder von 2 Säulen und Pfeiler (daktylisch) bei den Mittelschiffwänden der romanischen Basilika. (Vgl. a. Gebundenes System.)

Sure → Koran.

Tabernakel (lat. tabernaculum = Hütte, Zelt). 1. Aufbewahrungsort für Kelch und Hostie. Tritt seit dem Tridentiner Konzil 1563 allgemein an die Stelle des mittelalterlichen *Sakramentshäuschens.* – 2. Ziergehäuse (für Figuren), häufig von Säulen oder Pfeilern getragenes Spitzdach, z. B. an Strebepfeilern gotischer Kirchenbauten.

Taifa-Reich (span. taifa = Partei[ung]). Bezeichnung für die Kleinreiche (taifas), die in den beiden letzten Jahrzehnten und nach dem Untergang des Kalifats von Córdoba (1031) entstanden.

Tambour, Tambourkuppel → Kuppel.

Tenebrario, Teneberleuchter. Kandelaber, der im späteren Mittelalter nur bei den Finstermetten (lat. tenebrae) in der Karwoche Verwendung fand. Der T. besteht aus einem schmiedeeisernen Fußgestell, dessen pyramidenförmiger Aufsatz 12–15 Lichter trägt. (Vgl. den T. der Kathedrale von Sevilla.)

Terracotta. Gebrannter, unglasierter Ton.

Tondo. Gemälde, Mosaik oder Relief von kreisrunder Form.

toskanisch → Säulenordnungen.

Transept. 1. Querschiff der Basilika. – 2. Im Moscheebau das senkrecht zur Qiblawand verlaufende, höhere und breitere Mittelschiff (sog. T.).

Trasaltar. Rückseitiger Altar, etwa des Trascoro (→ Chor).

Trascoro → Chor.

Trifore. 3bogiges Fenster (vgl. Bifore).

Triforium. Laufgang in der Hochschiffwand gotischer Kirchen unterhalb der Fensterzone.

Triglyphe (griech. = 3fache Rille). 3fach gekerbter hochrechteckiger Block. In der dorischen Baukunst bilden die Tr.n im Wechsel mit den *Metopen* (annähernd quadratischen, flachen oder reliefgeschmückten Feldern) die Frieszone des Tempelgebälks.

Trikonchos. Dreipaß. (→ Konche.)
Triptychon (griech.). 3teiliges Bild; Flügelaltar, der aus einem Mittelbild und 2 Seitenflügeln besteht.
Triumphbogen. Der Bogen, der den Chor vom Kirchenschiff trennt. Benannt nach der dort ursprünglich angebrachten Darstellung des über den Tod triumphierenden Erlösers *(Triumphkreuz).*
Trompe (frz. = Jagdhorn). Bogen mit nischenartiger Wölbung zwischen 2 rechtwinklig zusammenstoßenden Mauern. Die Tr. dient bei Türmen und Kuppeln zur Überleitung des quadratischen Grundrisses ins Oktogon.
Trumeau. Fensterpfeiler, Türpfosten eines Portals.
Tumba. Ein über einem Grab sich erhebender, rechteckiger, meist steinerner Unterbau, der die Grabplatte trägt.
Tympanon. Die das Bogenfeld über dem Portal füllende, meist geschmückte Steinplatte.
Vedute. Gemalte oder gezeichnete Wiedergabe einer Stadt oder Landschaft, die den Gegenstand sachlich genau darstellt.
Verkröpfung. Eine V. entsteht, wenn Gebälke oder Gesimse um Mauervorsprünge, Säulen, Pfeiler oder Lisenen herumgeführt werden.
Vierung. Meist quadratischer Raum einer größeren Kirchenanlage, der bei der Durchdringung von Langhaus und Querhaus entsteht. (Vgl. a. Basilika, Gebundenes System.)
Volute. Schneckenförmig gewundene Verzierung an Baugliedern und Möbeln. Urspr. Teil des ionischen Kapitells (→ Säulenordnungen).
Wandpfeilerkirche. Durch Versetzen der Außenwände bei einer gotischen Hallenkirche, seltener bei einer Basilika, in die Flucht der Stirnseiten der Strebepfeiler entstehen innen parallel zu den Seitenschiffen zwischen den Strebepfeilern kapellenartige Nischen. Dieser Raumtyp wird in der Renaissance beibehalten und im Barock im Sinne der Vereinheitlichung des Raumgefüges weiterentwickelt, so daß die Wandpfeiler kulissenartig das 1schiffige Langhaus flankieren.
Wandvorlage. Verstärkung einer Wand durch Pilaster, Lisene oder Pfeiler aus statischen Gründen oder zur Gliederung.
Wange. Seitenwände an Stühlen und Bänken, oft plastisch reich dekoriert, besonders an Chorgestühlen. Außerdem ist W. die Bezeichnung für die niedrige Seitenwand an den Stufen und am Auslauf der Treppe, auf der die Brüstung oder das Geländer aufgesetzt ist.
Wesir (arab. wasir = Träger, Stütze). In islamischen Ländern Titel von Ministern als »Träger von Lasten, von Verantwortung«.
Wilder Mann, Wilde Frau. Auf die Volkssage zurückgehende, am ganzen Leib behaarte Gestalten (Waldmenschen, Waldgeister), in der Kunst im 15. Jh. und im 16. Jh. häufig dargestellt, v. a. als Wappenhalter und Portalwächter.

Wimperg. Urspr. Windberg. Dreieckiger Giebel über Portal und Fenster, meist mit Krabben besetzt und in Kreuzblume endigend.

Yesería (span. yeso = Gips). Musterförmig der Fläche aufgelegtes Stuckwerk. Seit dem 14. Jh. wurde die (nach der schnellen Erhärtung kaum noch Korrekturen zulassende) Stuckmasse auch in Formen gegossen (Alhambra von Granada); dies erklärt die – im Vergleich mit früheren maurischen Y.s – spannungslose »Uniformität« nasridischer und mudejarer Y.s.

Zentralbau. Im Gegensatz zum Langbau der Basilika der Bau mit einem oder mehreren um einen Punkt zentrierten Räumen über rundem, ovalem oder polygonalem Grundriß. Nach der Basilika ist der Z. die wichtigste Form des christlichen Kultbaus.

Ziborium (lat. cibus = Speise). Der steinerne, auf Säulen oder Pfeiler gesetzte Altarbaldachin mit flacher Decke oder Gewölbe und entsprechender Verdachung. An ihm hing das Gefäß mit dem eucharistischen Brot. Als Z. wird auch der Wandtabernakel (Sakramentsnische) bezeichnet und das seit dem 13. Jh. dem Meßkelch nachgebildete und mit Deckel versehene Gefäß zur Aufbewahrung des eucharistischen Brotes.

Zickzackfries. (Ornament-)Fries, v. a. im Ziegelsteinbau verwendet.

Ziriden. Herrscherdynastie von Granada, 1013–90, begründet von dem Berberfürsten Zawi ibn Ziri.

QUELLENNACHWEIS DER ABBILDUNGEN

Bildarchiv Foto Marburg, Marburg: 92, 186, 337, 349, 362, 397

Klaus Fräßle, Kornwestheim: 389

MAS, Barcelona: 240, 279, 345, 346

Werner Neumeister, München: 51, 76, 78, 91, 113, 127, 148, 185, 195, 201, 205, 207, 223, 228, 236, 250, 292, 300, 319, 395, 403

Theodor Schwarz, Urbach: 57, 74, 88, 99, 108/109, 120, 157, 172/173, 178, 182, 199, 227, 244, 249, 288, 306/307, 314, 333, 385, 393; Vorsatzkarten

Tierras de España: Andalucía. Hrsg. Fundación Juan March. Bd. I. Madrid 1980: 113, 132, 135. – Bd. II. Madrid 1981: 163, 330, 382

Leopoldo Torres Balbás: Arte Almohade – Arte nazari – Arte mudéjar. Ars Hispaniae, Bd. IV. Madrid 1949: 126

Die übrigen Abbildungen stammen aus den Beständen von Autor und Verlag.

KÜNSTLERREGISTER

Seiten, auf denen Künstler mit eigenen (bzw. zugeschriebenen) Arbeiten genannt sind, werden durch **fette Schrift** hervorgehoben. Künstler, deren Vorname mit einer Herkunfts- bzw. Nationalitätsbezeichnung verbunden ist, stehen im allgemeinen unter diesen Bezeichnungen. Meister mit Vornamen oder Notnamen sind unter diesen eingeordnet.

Künstler (Abkürzungen ohne Punkt):

A	= Architekt, Baumeister, Bauleiter	Gl	= Glasmaler, -künstler	M	= Maler, Zeichner
B	= Bildhauer, Schnitzer	Go	= Gold-, Silberschmied	Med	= Medailleur
FA	= Festungs-architekt	Ker	= Keramiker	RetA	= Retabel-architekt, -bauer
FaßM	= Faßmaler	Ksch	= Kunstschmied	St	= Stukkateur
FigM	= Figurinen-maler	Kst	= Kupferstecher, Radierer	Stm	= Steinmetz
G	= Gießer	Kt	= Kunsttischler, Intarsien-künstler	Stp	= Stadtplaner
				Te	= Teppich-künstler

Weitere Abkürzungen und Zeichen:

a.	= auch	gen.	= genannt	v.	= von, vor
Anf.	= Anfang	H.	= Hälfte	V.	= Viertel
d.	= der, die (usw.)	n.	= nach	~	= um, etwa
Dr.	= Drittel	nachw.	= nachweisbar	*	= geboren
E.	= Ende	u.	= und	†	= gestorben

REGISTER DER SPANISCHEN ORTE
mit Objektregistern der denkmälerreichen Städte Andalusiens

Die Namen der in diesem Kunstführer mit einem eigenen Ortsartikel (oder Unterartikel) vertretenen Orte sind in **fetter Schrift** gesetzt, ebenso die Seitenzahlen der Hauptstellen. Verweise von historischen Ortsnamen erscheinen *kursiv*. In Klammern ist nach den Ortsnamen die Provinz genannt, außerdem das Planquadrat, sofern der betreffende Ort auf der Übersichtskarte (vorn) verzeichnet ist.

INHALT